ISBN 978-1-334-53542-0
PIBN 10678999

1 MONTH OF
FREE
READING

at
www.ForgottenBooks.com

By purchasing this book you are eligible for one month membership to ForgottenBooks.com, giving you unlimited access to our entire collection of over 700,000 titles via our web site and mobile apps.

To claim your free month visit:
www.forgottenbooks.com/free678999

English
Français
Deutsche
Italiano
Español
Português

www.forgottenbooks.com

Mythology Photography **Fiction**
Fishing Christianity **Art** Cooking
Essays Buddhism Freemasonry
Medicine **Biology** Music **Ancient**
Egypt Evolution Carpentry Physics
Dance Geology **Mathematics** Fitness
Shakespeare **Folklore** Yoga Marketing
Confidence Immortality Biographies
Poetry **Psychology** Witchcraft
Electronics Chemistry History **Law**
Accounting **Philosophy** Anthropology
Alchemy Drama Quantum Mechanics
Atheism Sexual Health **Ancient History**
Entrepreneurship Languages Sport
Paleontology Needlework Islam
Metaphysics Investment Archaeology
Parenting Statistics Criminology
Motivational

Johann von Klingenberg

Die

Klingenberger Chronik,

wie sie

Schodoler, Tschudi, Stumpf, Guilliman und Andere benützten,

nach der

von Tschudi besessenen und vier anderen Handschriften

zum erstenmal ganz,

und

mit Parallelen aus gleichzeitigen ungedruckten Chroniken

herausgegeben

von

Dr. Anton Henne von Sargans,

gewesenem Professor der Geschichte an der Kantonsschule 1834—1841 und an der Berner Hochschule 1842—1855.

———

Gotha,

bei Friedrich Andreas Perthes.

1861.

Vorwort.

Es ist heutzutage nicht wenig gewagt, mit etwas Historischem aufzutreten, wo so Viele von ihren Forschungen und Entdeckungen reden; nicht wenig gewagt, im Urwalde zu arbeiten, wo die Aexte von Squattern so laut ertönen. Indessen kann, wer darinn geboren und erzogen ist, davon nicht leicht lassen, und sollte auch die Ergebnisse seines Lichtens dasselbe Schicksal treffen, wie den bereits 1835 geschehenen Versuch, die Dynastien der 375 Könige am Nil in ihrer Uebereinstimmung mit den Angaben der Israeliten, der Babyloner, der Assyrer, der Perser, Vorderasiaten und Hellenen darzustellen, seit welcher Zeit, trotz dem, jene Schule, die sich in Teutschland selber jene Stelle anweist, wie die Alexandrinische früher bei den Griechen, bis heute fortwährend ihre Faraone auf dem Prokrustesbette nach Belieben bald streckt, bald absägt, deren Allerbedeutendste um 500 Jahre und mehr falsch ansetzt und noch immer nicht merken will, dass der grosse Sesostris und Ninos dieselbe Person, und der Name Semiramis rein ägyptisch, Se-Mi-Ramese, ist. Den Auffinder traf dafür Acht und Bann und das Zerschneiden seines Lebensnervs an der heimischen Schule.

Nicht viel besser ergieng es ihm mit gegenwärtiger Chronik.

Unser Tschudi sagt (Chron. I. p. 104) bei Anlass seines vermeinten Eidgenossenbundes vom Jahre 1206: „Als Herr Johannes von Klingenberg Ritter, der Alte, vss dem Turgöw, beschribt, der Anno 1240 und darnach gelebt hat, wie das bezügt sin Urenkel, ouch Johannes von Kl. Ritter genannt, der zu Näfels in Glarus (i. J. 1388) umbkam, ouch er vnd sin Sun Johanns genannt, irer Ziten Geschichten beschriben habend."

Gerade so sagt Stumpf (II. 135b) bei der Näfelser Schlacht „als der Clingenberger vnd etliche schrybend", und beim Baue der Habsburg (p. 207b) „Einer von Klingenberg, Edelknecht, der vm das jar 1388 geläbt vnd seiner Zeit geschichten beschriben hat."

Der gelehrte, spätere, Guilliman (1605) bei Habsburgs Ursprunge: *Ulricus a Clingenberg (chronico sui temporis germanico manuscripto)" Hasburg. Lib. I. cap.* 1.

Tschudi in seiner *Gallia comata* p. 79—86 giebt die Adelsgeschlechter des Thurgaues, „wie nachfolgende Abschrift aus Klingenbergs Histori bezeuget — *anno domini* 1420", und am Ende p. 86 „bisher *Klingenbergius.*"

Im Cod. *Sangall.* Nr. 609 p. 6. liefert Derselbe „aus Clingenberg" die Reihenfolge aller Konstanzer Bischöfe bis zum Jahre 1462.

Ausgemacht benützten somit im 16. Jahrhunderte Tschudi, Stumpf und Guilliman eine Chronik, geschrieben durch mehrere Mitglieder der Thurgauer Ritterfamilie von Klingenberg, namentlich: Johann I. 1240. Ulrich 1242 † vor 1274 (dessen Sohn Heinrich Chorherr in Zürich, des Sängers Hadeloub Freund, Kaiser Rudolfs Kanzler, Geschichtschreiber der Grafen von Habsburg, wohl selbst Dichter, und Konstanzer Bischof 1293 † 1306), Johann (III.?) † 1388, und Johann (V.?) 1420 † vor 1461.

Aber ausser diesen Notizen war das Buch verschollen, und Haller in der „Bibliothek der Schweizergeschichte" IV. p. 161 klagt, die Chronik sei, „wie es scheint, verloren gegangen. Sie ist wahrscheinlich sehr merkwürdig." Vergebens seufzten zwei edle Schweizer, Johann Müller und Friedrich von Mülinen nach deren Wiederauffindung, und es kam so weit, dass Forscher, wie Kopp und Hisely entweder die Chronik für eine blosse Hausnotizensammlung ansahen, oder gar an ihrem Dagewesensein zweifelten, Tschudi's Rütli-Epoche von 1306 und 1307 in das 13. Jahrhundert zurück zu versetzen und deren gefeiertsten Namen, nach Voltaires Vorgange, in das Reich der Märchen zu verbannen versuchten, und Hisely, als ich in meiner „Schweizerchronik" von 1840 angab, Tschudi erwähne den Klingenberg wiederholt, in den *Mémoires et documents de la Société d'histoire de la Suisse Romande II.* p. 527 ein Fragezeichen zu machen für gut fand.

Da fielen mir in meinen neuerdings auf diesen Punkt gerichteten Nachforschungen für meine in Perthes' „europäische Staatengeschichte" bestimmte Arbeit, sonderbar genug, in einem aus dem aufgehobenen Kloster Pfävers in unser Archiv gekommenen und mir von meinem ältern Sohne, dem Kantonsarchivar Otto Henne, mitgetheilten Tschudi'schen Codex, am

13. April 1860 eigenhändige Notizen Tschudi's in die Hand, worin der beispiellos unermüdete Forscher aufgemerkt hat, was er für jedes Jahr in älteren Chroniken gefunden. Oben an jedem Blatte steht der Titel des Buches. Nun erschrak ich beinahe vor Freude, als ich p. 194 oben erblickte: „Clingenbergs" und dann zwei Kolumnen Angaben, wie: „Was der Adel sig Fol. 109. Im Jahr 1001 Churfürsten Fol. 109. Jahr 1264 Regensperg´Fol. 115. Raperswil, Stadtstiftung Fol. 117. Habspurg, Fabel Fol. 119. Jahr 1260 *Rud. donat equum* Fol. 125. Turgöw Adel Fol. 149. Bischöffe zu Costentz Fol. 152" und so 113 weitere Paginationen, welche sämmtlich Blatt für Blatt auf die Seitenzahlen einer, ebenfalls aus Tschudi's Privatbesitz in die Stiftsbibliothek angekauften Chronik hinwiesen, die mir bereits vor mehr als 20 Jahren durch Alter, Reichthum und Originalität aufgefallen war.

Hier fand sich dann auch wirklich der von Stumpf und Guilliman erwähnte fabelhafte Römerursprung Habsburgs, der älteste Eidgenossenbund, ausdrücklich mit dem Jahre 1306 (nicht wie Tschudi, ich will annehmen aus vorgefasster Meinung, in der Handschrift leider korrigirte, 1206, während er selbst, wie Facsimile Nr. 1 zeigt, früher 1306 las, dies an den Rand notirte, und alle anderen Handschriften letzteres haben), der Thurgauer Adel, die Näfelserschlacht, die Konstanzer Bischöfe, und genau bis 1462 u. s.

Hiemit war die Identität am Tage, d. h. ich hatte nun aufgefunden was Tschudi, Stumpf und Guilliman die Chronik der Klingenberger genannt haben, und zwar Tschudi's eigenes Exemplar.

Als Kaiser Konrad im J. 1254 gestorben war, die Staufen- und Welfenparteien das Reich zerreissen halfen, und der junge Conradin (geb. 1252) in Ravensburg, Buchhorn, Konstanz und Arbon seines Hauses Fall beklagte, dessen Einsturz ihn bald begraben sollte, Minnelieder sang („daz ich der jare bin ein kint") und 1266 noch für Arbon urkundete und auch für den bisher treu wibelingischen, jetzt immer bedeutendern und klug vorwärts schauenden Habsburger, da mag Johann I. von Klingenberg (nach Tschudi), oder nach Guillimann dessen Sohn Ulrich, die Chronik mit dem biblischen Seufzer begonnen haben: „We dem land, welches sin künig ain kint ist!" Ob dann Ulrichs gelehrter Bruder Heinrich († 1279), Propst am Chorherrenstifte in Zürich und dort Schulgründer, oder sein Neffe, der dort völlig heimische berühmte Sohn Ulrichs, ebenfalls Heinrich, Chorherr, kaiserlicher Kanzler, Geschichtschreiber Habsburgs, wohl auch Dichter, und Bischof in Konstanz, oder ein Züricherscher Abschreiber, und wie das beinahe immer der Fall war, Ueberarbeiter oder doch Hinzusetzer,

dem Werke den Titel einer Züricherchronik gegeben und die Ausdrücke
eingefügt habe „wir, die von zürich" oder „vnser statt zürich", „vnser aidt-
genossen", ist schwer zu sagen. Eher das Letztere, denn augenscheinlich
ist das Buch nicht was der jetzige Titel sagt. Der Züricher Schultheiss
Eberhart Müller oder Müllner, im Rathe noch im J. 1382, somit Johanns III.
der bei Näfels umkam, Zeitgenosse, welcher in der Chronik bei der Bruni-
schen Reform als Geschichtaufzeichner namentlich erwähnt wird, kann dieselbe
bis auf seine Zeit ebenfalls abgeschrieben haben, hat sie aber eben so wenig
verfasst, wie die Züricher „Mittheilungen der antiquarischen Gesellschaft"
annahmen, als Ulrich Krieg, Rudolfs von Habsburg Zeitgenosse, die s. g.
Kriegische (was von letzterm schon der Herausgeber der Helvetischen
Bibliothek 1735 geahnt hat).

Die vorliegende Chronik besteht aus vier, entschieden von Demselben
um das Jahr 1460 schliesslich redigirten, völlig gleich eingerichteten und
in Geist und Ton durchgängig österreichisch, bis auf wenig Jahre auch
antizürcherisch, gehaltenen Abtheilungen, Fortsetzungen.

Abth. I. von Tschudi, Stumpf und Guillimann ausdrücklich Johann
dem Ersten, dessen Sohne Ulrich und dessen Urenkel Johann III. († 1388)
zugeschrieben, beginnt mit Aufzählung der zwei damals bestehenden Kai-
serthümer, in Rom und Konstantinopel, der 24 Königreiche, der 800 Bis-
thümer, einigen welthistorischen Daten, Dietrichen von Bern, und geht
dann über auf den Adel (dessen Verse, als „alten, adenlichen Spruch",
auch Stumpf I 291 und Bullingers Chronik I. 69 anführen), auf die Ein-
setzung der Kurfürsten, das Schisma unter Heinrichen IV. und anderes
Kirchliche, hierauf die Vertreibung der reichen Freiherren von Regensberg,
den Ursprung von Neu-Raperswil und Habsburg, Rudolfs Frommkeit und
Kaiserwahl, was alles in die späteren Chroniken hieraus übergieng, ver-
ziert mit gereimten Hexametern, die Erhebung der Habsburger zu Herzo-
gen, Versen auf Rudolfs Wahl und Kinder, welche auch Guilliman und
der Abt Gerbert in Rudolfs Zeit versetzten, Adolfs Kaiserwahl und Ent-
setzung, Albrechts Erwählung und den Mord an ihm („dem adel ain grosser
slag"), den Eidgenossenbund 1306 „im rebmonat" (d. h. Herbst, was keine
der schweizerischen Chroniken so bestimmt angiebt wie diese), Kaiser Hein-
rich VII., die Gegenkaiser Fridrich und Ludwig, dargestellt zu des letz-
tern Ungunsten, die Schlacht am Morgarten (älteste Darstellung), Luzerns
Eintritt in den Bund 1331, die Belagerung Mersburgs 1334 (und in zwei
Handschriften noch die Eroberung der Burg Altstätten im Reinthale im
J. 1338).

Abth. II., augenscheinlich von einem andern fortgesetzt, hebt an mit Berns Erbauung, jener Liste der Adelsgeschlechter Aargaus und Thurgaus, welche Tschudi im J. 1420 geschrieben angiebt, den Bischöfen von Konstanz bis 1462, wo bei Heinrichen von Klingenberg allein seine Mutter und die päpstliche Bestätung erwähnt ist, und dann, wie in Abth. I. historischen Daten bis zu Adam hinauf, worauf Heinrichs VII. Wahl wiederholt und Habsburgs Blutrache für Albrecht und dessen Begräbniss ausführlicher erzählt wird. Nach diesem Karl IV., des genannten Eberhart Müllner Auflauf 1336 in Zürich, die Schlacht bei Grinau, die bei Laupen, die Züricher Mordnacht 1350 äusserst genau, die Zerstörung Raperswils, Albrechts II. Unwillen und Krieg, der Bund Berns, die Züge der Engländer (Gugler), die Würtemberger Schlacht zu Reutlingen und der Todten Namen, der Untergang der Kiburger, der Sempacherkrieg 1386, eine der schönsten Partien, wieder mit den Namen der Erschlagenen und Unwillen über die Sieger, die Wesener Mordnacht und Schlacht bei Näfels 1388, wo des gefallenen Johann III. von Klingenberg drei Knechte mit Namen genannt sind, die vom Verfasser bespottete Belagerung Raperswils (wieder Hauptquelle alles Spätern), die Raubzüge nachher, die Niederlage der schwäbischen Städte vor Weil, die der Christen 1396 vor Nikopolis ausführlich, die Entsetzung des unwürdigen Wenzeslav, der Appenzellerkrieg wider den Abt und Oesterreich, welchen Wernher Schodoler von Bremgarten († 1540) fast wörtlich in seine Chronik aufgenommen hat, und dabei des Adels Charakterlosigkeit, und der Schweizer Zweideutigkeit, die Niederlage bei Bregenz 1408, die bei Arbedo 1422, der Schiedspruch zwischen Lüttich und dem Bischofe, König Sigmunds Kabalen wider Oesterreich zu Konstanz 1415, der Verlust des Aargaues und andern Landes und Herzog Fridrichs Tod 1439, mit Erwähnung von „der lieben seligen frowen, frow annen von prunswig, einem gemahel."

Abth. III. hat ganz ähnlich erst wieder welthistorische Angaben, dann aber das Konstanzer Konzil viel weitläufiger, den Böhmenkrieg und abermal der Grossen Lausinn dabei, neben Albrechts von Oesterreich Tugend, die endliche Bändigung der Appenzeller 1428, dann ausführlicher Sigmunds Krönung und Charakter („küng sigmunds glissnen"), Albrechts kurze Regierung, Fridrichs III. Wahl, Verse an ihn, Krönungsfeier in Aachen, den harten Winter 1443.

Abth. IV. auf ein neues Beginn mit historischen Daten, dann des letzten Toggenburgers Tod 1436, Bündnisse seiner Unterthanen, Zwist um das Erbe, Zürich dabei immer als zugreifender und egoistischer, hingegen Schwiz und Glaris (die Chronik hat immer diese, ächt rätische Schreibung statt der jetzigen verderbten „Glarus") viel gerader und der Herzog immer offen und loyal geschildert, bis endlich Zürich, sich „Oesterreichs alter Milde und Gutmüthigheit" erinnernd, mit diesem das unselige Bündniss schliesst, und, bei Raperswils Noth und Hunger im Jahre 1444, die Erzählung mit Isenhofers Spottlied auf die „zerlumpten melkerknaben" und Hoffnung auf den Kaiser und die Besseren auffallend plötzlich abbricht und entweder der letzte Klingenberger (Johann V. bei Oesterreich wohl angesehen und Herzog Albrechts Rath, wohnt der berühmten Belagerung Raperswils bei) oder der Züricher Abschreiber, nach einem Sprunge von 1444 auf 1458, auf einmal mit dem Konstanzer Schiessen, den Zügen ins Thurgau, woher die Schweizer „nit vil glimpfes" bringen, und dem Bauern-Bundschuh im Hegaue 1460 endet. —

Wenn sowohl völlig Unberufene als auch ein geachteter Züricher Gelehrter anfangs die Chronik theils dem genannten Eberhart Müllner, theils einem anonymen Züricher Geistlichen nach dem Jahre 1386, und die 4. Abtheilung dem Raperswiler Stadtschreiber Eberhart Wüst zuschreiben wollten, weil Tschudi II. 554 von diesem erwähnt, er habe, neben Anderen, den Züricherkrieg mit erlebt und beschrieben, so widerlegt sie das eben Gesagte und noch mehr das Buch selbst, und hätten sie in Zürich selbst in ihres Bullinger Züricherchronik sehen können, dass dieser, lange nach Tschudi, bei Anlass des Züricher Krieges wiederholt bei Dingen, die genau aus userm Werke sind, die Chronik „dess edlen vesten (Fritz Jakob) von Anwyl" zitirt, welcher Bischöflich Konstanzischer Vogt in Bischofszell war und dann zur Reformation und in Würtembergs Dienste trat; wo es (St. Galler Bullinger II. p. 125) wörtlich heisst: „Dise Zeit dess Kriegs leyd Rapperschwyl grossen Hunger vnd mangel; den hab ich niena so aigentlich beschriben funden als in der Anwylischen Cronica, daruss ich sy verzeichnen wil", was abermal nur die Klingenbergische hat, so dass somit auch die Anwylische, wenigstens diese Zeit betreffend, nur eine Abschrift von ihr ist und demzufolge Wüsten nichts angeht.

Da der Herausgeber sein Leben durch nur zu sehr gewahr werden musste, wie schwierig und trotz dem immer reichern Material noch nicht an der Zeit es ist, über den Zusammenhang unserer Chroniken, deren ursprüngliche Gestalt und jedesmalige Quelle ein sicheres Urtheil zu fällen, wozu wenigstens er sich zu schwach fühlt, so beschränkte er sich darauf, den nach seinem Dafürhalten richtigsten Text zu liefern, und unten dran, wo es zweckmässig schien, Parallelen aus andern gleichzeitigen ungedruckten Schriften zu geben. Es mag Leser, denen die Sache näher am Herzen liegt, vielleicht interessiren, nachzusehn, nicht nur wie Tschudi in seiner ge-

drnckten Chronik dies und jenes änderte und vervollständigte, sondern
auch, wie Andere, Heimische und Auswärtige, dieselben Sachen aufge-
zeichnet haben. Bei dieser Gelegenheit erfahren wir denn auch, woher
Tschudi die so merkwürdigen und genau datirten Absagebriefe in den
Tagen von Sempach entnommen hat.

Bisher galt fast all unser Aelteres als aus Justinger und Königshofen
entlehnt; hier steigt jedoch der Eimer noch tiefer in den Bergbrunnen,
ohne dass wir immer im Stande wären zu beurtheilen, woher er sich fülle,
oder woher unsere Quelle so bestimmt weiss, dass der Rütlibund genau
im Herbste 1306 geschlossen worden sein soll. Aelter als Closener und
Königshofen ist eine St. Gallische Weltchronik von 796 Seiten, welche bis
zum Jahre 1349 herabreicht, entschieden eine der Quellen des Strassburgers.

Unsere Verfasser verräth Ton und Sprache als Nordostschweizer, noch
mehr aber ihre erstaunliche Lokalkenntniss im Zürcherschen, Thurgau, Sar-
ganserland, Gaster, Raperswil, Toggenburg, wo sie die kleinsten Oertlich-
keiten nennen, was Alles wir bisher dem Glarner Tschudi zuschreiben zu
müssen glaubten. Nur ein Thurgauer konnte vom Grafen von Tettnang,
dessen Burgfenster über den See her schauen, sagen „vss disem land."

Wir besitzen von der Chronik bis heute folgende Handschriften.

1. Die sog. Sprengersche Chronik in Zürich (hier bezeichnet ZiL),
weil von einem Konstanzer Gebhard Sprenger geschrieben, theilweise abge-
druckt in den „Mittheilungen der antiquarischen Gesellschaft" in Zürich II.
35—96 im Jahre 1844, aber beim Jahre 1386 vor der Sempacher Schlacht
mitten in einem Satze abbrechend. Die Lateinverse sind nicht alle hier,
der Text oft recht nachlässig und in Rubrizirung und Aufeinanderfolge
unordentlich geschrieben, wie die Noten zeigen werden. Sprenger, angeb-
lich Chorherr in Zürich, hat vorne, wohl nach dem sog. Ulrich Krieg,
beigefügt den sagenhaften Ursprung Zürichs und die Legende von Felix
und Regula, wovon die anderen vier Handschriften nichts wissen, und be-
ginnt mit der albernen Vorgabe, er habe diesen Ursprung in Kaiser Ju-
liens *coronica*, die ihm ein römischer Ritter im J. 1286 vorlegte, aus La-
tein ins Teutsche übersetzt und das Spätere „uzer andren coroniken"
genomen. „Aber do ich diss coronica abschraib zu Rom, daz was von
gottes geburt 1339 jar", was nichts ist als völlige Variation des Krieg'schen
Thema's, welches im St. Galler Codex, ohne Jahre zu nennen, wörtlich
den Ritter und „kaiser Julius Cronik" anführt, im Züricher Exemplar aber
(Haller IV. p. 278) ebenfalls sagt: „Da ich diese Coronik abschraib zu
Rom, da zalt man von Gottes Geburt 1418, und jezt zalt man n. G. g.

1476." Diese Handschrift steht allein als *A*. Die Sprache hat alte Formen, aber überall: laussen, grauff, nauch, paubst. Siehe hinten die Berichtigungen.

2. Der St. Galler Codex 608, 22 Folioblätter Ochsenkopfpapier, die Seite 47 sehr gedrängt geschriebene Zeilen, 15. Jahrhundert, die Sprachformen, wie in 1. ächt alt: sloss, slagen, slacht, swuorent, gesworen, smach, swarlich, switz, swaben, die *verba* mit hartem End-t, die *conjunctivi* genau (schadgotint, weltint), die *adjectiva* mächtigost, ketzerlichost, die Rubriken ohne irgend Roth, die Wappenschilder weiss und leer. Das Ganze ist nicht vorhanden, das Bruchstück reicht bis zum Jahre 1428, die Reihenfolge ist nicht konsequent, und alles bricht unten an einem Blatte im Text ab. Die 22 Blätter sind mitten in Legenden u. a. hineingebunden. Der Abschreiber verstund nicht Latein, und schreibt z. B. *quod tres est digna relatu*, statt *res est* u. s. w. Sieh facsimile Nr. 2.

3. Die Vadiana der Stadtbibliothek, 77 Blätter in 4to, Ochsenkopfpapier, an zwei Orten die Jahrzahl 1491, die Wappenschilde nur klein angedeutet, die Seite 26—30 Zeilen, die Rubriken roth, wie die Initialen, oft die Anfangsbuchstaben von Sätzen roth durchstrichen, bedeutsame Worte roth unterlinirt, das Latein höchst fehlerhaft, die Reihenfolge oft versetzt, die Schrift nachlässig, z. B. Graf Eberhart von nelbellburg statt Nellenburg, Bibrach statt Brisach, Graf thoni von tockenburg, Mauerren statt Naverren, von boldman statt Bodman, Colmar, Schlettstatt, Basel vnd ander stett im ällsäss. Die Unwissenheit des Abschreibers zeigen ausserdem Sätze wie: „Anno vj hundert vnd v jar starb sant jörg der hailig babst vnd lerer vnd ritter" (Vermengung mit Gregor). Hingegen hat sie allein der bei Gossau erschlagenen Appenzeller Namen und trotz der Unwissenheit des Kopisten oft gute Lesarten. Auch diese Handschrift ist nicht mehr ganz vorhanden; die in Staub und Makulatur aufgefundenen Blätter wurden auf Gerathewohl geheftet und brechen ungefähr ab wie 2. Diese zwei Codices bilden die Familie *B*.

4. Die sog. Hüply'sche Chronik in Zürich, (Hü.), d. h. des „Herrn Hans Huepli" Kopie vom J. 1462, 287 Folioseiten Ochsenkopfpapier, jede in der Regel von 43 Zeilen, die Rubriken roth, die Initialen jedes Passus, Verses, oder in Namenlisten sogar jedes Namens, schräg roth durchzogen, die Zeichnungen lediglich Wappen, illuminirt, aber roh, meist auffallend wie mit Holzmödeln gedruckt, lebende Figuren einzig die ganz knabenhaft gezeichneten p. 60, Stier und Löwe nach der Sempacher Schlacht p. 3. 4. und 120 sogar im Text roth die bekannte Kinderspielerei mit dem Räthselgänschen, welche Haller IV. p. 165 erwähnt, ohne sie

zu erklären. Obgleich diese Kopie beim ersten Anblicke sauber aussieht, einige bessere und ältere Formen liefert, z. B. aidtgenossen, tages, riches, gelich statt aidtgnossen, tags, richs, glichs u. a. und einiges hat was in Tschudi übersprungen ist, fehlt ihr dafür andres in letzterer Handschrift Befindliche, ist der Ton schwäbelnd (wiesten, verwiesten) und die Schreibung oft höchst nachlässig. Zwischen p. 14 und 15 fehlt ein Blatt. Die Lateinverse hat sie, wie 1. und 2., aber eben so uncorrekt, bisweilen völlig unerrathbar, und einzelne Sachen und Artikel augenscheinlich wo sie nicht hingehören. Dennoch ergänzen sie und Tschudi einander oft auf willkommene Weise. Facsimile Nr. 3.

5. Die von Tschudi auf Schloss Greplang besessene (Tsch.), mit dessen Randglossen, Zusätzen, Berichtigungen, mit Sebastian Brants gedruckter Chronik, Strassburg 1520 und allerlei von Tschudi's Hand, zusammen gebunden, von Tschudi alles gesammt paginirt, die Chronik 217 Folioblätter, die Seite circa 34 Zeilen, die Rubriken der ersten 32 Blätter roth unterstrichen, ja 15 Blätter durch sogar der Anfangsbuchstabe jedes Wortes roth durchzogen. Neben den Wappen und Fahnen, alle besser als in Hü. sind ein Paar kräftige, gesunde Federzeichnungen, z. B. die Schlacht bei Sempach mit Winkelried's Opfertode und bei der am Stoss ein derber Appenzeller Fahnenträger. Facsimile Nr. 4 und 5. Die Schrift (Facs. Nr. 1 und 5.) ist eine starke, hübsche, dem Ende des 15. oder Anfange des 16. Jahrhunderts angehörende. Der Schreiber liess die Lateinverse absichtlich weg, wie die auf p. 94 roth durchstrichene Zeile: Nach dem vnd vsswissent diss nachgeschribnen Verss" ausdrücklich zeigt.

Diese Handschrift hat, wie Hü. und Zü. unter den Waldstätten den Namen Schwiz vor dem von Uri, was nicht ohne Bedeutung ist. Sie ist in Haltung und Zügen die vorzüglichste und bildet mit Hü. die Klasse *C*.

Die Facsimiles sind, sehr treu, durch meinen jüngern Sohn Hugo, Arzt in Lütisburg, mit freier Hand ausgeführt.

Die Schreibung glaubte der Herausgeber eben so wenig ändern als die, wenn auch schleppenden, Item zu Anfange einer Unzahl von Passus, nach Ettmüllers Vorgange, weglassen oder historische Unrichtigkeiten anzeigen zu sollen. Wo die Orthographie fehlerhaft scheinen möchte, z. B. huss, vss, lossen (lösen), vatter, tratten, betten (beten), graff, landschafft, helffen u. a. hat si im Dialekte guten Grund.

Zum Schlusse kann er nicht anders als Denen, die ihm in einer Epoche leidenschaftlicher Angriffe mit Vertrauen an die Seite stunden, vor Allem dem biedern Dekan Pupikofer, der so wie er den Hauptkodex mit jenen Tschudischen Klingenbergzitaten aufmerksam verglichen, die Identität öffentlich verfocht, dem verdienten Herrn Dr. Ferdinand Keller, dem uneigennützigen Verleger, und den Regierungen unserer Kantone Genf, Aargau, Glaris, Zürich, Basel, Schaffhausen, Thurgau, Solothurn, Luzern, Baselland, Uri und Unterwalden seinen Dank auszusprechen, von diesen altehrwürdigen Schriftzügen aber mit jener Rührung zu scheiden, welche wir empfinden, wenn wir Bekannte verlassen, deren Umgang uns an einsamen Orten und zu einer Zeit wohlthat und liebgeworden ist, wo man die Gegenwart in Manchem gerne vergisst.

St. Gallen in der Notkere, Pius Kolbs und Ildefons Vonarxen Bibliothek, am 2. Julius 1861.

Dr. A. Henne.

Inhalt.

Erste Abtheilung,

bis zum Jahre 1334.

Seite

1. In der cristenhait sind zwen kaiser . . . . ·1
2. Wie vil künig in der cristenhait sind 1
3. Wie manig bistumb in der cristenhait sind 2
4. Wie lang es ist, dass dietrich von bern richsnot 2
5. Versus (vom Adel) 4
6. Wie lang es ist, dass die siben curfürsten vffgesetzt wurden, vnd warumb das
   beschach 4
7. Ain grosser vncristner louff von pfaffen vnd layen (Gregor VII. u. Heinr. IV.) 6
8. Maylan in lamparten wart zerstort (1162) 7
9. Der apt von St. Gallen empfalch sin vogty (1166) 7
10. Vss dem herzogtum ze behem ward ain küngrich (1200) 9
11. Wenn sich die bettelorden anhuoben (1221—1280) 9
12. Wenn vnsers herren fronlichnamstag vffgesetzt ist (1262) 10
13. Von bruoder berchtold (1255) 10
14. Wie die herren von regensperg vertrieben wurdent (1264—1267) 10
15. Von den herren von rapreswil 17
16. Von den graffen von habspurg 18
17. Die ritterschafft hatt ain gesellschafft zuo basel 19
18. Es geschach ain grosse tugent von ainem herren von habspurg 22
19. Graff ruodolff v. habspurg ward zuo ainem römischen künig erwelt (1273) . 25
20. Wie vss den graffen v. habsp. hertzogen ze österrich wurden 25
21. Wie man die von habspurg hielt 30
22. Künig ruodolff machet guoten frid vff dem rin vnd in allen landen (1276) . 31
23. Künig ruodolffs sun ertrank bi rinow (1281) 33
24. Künig ruodolff starb (1291) 34
25. Die herren v. österrich gewunnen buochhorn (1291) 36

Seite

26. Der graff v. nassow ward zuo ainem römischen küng erwelt (1292) 36
27. Hertzog albrecht von öst. ersluog k. adolfen von nassow in ainem strit (1298) 38
28. Hie beschach dem adel ain grosser slag, wan künig albrecht von österrich
ward ermürt (1308) 40
29. Der erst pundt vnd anhab der aidtgenossen (1306) 41
30. Die von zürich verlurent ze wintertur (1292) 43
31. Kaiser hainrich von lützelburg (1308—1313) 46
32. Es wurdent zwen künig erwelt, die kriegten vil jar mit ainandern vmb das
rich (1314) 47
33. Ain grosser strit (1323) 48
34. Sant pülten ward zerbrochen 50
35. Die slacht am morgarten (1315) 50
36. Schnabelburg vnd vil vestin wurdent gewunnen, vnd ward der adel vertriben (1309) 52
37. Die von lucern verbundent sich zuo den lendern (1331) 52
38. Ain kind ward gemartrot von den juden (1332) 52
39. Swannow ward gewunnen (1333) 52
40. Der kaiser lag vor merspurg (1334) 53
41. Die burg altstetten ward gewunnen (1338) 53

Zweite Abtheilung,

bis zum Jahre 1439.

1. Die statt bern ward buwen (1191) 54
2. Die geslächt im ergöw 55
3. Die geslächt im turgöw 55
4. Diss sind ritter vnd knecht vnd dienstlüt in dem selben kraiss vmb 56
5. Aller bischoff namen ze costentz 57
6. (Historische Daten) 59
7. Graff hainrich von lützelburg ward zuo ainem römischen künig erwält (1309) 59
8. Die hertzogen von österrich rachent iren vater (1309) 61
9. Die herren von österrich tätent iren vater mit grossen eren begraben . . . 62
10. Ain erdbidemen vnd ain tod (1348) 62
11. Das wasser in zürich was fast gross (1344) 62
12. Man brannt die juden in allen landen von des grossen tods wegen (1349) . 63
13. Wie künig karolus das römisch rich behuob 64
14. Der graf von swarzburg ward römischer künig 66
15. Diser küng überkam alle sin sachen mit guot 67
16. Von der statt zürich wird es hienach sagen 67
17. Zuo dem ersten von dem vfflouff ze zürich (1336) 67
18. Von der slacht ze grinow (1337) 68
19. Die ersten höwstaffel kament in das land (1338) 69
20. Der strit ze louppen (1339) 69
21. Die von zürich sluogent alle ir pfaffhait vss der statt (1339) 70
22. Die von zürich verbundent sich zuo den aidtgenossen (1350) 71
23. Graff hans von habspurg wolt zürich überfallen han (1350) 71
24. Diss nachbenampten wurdent vff reder gesetzt 73
25. Diss nach geschribnen wurdent enthouptet 73
26. Diss nachgeschribnen verlurent an frischer tat 73

Seite

27. Diss verlurent an der von zürich tail 73
28. Die statt rapreswil ward gewunnen 75
29. Es ward ain frid daran gemacht 76
30. Es ward aber ain frid gemacht 78
31. Die von zürich verbrantent die statt ze rapreswil 78
32. Hertzog albrecht von öst. redt übel mit denen von zürich 79
33. Hertzog albrecht lait sich für die statt zürich 80
34. Die aidtgenossen gewunnent glaris 82
35. Die von zürich zugent mit gewalt gen baden 82
36. Die von zug raisotend über die von switz (1352) 84
37. Die von wesen woltend glaris wider ingenomen han 85
38. Die aidtgenossen brantent vnd nament ainen roub 85
39. Der hertzog brant küssnach, vnd nam ainen roub 85
40. Habspurg ward gewunnen 86
41. Die statt zug ward gewunnen 86
42. Die von zürich errattent ainen roub 87
43. Hertzog albrecht von österrich belag aber zürich 87
44. Man tädingot darunder 88
45. Wie aber ain tag gen lucern ward gesetzt 89
46. Vnser gefangen kament wider 89
47. Hertzog albrecht klagt dem künige von denen von zürich 90
48. Der römisch künig karolus wolt den krieg verrichten (1353) 90
49. Der künig kam wider gen zürich 91
50. Der künig fuor von zürich, vnd machet ainen frid 91
51. Der künig sait selber den frid ab 91
52. Hertzog albrecht lait sich aber für vnser statt zürich 92
53. Der hertzog brach uf, vnd nam die statt ze rapreswil in 92
54. Hertzog albrecht buwt die statt rapreswil wider 92
55. Die slacht ze mailan an der letzi 93
56. Der künig leget sich ouch für zürich 93
57. Der herren namen, die vor zürich sind gelegen 94
58. Das sind der stett namen 94
59. Das her brach uf, vnd zoch enweg 94
60. Der hertzog besatzt sine sloss, vnd krieget täglich uff die v. zürich . . . 96
61. Der landtvogt bracht vil unger mit jm in das land 96
62. Der krieg ward ganzlichen verricht 97
63. Hertzog albrecht macht sinen cantzler bischoff ze costentz 97
64. Diser bischoff ward ermürt (1355) 97
65. Die von bern swuorent och zuo den aidtgenossen (1353) 98
66. Ain kalter winter 98
67. Ain grosser erdbidem an vil orten (1356) 99
68. Hertzog albrecht von österrich starb (1358) 99
69. Die brugg ze rapreswil ward gemachet über den see (1358) 99
70. Es kam ain grosser tod vnd türe (1362) 100
71. Hie wirt gesait von den ersten engellendern (1365) 100
72. Der win gefror an den reben (1370) 103
73. Ain grosse türe in allem land (1375) 104
74. Die brugg ze zürich brach och nider 104
75. Es kament aber ander engellender in das land (1375) 104
76. Die aidtgenossen machetent ain pund mit dem hertzogen 106
77. Der hertzog von österrich erkoufft feldkilch 107

Seite

78. Kaiser karolus starb (1378). 107
79. Wie der graff v. wirtemberg kriegote mit den richstetten, vnd lag darnider (1377) 108
80. Deren namen, die da vmb kon sind vnd erslagen 108
81. Der bischoff von costentz ward burger ze zürich (1380) 109
82. Der graff von kyburg schadgot die von soloturn (1382) 109
83. Burgdorff ward gewunnen (1283) 109
84. Wie die aidtgenossen hand ain pund gemachet an dem rin (1385). . . . 111
85. Wie hertzog lütpolt von österrich kam gen zürich. 113
86. Die von zürich woltent rapreswil haimlich ingenomen han 113
87. Ain enthaiss tatent die von rapreswil 114
88. Die von lucern nament rotenburg in ainem frid (1386) 114
89. Wie sich der krieg anhuob, ee der frid usgieng 114
90. Die von entlebuoch wurdent burger zuo lucern 115
91. Wie wolhusen gewunnen ward 115
92. Ander burge wurdent och gewunnen 115
93. Die von sempach wurdent burger ze lucern 115
94. Die von mayenberg vnd richense wurdent och burger ze lucern 116
95. Rümlang ward och verbrannt 116
96. Wie der v. landenberg versprach, denen von zürich regensperg in ze geben 116
97. Die richstett machtent ainen frid bis zuo pfingsten 117
98. Wie der frid vss gieng, vnd pfeffikon verbrennt ward 117
99. Ober windegg ward och gewunnen 118
100. Bülach ward verbrennt 118
101. Wie torberg vnd koppingen wurdent gewunnen 118
102. Das land ward fast übel verderbt 118
103. Hertzog lütpolt von österrich kam her ze land mit starkem züg 119
104. Slacht ze sempach (9. Juli) 119
105. Ain clag 121
106. Die aidtgenossen zugent vor wesen, vnd gewunnents 126
107. Die von zürich zugent gen regensperg 126
108. Die von friburg vss vechtland nament ain roub ze bern 127
109. Die von lucern gewunnent die vesti arnstrowe 128
110. Die richstett machotent ainen frid darunder 128
111. Nach hertzog lütpolt selgen tod kam ain andrer hertzog in das land, hiess
        hertzog albrecht (1387) 128
112. Die richstett machetent aber ainen frid 128
113. Der hertzog von österrrich nam die statt ze wesen wider in (1388) 129
114. Wie die von glaris gern ain täding hettint gemacht 131
115. Wie die von glaris all aidtgenossen mantent wider für wesen 132
116. Wie sich ain gross volk versamlot ze wesen 132
117. Von der slacht ze glaris (9. April 1388) 132
118. Diss sind die edlen vnd namhafftigesten, die ze glaris vmb kament . . . 136
119. Wie der abbt von rüti die todten wider vss grub 136
120. Wie die von glaris aber die aidtgenossen für wesen manotent 137
121. Die von zürich belagent die statt rapreswil mit macht 137
122. Wie die aidtgenossen sturmtent die statt 138
123. Wie die aidtgenossen sturmtent ze rappreswil am maitag 139
124. Die aidtgenossen zugent wider haim 140
125. Der krieg wärt alwenzuo 141
126. Die von zürich verlurent vor der alten regensperg 142
127. Die vorstatt ze mellingen ward verbrennt 143

Seite

128. Nidow ward och gewunnen 143
129. Büren ward och gewunnen 143
130. Die von zürich nament ainen roub ze wetzikon 144
131. Die aidtgenossen zugent gen baden 144
132. Die dörfer an dem zürichse wurdent verbrennt 145
133. Der graff von wirtenberg facht mit den stetten vor wil in swaben, vnd gelag ob 146
134. Die von bremgarten verlurent 146
135. Die von zürich zugent in das vischental 147
136. Die aidtgenossen verlurent swarlich ze hünenberg 147
137. Die von bremgarten gewunnent ainen roub 148
138. Der krieg wärt ain jar 148
139. Die von bern zugent in das friktal (1389) 148
140. Die von zürich gewunnent vnd fiengent fischer 149
141. Die von zürich machtent ainen markt (1390) 149
142. Die richstett machtent ainen frid (Vgl. S. 360) 149
143. Wie tür es in zürich was 150
144. Der frid ward gelengret, vnd ward ain frid nach dem andren gemacht (1394) 151
145. Wenn der frid ze zürich gerüefft ward 151
146 Aber ain lengerer frid 151
147. Wenn der graff v. mailand ward zuo ainem hertzogen gemachet (1395) . . 152
148. Ain gross raiss von der cristenhait in die haidenschafft (1396) 152
149. Von küng wentzelaus wegen (1397) 155
150. Wie sich die appenzeller widerten wider den herren von sant gallen . . . 156
151. Künig ruopprecht ward erwellt (1400) 156
152. Der von toggenburg ward burger in zürich 156
153. Wie die siben stett verlurent mit den appenzellern (1403) 157
154. Wie der hertzog v. öst. wider die appenzeller vnd sant galler in den krieg kam 158
155. Der hertzog von österrich lag vor sant gallen (1405) 159
156. Die slacht am stoss (17. Juni) 160
157. Deren namen die da verlurent an des hertzogen siten 161
158. Die aidtg. hattent frid mit denen von österrich; doch santents hilf vnd lüt . 161
159. Die von appenzell nament die march in 162
160. Von der obren march (1436) 162
161. Der von toggenburg füert den krieg mit denen von appenzell (1405) . . . 162
162. Der vogt ze rapreswil, der gässler, ward burger ze zürich (1406) 162
163. Der gessler gab grüeningen denen von zürich in 163
164. Der bischoff von losann ward ermürdt (1406) 163
165. Vmb dise zit richsnotent die appenzeller fast, vnd was ir übermuot gross (1407) 163
166. Die von appenzell laitent sich für bregenz 164
167. Wie die von appenzell verlurent ze bregenz (1408) 164
168. Graff herman von sulz zoch für rinegg (1410) 166
169. Dass aber die appenzeller belait wurdent ze altstetten 166
170. Die aidtg. zuchent gen lamparten (1410. 1411) 167
171. Wie die aidtgenossen verlurent ze bellenz (1422) 168
172. Hertzog fridrich schraib sinen stetten (1412) 171
173. Nach dem strit ze lüdich beschach diser spruch 171
174. Der römisch küng sigmund vertraib hertzog fridrichen von österrich vom
        swabenland (1415) 174
175. Künig sigmund zoch mit anderen fürsten vss 177
176. Der adel lait sich wider den hertzogen von österrich vnbillich 178
177. Das sind der vorgenanten herren namen 178

**

Seite

178. Wie der künig warb an die aidtgenossen, das was dem adel schad 178
179. Die aidtgenossen saitent dem künig hilff zuo wider hertzog fridrichen . . . 179
180. Si tailtent das land 180
181. Die von zürich sluogent vff das land 181
182. Der bapst vnd hertzog fridrich von österrich lagent ze friburg 181
183. Hertzog fridrich lag ze costentz gefangen 184
184. Aber von hertzog fridrich von österrich 186
185. Hie ward künig sigmund vnd hertzog fridrich wider ains 187
186. Hertzog fridrich von österrich starb (1439) 188

Dritte Abtheilung,
bis zum Jahre 1443.

1. Hienach sait es etwas von dem concilium ze costentz (1414) 190
2. Hertzog fridrich 191
3. Von gregorio dem bapst 191
4. Künig sigmund kam och dar 191
5. Wie vil erzbischoff 192
6. Wie vil rechter bischoff 192
7. Wie vil wichbischoff 192
8. Von den hochen schuolen 192
9. Wie vil äbbt da warent 192
10. Frömd priester 192
11. Wie vil fürsten 193
12. Graffen, fryen, ritter vnd knecht 193
13. Wie vil sprachen 193
14. Wie vil farender frowen 193
15. Wie vil herolten 193
16. Wie vil hantwerk 193
17. Der bapst floch von costentz, vnd zoch im h. fridrich nach 194
18. Der huss ward verbrennt ze costentz 194
19. Bapst martinus ward erwelt (1417) 194
20. Die von zürich losten die graffschafft ze kyburg (1424) 195
21. It. die grösst sach ward das, dass sich die von behem wider die ganzen cri-
    stenhait laiten mit gewalt 195
22. Jeronimus ward och verbrant 196
23. Die von behem muot die smach 196
24. Die erst raiss über die von behem 197
25. Dem bapst kam gross klegt, wie die behem die cristenhait schadgotent . . 199
26. Aber von den appenzellern (1427) 201
27. Diss ist der brief 202
28. Aber ain brief von den curfürsten dem bischoff ze costentz 203
29. Der abbt von sant gallen hatt die appenzeller in grossem bann 203
30. Die appenzeller wurden ze gossow erstochen von dem von toggenburg (1428) 204
31. Küng sigmund ward kaiser (1433) 206
32. Von kaiser sigmund 207
33. Von kaiser sigmund 208
34. Von küng sigmunds glissnen 209
35. Kaiser sigmund starb (1437) 209
36. Hertzog albrecht der from fürst ward erwelt zuo ainem römschen küng (1438) 209

37. Diss nüwen mer schribent der koufüt knecht von prag iren herren gen ogs-
    purg vnd anderswa 210
38. Hertzog fridrich von öst. ward zuo ainem römschen küng erwelt (1440) . . 211
39. Versus, in quibus hortatur, romanorum regem nouiter electum ad conquisitio-
    nem bone conscientie per bonas operationes 213
40. De prepolencia pape et regis romanorum 213
41. Wie der junge fürst ze ache inrait, vnd liess sich da ze küng krönen (1442) . 214
42. Der hertzog von sachsen 215
43. Der pfallentz graff bi rin 215
44. Der bischoff von lüdich 215
45. Der hertzog von berg 215
46. Die procession gieng dem küng engegen 215
47. Dar nach rait der küng mit sim her 215
48. Des bischoffs volk von köln 216
49. Des bischoffs von mentz vnd dess von trier volk 216
50. Margraff von brandenburg 216
51. Wie man den küng kronte vnd wer da zegegen was 216
52. Wie der küng ze tische gieng, da er sin künglich kron empfangen hatt . . 217
53. It. von dem ochsen, den man gantz briet 218
54. Der küng lech den fürsten ir lechen, des ersten dem pfallentzgraffen . . . 218
55. Der hertzog von sachsen 218
56. Der margraff von brandenburg 218
57. Man liess den küng das hailtum sechen 219
58. Der küng schied von auch 219
59. Der küng rait ze köln in 219
60. Der bischoff von cöln enpfieng lechen 219
61. Der bischoff von lüdich enpfieng lechen 219
62. Der hertzog von mächelburg enpfieng lechen 219
63. Die von köln schwuoren dem küng 220
64. Der aid in forma 220
65. Der küng zoch von köln 220
66. Ain kalter winter (1435) 220
67. Die statt zug gieng vnder (1435) 221
68. Der win was fast tür (1436) 221
69. Es kament tonder vnd blitzen vor wienacht (1437) 221
70. Ain hert jar (1438) 221
71. Die von basel verbundent sich zuo denen von bern (1441) 222
72. Ain grosser sne (1442) 223
73. Ain guoter sumer 223
74. Künig fridrich krönt 223
75. Ain kalter herter winter (1443) 223
76. Ain gross sne in dem mayen 223

Vierte Abtheilung,
bis zum Jahre 1460.

1. Der von toggenburg starb, darnach wurdent wunderbarlich löuff in dem
   land (1436) 226
2. Die schloss vnd herrschafften, die der von toggenburg inne gehept hat . . 227
3. Der graff von toggenburg hatt sin wib bi sinem leben zuo ainem erben gemacht 227

Seite

4. Die lüt bünden sich zesamen, vnd satzten rät vnd hoptlüt 228
5. Die selben puren mochtent nit ruow haben vnd still sitzen 228
6. Si wurbent etwa mangs, vnd wärint selbs gern herren gesin 228
7. Si schikten ir bottschafft zuo hertzog friderich 229
8. Die in sanganser land vnd gastren baten den h. etwa dik, dass er si losste . 229
9. Der hertzog schikt sin bottschafft heruss gen veltkilch 229
10. Die von zürich hatten och etwa dik ir bottschafft bi den lendern 229
11. Der hertzog losst veldkilch von der von toggenburg vnd ander land . . . 230
12. Der h. losst all herrschafften, die dem von toggenburg versetzt warent . . 230
13. Der herrschafft botten 230
14. Si wolten dem hertzogen nit schweren 230
15. Die rät brachtent dem hertzog die mär für, dass si nit schweren weltint . . 231
16. Des hertzogen bottschafft muotet aber denen in sanganser land an, dass si
    schwüerint 231
17. Der hertzog was karg vnd wolt nit kriegen 232
18. Die von zürich schluogent denen vss dem gastren den kouff ab 232
19. Der hertzog gab graff hainrichen von sangans die graffschafft wider . . . 233
20. Die in sanganserland hettint graff hainrichen gern gewert, dass jm die graff-
    schafft nit wider wär worden 233
21. Sanganser land schwuor ain ewig burgrecht gen zürich 234
22. Diss artikel machtent si inen selb 234
23. Die in sanganserland wolten gr. h. zwingen, dass er es och mit inen hielt . 234
24. Graff h. schwuor ain ewig landtrecht gen schwitz vnd glaris 235
25. Die von vtznach vnd liechtenstaig schwuoren ain ewig landtrecht gen schwitz
    vnd glaris, item die vss gastren ab ammon 235
26. Die vss dem gastren vnd ab ammon hielten die von wesen darzuo, dass si
    och muosten schweren (1437) 237
27. Tag zuo luzern 237
28. Die aidtgenossen kament gen lucern 241
29. Die veste nidperg ward verbrennt 245
30. Der abbt von sant gallen ward mit den sinen landtman ze schwitz 246
31. Die guot vesti frödenberg ward gewunnen vnd verbrennt 247
32. Graff bernhart von tierstain verband siuh zuo sanganserland 253
33. Die in sanganser land erstachent die von werdenberg 254
34. Die von schwitz vnd glaris warent noch nit verricht (1438) 257
35. Nach vssgang des fridens begund krieg sich erheben (1439) 258
36. Hienach stand die stuck des rechtbietens von denen von zürich 260
37. Die von schwitz vnd glaris wolten sölicher rechtbieten nit ingon 261
38. Die von zürich schluogend aber denen von schwitz v. glaris den kouff ab (1440) 262
39. Die von schwitz lagent aber zuo feld wider die von zürich 263
40. Die von zürich zugent vss mit offner panner 265
41. Die von schwitz vnd glaris widersaiten den von zürich 265
42. Die von vre vnd vnderwalden widersaiten och denen von zürich 266
43. Der von raren zoch och vff die von zürich 272
44. Die von schwitz gewunnen grüeningen den von zürich ab 275
45. Die richtung zwüschent denen von zürich, von schwitz vnd glaris 277
46. Wie sich die aidtg. erkennt hatten, vnd was jetwedrer tail dem andren tuon sölt 277
47. It. diss brieff kament in der wuchen vor liechtmess anno 1441 280
48. Die aidtgenossen kament zesamen gen lucern 281
49. Denen von zürich ward das ir wider 282
50. Von den schwitzern 282

Seite

51. Die von zürich entschluogent die von lucern ainer red 283
52. Die aidtgenossen hatten ir bottschafft bi denen von rapperswil 283
53. Die von zürich wurben vmb gnad an kung fridrichen vnd an die herrschafft
    von öst. vnd schwuoren ain ewigen pund zuo österrich (1442) . . . 284
54. Die von zürich schankten dem küng vnd dem huss öst. kyburg die graffschaft 285
55. Die von zürich brachtent ain puntbrieff 286
56. Die von zürich besiglotent den puntbrieff 286
57. Der küng schikt zuo den aidtgenossen 286
58. Die aidtgenossen nament ain bedenken 287
59. Der küng fuor also vmb, vnd wissten die aidtgenossen nit, wess er muot bett 287
60. Küng fridrich von österrich kam gen zürich 288
61. Die von zürich schwuoren dem küng vnd dem huss von österrich 288
62. Die von rapperswil schwuorent och dem huss österrich 289
63. Die von wintertur schwuoren 289
64. Der küng rait gen kyburg 290
65. Der küng rait gen küngsfelden 290
66. Der küng rait in weltschland 290
67. Der küng kam gen basel 291
68. Der küng kam gen costentz 291
69. Der küng verhort die aidtgenossen ze costentz 291
70. Der küng bott recht 292
71. Die aidtg. schieden von costentz, dass inn der küng nüt bestäten welt . . 293
72. Die aidtgen. redten denen von zürich übel zuo von des bundts wegen. . . 294
73. Der küng empfalch sine schloss 295
74. Die von zürich schwuorent irem houptman 295
75. Die von rapperswil schwuorent irem houptman 295
76. Die aidtgen. baten die von zürich, dass sie die pünd mit der herrschafft von
    österrich abschlüegint 296
77. Die von zürich antwurten den aidtgenossen. 296
78. Der küng bett gern angetragen, dass die von appenzell ir puntnuss absaitent
    den aidtgenossen 297
79. Der appenzeller antwurt 298
80. Die aidtgenossen laisten tag ze baden (1443) 299
81. Die aidtgenossen kament zuosamen zuo den ainsidlen 301
82. Die von zürich vnd bremgarten ernüwroten ir burgrecht 302
83. Im maien widersaitent die von schwitz der herrschafft vnd denen von zürich 302
84. Die von schwitz branten denen von rapperswil ain tail an ir brugg ab . . 303
85. Die von raperswil verlurent ze fryenbach 303
86. An der herrschafft tail band verloren diss nachgeschriben 305
87. Die von schwitz verlurent do zemal 305
88. Die von zürich verluren ze horgen 306
89. Die aidtgenossen brannten 308
90. Die aidtgenosssen gewunnen bremgarten 308
91. Die alt regensperg ward gewunnen 309
92. Die nüw regensperg ward gewunnen vnd verbrennt 309
93. Grüningen ward gewunnen on alle not 310
94. Die aidgenossen taten vncristenlich sachen, als man von inen seit . . . 312
95. Der marggraff schikt ain ritter zuo dem hertzogen von burgunn 313
96. Ze zürich lagent bi fünf hundert pfert 313
97. Die von zürich zugent aber uss 315
98. Die von zürich verlurent an der sil 316

Seite

99. Die von zürich muot die schmach übel 319
100. Die aidtgenossen warent fraidig worden 320
101. Die ze zürich an der sill verloren hand 320
102. Die aidtgenossen belagent die statt raperswil 323
103. Die aidtgenossen zugent ain tail vss dem feld 325
104. Der bischoff von costentz redt darunder 325
105. Ain frid ward gemacht ze raperswil im feld, hiess der elend frid 327
106. Die von basel, von bern vnd soloturn widersaiten der herrschafft v. österrich 327
107. Der küng verschreib denen von bern, basel vnd soloturn (Vgl. S. 370) . . 328
108. Die aidtgenossen warent abzogen 328
109. Die von zürich, raperswil vnd wintertur schikten zuo dem küng 329
110. Die von schwitz schluogent den von raperswil kouff ab 329
111. Die aidtgenossen widersaiten aber gemainlich der herrschaft von österrich
      vnd denen von zürich 332
112. Der krieg gieng wider an. Wie man sich ze raperswil hielt (1444) 335
113. Isenhofers Schmachlied (1444) 337
                    Lücke von 11 Jahren.
      Griffensee 341
      Farnsberg 341
      Verschiedenes (1444) 341
      Schlacht bei St. Jakob an der Birs bei Dacher 344
      Basel vor Pfäffingen 344
      Hertzog Albrecht 344
      Wil, Sargans, Appenzell (1445) 345
      Frauenfeld 345
      Wintertur 345
      Zug vor Reinfelden. Savoien hilft 346
      Frauenfeld. Säkingen. Freienbach und Pfäffikon 346
      Hans von Tierstain und seine Wölfe (1446) u. a. 347
      Schlacht bei Ragaz nach Königsh. und Dacher 348
      Vermittelung in Konstanz 349
      Züricher Auszug 350
      Rinegg 351
      Hans von Hege und Wil (1447) 351
      Bubenbergs Spruch (1448) 351
      Das Schiff zu Riinfelden 352
      Brand in Engelberg (1449) 352
      Frauenfeld (1450) 353
      Zürich schwört den Eidg. wieder 353
      Schnee und Reif (1458) 353
114. Das schloss rinfelden ward gewunnen (1445) 353
115. Schiessen ze costentz 353
116. Hertzog sigmunds tag ze costentz 355
117. Hertzog ludwig von bayern 355
118. Die von stain (1460) 356
119. Die schwitzer zugent in das allgew (1460) 356
120. Aber von hertzog ludwig von bayern (1460) 356
121. Die aidtgenossen zugent in das turgöw 357
122. Die puren im hegöw 358

Die Klingenberger Chronik.

Erste Abtheilung,

bis zum Jahre 1334.

We dem land welches sin künig ain kind ist,
Vnd dess fürst an dem morgen fru isst a).

Hienach stat geschriben etwa manig ding, das in disen landen vmb zürich
vnd da vmb beschechen ist, es sige [1]) von herren, lendren oder stetten,
vnd besunder die denen von zürich zuo gehorent, vnd mit inen in pünt-
nuss sind, vnd och sunst etwa [2]) manig ding das ouch hüpsch ze wissen
ist, hienach geschriben von künigen vnd kaisern vnd stetten[3]), vnd solichen
dingen, vnd die jarzal darby.

1. In der cristenhait sind zwen kaiser b).

Römisch rich   Constantinopel
(Schild).   (Schild) 4).

Man sol wissen, dass in der cristenhait zwen kaiser sind, ainer ze
rom, der ander ze constantinopel in kriechen. Es sol aber von recht
nu [5]) der ain ze rom sin; aber die kriechen habent ir sunderbar gesetzt
mit dem kaiser, vnd ainen patriarchen habent[6]) si an des bapstes [7]) statt;
si hand ouch vnderschaid an dem glouben, dass si nit gantzen rechten
glouben mit vns hand vnd haltent.

2. Wie vil künig in der cristenhait sind.

Man sol ouch wissen dass in der cristenhait vier vnd zwaintzig rechter
künigrich sind, vnd haissent die also, als si hienach gemalet vnd darob
geschriben stat [8]) c).

---

1 sye 806. 2) sust och ettwa Cod. 806. 3) stritten Tsch. Hü. 4) Die Schilde hier
und unten leer. 5) nu fehlt Zü. 6) baind Hü. und so immer. 7) baupstes Zü. 8) als
si — stat fehlt Hü. Zü.

a) Hüpli blos latein: *Vae terrae cuius rex puer est, et cuius princeps
mane comedit.* Es ist *Ecclesiastes* 10, 16, wo es aber lautet: *cuius principes
mane comedunt.* b) Somit geschriben vor 1453. c) Die Schilde weisen auf eine
gemalte Urschrift.

Klingenberger Chronik.

Römisch rich, Franckrich, Engellant, Vngern, Castelle, Legion, Arragoni,
(Schild).   (Schild).   (Sch.).   (Sch.).   (Sch.).   (Sch.).   (Sch.).
Sicilien d), Portigal, Maiorken, Cypern, Pollenland, Dännmarck, Sweden,
(Sch.).   (Sch.).   (Sch.).   (Sch.).   (Sch.).   (Sch.).   (Sch.).
Nauerren, Armenien, Schotten, Sardinien, Norwegen, Trinaklien, Bechem,
(Sch.).   (Sch.).   (Sch.).   (Sch.).   (Sch.).   (Sch.).   (Sch.).
Normandie,   Hispania,   Hibernia,
(Sch.).   (Sch.).   (Soh.).

das ist in irlanden [9]), da sind vier künigrich. Es sind noch vil [10]) ander
künigrich in der cristenhait, die disen kronen sind vndertan [11]), vnd di-
sen künigrichen zuo gehorent; darumb nempt man hie die selben künig-
rich nit. Man sol ouch wissen, dass vor ziten vil me künigriche waren [12]),
die sidhar gemachet sind [13]) zuo hertzogtum vnd zuo graffschafften [14]).

3. Wie manig bistumb in der cristenhait sind.

Man sol ouch wissen, dass in der cristenhait hie disent dem mer sind
achthundert bistumb, on die bistumb, die die wichbischoff hand; die zalt
man hie nit, wan die selben bistumb ligent den mertail in der haiden-
schafft e).

Anno dni. drühundert xlvj starb der hailig [15]) man paulus, der erst
ainsidel.

Anno d. ccclix f) starb sant anthonius der hailig sälig abbt.

Anno d. ccclxxxviij g) starb sant ambrosius der hailig leerer, der
ain bischoff ze mailan in lamparten was

Darnach wart sant martini bischoff ze turone.

Anno dni. cccc vnd xl h) starb sant augustinus, der hoch [16]) lerer,
er was siben vnd sibenzig jar alt do er starb, vnd was bischoff zu ippone
enent dem mer.

Anno d. sechshundert vnd fünf i) starb sant gregorius der hailig
bapst vnd [17]) lerer.

4. Wie lang es ist dass dietrich von bern richsnet.

Do man zalt fünfhundert jar nach gotz gepurt vnd daby i) vmb das
selb zit richsnot dietrich von bern, von dem die puren singent, wie er
mit den wurmen [18]) hab gestritten [19]) vnd mit den helden gefochten; das
ist ain gedeut [20]), die nu durch kurtzwil erdacht [21]) ist. Item der selb diet-

---

9) daz ist in ir landen Zü. 10) och vil Tsch. 11) undertaun Zü. 12) küngriche
was Zü. Hü. 13) sind gemacht Zü. Hü. 14) graufschaften Zü. Hü. 15) sälig Zü. und
806. 16) hailig Zü. 17) hailig Zü. 18) dem wurme Zü. 19) gestritten hab 806. 20) So
Tsch. und 806. gedenk Zü. täding Hü. 21) erdaucht Zü. Hü.

d) d. h. Festland Neapel. *Sicilia propria* heisst hier Trinaklien (Trinakria).
e) Vgl. über das Bisherige Königshofen p. 101. f) 349 Hü. Zü. 356 Art. de v.
l. d. g) 378 Tsch 806 und Hü. 388 Zü. 397 art. d. v. l. d. h) 423 Zü. Hü.
430 a. d. v. l. d. i) 505 Zü. und der ganze Satz in den folgenden Artikel ver-
schoben. 604 a. d. v. l. d.

rich von bern .was von vngernlant vnd was dietmars sun, ain basthart[22]). Der selb dietmar sin vatter was ain künig über ainen[23]) tail der hünen vnd der gothen, die do zemal[24]) in allen landen vast[25]) richsnotent vnd ainen[26]) vngelouben wider die cristenhait hatten. Vnd do dietmar sterben wolt, do satzte er[27]) sinen sun dietrichen an sin statt ze künig über das böss vngeloubig volck, wiewol er nu ain basthart was. Also was dietrich von bern achtzechen jar alt, do er künig wart, vnd gewan das gantz italien[28]) vnd rom mit kriegen vnd mit stritten, vnd vertraib da künig vodackern[29]) vnd vil ander künig vnd herren, vnd hat er das land allain inn.

Item er was xxxj jar künig ze rom vnd in italia vnd in lamparten, vnd starb nach[30]) gottes gepurt fünfhundert vnd fünf vnd zwaintzig jar. Item man sprach jm darumb dietrich von bern, wan er wonet fast zuo bern in lamparten, vnd hat sin wesen daselbs.

Item er was ain ketzer an dem glouben vnd hat doch[31]) des künigs tochter von franckrich zuo der ee, die hiess audolfa[32]). Man liset von jm, dass er ain wol gestalt hüpsch vnd manlich[33]) man wär; aber dass er solichen vortail hätti an grössi oder an stercki als man von jm singt vnd sait, das ist nit[34]). Er was ain hart vncristenman, er fieng den gewaltigen wolgelerten[35]) maister boecium ze rom, vnd hiess jn füeren gen pauui in lamparten, vnd liess jn da töten, vnd vil säliger lüt hiess[36]) er töten, wan er was den cristenlüten[37]) nit hold k).

---

22) baschart Zü. 23) ain Zü. 24) ze maul Zü. 25) vast fehlt Zü. 26) ain Zü. 27) so sazt er Zü. 28) italia Zü. 29) ottackern 806. 30) nauch Zü. 31) doch fehlt Zü. 32) Andolfa Zü. Hü. Cod. 628 richtig Odofleda. 33) hübisch wolgetan manlich Zü. hübsch geton manlich Hü. 34) nüt Tsch. Hü. 35) gelerten Zü. 36) liess Zü. 37) cristen 806.

k) „Darnach wart walamer konig, vnd herscht uber sie xxxi jar. Der wart im streit erslagen, vnd nach jm theudemer sein Bruder, herscht xi jar. Nach dem sein sun theodricus. — Vnd kam durch bulgarien in pannonia vnd do, dan in ytalien vnd legert sich bey aquileya, doselbs er odoacker den konig ytalie, der sich mit gantzer wellischer macht wider jn gesamet hat, in streyt uberwant. Also floe O. mit einer kleinen zal gein rom warts, do er nicht eingelassen ward, vnd kam gein rauen, do ward er eingelassen. In des belegert dietrich v. B. die stat rauen drew jar, vnd nach grossem sturm gewan er die selben stat, ersluog O. vnd fur mit gewalt gein rom, do er mit freuden eingelassen vnd herr von rom vnd ganz ytalia ward — vnd liess sich tauffen; vnd das er jm solich reich ytaliam also bestatet, auch jm der francken konig clodoueum in pflicht braht, nam er desselben tochter odofleda genant zu weyb — —. Vnd wiewol er getaufft was, liess er sich die arrianer doch verfuren, vnd stercket dieselben seckt groslichen vnd verachtet die cristen sere. — Diser ertottet boecium, desgleichen simachum vnd patricium seine ratgeber; auch fieng er johannem den babst, den er dan in gefenknuss groslich peinigt vnd hungers sterbt, vnd nach 90 tagen starb diss Th. jeheling. — Als aber mancherley spruch vnd lieder von disem D. v. B. gesungen vnd gesagt werden, sunder wie er vnd sein meyster hildebrant vil dracken vnd wurme erslagen, auch mit ecken dem

5. Versus.

Der ist edel vnd ouch guot, der from ist vnd recht tuot.
Gerecht, beschaiden vnd milt hort in des adels schilt;
lept der adel in onvernunfft [38]), so hort er in der puren zunfft.

6. Wie lang es ist, dass die siben carfürsten vffgesetzt wurden, vnd warumb das beschach.

Archiepiscopus Maguntinus *sacri imperii per totam Alemanniam atque Germaniam archicancellarius.*

Archiepiscopus Coloniensis *sacri imperii per totam Italiam archican-cellarius.*

Archiepiscopus Trevirensis *per totam Galliam.*

Rex Boëmie *(quondam dux).* ·*Marchio* Saxonie. *Palatinus* Reni. *Dux* Bavarie. *Hi septem sunt electores Romani regis; unde versus:*

> *Maguntinus, Trevirensis, Coloniensis,*
> *Est palatinus dapifer, dux portitor ensis,*
> *Marchio praepositus camerae, pincerna Boëmus.*
> *Hi statuunt dominum cuncti per secula mundi [39]).*

Item man sol wissen, dass die cristenhait aine alte [40]) vnd lobliche [41]) gewonhait hat vnd zwai houpt hat, ains gaistliches vnd ains weltliches; das gaistlich ist der bapst, das weltlich ist ain römscher künig oder kaiser. It. das gaistlich houpt erwellent die cardinäl, vnd sol von gewonhait ain walch sin; it. das weltlich houpt erwellent die fürsten von tütschen landen, vnd sol von altem harkomen ain tütscher [42]) sin. It. also hattend die hertzogen von sachsen das römisch rich me den hundert jar inn, dass si römisch künig vnd kaiser warent, vnd ouch erwellt wurden von den fürsten ir vier nach ainander,· hiess der ain hainrich, die andren dry hiessent otten, *unde versus: Otto, post Otto regnavit tertius Otto* [43]).

Item do nun der dritt ott das rich besass, als hett er es in erbs wiss, doch mit der fürsten vnd herren willen, die dem hailgen rich zuo gehorten, do entsass er dass gross misshellung vffston wurd nach sinem tod, wan er hatt kain sun noch erben. Vnd also schickte diser kaiser ott von sachsen der dritt nach den mechtigen fürsten vnd herren, gaistlich vnd weltlich, die dem hailgen rich zuo gehorten von tütschen landen. Also do nun die fürsten vnd herren all zesamen kamen vnd bi dem kaiser waren, do stuond der kaiser uff für die fürsten vnd herren, vnd sprach: „lieben fürsten vnd herren, ir wissent wol, dass mine [44])

---

38) ane Vernunft Tsch. Die Verse fehlen Zü. 39) Das Lateinische haben Tsch. u. 806 nicht, blos Zü. und Hü. 40) alt Zü. 41) loblich Zü. 42) tiutsch Zü. 43) Der Vers blos Zü. Hü. 44) min Zü.

rysen gestriten vnd mit dem twerck in dem rosengarten gefochten habe, dauon finden wir nichts in keinen bewerten schrifften, dorumb wir es fur ein gedicht vnd fabel halten." Cod. 628. Vgl. hierüber und die 24 Königreiche, Königs-hofen p. 86—89. 101.

vordren vnd ich das rich vil jare inne gehept hand, als wärint wir sin er-
ben gesin, das wir doch nit sind; doch haben wir es allweg geton mit üwe-
rem willen der mertail. Also, lieben herren, bekenn ich dass ir des hail-
gen richs fürsten sind vnd gewalt hand ain römischen künig vnd künftigen
kaiser ze erwellen. Nun sind etlich fürsten vnder üch, die sich selb oder
ir fründ fürdern wellent an das rich, vnd doch wol bekennent, dass si dem
rich weder nutz noch guot sind, vnd die ouch nit besinnent, was si dem
rich gebunden sind, vnd wie grosser gebrest, krieg vnd anders dem hail-
gen rich davon möcht uff ston. Also, lieben fürsten vnd herren, ermanen
ich üch der trüw so ir dem hailgen rich gebunden vnd pflichtig sind, dass
ir vnder üch allen erkiesint etlich fürsten, die von üwer aller wegen ainen
römischen künig wellint; vnd je minder der ist, je minder stöss vnd krieg
si vnder ainander haben mügent." Also nach des kaisers rat vnd nach
vil rede erwaltent si siben fürsten vss des riches amptlüten [45]), wan si aller-
maist wissten des richs gelegenhait. Als si nun die siben fürsten vnder
inen allen erwalten, do nampten si die selben siben curfürsten, wan si
von ir aller wegen jemer ewengklich wellen [46]) soltent ainen römischen
künig vnd künftigen kaiser. Vnd sind der selben fürsten dryg gaistlich
vnd vier weltlich: it. der bischoff von mentz, der bischoff von trier, der
bischoff von köln; it. die weltlichen: der pfallenzgraff [47]) bi dem rin, der
hertzog von sachsen, der marggraff von brandenburg, der künig von be-
chem. It. diss siben fürsten sind des hailgen römischen richs obersten
amptlüt vnd sind ouch hinfür curfürsten, wan inen die cur geben ist von allen
des richs fürsten.

It. diss uffsatzung ist gemachet vnd bestät do man zalt tusent vnd ain
jar, vnd in dem selben jar starb ouch kaiser ott von sachsen, der dise
ordnung gemacht hatt. It. also kament die selben curfürsten zesamen gen
franckfurt vnd erwaltent ainhelligklich hertzog hainrichen von payern
zuo ainem [48]) römischen künig vnd künftigen kaiser. Also was diser künig
hainrich der erst künig, der von den curfürsten je erwelt ward l).

---

45) amhachtlüten Königsh. 46) d. h. küren, erkiesen, *choisir*. 47) pfalzgrauf Zü.
48) aim Zü.

l) „Im 28. jar kaiser otten herschung, nach dem jm das reich bey den
stam zu sachsen geerbt hat — vnd er kainen erben hat — vernome er wider-
wertikeit vnd krieg, die vmb die regierung des reichs geschen mocht, zu verhu-
ten, vnd satzt nach rate der fursten ewiglich zu weren, das siben fursten, der
drey gaistlich vnd vier werntlich, des reichs amptleut vnd kurfursten, die drey
geistlichen ertzkantzler, nemlich der ertzbischoff von meintz in teutschen landen,
der E. B. von trier in gallien vnd dem konigreich zu arlat, der E. B. von cöln
in welschen landen enhalb des lampartischen gepirgs; der pfaltzgraue bey rein
ertztruchses, der hertzoch von sachsen ertzmarschalk, der margraue v. branden-
burg ertzkammerer vnd ein hertzoch v. bechem, nu konig, ertzschenck sein, dise
siben kurfursten hinfur zu ewigen tagen, so das durch abgang romischer kayser
vnd küng zu schulden kome, zu franckfurt auff dem mein einen teutschen, den

It. diser kaiser was gar ain selig götlich man. Er stifte das bistumb ze babenberg, vnd gab daran gross guot. Er stifte ouch vil clöster, kilchen vnd pfrunden, vnd tät vil guots durch gottes vnd durch der cristenhait willen.

It. er hatt ain frowen zuo der ee, hiess kunigunt, die was ain rain wib; si blibent baide, er vnd sin frow, künsch biss an ir baider tod.

It. er was xij jar römischer künig, vnd fuor do gen rom vnd ward erlichen kaiser, vnd tät vil guots vnd starb nach gottes gepurt tusent xxv jar, vnd ward ze babenberg erlich begraben in dem münster, das er selb gestifft hatt.

It. man begat[49] ouch sin hochzit vnd siner frowen, sant hainrichs vnd sant kunigund, an vil enden in der cristenhait erlich mit singen vnd mit lesen, wan si wurdent bede gehailigot.

7. Ain grosser vncristner lonff von pfaffen vnd layen.

Anno d. Mlxxiiij do huob sich an die grösst zwayung zwüschent pfaffen vnd layen, die sider[50] gottes gepurt in der cristenhait je' wart biss uff das zit, vnd werte das xx jar.

It. diss zwayung kam also von kaiser hainrichen dem vierden vnd von bapst gregorio dem sibenden, die warent stössig mit ainandren, also dass kaiser hainrich den bapst gern entsetzt hett, vnd truog mit xxiiij bischoffen in tütschen landen an vnd ouch mit vil andren herren, dass man jn nüt sölt für ainen bapst han, vnd zoch darnach gen rom vnd entsatzt denselben bapst, vnd machet ainen andren bapst. Da zoch der künig von napols mit grosser macht gen rom vnd vertraib den kaiser vnd sin bapst vss rom, vnd half bapst gregorio wider in ze rom, dass er das bapstum inn hatt. Also muot den bapst die smach vnd der muotwil, den der kaiser mit jm getriben hatt, vnd luod den kaiser gen rom; do luod der kaiser den bapst herwiderumb, vnd verbien je ainer den andren vff das hindrost, dass alle lantzherren vnd stett in den krieg kament; ain tail warent mit dem kaiser, ain tail mit dem bapst. In disen dingen wurdent pfaffen vnd layen verruocht[51], dass man weder vff des bapsts noch vff des kaisers bott nüt gab.

Item die pfaffen hatten ir wib vnd kind offenlich bi in sitzen als ander lütt, vnd triben simony mit ir pfruonden. Do gebot der bapst durch die gantzen cristenhait, dass man die selben pfaffen, die simony tribint, sölt für bännig halten, vnd welcher priester offenlich sin wib vnd kind hett, der sölt kain mess lesen, vnd söltin ouch die layen ir mess nit horen, vnd söltin ouch den selben pfaffen weder opfern[52] noch zechenden geben.

---

49) Im gedruckten Königshofen sinnlos „leget". 50) sidhar nach Zü. 51) Veruecht Zü. 52) opfer Zü. Hü.

sie nach irem gewissen gemeinen nutz zu regiren fur den eigenlichsten erkanten, zu romischem konig erwelen, der auch die kayserlich krone zu rome von dem babst empfahen solt." Cod. 628 p. 645. Vergl. Königshofen p. 109.

Das gefiel den puren vnd etlichen layen fast wol, vnd warent ouch dem bapst in disem gebott gern gehorsam, die weder vff des bapstes noch vff des kaisers gebott in andren dingen nüt hieltent, vnd wurdent die lüt so gar verruocht, dass die layen selb täten das den pfaffen zuo gehort, als predigen, touffen, ölen, bewaren. It. si toufftent ire kind selb vnd nament orschmer vss den oren vnd strichent es den kindern an für crisam. It. ain lay gab dem andren die sacrament vnd das hailig öl [53]), vnd ander vncristenlichi ding die si täten. It. si verbranten den zechenden, der den pfaffen zuo gehort. It. si nament den priestern das hailig sacrament vss den henden vnd wurffent es an den herd [54]), vnd tratent daruff mit den füessen, vnd redtent vncristenlich von dem glouben, vnd täten ouch vil ander ding, das grülich wär ze sagen, wan es was der vncristenlichost louff vnd der ketzerlichost, der vor je gewesen was sider gottes gepurt; doch so was er ouch grösser in ainer gegni vnd in ainem land dan in aim andren, darnach als die lüt genaigt vnd grob warent.

It. disen [55]) kaiser fieng sin [55]) sun vnd liess jn in der gefencknuss sterben, nach gottes gepurt Mcvj m).

8. Maylan in lamparten ward zerstort.

It. anno d. Mclxij do zerstort kaiser fridrich die statt ze maylan in lamparten [56]), vnd brach die muren nider vff den herd. Do nam bischoff ruodolff von köln die hailgen dry künig für sinen sold, vnd schickt si gen köln; die warent vor von constantinopel gen maylan komen. Vnd der hertzog von österrich nam sant geruasii vnd prothasii, vnd füert si gen brysach [57]).

9. Der apt von sant gallen empfalch sin vogty.

Anno incarnationis dominice Mclxvj, *epact.* vj, *concurrent.* iiij, *indict.* xj, *sub friderico romanorum imperatore. Propter vite mortalis breuitatem multa solent a mentibus* [58]) *hominum excidere. Congruum ac utile uisum est michi conuencionem que facta est inter me wernherum abbatem scti galli et comitem ruodolfum de (pfullendorf) literarum memorie committere. Notum sit igi-*

---

53) Das h. ö. v. d. sacr. Zü. 54) an die erde Zü. 55) diser — sinen Zü. 56) Do ward mayland zerstort von kaiser fridrich dem ersten vnd ain hertzog von swaben 806. 57) Das vom Oesterreicher blos 806. 58) *amentibus* Hü.

m) „Die leyen verachten bristerliche wirdikeit vnd begunden davon zu disputiren; die kinder taufften sie vnd die snodigkeit auss iren oren brauchten sie gegen den kindern anstat des heiligen cresems. Sie verachten auch die heyligkeit an irem end zu enpfaen, vnd vorsmechten begegnuss irer begrebnuss; die bristerlichen zehenden verbrenten sy vnd wurden die leyen so snod, grob vnd rauchloss, das sie dick das sacrament durch die brister, die da weyber hetten, geseget mit fussen tratten, vnd das hailig blut mutwilliglich verschutten, auch vil ander lesterung als den in der kirchen gotes erging, darumb vil falscher lerer aufferstunden, das folck durch vnnutz newikeit von der gotlichen zucht abweysend." Cod. 628 p. 669. Vgl. Königsh. p. 112. 113.

tur omnibus tam futuris quam presentibus, quod ego idem wernherus abbas
a d u o c a c i a m, quam potestatiua manu libere tenui, predicto comiti ruodolfo
commisi. Huius autem pacti conuencionem talem statui, ut eandem aduocaciam
nulli unquam in beneficium prestare liceat, et limites prisce institucionis trans-
gredi minime debeat; uniuerse namque congregacionis fratrum meorum ac fa-
milie ipsorum honorem positiue iusticie inuiolabilem permanere decreui; eccle-
siarum quoque in cenatorio beati galli sitarum, et presertim harum sancte fi-
dis, scti laurencii, scti iohannis, scti leonardi iusticias et honores sacerdotum
et earumdem ecclesiarum et eorum scti galli clericorum ab ipso nunquam de-
bere uiolari sanciui; ministerialium et inhabitancium hunc locum et eorum qui
quotidianum seruitutis impensum monasterio exhibent et omnium tam minorum
quam maiorum instituta, quae a predecessoribus meis abbatibus et prioribus
aduocatis obtinuerunt, inconuulsa fore stabiliui. Hanc conuencionem idem co-
mes fide sua data confirmauit. Acta sunt hec anno incarn. dom. Mclxvj epact. vj
concurr. iiij ind. xj sub friderico rom. imperatore et semper augusto. Testes huius
rei sunt hi: eberhardus prior mgr. leonhardi, vodalricus prepositus, ceterique
confratres mei; vodalricus de scto leonhardo decanus, sacerdos scti magni,
hainricus plebanus, theodoricus de altstetten cum filiis suis, hermanno, theo-
drico, egeloffo, wetzel de balga et filii eius hainricus, eberhardus; ruodolfus giel,
ruodolfus et volricus de arbon, adelberchtus de busnang, walther de elgoue, ar-
nolt de bürren et alii plures, quorum nomina longum esset enumerare.

In den zitten lech vnd enpfalch apt wernher von sant gallen sin vogty
vnd alles das sant gallen zuo gehort, graff ruodolffen von (pfullendorf), vnd
tät das von nutz vnd eren wegen des gotzhuses vnd mit willen, gunst vnd
rat sines gantzen convents. Vnd waren vnder ougen: her volrich der propst
vnd ander conventbruoder, der techan von sant lienhart, der priester von
sant mangen, her hainrich der lütpriester, dietrich von altstetten mit sinen
sünen, item herman, dietrich, egloff, vnd wetzel von balga vnd ir sün hain-
rich, eberhart; ruodolff giel, ruodolff vnd volrich von arbon, albrecht von
bussnang, wernher von eilgöw, arnolt von bürren, und vil ander herren n).

---

n) Obiges Teutsche fand Tschudi in seiner Handschrift als Vertrag mit Ru-
dolfen von Habsburg, ohne Datum und erst nach dem Jahre 1344 (Wassernoth
in Zürich), erkannte es als unrichtig und setzte an den Rand „forte Hermannus"
(Abt 1333). In der sog. Sprenger'schen Chronik in Zürich geht voran eine kurze
lateinische Einleitung, aber mit dem falschen Datum 1266 (Mittheilungen der
antiquarischen Gesellschaft II p. 71), was die Sache nicht verbesserte, da hiezu
Abt Wernher (1133 — 1167) eben so wenig passte als ein Kaiser Fridrich I.
Als Ausweg bot sich mir Fridrich I. (1152 — 1190), der wirkliche Abt
Wernher, welcher St. Leonhard stiftete, der Propst Ulrich von Tegerfelden,
sein Nachfolger, und Rudolf, nicht von Habsburg, sondern von Pfullendorfs
(Vanarx I. 291). Den Chronikschreiber verirrte wohl die Uebertragung der
Vogtei an den Habsburger im Jahre 1273 durch Abt Ulrich von Gütingen (An-
nales Colm. ad a. Vanarx I. 403). Erst Monate lang als die Handschriften
Tsch. und 806 abgeschrieben waren, lieferte die Hüpli'sche aus Zürich p. 28 die

10. Vss dem hertzogtum ze behem ward ain künigrich.

Anno d. Mcc jar do ward vss dem hertzogtum zuo behem ain kü-
nigrich, vnd tät das philippus von swaben, der hertzog. Der ward ouch
zuo römischem künig erwelt zuo franckfurt. Von demselben künig nament
ouch herren vnd stett fryhait vnd bestätigung [59]), als von ainem römischen
künig, wan er hatt ainen grossen hof zuo mentz; er machet ouch do zemal
vodackeren [60]) den hertzogen von behem zuo ainem künig vnd das her-
tzogtum zuo behem zuo ainem künigrich, als diss vers vsswissent:

Terra bohema deo grates age, nam tibi legem
Ampliat imperium faciendo de duce regem.
De duce bohemo factus fuit rex sub I. F. P. [61])

11. Wenn sich die bettelorden anhuoben.

Anno d. Mccxj vnder bapst jnnocentio dem dritten erhuoben sich die
zwen bettelorden barfuossen vnd brediger. Sant franciscus fieng ai-
nen orden an ze assis, dry tagwaid [62]) von rom; do fieng sant dominicus
sinen orden an zuo bononie.

Anno d. Mccxij starb der selig dominicus.

Anno d. Mccxxvj starb der selig franciscus.

Anno d. Mccxxx do erhuob sich zuo dem ersten der bettelorden der
augustiner in den stetten, wan si vormals in den wäldern wonotent, vnd
hiess man si heremiten, das sind ainsidel [63]), vnd wurdent bestät von dem
bapst gregorio dem nünden. Diser bapst compiliert decretales.

Anno d. Mccxl [64]) vnder disem bapst starb sant elisabeth, ains kü-
nigs tochter von vngern, vnd ains lantgraffen von türingen eliche hus-
frow [65]) o).

---

[59]) Bestätung Zü. Hü. [60]) ottackern 806. [61]) d. h. *sub Imperatore Friderico Primo.*
Die Verse blos 806 und Hü. aber die Namen ausgeschrieben. [62]) tagwan Tsch.
[63]) „wan si — ainsidel" blos 806. [64]) Elisabeth † 1231, *decretales* 1234, heiligsprechg. 1233.
[65]) frowe Zü.

ächte Jahrzahl 1166, obwohl auch hier irrig mit dem Habsburger, so dass bis
auf Tschudi Niemand den argen Verstoss geahnt hatte; dann aber hinten, p. 164,
ungeschickt hinter das Basler Konzil hineingeworfen, die ganze lateinische Urkunde,
wie sie oben ist, nachlässig geschrieben, und abermal auf Rudolfen von Habs-
burg angewendet. Im Archiv fand ich sie bisher nicht.

o) „Darnach do man zalt 1241 jar, graff gottfrid v. hapspurg ze ainem
tail vnd die statt bern zum andren t. hattent grossen krieg zesament, so verr
dass die vyent ze beden siten zesamen kament, vnd empfiengen die von B. grossen
schaden. Was aber die sach des kriegs wäre oder ansprach wäre, hab ich nit
geschrifftlich funden." Cod. 629. p. 274. Ganz ähnlich Justinger p. 34. Vgl.
Tillier I. p. 54. — „Anno d. 1251, an dem zwölften tag jenners, beschach ain
gross misshellung vnder den burgern zürich von des stuols wegen ze rom vnd
von des kaisers wegen." Codd. 657 p. 54. 631 p. 340.

12. Wenn vnsers herren fronlichnamstag vffgesetzt ist.

Anno d. Mcclxij do ward vffgesetzt das hochwirdig vnd loblich fest [66]) vnsers herren fronlichnamstag, dass man den in der gantzen cristenhait sol began vff den nechsten donstag nach dem achtenden tag des pfingstages [67]); dise ordnung tät bapst vrbanus der vierd, bapst, der ouch grossen ablass vnd gnad darzuo gab.

13. Von bruoder berchtold.

Anno d Mcclv do wandlet bruoder berchtold, der guot selig lant prediger, in dem land, vnd prediget in disem jar zuo dem ersten mal zuo costentz.

14. Wie die herren von regensperg vertriben wurdent p).

Anno d. Mcclxiiij do starb bapst niclaus q) der vierd ze rom an dem karfrytag, vnd belaib die hailig [68]) kirch zway jar vnd dry monat on ain bapst. Es was ouch das hailig rich vil jaren on ain römischen künig gesin, vnd gieng vil wunders in den selben ziten [69]) für, wan die cristenhait hatt weder gaistlich noch weltlich houpt. In den selben ziten [70]) sassent herren im turgöw, hiessent die von regensperg [71]) vnd warent gar mächtig, vnd als man do zemal kain houpt in dem land hatt [72]), vnd es gar übel [73]) gieng, do schicktent die von zürich ir erber botten von ir statt [74]) zu dem herren von regensperg, vnd batent den dass er ir houptman wurd biss an ain künftig houpt des hailgen richs. Das wolt der von regensperg nit tuon vnd sprach, ar hett sunst land vnd lüt genuog zuo versechend [75]), vnd wölt er denen von zürich übel, so hett er si gelich als man visch vacht in ainem garn, also hett er si vmblait mit sinen stetten vnd burgen vnd mit sinem land vnd lüten. Der red erschrakent die von zürich übel, vnd wurdent aber ze rat, wie si weltint tuon [76]), vnd schicktent aber ir erber botten gen brugg in ärgöw. Da nach by vff ainer vesti sass ain graff, hiess graff ruodolf von habspurg. Der was von römischem geschlecht vnd was gar ain wiser man; dem laitent si ir sachen für, vnd battent jn ernstlich, dass er ir houptman wurd, das weltint si vmb jn getrüwlich [77]) verdienen; wan die herren von regensperg hattent den selben graffen von habspurg vss kriegt, dass er arm worden was vnd nötig [78]). Also ward der selb graff ruodolf von habspurg der von zürich houptman qq). Also

---

66) das hochw. — fest blos 806. 67) *post octavas pentecostes* Zü. 68) fehlt Zü. 69) in dem zit Zü. 70) in dem s. zit Zü. 71) regenspurg Zü. 72) in dem lande was Zü. 73) wunderlich Zü. 74) erber stattbotten 8(6. 75) versorgen Zü. 76) tuon wöltint 806. 77) getriulich vmb in Zü. 78) nötig vnd arm worden was Tsch. Zü.

p) Bei Tsch. und Hü. Raum für eine Zeichnung, wohl das Regensberger Wappen.

q) Nicht Niklaus, sondern Urban IV. und nicht am Karfreitag, sondern 10. Oct.

qq) „Darnach über etwie vil jar was das rich asetz, dass kain römscher kaiser noch küng was. Do schicktend die von zürich zuo dem herren von regensperg zwelf der besten burger von Z. vnd wurbend an jn, dass er ir houptman

zugent si mit irem houptman vss vnd vff den herren von regensperg, vnd [79]) kriegtent vff jn, dass er sin vesti vnd sloss als kostlich inn hett, dass er den sold nit mocht vssgerichten, denn dass er regensperg muosst verkouffen vnd ander sin aigen guot; dennocht hatt er uotlenburg vnd glantzenberg vnd andere sloss, da mit er denen von zürich vil ze laid tät, vnd besunder schadget er die von zürich fast ab votlenburg. Si hattent xij wisse ross vff der selben vesti, da mit si gewonlich vss rittent. Also staltent die von zürich ouch haimlich nach xij wissen rossen [80]), vnd do die herren vss gerittent mit ir wissen rossen [81]), do iltent die von zürich mit ir wissen rossen zuo der vesti, vnd do si der torwart sach, do tät er vff, vnd mainte, sin herren kämind [82]). Also gewunnent die von zürich votlenburg, vnd brachentz nider, vnd zugent mit ir houptman für glantzenberg an der lindmat, vnd gewunnent das stättlin vnd die vesti, vnd brachent es ouch nider. Si brachent jm ouch andre sloss. Also vertribent die von zürich die herren von regensperg, vnd gieng inen wol was si anfiengent, diewil si den graffen von habspurg zuo ainem houptman hattent.

Anno d. Mcclxvij an dem nünden tag im abbrellen ward votzenberg die burg gewunnen [83]) r).

---

[79]) „gewunnen küssnach vnd dar zuo etwa mengi veste" Zusatz in Zü. [80]) oder pfärden Zü. [81]) pfärden Zü. [82]) vnd do — kämind blos Zü. [83]) in Zü. erst hinter die 2 folgenden Artikel verschoben.

wurd vntz an ain künftigen küng. Vnd won der von regensp. vil stett vnd vestinen hatt vnd rich was, do verschmähet er der von Z. bottschaft, vnd maint, er wär inen on das stark gnuog. Do fuorand der selben von Z. botten für sich zuo graf ruodolfen von habspurg, vnd wurbent die vorgesaiten sach an jn. Der dett es gern vnd fuor mit den herren gen Z. vnd schwuor zuo inen" u. w. Codd. 657 p. 55. 631 p. 340.

„In disen ziten was kain houpt des hailgen richs, vnd santand die von Z. ir erbarn botten zuo dem herren von regensperg, dass er dero von Z. houptman wurd vntz an ain künftig houbt des hailgen richs. Do sprach der von Reg. die von Z. möchtend jm nit widerstan', er hetti si vmblait mit sinen vestinen, mit land vnd mit lüten, als ain visch mit ainem gern vmblait ist; sie müesstint suss tuon was er wölti. Do santant die von Z. ir erbaren botten gen brugg vf die nächsten festi zuo graf ruodolfen von habspurg, der was von römischem geschlecht, vnd was gar ain wyser herr, vnd hattend jn die von R. vsgekrieget, dass er notig was worden, vnd erbatend den von habspurg, dass er ir houptman wurd vntz an ain künftigen küng. Do schwuorand si zesamen." Ders. cod. 657 p. 56. 57.

Züricher Chroniken nennen als die Boten sechs Ritter: Rud. von Glaris, Heinr. vss dem Hof, Heinr. Meiss, Kuonrat Dietel, Heinr. von Kloten und Rud. am (oder ab dem) Steg; und die Bürger: Heinr. Brun der jung, Johanns von Basel, Joh. hinder der Metzg, Walter Meiss, Rud. Gnürfer (oder Gürnser) und Wernher Wylo oder Willi, und als das Jahr 1265. Codd. 651. 647. und Heinrich Grebel's „Handbüechli", p. 224.

r) „Des ersten zugend die von Z. mit irem houptherren für vtzenberg, die was ains von toggenburg, vnd beschach dem land gar we darab, vnd was also vest, dass man jar vnd tag da vor lag, vnd hattend ain holi strass darab, dass inn spis ward wenn si woltand. Vnd si wurfend lebend visch her vss. Do sprach der wys houptherr: nu ist die burg gewunnen. Vnd ward die strass funden in ainem wilden bach tobil, vnd ward die burg zebrochen anno 1267 am nünden tag abrellen." Cod. 657 p. 57. Aber bereits p. 55 hat dieselbe Chronik ungeschickt: „In den selben ziten wurdent die curfürsten ze rat vnd namend den vorgenaunten von habspurg zuo ainem römischen küng, vnd ward die statt basel (wo er mit Z. „vnd ettlich ander" sechs Wochen gelegen habe) vfgetan vnd der krieg mit dem byschof verricht. Darnach fuor der selb küng ruodolf vnd die von Z. mit jm für vtzenberg, vnd lagend vor derselben burg ain jar, vnd ward dieselb vesti gewunnen anno d. 1267 an dem nünden tag abr. Vnd darnach für sich ward si von zürichern zerbrochen, wan es was ain roub hus." Fast wörtlich auch Cod. 631 p. 341, aber hier „am 19. April". — „Darnach laitend sich die von Z. für küssnach, die burg an dem zürichse, die ward gewunnen vnd zerbrochen anno d. 1268 vf sant vrbanus tag" (25. Mai). Cod. 657 p. 57 und 631 p. 341. Die Chronik 651 sagt „wurb (Wulp) by küssnach".—

„Als vns schadgote vnd we tett der von R. vff den strassen mit zwelf wyssen rossen, vnd hattend die herren ouch wiss gewand an, do tatend die von Z. als ob si jm wöltind für etlich vestinen ziehen, vnd zugend vss vnd wider jn. Da mit besatzt der von R. sin vestinen gar kostlich, vntz dass er nit me mocht sold geben, vnd muost versetzen vnd verkouffen regensperg vnd ander sin aigen vestin; noch dan hatt er vetliburg vnd glantzenberg, da mit er vns we tett. Och hattend die von Z. gesamnot wyssi ross gar verholen, vnd do der von R. was vssgeritten uff iren schaden, do rittend die von Z. och uss mit wissen rossen vnd mit wissem gewand, als ob si die herren wärind, vnd jagtand ainander ze votlenberg an das tor. Do wond der torwart, es wäri sin herrschaft, vnd tett das tor vff, vnd kam die gemaind von Z. hin nach, vnd ward vetlenberg zerbrochen, vnd fuorand do an die lindmag, vnd zerbrachend och glantzenberg, die burg vnd das stätli anno 1268 in dem ersten herbstmanot [84]). Vnd do ergab sich der von R. an die von Z. vnd gabend jm ain libding, vnd ward begraben in Z. zu den barfuossen." Codd. 631 p. 343. 657 p. 57. 58.

„Anno d. 1269 do stuondt das rich on ein houpt 27 jar, dass kein kaiser erwelt ward biss vff graff ruodolf von H. zit, welcher graff deren von Z. obrister houptmann gesin ist — — do wardt graff ruod. von gemeinen kurfürsten zuo einem rö. künig erwelt. Aber das rich was darvor 27 jar one einen regenten, darumb ist in dem tütschen land gar grosser zwang, krieg vnd vnfrid gesin, vnd je ein fürst vnd herr wider den andren; die hand einandren stätt, land vnd lüt ingenommen. Zuo der selben zit hand die herren von h ü n e n b e r g vnd k a m vnd vff der w i l d e n b u r g vnd statt z u g wider einandren gesetzet, von wegen irer friheitén; darumb hand si gar vil zweitracht mit einandren ghan.

Herr gässler von meyenberg [85]) beschribt, dass die herrschaft kam zuo der selbigen zit gar in ein grossen abfall sige komen, vnd habe die statt zug mäch-

---

[84]) d. h. September [85]) Konrad. Vgl. Haller IV. S. 161 Nr. 371.

tig an gewalt zuo genomen. Do füegt sich vff ein zit, dass der herr vff der wildenburg vnd die burg vnd statt kam vnd der von rüsegg vnd hünenberg, vnd die herren von maschwanden vnd die von bremgarten ein heimliche püntnuss vnd vertrag wider die von zug gemacht, vnd wolten mordlichen on alle absagung by nacht die statt vnd burg zug überfallen vnd innemmen vnd allen manlichen stammen darin erwürgen, vnd hand sich alle zu steinhussen versamlet, vff 900 fuossknecht vnd vff die 100 zuo ross, vff den 9. tag herbst zuo nacht vmb die 12. Es sind ouch etliche schiff zuo kam gesin, die soltent die statt vff dem see überfallen vnd erstlich anreitzen, vnd der fuoszüg vff der leberen ob der statt zug solt an zweien orten die statt mit böcken vnd mit sturmleitern vmb die zwei nach mittnacht anlouffen. Vnd aber got der herr wolt diss mord nit verhengen, vnd liess sie durch einen fromen fischer warnen; der was vss der statt kam in einem kleinen schifflin zuo der statt zug gefaren, vnd zeigt inen das fürgenomen mord trüwlich an. Als aber in der statt Z. etliche tapfere zuosätzen zuo ross vnd fuoss warent, die dem adel ein dorn in den augen warent, vnd hinder den herren vff der (die?) burg vnd statt Z. gewichen warent, vnd des rechten vnd schutz vnd schirm von inen verlanget, das was die grösste vrsach diser vneinigkeit.

So bald die von Z. das vernament, do hand si sich gar schnell grüst — — vnd hand in dem see hinder der statt schwirren [86] geschlagen vnd fürschwellen vnd andere rustig, by 100 mannen an den see verordnet. Si hattent auch by 70 rossen — by 80 lantzen — vnd by 300 fuossknecht, die fielent vss der statt, ehe dass sich der find versamlet hatt, vnd hand vf der leberen gewartet — — vnd hand die find hinderzogen, vnd fielent si schnell mit irem grossen geschrey vnd überfall an mit fürpfilen vnd mit steinen, ehe dass si mochtent zuosamen komen, vnd hand si in die flucht gejagt — dass der finden by 250 im ersten angriff sind bliben. Si hand auch gar vil in see gejagt vnd ertränkt, vnd sind inen nach gelauffen biss gen steinhussen. — Die zuger mit iren bystenderen verlurent nit mer denn 7 mann. Also hand die zuger mit der hilf gottes das mord gerächet vnd den anfängern das bluot selber in die schuo gricht. — Aber den von kam, die vff dem wasser fuoren, denen geschach gar nüts, denn si warent erst von dem landt gefaren gegen dem kiemeu vffen; die woltent dann wider gegen der statt, als wann si von art oder immisee kämend mit kouffmansgüeteren —. Als si nun vff dem see den sturm vnd geschrey gehört hattend vnd verstanden, dass iren anschlag so gar gefelt hatt, do sind si wider hinder sich gen kam.

In der selbigen zit — hand inen die von Z. fürgenomen, die von kam vnd hünenberg zuo schedigen, vnd fuorent vff mittnacht den see vf gegen den kiemen, vnd hand zwüschent kam vnd hünenberg inen ir vich vnd was inen mocht werden, geroubt. Do wardent die von K. ir innen, die hattent by 50 zuosätzer vss dem rüstal by inen, die hattent inen die von rensperg, maschwanden vnd bremgarten zuo geschickt, vnd fielent mit gantzer macht vss der statt, vnd tribent die von Z. von irem raub, vnd jagtent inen nach biss gen immisee. Daselbst na-

---

86) Pfähle.

ment si ir schiff vnd füertents gen K. Die anderen zugent dem see nach biss gen art an die letzi. Als die arter si ersachent, hant si gestürmpt zuo art vnd schwytz, vnd hant die von Z. widerumb vertriben, vnd woltent si nit lassen by dem see hinab gen Z. ziechen in ire gewarsame. Also warent die von Z. in grosser gefar zwüschent ross vnd wand — do kament si wider gen immisee, die warent denen von Z. günstig, vnd schicktent mit einem burger von Z. ilends bottschafft gen Z. in einem schifflin, dan die komer hattent die nauwen gen K. gefüert. — Als bald warent die von Z. vf mit ir macht, mit ir zuosatz vnd denen von egeri vnd zugerberg vnd mit den banditen — by 500, kament gen steinhusen vnd niderkom über die lorzen zuo sildnen in den wald, vnd tribent den raub zuosamen vnd verbrantent etliche hüsser, vnd schluogent ein huot in dem wald mit 70 pfärten vnd so vil fnossknechten mit bögen. Do kament die von K. mit gantzer macht, vnd griffent die vorhuot an mit 50 pfärten, vnd alsbald der fuosszüg von K. schnell hinden nach vnd steltent sich dapfer zuo wehr, vnd in disem ernstlichen angriff do fiel der vermelt verschlagen huffen von Z. vss dem wald hinden in der finden huffen, vnd schluogents in die flucht, vnd erschluogent der finden by 75 (andre Hdschr. 57) mann. — Den anderen jagt man vff allen strassen nach, aber am meisten vff K. zuo. Der herr gässler schribt, wie dass ainer von Z. im nachjagen über den stattgraben zuo K. zweien finden nachgesprungen sig mit sinem pantzer vnd spiess by 22 schuo wit an die stattmur, vnd habe si im graben vmbracht. Der guot held muost aber auch sin leben darumb lon, dann ehe er daruss komen mocht, ward er ab der ringmuren mit steinen vnd pfilen zuo tod geworffen. Diser tapfere held habe ein reissig pferdt erlouffen mögen, vnd vil herliche taten verricht; darumb hat man jn den hirtzen genampt von sines springens vnd lauffens wegen. Der sol ab dem zugerberg von stammen geboren sin. Die von Z. vnd ire zuogewante verlurent 25 man — der finden sind by 94 vmbkomen. Als die erstgewichenen 80, die am kiemen lagent, die brunst sachent, do luffent si den iren zuo — do fundent si by 20 totner vff der waltstatt, die fergetents mit inen gen Z. u. w.

Darnach (a. Handschr. damals) wolt der herr vff der wildenburg abermal ein überfall in die statt Z. thon han, vnd si straffen, dass si jm in etlichen artiklen nit gehorsam gesin warent. — Do macht er in sinem schloss ein heimlichen anschlag mit dem herren vff dem schnabelberg vnd mit irem zuogewanten; si woltent die statt vnd burg Z. überfallen. Zur selbigen zit ein grosser jarmarkt zuo basel was vnd etlich der fürnembsten burger vss der statt vnd ouch der junkher vff der burg mit den von basel kouffmanschafft macht. Nun was ouch der merteil zusatz vss der statt vnd etlich banditen widerumb begnadet, doch nit all; deshalb vff dissmal die von der statt Z. vnd der junkher vermeintent gar guoten frid vnd ruohe zu haben in dem landt. Do versamlet der vff schnabelberg (a. Handschr. versamletent gemelte herren) ire kriegslüt im haselholtz in der nacht vff selbigen tag, do si iren ratschlag volbringen wolten. Diewil aber dess vff der wildenburg diener vnwillig warent, vnd sich selbs siner tyranny genietet hatten vnd jn lieber hingericht hettent als jm bystand geleistet, die verrietend vnd kuntschafftetent jn vnd liessent die von Z. die pratik wüssen.

Do versamletent sich etlich vss der statt, von schwytz vnd von art vnd an dem
zugerberg, so heimlich denen in der statt günstig waren, innerhalb der sil, zü-
richsee halb, ouch etlich von egeri, vff 500, by nacht im gotzhus schönbrunnen,
vnd zugent die von der statt by nacht vss mit iren mithafften, ouch 400 zuo
fuoss vnd 50 pfärit, vnd zugent gen inwil, hinder der barburg durch, vnd ka-
ment vff 50 von bar ouch zuo inen vnd gabent denen vff dem berg, iren mit-
hafften, ein wortzeichen mit einem für vff der barburg, wenn si in den find fie-
lent, so söllent die am berg hinabfallen, so weltent si die im haselholtz angriffen,
eh si sich versamletent, vnd der ab dem schnabelberg vnd der ab der wilden-
burg zuosamen kämend. Also fielent die von Z. in das haselholtz vnd griffent
si mannlich an mit geschrey; do überfielent die ab dem berg die vff der wil-
denburg ouch mit gschrey, vnd schluogent beid huffen in die flucht Der ab der
wildenburg entfloch in sin schloss, die ab dem schnabelberg gen cappel, vnd ka-
ment der find vmb 7 fuossknecht vnd 2 reissige. —

Als nun die bottschafft dem junkher vnd den anderen verkündt ward zuo
basel — do versamlet er ilends sine burger vnd mithafften, vnd rittent selbigen
tag von basel gen zug. Es was vnder der selbigen gesellschaft einer welcher
zuo fuoss gieng, der gieng eines tags von basel biss vff die wildenburg, der ward
noch den selbigen tag vff der wildenburg erschossen mit einem pfil. — Do la-
gent si etliche tag vor der burg, darnach ward der krieg gricht von denen von
hallwil vnd lucern vnd von den fryherren von wädischwyl vnd denen von zürich,
schad gegen schad, jedoch so muost der herr der statt vnd denen vff dem berg
etlich beschwerden nach lassen.

Der selbig herr vff der wildenburg hat grosse tyranny vnd gwalt brucht,
als er sine eigne vndertanen vnd andere nachburen mit grossen übermuot sche-
diget, aber in senderheit mit töchteren, wiberen, mit satzungen vnd rauben, mit
tribut vnd übernutz; deshalb der merteil siner eigenen lüt sich wider jn satztent.
Do hat es sich begeben, dass der herr einen siner knechten nach sinem bruch
in die statt zug schickt vmb fleisch zuo sinem metzger. Der muost jm allezit
das beste abhouwen vnbezalt. Do nam der selb knecht aber nach siner gewon-
heit das best stuck fleisch vff dem metzgerbank, vnd sprach zuo dem metzger:
gib mir ab disem stuck. Der metzger sprach: zeig mir wo ich dir hindurch
houwen sol. Der knecht der reckt sin hand vnd sagt: das wil min herr haben.
Do hout der metzger die hand vff dem fleisch ab, vnd warff die hand sambt dem
fleisch dem diener für vnd sprach: nun gang hin vnd bring das dinem herrn
vnd sprich, er hab nun gnuog fleisch vergeben kaufft, er hab gnuog übermuot
triben [87]). Do fieng er an sich an inen zuo rechen.

In der zit hatt der herr vff der wildenburg vnd die herren von wä-
dischwyl ein stoss mit einander — denn der vff wildenburg hatt dem von
W. in sin hochgricht griffen. Do versamlet der v. Wä. mit denen von horgen
vnd dem graffen v. toggenburg vff die 90 (70) pfärt vnd 700 fuossknecht, zog
über die sil für finstersee vnd prätingen hinuf, vnd schedigte mit raub und brand.

---

87) Felix Malleolus im *Thesaurus* p. 2 b. hat diese Sage eben so, aber als vom
Vogte auf Rotenburg, und zu Luzern geschehen.

Also hatt der herr vff der Wi. etliche reissige vnd fuossknechte im wintzwyler holtz vff dem berg ligen, die woltent iren finden den berg verhalten; aber die von Wä. hattent sich teilt vnd mit dem einen huffen hinderzogen, kament gen mentzingen vnd griffent die im wintzwiler holtz an bym roten bächlin, schluogents in die flucht, es was noch nit heiter tag, deshalb des von Wi. volk der burg zuo floch, hinder mentzingen hindurch, vnd kament fründ vnd find mit einanderen vmb in dem selbigen moos vnd grundlosen wasser, das man nempt egelseeli [88]), darin noch hüt weder lüt noch vech watten noch schwimmen kann. — Do geschach zuo beiden teilen grosser schaden, jedoch kament die von Wä. mit grossem raub vech heim. Von diser schlacht bezügen noch die jetzige alte am zugerberg, namblich heini etter vnd der rutschmann (rudtschwandt), der alt zürcher u. a. erenlüte.

Diser herr vff der Wi. brucht vil bossheit vnd übermuot — er was den zugern vnd denen von egeri gar vfsätzig. Es begab sich vnder disen dingen, dass er mit sinem vnküschen üppigen leben nit mocht ersättiget werden. Do hatt ein fromer burger (a. Hdschr. meyer) [89]) gar ein schöne tochter, die hat diser gemelt herr lassem vffahen vnd vff sin schloss füeren vnd wider iren willen sin muotwillen mit ir volbracht; darnach hat er si mit gelt vnd guoten worten überreden wollen, jm witers zuo lossen, vnd bestimpt iren ein tag, wo vnd wenn si suosamen komen solten. Als si nun wider zuo irem vatter kam mit grossem truren vnd weinen, do hat si jm die schmach klagt. — Do rüst sich der vatter vff die bestimmte zit vnd hat siner tochter kleider angleit vnd sich verbutzet [90]), leget ein pantzer an vnd nam sin strittax, vnd ritt an das bestimpte ort. Der herr kam dahar mit grosser begird vnd vmbfieng die tochter. Alsbald, ehe er kain wort redt, schluog der pur mit der ax den buolen zu todt". Joh. Kolins (1587 † 1609, vrgl. Haller IV. S. 366 Nr. 713 und S. 225 Nr. 435) Zugerchronik, Handschr. von 1617 u. 1687.

Vor ihm erzählt dieses Heinr. Brennwald, der letzte Probst in Embrach († 1551): „Ich finde ouch, dass vnwit von zug — vff der vesti wildenburg etwan gar muotwillig herren gesessen sind. Also wenn das volk in die stat zug zuo markt wolt, wurdend si nider geworffen, das iren genommen, töchteren vnd wiber vff die vesti gefüert, geschwecht vnd demnach wider heimgeschickt. Nun was einer am berg gesessen, der ein hübschi tochter hatt. Die schickt er einsmals mit eieren zuo merkt, verschluog [91]) sich in dem tobel vnder dem schloss, ze warten, was der tochter begegnen wölt. Alsbald si die ab Wi. saohend den berg nider komen, ze stund luff ein junger edelmann in das tobel, leit gewalt an si, wolt si beschlaffen, also wuscht ihr vatter hinfür, schluog jn ze todt, hüw jm ein schenkel ab, truog den an siner halbarten gen zug ze markt. Nun was vil landtvolkes da besamlet, die huobend sich alle vf, überfielend die vesti, nöttend die so lang bis si erobret, die herren vertriben, geblündert ynd in grund

---

88) Ein Seelein, nach der Sage eben so grundlos, ob Bern, heisst auch Egelmoos. 89) Nach Stadlin ein Elsener, die damals in der Schwand und Hinterburg, Gemeinde Menzingen, wohnten. Eine gemalte Scheibe nennt als Jahr 1278. 90) Vermummt, woher der „Butzi". 91) Versteckte sich.

15. Von den herren von rapreswil s).

Es lit ain herrlich sloss bi dem obersew, das haisset ra pre s wil, vnd ist gebuwen von den [92]) graffen von rapreswil, wan die selben graffen warent gar gewaltig vnd mächtig, vnd zuo derselben vesti hortent alle marchen [93]) vnd vil lüt vnd lant. Die selben herren hattent ouch gross guot im turgöw vnd im ärgöw, vnd was vil edler in ir [94]) dienst.

It. der selbe grafe der diss sloss besass, hatt ainen vogt, der was sin gar gewaltig [95]), wan er wis vnd redlich was; darumb getruwet jm sin herr; was er tät vnd liess, das was beschechen. Nun rait der herr gar dicke vss, vnd hatt aber gar ain schön wib. Nun bedunkt [96]) aber den vogt, so der herr nit dahaimen was, sin [97]) frowe wär ze muotwillig vnd trib ze vil schimpfes mit etlichen siner diener [98]), dass es dem selben vogt gar vnlidig was. Nun hette er es gern gewendet, dass er es dem herren nit ze oren bracht hetti; da wolt sich aber die frow nit daran keren, vnd dunkt [99]) den vogt, si trib sin nun des terme, dass er je für sich satzt, er welti es sinem herren sagen. Also füegt es sich ains mals, dass der grafe geritten kam vnd lang was vss gewesen [100]); also wart er von sinem gesinde wol enpfangen. Sin vogt mocht nit wol gebaiten, biss sich sin herr vssgezuge [101]), er wolt jm von siner frowen sagen die märe, wie si sich hielti so er nit ze huse wäre, vnd füert jn an ainen laden [102]), dass si in den sew sachent, vnd da nieman zegegen [103]) was. Also huob er mit sinem herren an ze reden, vnd sprach, er müessti jm ernsthaft vnd treffenlich sachen sagen. Der herr erschrak vnd sprach: lieber vogt, sag mir was du wilt, sag mir nun nüts böss von minem wibe; wan wo ich bin vnd an min schönes wib gedenk, das ist alle [104]) mine fröude, vnd alles das mich anlangt, bekümbert [105]) mich dester minder, vnd fröw mich so ich ze huse sol, dass ich fröud vnd lust mit minem wibe habe vnd mich ergetze, wa ich laid oder widerdriess gehept habe [106]). Dess gelichen redt [107]) er mit sinem vogte. Nain [108]), sprach der vogt, warumb welt ich üch arges von miner [109]) frowen sagen, die doch aller eren wirdig ist? ich wil üch sagen das üch vnd üwerm lande treffenlicher anlit. Ir habent vil eren, guotes, lüt vnd landes [110]); nun sechent ir wol dort ainen büchel ligen im sew, da hab ich gesinnet vnd etwa dick vberslagen, dass da selbs gar wol ain vesti läge, wan daselbs

---

92) dem Zü. 93) Ober-, Mittel- und Unter-March. 94) irm Tsch. irem Vad. 95) sin gar gewaltig was Zü. Hü. 96) duchte Zü. 97) die Tsch. 98) sinen dienern 806. Vad. 99) beducht Zü. 100) vss gewesen was 806. Vad. 101) gezuch Zü. 102) baygen Tsch. baien Zü. Hü. 103) zuo gegni Zü. ze gegni Vad. 104) al Zü. 105) kümret Zü. 106) ich habe laid oder widermuot gehept Zü. vnd widerwertikeit Vad. 107) rette Zü. 108) fehlt Zü. 109) iuwer Zü. 110) land Zü.

verbrennt ward. Brennwald handschriftl. in St. Gallen, und daraus Brennwald's Schwiegersohn. Stumpf II. 181 b.

s) Die Rubrik fehlt Zü. Bei Tsch. und Hü. die 2. Zeichnung, die 2 aufrecht stehenden Rosen Raperswils, Stiel und Blume roth, bei Hü. die Mitte des Kelches gelb. Vad. sagt rappraschwil.

vmb ist es alles üwer, vnd wär dem land wol gelegen vnd ouch der strasse, vnd möchtint da ainen markt machen, der üch vnd dem land wol kämi. Vnd rüempte es also dem herren fast. Das gefiel dém herren wol, vnd fuor darnach mit jm vber den sew, vnd besachent den büchel vnd das burgstal, vnd gefiel dem herren vnd jm[111]) wol, vnd befalch der herr dem vogt, ain guot vesti da ze machen, wan es was ain herter vels. Also ward daselbs die vesti vnd ain stettlin gemacht, vnd ward nach dem herren genant rapreswil, vnd ward die niderlegi guot vnd genuogsam, vnd machet darzuo lüt vnd land, dass es ain gantze[112]) graffschaft ward, vnd[113]) der selb sitz ward dem[114]) herren gar lieb vnd wol gefallen. Also besassent die graffen[115]) von rapreswil diss herrschaften[116]) vil jar mit grossen eren, wan si warent mächtig, edel vnd gewaltig, dass man nit wisste von edleren vnd mächtigeren herren in den landen ze sagen. Also sturbent si on liberben, vnd fiel an die graffen von homberg[117]). Darnach sturbent die selben och alle ab[118]), vnd fielent die herrschaften der mertail an die graffen von habspurg, wan die von habspurg vnd von homberg arbtent[119]) die von rapreswil mit ainandern.

16. Von den graffen von habspurg t).

Man sait in disen tagen vil grosser tugent vnd adenlicher taten[120]) von den[121]) herren von habspurg. Die selben graffen warent von rom u) in dise land komen, vnd warent von guotem vnd altem geslecht ze rom, vnd warent dennocht nit als rich vnd als mächtig als si aber adenlich mit iren taten warent. Es füegte sich dass ir ainer von disem geslechte gaistlich was, vnd kam von rom in dise land vnd wart bischoff ze strassburg, wan das selb bistum in den ziten in grossen eren was, vnd bracht also sinen bruoder mit jm heruss. Der selb herr was weltlich vnd ain wol getan hübsch adenlich man[122]), dass jn mengklich in dem land lieb hatt, edel vnd onedel[123]), vnd och die geburen. Also füegte sich ains mals, dass der selb jung herr rait jagen vnd baizen in dem land vberal, vnd rait mit anderen edellüten[124]) biss in das ärgöw. Also warf derselb jung herr sin vederspil nach ainem andren vogel, vnd wolt also sin vederspil hetzen. Das vederspil gieng vf in die lüfft, dass ir kainer wisst war das vederspil komen was. Also suochtent si es den gantzen tag, vnd kundent[125]) jm nit nach komen. Der herr liess nit ab, er wolt sin vederspil suochen. Also morndess fundent si den habich vff ainem hübschen büchel. Der herr was fro, vnd gefiel jm der büchel fast wol vnd hatt jn fast wol gelust ain

---

111) gefiel in Zü. 112) ganz ain Zü. 113) wan Tsch. 114) den 306. 115) herren Tsch. 116) herschaft Zü. 117) honberg Zü. 118) och all Tsch. 119) erbten Zü. 120) tat Zü. 121) dem Zü. 122) adenlich weltlich man Zü. 123) fehlt Zü. edel vnd gepuren Hü. 124) edlen Zü. Hü. Vad. 125) kondent Tsch. Vad.

t) Die Rubrik fehlt Zü. und der Artikel ist hinter dem folgenden. Bei Tsch. u. Hü. als 3. Zeichnung, bei letzterm roh, der rothe Löwe in Gelb.

u) Tschudi am Rande: „Fabel."

vésti da ze machend, vnd sprach zuo den edlen vnd zuo sinen dienern: Ist es hie nit ain gantzer lust? möcht ich es an minem herren vnd bruoder [126]) han, ich welt ain hus hie machen. Also darnach [127]) bracht er es an den bischoff von strassburg, vnd sait jm von der hübschen gelegenhait, vnd bat jn, dass er jm hulffe, so welte er ain hübsch sloss da machen. Der bischoff was berait sinem bruoder ze helffen, vnd was jm lieb dass sin bruoder ainen [128]) lust zuo dem lande hatt, wan er jn darin bracht hatt. Also huob der jung herr an ain hus da ze machen, vnd nampte das habspurg, vnd gewan er den namen darnach, wan er hat vor ainen wälschen namen [129]), vnd ward darumb gehaissen habspurg, wan er den habich vff dem selben berg [130]) funden hatt. Also halff der bischoff sinem bruoder gar fast vnd gab jm ouch [131]) gross guot, wan er was mächtig vnd rich [132]a). Also tailte [132]b) der von habspurg das guot vnder alle herren, ritter vnd knecht, die in dem land da vmb sassent [133]), dass si alle sin diener vnd fründe warent vnd gehorsam zuo sinen sachen, vnd laite also den minsten tail an sin vesti, die er buwet, vnd an sin selbs nutz. Ainsmals do füegte [134]) es sich, dass der bischoff von strassburg wolte besechen was sin bruoder gebuwen hette, vnd kam also mit vil herrschaft zuo sinem bruoder gen habspurg [135]). Vnd do der bischoff die vesti sach, do sprach er zuo sinem bruoder: lieber [136]) bruoder, mich dunkt, du habist [137]) gar wenig gebuwen nach der hilff, die [138]) ich dir getan hab [139]). Der von habspurg antwurt sinem bruoder: herr vnd bruoder, morn sollent ir erst recht sechen den buw, den ich getan hab; wan er hatt haimlich nach allen sinen dienern vnd fründen geschickt. Morndess do die herren vfgestuonden, do lag das veld vol volkes, vnd hattent [140]) ir gezelt vfgeslagen, herren, ritter vnd knecht. Der bischoff wond, er wär belegen; nain, her, sprach der von habspurg, das sind min muren, die ich gebuwen hab; wan [141]) wie guot min hus wäre, das hulff mich nüt, hette ich kain fründ im land. Die sind mir behulffen in [142]) allen minen nöten; ich bin frömd im land, nun hab ich mir selbs fründ gemacht. Das gefiel dem bischoff wol, vnd was willig, sinem bruoder ze helffen.

17. Die ritterschaft hatt ain gesellschaft zue basel v).

Es füegte [143]) sich vff ain zit, dass alle herren, ritter vnd knecht, vnd alle wapner vnd die solichem genoss warent in der gegni, ain gesellschaft vnd ain hof gen basel gelait hattent, vnd woltent da iren muotwillen mit ainandren haben, vnd lust vnd fröude mit schönen frowen triben. Diss gesellschaft mochtent die von basel den herren nit ze lieb lassen werden,

---

136) pruoder vnd herren Zü. Hü. 137) morndes Zü. (!!) 128) fehlt Zü. 129) fehlt Hü. Anspielung auf Vindonissa. 130) burgstal Zü. 131) fehlt Zü. 132 a) vnd rich blos Vad. 132 b) vnd tailt Zü. 133) gesezzen warent Zü. 134) fuogt Zü. 135) vnd kam also — fehlt Zü. 136) fehlt Z. 137) habest Z. 138) vnd Z. Vad. 139) han Tsch Z. Vad. 140) haten Z. 141) fehlt Z. 142) zuo Z. 143) fuogt Z.

v) Die Rubrik fehlt Z. u. der Artikel ist dort unpassend der Anfang des Habsburgischen. Vad. hingegen wie Tsch. nur die Rubrik etwas anders.

denn [144]) da ward ain grosser vflouff vber die herren, vnd tatent das die von der
statt ze basel [145]), also dass der edlen etwa menger ze tod geslagen ward [146]);
etlich entrunnent, etlich wurdent wund [147]), etlich wurdent den schönen frowlin
in ir schoss zerhowen, etlich kament ouch haimlich von der statt, denen
also geholffen ward. Also was diser schimpf der graffen von habspurg
gewesen, die warent landtgraffen des obren elsass. Also muote [148]) nun die
von habspurg die smahait [149]) fast [150]) vbel, die inen die von basel getan
hattent, vnd kundent doch darzuo nüt [151]) getuon, wan si in den ziten
grossen krieg hattent mit dem apt von sant gallen, der do fast mäch-
tig was, vnd kriegtent also baid herren vff ainandern mit iren helffern.
Also füegte es sich vff ain mal, dass der apt von sant gallen ain gross
volk gesamlet hatt von herren, rittern vnd knechten, vnd wolt vff die von habs-
purg ziechen; do hatt graff ruodolff von habspurg ouch ainen grossen
züg von rittern vnd knechten, vnd wolt vff den apt von sant gallen, also
dass die zwen herren mächtig wider [152]) ainandern lagent. Also lag graff
ruodolffen die smach allwegenz [153]) an, die inen ze basel geschechen was,
vnd sprach zuo sinen dienern: ir herren, ritter vnd knecht [154]), ich habe
dick horen [155]) sagen, welcher zwen krieg habe, der sol den ainen lassen
richten oder friden, vnd den andren manlichen triben. Nun lit mir die smach,
der schad vnd die schand [156]) treffenlichen an, die vns ze basel geschechen
ist, vnd ich nüt darzuo getuon kan noch mag [157]), vnd ouch sunst nieman
darzuo tuot. So bekenn ich, dass ich belechnot [158]) bin von ainem apt
von sant gallen, vnd ich jm dienstes pflichtig bin. Wöltint ir es raten,
ich wölt mich mit jm richten, vnd wölt besechen, ob ich die smach [159]) an
denen [160]) von basel möcht rächen. Die rede gefiel sinen dienern allen wol
vnd sprachent: her, wir wellent üch das [161]) in gantzen trüwen raten, möch-
tint wir nu vndertädinger haben. Graff ruodolff sprach: ich will selber
vndertädinger sin, wan die sach ist ze verre komen, es ist vff dem vfbruch
vnd an dem angriff, hie ist nüt me ze firent [162]). Vnd sass selb vff ain
pfärit vnd rait also selb dritt, da er den apt von sant gallen wisst. Also
do es tagete, do was er ze wil im turgöw, vnd rait also zuo dem tor vnd
ruoft dem wachter. Der wachter entsprach dem herren vnd fragte jn, was
er wölte. Er sprach, dass er dem apt saiti, graff ruodolff von habspurg
wäre an dem tor vnd begerte zuo jm. Man sait dem apt die märe, wiewol
si es für ain gespött hattent. Der apt sprach: ich waiss wol, dass graff
ruodolff zuo disen zitten nit hie rittet; doch sol man jn inlassen, es ist vil-
licht ain auentürer. Man liess jn in, graff ruodolff stuond von sinem pfär-

144) danne Z. 145) basel von der statt 806. 146) ward erschlagen Z. 147) etl. w.
w. e. entr. Tsch Z. Hü. 148) muogt. Z. Hü. Vad. 149) schmacht Z. 150) fehlt Z. 151) nit
Z. 152) gegen Tsch. Z. Hü. 153) allewenzuo Z. allwegen zuo Tsch. 154) herren, rit-
tern vnd knechten Tsch. Z. Hü. 155) gehoret Z. 156) diu schmacht vnd diu schande
Z. 157) kan noch mag tuon Z. 158) Z. verschrieben „besechnot" und vom Herausg.
„Streit habend" erklärt. 159) die schand vnd smacht Z. 160) den Z. Hü. 161) es ouch
Z. 162) zuo firen Z. (statt der altächten, im alten Thurgau noch lebenden Form).

rit vnd gieng gelich, zuo de mapt. Also nam [163]) es herren, ritter vnd knecht vnbillich, vnd den apt selb do si sachent, dass es graff ruodolff was vnd er on frid vnd on gelait kam, vnd si des selben tages mit so grosser macht vff jn woltent ziechen. Graff ruodolff sprach zuo dem apt: herr, ich bekenne vnd waiss wol, dass ir min lehenherr sind, vnd ich üwer man, vnd dass ich mich vnbillich wider üch setze; darzuo bezwingt mich min recht, das ich gen [164]) üch hab, vmb desswillen dass ir das selb bekennent, vnd herren, ritter vnd knecht merkint, vnd menglich hör vnd sech, dass ich gelimpf, er vnd recht vnd gnad an üch suoch, so wil ich aller miner [165]) stöss, so ich zuo üch hab, hin zuo üch komen vnd zuo üwern geswornen räten setzen, vnd wess [166]) sich die bekennent, das wil ich halten. Diser red warent der apt vnd alle die sinen fro, wan si bekantent [167]) graff ruodolffen wol, dass er warhafftig vnd stät was vnd manlich mit worten vnd mit taten [168]). Vnd do nun graf ruodolff sach, dass dem apt vnd den sinen dise richtung vnd satz wol gefiel, do sprach er zuo dem apt: ir sind ain houpt im land vnd hand ain grossen züg von herren, rittern vnd knechten; dessglich hab ich ouch. Söltint wir die verwisen, dass ain fründ den andern ze tod slüeg, vnd der adel sich selb vertribe [169])? Hiemit erfröwtint wir die puren vnd die den adel selb gern vertribint; darzuo wäre es vnser gross vnhail. Vnd bat also den apt, dass er jm herren, ritter vnd knecht liche, die er da by ainandern gesamlet hätte, so wölt er die von basel züchtigen, die dem adel grosse smach vnd muotwillen getan hattent. Vnd erzalt da vor allen herren den handel der sach. Also wurdent si alle willig vnd genaigt [170]) über die von basel, vnd zugent alle mit graff ruodolffen für basel, vnd wuostent vnd nament [171]) alles das in werden mocht. Also schadgot graff ruodolff die von basel schadlich vnd swarlich, vnd rach sich selber vnd den adel an denen von basel, wan es kam denen von basel zuo grossen vnstatten. Also wurdent si gewuost von dem graffen von habspurg [172])w).

---

163) hate Z. 164) zuo 806. Vad. 165) alle mine Z. Der Genitiv ist jedoch ächt und in Bern noch üblich. 166) swaz Z. 167) kannten, noch üblich. 168) täte Z. Hü. werkan Vad. 169) Hü. sinnlos: vnd der salb vertrib hiemit. 170) genaigt vnd willig Tsch. Zü. Hü. 171) nament vnd wuostent. 172) von d. g. v. h. fehlt Z. und ist gleich der frühere Artikel angeknüpft „wan man saite in disen tagen" —.

w) Nun was do by den ziten dass graff hartman v. kyburg begund alten vnd ooh alt was, vnd hat der ain burg ligent ob winterthur. Nun furent die burger von W. zu vnd brachent die burg. Das beschwert jn fast, vnd sandt nach graffen rudolfen von H. der siner schwester sun was, vnd fuor an den landtag, vnd lech demselben graff R. ze rechtem lehen alles das gut, das er hatt als da erteilt w 1) ward. — Nun wan ettliche güter von dem gotzhus lehen warent, die der von kyburg liess, vnd vnser abt die ansprach, die wolt jm der graff nit lassen. Also richt sich vnser herr der abt, dass er mit dem grafen wolt han geurluget vmb die selben güter, vnd lait gross kosten gen wyl. Vnd do vnser apt sich gericht gen dem urlug, vnd ze wyl was, do sins abends was, do

w¹) geurtheilt, gesprochen.

18. Es geschach ain grosse tugent von ainem herren von habspurg [173]).

·Es füegte sich ains mals, dass ain junger graf von habspurg mit sinen
dienern rait haizen vnd jagen in ainer owe. Do hort er ain schellen glich
als man dem sacrament vortrait. Also rait er ernstlich dem getön nach,
vnd wolt je luogen was das wäre, dass er also das glögglin in der wildi [174])
hort. Do fand er ainen priester mit dem sacrament an ainem wasser, vnd
hat der priester das sacrament von jm gestellt, vnd hat sich also nider ge-
setzet, vnd wolt sin schuoch abziechen [175]), vnd wolt also mit dem sacra-
ment durch den bach watten. Do der herre den priester sach, do fragte
er jn was sin gefert wäre, oder was er da in der wilde täti. Der priester
antwurt jm vnd sprach: ich trag das hailig sacrament vnd wolt zuo ainem
siechen menschen, dass in grosser kranckhait lit, vnd wolt also den aller
nächsten weg gan [176]), darumb dass der kranck mensch nit gesumpt wurd; so

---

[173]) Die Rubr. fehlt Z. [174]) wite Z. [175]) vsschiechen Z. Hü. Vad. [176]) gaun Z.

der abt ob tisch sass, do kam derselb graff geritten gen wyl an das tor, vnd
kam ainer vnd sprach: herr, der von habspurg ist an dem tor, sol ich jn in-
lassen? Vnd do der graff erst absass, do gieng er zu dem abt. Also empfing
jn der abt gütlich als billig was, vnd sprach der von habspurg: herr von sant
gallen, wir hattent ain stoss; darumb bin ich herkomen, was ir durch recht han
sond, dass ich üch das gern lassen wil. Also ward getedinget, dass er dem
graff 10 mark gelts liess, darumb dass er des gottshus man hiess, vnd
lopt och der graff enkain gut ze nemen noch ze stellen das des gotzhus
was. Also wurdent si lieblich mit einandren gericht. — Also lebt vnser abt
allwegen mit grossem kost, vnd dass selten kain jar was, er hetti ain hochzit,
da er new ritter macht. Darnach stallt er uff ain gross hochzit, vnd samnot
darzu win vnd andere getrait. Die hochzit was ze pfingsten, vnd sandt gen bo-
zen vnd gen kläfen vnd nach neckerwin vnd nach elsass. Also fur der bischoff
von basel zu, vnd nam jm den win, der jm von basel komen was. Nun was
der herr von rotellon des bischoffs mag vnd vnsers herren des abtes. Der sprach
zuo dem bischoff: herr, lasset dem abt sinen win, vnd wissent, er getar dem von
habspurg wider üch dienen mit 200 beraiten mannen. Do sprach der bischoff:
ja an ainem umhang. Vnd do die hochzit zesamen kam zu sant gallen ze pfing-
sten, do redtent vnd rechneten die varenden lüt, dass da mer was denn 900 rit-
ter. Do warden och do zemal 90 ritter, die der abt vnd andere herren macho-
tent. Do worb der graff v. H. an den abt, dass er jm dienoti gen dem bischoff
von B. Do warb der abt an alle die herren, die zu der hochzit warent, dass
si jm dienotin. Darnach do fur der abt vnd wolt dienen dem graffen, als er
och tett, vnd bracht jm me dan 300 ritter vnd knecht, die alle gezelt wurdent
ze seckingen über die burg, die hiessent do in hosengeschuh. — Also hat vnser
abt. sin panner bevolen her eberharten von lupfen, der wolt si gefürt han, der
was do der türsten ritter ainer, die man bekant. Cristan Kuchimaisters Chro-
nik, geschr. 1335.

bin ich an disen bach komen, vnd vind kainen steg, vnd muoss also mit dem sacrament watten. Also fiel der von habspurg von sinem pfärrit nider vff sine knüw, vnd bat got siner gnaden, vnd hiess den priester mit dem sacrament vff sin pfärrit sitzen vnd sine sachen nach siner notdurft werben. Do nun der priester mit dem sacrament wider haim kam, do wolt er dem jungen herren sin pfärrit wider bringen, vnd hatt das für ain grosse gnad vnd tugent von dem von habspurg. Also sprach der von habspurg: das welle got nit, dass ich oder miner diener kainer mit wissen das pfärrit jemer mer überschritint, das minen herren vnd schöpfer getragen hat. Dunkt üch, dass ir es mit got vnd recht nit haben mügint, so ordnent es zu gottes dienst, wan ich han es dem geben, von dem ich lib vnd sel, eer vnd guot ze lehen han. Der priester sprach: herr, nun müesse got eer vnd guot vnd wirdigkait hie in zit vnd dört in ewigkait an üch legen x). Diser priester was wis vnd wol gelert, vnd ward darnach des bischoffs von mentz [177]), cantzler vnd gar gewaltig. Diser priester sait also etwa dick dem bischoff von mentz vnd andren herren des graffen von habspurg fromkait vnd redlichait, vnd von sinen adenlichen taten, die er von jm gesechen hatt, vnd oft getan hatt, vnd bracht es also in die fürsten, dass die fürsten dem von habspurg nachfragtent, vnd sovil redlichait vnd manhait von dem von habspurg hortent, dass si jn zuo ainem römischen künig erwaltent, wan si in allen landen kainen geschicktern noch adenlichern erfragen kundent, vnd der sich des richs törst oder welt vnderziechen; wan das rich was in den selben ziten drü vnd zwaintzig jar on ain römischen künig vnd kaiser gestanden, vnd was der buobery mit roub, mord vnd andren sachen sovil in allen landen, dass nieman von ainer statt zer andern gewandlen torst, vnd hattent die fürsten vnd herren das beste an sich zogen, so das römisch rich jendert hatt, vnd luogt jederman jm selbs zuo, vnd liessent das römisch rich vndergan. Also kam gar grosse [178]) klegt für den bapst, wie es so übel in den landen gienge. Do gebot der selbe bapst gregorius der zechent des namens [179]) den curfürsten, dass si ainen römischen künig waltint, als es von alter an si komen wär; tätint si das nit in ainem zil, so wölte er das rich versechen mit ainem künig. Also waltent die curfürsten des selben mals graff ruodolffen von habspurg [180]). y)

---

177) Vnd andren herren Hü. 178) groz Zü. 179) des namens fehlt Z. 180) Erst jetzt hat Z. die Einnahme Uznabergs.

x) Ein altes Basrelief ob der Kirchenthüre in Meggen zeigte, dass die Begebenheit dort, bei Neu-Habsburg, vorfiel.

y) Es was ain graf gesessen by brugg, dem stätlin, da die ar in die lintmag gat, nit ferr davon vnd ouch die rüss, vf ainer burg, hiess habspurg, vnd hiess der graf graf ruodolf von habspurg, vnd was gar ain fromer herr, als er es wol bewert mit götlichen tugenden. Der selb herr rait ains mals über felde vnd rait ain ander herr mit jm. Do begegnot jn vf dem feld ain priester mit vnsers herren fronlichnam, vnd wolt ain menschen bewaren. Do knüwotand die zwen herren nider vf die erden, vnd do der priester zuo inen kam, do sprach der von habspurg zuo dem priester: lieber herr, warumb rittend ir nit? Do sprach der priester: da han ich ain armes pfründlin, vnd mag es nit haben als ich es gern hett. Do sprach graf ruodolf: lieber herr, so nemend min pfärit vnd hand es alwegen got ze lob vnd ze eren. Do das der ander herr sach, der gab dem sigristen ain pfärit, vnd also giengend die zwen herren ze fuoss, dess si nit gewon warend, vnd giengend für ain holen stain, do was ain klosnerin inne. Zuo der giengend si vnd enpfalhend sich in ir gebett. Do sprach die klosnerin: lieber herr, ir hand gott ain ere erbotten, ir sond wissen, dass ir sond xxx jar vfgan in allen eren. Got wil es wol erkennen die adelichen tugend, die ir jm erbotten hand, vnd wil üch gott üwer sel ewenklich erfröwen. Nun merk ain jeglich man, wer got ere erbütet, dess mag jm got wol danken hie vnd dört, als es wol schinbar ward darnach an disem herren, do er römischer künig erwelt ward. Codd. 657 p. 56. 631 p. 342.

Darnach fuor der von H. vnd ain tail von zürich vnd brantand vnd wuostand den bischof von basel, vnd lagend da 6 wochen vor der statt, vnd ain tail von basel, die dem bischof widerspenig warend. In den ziten do kam bottschaft graf ruodolfen in sin gezelt, dass er ze römischem künig erwelt wär anno 1272 jar, do er vor basel lag. Darnach im nächsten jar ward er erhöcht in frankenfurt an sant michels tag. Cod. 657 p. 58.

Rudolff von swaben, graff eberharts y[1]) von H., landgraues in obern elsas sun, wart eintrechtiglich zu romischen konig erwelt nach chr. g. 1273, vnd herscht 18 jar, vnd wan er in deutschen landen grosslich vermert y[2]), wie durchmechtig, weiss vnd frum er were, santen jm die kurfursten das reich in das leger, wan er die zeit dem bischoue von basel vor einem sloss lag; solchs derselb bichoue erschrak, dess er doch nit bedorfft hett, wan er sich gutlich mit jm veraynt. Cod. 628 p. 756.

Do dise walunge unn bestetung ergangen was — do kamen die mere gen basel, unn do es der bischof von basel bevant, hainrich von nuwenburg y[3]), do erschrag er also sere, daz er über unlang darnoch starb, unn sprach zu den die bi jm worent, es wäre nütschit würser wan der demutige, so der erhohet würde; unn sprach ouch, er were also glücgig, were es mügelich, daz ein lebende mensche mocht gottes stat besitzen, kunig rudolf würde su besitzende. Fritsche Closeners Strassburger Chronik bis zum Jahre 1362, in der Biblioth. des liter. Vereins in Stuttgart. 1843. S. 27.

Homines abbatis s. galli acceperunt comitem Rudolfum in aduocatum. Annal. Dominic. Colmar. a. a. 1273. Nun was graff rudolf von H. der sider küng ward, der mechtigest herr, der uns anwandt, der kam gen sant gallen, dem schwurent die gotzhuslüt, burger und geburen, für ainen herren mit des abtes willen von gütingen, für das warent si beschirmt. Kuchimaister. Vgl. Vonarx. I. 403 und vorne Note *n.*

---

y[1]) Albrechts. y[2]) berühmt, von mär. y[3]) Heinrich III. von Neuenburg-Nidau, 1262 — 1274.

Tu comes in clipeo tuleras insigne leonis,
Quem velut ad praedam distento corpore ponis;
Sed rex fers aquilam, qui transvolat omnia, claris
Signans indiciis, quod tu cunctis dominaris z).

19. Graff ruedolff von habspurg ward zuo ainem römischen künig erwelt.

Anno d. Mcclxxiij [181a]) do wart zuo ainem römischen künig erwält ainhel-legklich von den curfürsten graff ruodolff von habspurg, graff albrechts sun von habspurg, der ain lantgraff was zuo ober elsass [181b]). It. er was achtzechen jar römischer künig [182]). It. der selb graff ruodolff lag zu der zit [183]) vor basel mit ainem grossen volck, vnd zoch glich mit dem selben volk gen frankenfurt vnd gen ach, vnd liess sich da krönen. It. do graff ruodolff von habspurg zuo ainem römischen künig erwelt ward [184]), do was das hailig römisch rich drü vnd zwaintzig jar on ainen künig gesin, dass sich dess [185]) nieman getorst noch wolt vnderwinden [186]) von grossem krieg vnd gebresten, so das hailig rich vil jar gehept hat, nach dem vnd vor geschriben stat [187]). It. der selb graff ruodolff von habspurg was ain demütiger, wiser, manlicher herr, vnd machet guoten frid in allen landen, nach dem als er künig ward.

It. diss sint die verss, die vsswisend die zal der jaren, do küng ruodolff erwelt ward von den curfürsten.

Rudolfus reprimens propriis contraria telis,
Frankenfurt rex eligitur festo michahelis;
Vngit aquisgranum regem sub posteriore
Luce severini sub crispinique priore,
Cum semel M bis C stat et L semel X bis et I ter.
Sed tu qui dubitas super his, fac cuncta legi ter [188]).

$M^{o}cc^{o}Lxxiij \ _{0}{}^{0}{}_{0}.$

20. Wie vss den graffen von habspurg hertzogen ze österrich wurden aa).

It. in den selben ziten [189]) sturbent die hertzogen von österrich all

---

181 a) 1268 Zü. 181b) des elsass Tsch. Z. des alless Hü. 182) fehlt Z. und Vad. 183) zuo disen ziten Z. 184) fehlt alles Z. und beginnt „das rich was" —. 185) das sin sich Z. 186) vnderziechen Z. 187) „von grossem — stat" fehlt Z. 188) Auch die Verse fehlen Z. hier, folgen aber ohne Zusammenhang gans hinten, vor Berns Erbauung. Hüpli und Vad. haben sie, und sie allein die Worte: diss sint die verss —, aber am Ende des Folgenden, dessen Rubrik Z. auch fehlt. 189) dem selben zit Z.

z) So auch Hü. Die Verse hat Zü. mit späteren vermengt und ungenau:
Rex, comes in Habspurg, Kiburg, simul alsaciensis
Lantgravius, tres sunt, quos uno corpore censes.
Tu es comes, in clipeo tuleras insigne leonis,
Quem velut ad praedam districto corpore ponis;
Es rex, fers aquilam, qui transvolat omnia clarus,
Signans indiciis, qued cunctorum bene gnarus.

aa) Z. hat die Rubrik nicht. Tsch. und Hü. geben als 4. Zeichnung Oester-

ab on liberben, vnd ward das hertzogtumb ze österrich dem rich ledig,
vnd huob es der künig ottacker[190]) von behem dem rich mit gewalt vor;
also samlot künig ruodolff von habspurg ain gross volck vnd zoch mit
ainem grossen züg vnd mit grosser macht gen österrich. Also hatt sin
der künig ottacker von behem gewartet och mit ainem grossen züg vnd
vil volks[191]), wan dem künig zuo behem warent vil mächtiger herren zuo
gezogen zuo hilff wider künig ruodolffen, vnd zugent also gegen ainander
mit grosser macht[192]), vnd tatent ainen grossen strit mit ainander, vnd ver-
lur[193]) an baiden tailen vil volkes; doch so gelag künig ruodolff des stri-
tes ob, wan an des künigs tail von behem wurdent erslagen vierzechen
tusent man[194]), vnd der künig selbs[195]), vnd also gewan künig ruodolf das
künigrich ze behem vnd das hertzogtum zuo österrich vff ainen tag. Vnd
also hat der künig von behem ainen sun gelassen, den hat künig ruodolff
gefangen, vnd vil grosser herren mit jm, vnd do der selb sun erwuochs,
do gab jm künig ruodolff sin tochter zuo der ee, vnd gab jm das künig-
rich zuo behem widerumb zuo siner tochter, das man für gar ain adenliche
tat von jm hatt. Also lech er ouch sinen sünen das hertzogtum zuo öster-
rich, vnd gab inen das, vnd machet si zuo hertzogen. Also wurdent
vss den graffen von habspurg hertzogen ze österrich bb).

---

190) ottacker f. Z. 191) ouch mit ainem folke Z. 192) „vnd zug also g. einander" f.
Z. 193) intransitiv „es kam um". 194) wan — man f. Z. 195) und ward d. k. v. B.
selbe erschlagen Z. (1278 am 26. Aug.).

reichs rothen Schild, mitten quer weiss, darunter bei Hü. der Löwenschild,
wie in 3. Vad. deutet blos ein Schildchen an.

bb) Die Handschr. Z. hat hier mitten im Texte eingeschoben Albrechts
Nachfolge und Ermordung, dann den Bau Königsfeldens, und auf einmal wieder-
holend: Dem künge von becheim warent vil mächtiger herren zuo hilfe wider
künig ruodolfen, vnd zugent ouch mit dem künige von B. gegen k. ruodolfe mit
grozer macht; also wurdent an des künges tail von B. erschlagen 14000 man und
der künig selbe, und ward sin sun gefangen u. v. g. h. m. jm, und gewan k.
R. von H. den sig, und das künigrich z. B. und daz herzogtuom zuo be. auf
ainen tag. —

„Darnach fuor küng ruodolf gen Oe. vnd zwang die grossen statt ze wiene
vnd das land alles dem küng ze B. ab mit gewalt. Also kam der k. v. B. vnd
suonte sich mit dem k. R. vnd empfieng lehen von jm. Do das geschach, do
liess k. R. sin her zerriten, die herren vnd ritter von schwaben, von franken,
vom rine, von elsäss, von burgunden vnd von allen landen, do er si gesamnot
hatt. Darnach fuor der k. v. B. zuo, vnd samnote in allen sinen landen die
grösten raise, so er je gewan, vnd widersait küng R. vnd wolt sin als gewiss
sin, dass er jm enbot, wa er aller gernost (liebost) läge, da welt er jm ain grab
haissen machen. Der edel k. R. der da nie verzagt, warb vmb sich, vmb alle
die jm ze österrich werden mochtind, vnd in franken vnd in schwaben, by dem
rine, in elsäss, in burgunden, dass er gewan 2000 beraiter, es wärind herren, rit-

It. diser künig ruodolff was gar ain wiser, fromer manlicher herrr [196]),
Es stuond bi sinen ziten ain trügner vf, der nam sich an, er wär kaiser

---

196) ain gar fromer, wiser, m. man und herre Z.

ter oder biderb lüt. Do bracht jm der küng von vngern 2000 man, vnd do er
diss her alles gesamnot, nach denn hatt der k. v. B. als vil lüten dass er hatt
je zwen man an ainen, vnd fuor als gewaltiklich dass er wolt über tuonow sin,
vnd wolt den römschen küng besessen han in der statt ze wien. Der römsch k.
macht sich vf mit allem, dass er mocht han, vnd fuor ze wien vss über tuonow
ain gross mil vf ain wites veld, vnd gab do dem küng v. B. vnd allem sinem
volk strits genuog, wie vil er hatt, vnd gewan den sig, vnd erschluog den küng
von B. vnd vieng vnd erschluog ander biderber herren vnd lüt vil, vnd rait do
ze wien wider in, vnd satzte do sin sun albrechten ze hertzogen ze wien ge-
waltenklich, vnd über alles österrich vnd über menig schön land. Do diss ge-
schach, do fuor der rö. k. R. hervss an den rin vnd zwang alle die herren mit
gewalt, die wider jn warend, von köln vf vntz an das gebirg in franken, in
schwaben, in burgunden, in ergöw, in saffoy, in elsäs, brisgöw, dass si alles das
muosstand wider lan, das si one recht hattend genossen wol 40 jar, vnd ward
och als wolfeil in disem land, dass man 1 f. haber gab vm iij d. 1 f. kern vmb
8 d. 1 f. roggen vm 5 d. Diss han ich volrich krieg dorumb geschriben, dass
ich es waiss vnd gesehen han, won es alles geschehen ist vnder küng rodolffen
ziten vnd by sinem leben ze ainem wunder, won gott alle ding wol vermag.
Cod. 657 p. 58—60. Fast wörtlich, aber ohne Kriegs-Namen, Cod. 631 p. 343.
— Des selben jares' ward als vil kornes, dass man ain viertel väsen (cod. 630
so, alle anderen „weissen") gab vmb xviij dn. (cod. 630 so, hingegen 631, 632
und der druck xxviij dn. oder pfenn. und 629 „vmb ij β. iiij dn.), vnd ain vier-
tel roggen vmb xvj dn. vnd xiiij aiger vmb ain dn. ain huon vmb ij dn. vnd
viij häring vmb i dn. Codd. 629 p. 136. 630 p. 234. 631 p. 176. 632 p. 160.
Druck p. 118. Es ist aber wörtlich bereits in Closener p. 29. wo ebenfalls der
„weiszen" 28. den. gilt, „unn ein vierteil gersten um x den." —
„Des dritten jars konig rudolffs entstund merkliche switracht vnd auffrur
zwischen dem selben rudolffen vnd przmisl, auch otakaro genant, konig zu behem,
etlicher vordrung halben, die konig rudolff gegen jm furet von der land wegen
osterrich, steyer, kernten vnd marck julii vnd der porten naonis, die zu dem ro-
mischen reich gehorten, des sich aber otokarus widerstund, in meynung, das jm
ettlich derselben stuck durch morgengab zu gestanden vnd ettlich durch jn mit
dem swert gewunnen wern, in des' beyd konig kriegs weyss mit heer vnd leger
gegen einander zu feld kamen, da aber zwischen jn ein frid beteydigt vnd ein
gutlicher tag gen chamberg bestymbt, dahin denn vil fürsten vnd herren kamen,
durch die daselbst ein gantzer frid gemacht, sonder ein freuntschafft zwischen jn
beslossen, also dass wentzelsen otakaro sun gutha die tochter konig rudolffs, vnd
herwiderumb johansen konig rudolffs sun agnesen die tochter otacker zu der ee
vermehelt wurde. Vnd 'do otokarus sahe die aynigung zwischen jn) opfert vnd
ubergab er rudolffen dem ro. ko. funff fannen zu einem zeichen ewiger vnter-

fridrich, vnd hattent jn etlich herren vnd stett darhinder bracht künig ruo-
dolffen zelaid. Zuo dem ersten hatt er es für ain gespött, vnd do er
horte, dass es ernst was, vnd es stett vnd herren mit jm hielten, vnd jm
das zelaid taten, do machet sich künig ruodolff vf, vnd zoch für die statt
wettslar [197]), do der trügner inne was; do ergab sich die statt an des
künigs [198]) gnad, vnd gabent jm den trügner herus, den hiess er verbren-
nen. Vnd do er den herren verbrant, do wolt er ouch die sinen strafen,
vnd muostent sich alle stett an jn ergeben, die dem trügner gehuldet [199])
hattent. Dess gabent die von colmar vier tusent march silber; damit
warent si gezüchtiget. Also züchtiget er ouch ander stett vnd herren.

Es warent ouch fünfzechen graffen mit ir helffern zuo swaben,
die sich zesamen hieltent wider künig ruodolffen von habspurg, vnd jn
gern vertriben hettint. Diss vernam der künig vnd zoch vff dise herren,
vnd wuoste vnd brante vnd verhergot [200]) ir land, vnd bezwang si alle
sampt, dass si jm schwuorent ze dienen, vnd dem rich ewengklich bisten-

---

197) wetfalr Hü. 198) kaisers Z. 199) gehult Tsch. Z. Hü. gehuldet Königshofen
nach derselben Quelle. 200) verhertgot Hü.

---

thenikeit, hoffend dass jm durch solche demutige ertzaigen die vorgenanten fan-
nen vnd land wider gegeben wurden, das aber nit geschae, wan rudolff nach rate
der edelsten der seinen jm newr zwen fannen zu aignet vnd verlehe, nemlich
behemer land vnd merhern; die andren drey fannen behilt er jm selber. — Im
vierden jar ko. R. begeret konig otackers sein tochter agnesen, mer got als den
menschen zu uerdreuten, vnd verslos die mit andren 10 jungfrauen in das clo-
ster sant franciscen, in meynung, sie ko. rudolffs sune nicht engeben, vnd enpfing
von zuplasen ettlichen der seinen veintschafft wider ko. rud. Des fünfften jars
ko. R. betrübt sich ot. der ko. der ubergebung so uil land formals rudolffen ge-
than, vnd vermeynet die wider zu gewynnen oder verderben daran setzen, vnd
fuget sich in versammung grosser menig folcks von osterreich, verwustet das mit
brant vnd raub, vnd kam darnach gen drosendorf, auss (vnd?) brichet das sloss.
In des vernam R. ro. konig die verwustung otokarn, samet ein grosse schar der
streiter, kam uber die tunaw vnd leget sich in die gemerck des lands merhern,
da selbst er in dem geleyt mylota di ditz haubtman des gantzen merhern lands,
der alten hass zu ottakaro trug, speher aus sendet; vnd als er ko. O. mit den
seinen vngeschickt fand, nehet er mit seinem heer zu jm, vnd pflag ernstlichs
streits mit jm, in welchem streit der ferreter milota der haubtman otockari mit
den seinen abweich, vnd der selb ko. O. mit einer grossen menig der seinen by
14000 an sant ruffus tag erslagen ward, als in disen versen begriffen wirt:
Anno M c bis lxx octauoque Regis Rudolphi plenus facti ruit ense Bohemus.
Nach solcher merklicher siegung keret ko. R. glucklich wider zu land vnd ver-
lehe johansen vnd albrechten grauen zu habspurg seinen sunen das hertzogthum
zu osterreich. — Im vj jar ko. R. wart gross wolfeil in swaben, also das vier-
teil weytz xxviij dn. ein fierteil korns xvj dn. xiiij ayt 1 dn. vnd viij hering
ein dn. gulten. Cod. 628 p. 757. 758.

dig ze sin. Also machet er guoten frid von [201]) lamparten, den rin ab biss
gen durdreht [202]). It. dise graffen warent von wirtenberg, montfort, helffen-
stain, toggenburg [203]), vnd ander ir genossen cc).

---

[201]) in Z. [202]) so Königsh. vrtriet Tsch. Hü. Durtriech Z. [203]) so Z. Hü. und
Königsh. Tsch. hat die Namen nicht.

cc) In dem jar do man zalt nach gotz geburt 1285 (1286 Cod. 632) do
nam sich ain trugner an vnd sprach, er were kaiser fridrich, vnd hattent jn et-
lich herren daryff, küng ruodolffen zelaid, vnd hatt sin wonung vff dem rin in
ainem stätlin genant nüsen. Da belaib er zwai jar vnd was ain gros ziehen
(gezog, zuofart) zuo jm von herren vnd stetten, vnd bracht zuo, dass jm vil her-
ren vnd stett hultent. Do dise mär k. ruodolffen fürkament, do ducht es jn ain
gespött, vnd achtet jn für ain toren; ze jungst bracht der trugner zuo, dass der
mertail des volkes zwiflotant, welchen si für ainen küng söltent (wöltent) haben.
Do kam dem küng bottschafft, dass er darzuo seche, wie er den trugner ver-
tribe; tät er das nit schier, alles tütsch volk vnd land wurde sich an jn erge-
ben. Dar zwüschent hatt der tr. enbotten küng ruodolffen, dass er für jn käm
vnd sin lehen von jm enpfienge als von ainem römschen kaiser. Do ward k.
R. zornig, vnd fuor für die statt wetzlar, do der tr. inn was. Do erschrakent
die burger von W. vnd batent jn siner gnaden, vnd antwurtent den tr. kü. ruo-
dolffen. Do ward er verbrent, vnd bracht k. R. das volk wider an sich, vnd
fuor gen kolmar, wan si dem tr. ouch gehuldet hattent u. s. w.

Darnach hieltent sich zuosamen 15 graffen in swaben, vnd warent das die
von wirtenberg, montfort, helffenstain, toggenburg vnd ander ir gnossen, vnd stal-
tant sich doruf wie si den k. möchtint vertriben oder erschlahen. Do das der k.
vernam, do zoch er vff dise graffen, vnd bezwang si all vnd verheret vnd ver-
brant ir land, vntz dass die graffen vnd herren schwuorent, dem k. vnd dem
rich ewenklich by ze stan, vnd ward da ain guoter frid von lamparten den rin
ab vntz gen durdriecht. (Der Trügner und dieses nach den 4 St. Galler Kö-
nigshofen. Alles weitläufiger, aber ziemlich unrichtig geschrieben, bei Closener
p. 30—32, welcher 3 Brüder von Montfort zählt, „die gar mechtig unn rich wo-
rent, der lant verbrant er alle ze mole." Die Quelle ist aber Cod. 628, p. 758.
759. wörtlich.)

„Do noch gottes geburte 1285 jor, besas er betterlingen das stetelin; das
sess wert ein halb jor. Ze jüngest gewan ers unn zoch es an daz rich, derzu
die vesten murten unn gumina unn wilchlun (Vufflens, Wölflingen!), unn das
mere teil burgunnen, das der grove von savoy dem riche vorbehielt widers recht.
Closener S. 30. Derselbe hat schon p. 28: Unn do kunig rudolfes vatter ge-
starb, do trat k. R. an sines vatter stat unn wart ouch venre der stete su
strosseburg, unn schuof, daz man jn vorhte durch alles elsas unn swoben, mit
helfe der stat strosseburg. Er gesiget ouch an grave peter von savoy, der gar
rich unn mehtig was, unn gewan ime an sine vestene baden unn morsperg unn
kiburg die burge, unn wintertur das stetelin, unn zoch die groveschaft von ki-
burg an sich, unn treib den groven von savoy widerumbe in sin lant, unn zoget

21. Wie man die von habspurg hielt.

It. zuo disen ziten hattent sich die graffen von habspurg gar fast ge-
edlet, dass man si gar hoch hielt, vnd dass man fast nach iren kinden
stalt, künig vnd hertzogen, wiewol si dennocht nit alle rich warent, denn
allain graff ruodolff, der [204]) römischer künig was, vnd sine kind die her-
tzogen von österrich. Dennocht staltent vil grosser herren nach der von
habspurg kinden. Si gabent ire kind zuo der ee den hertzogen von payern,
von sachsen, von lutringen, von brandenburg, item gen vngern, gen behem
vnd in calabria.

It. des selben jars do künig ruodolff zuo ainem römischen künig er-
welt ward, do hatt er ainen vetter, der was gaistlich, vnd hiess ouch her
ruodolff. Derselb ward desselben jars [205]) erwalt zuo ainem bischoff ze
oostentz, nachdem vnd vsswissent dise nachgeschribnen verss, vnd wa-
rent zwaier bruoder sün:

> *In alemannia duorum fratrum filii vno nomine*
> *in spatio vnius anni exaltati sunt vnus in regem*
> *romanorum, alter in episcopum constantiensem.*
>   *Sunt duo ruodolfi, patrueles contiguati,*
> *ad regimen dispar mirabili ordine sati:*
> *roma, ruodolfus, rex, te constantia munit,*
> *praesul ruodolfus, ambosque sibi deus unit.*
> *Rex romae praesulque tibi constantia tali*
> *nomine nunc primum datur euentu speciali.*
> *Ista duo mira spatium facit vnius anni,*
> *vnde deum laudent omnes, sed plus alemanni dd).*

---

204) der ouch Tsch. Z. Hü. 205) (erst 1274).

jm noch mit 1500 rittern, unn mit helfe der stat zu Str. unn besas berne, unn
twang die daz su jm zu dieneste muestent sitzen. Er gesiget ouch gegen dem
groven von tockenburg, unn verdarbt jn gar zemole, unn die herren von regens-
burg unn von giresberg unn von elingen, die twang er ouch. Dise ding tet er
alle noch sins vatters tode, e daz er kunig wart, unn dovon sprach man ge-
meinlich von ime, daz kein herre were denn er."

„Er gesiegt ouch an dem grauen von sophey, vnd gewan jm an baden,
merssberg, kyburg vnd winterthur, vnd zohe die graueschafft kyb. an sich; dar-
nach erobert er malenberg, geretzingen, durlach, vnd alles swabenlant jenseyt
reyns, dem marggrauen von baden zu stend. Er zerbrach ouch allenthalben die
raubslosser, dauon die leut beschedigung enpfiengen, dadurch er schier gantz
teutsche land jm anhengig vnd gefellig macht, vnd wart guter frid in deutschen
landen von dem lampartischen gebirg bis an das englisch mere, also dass an
manchen enden die kauffleute, wo sie benachten, ir hab auff dem feld steen
lissen vnbeschedigt menglichs." Cod. 628 p. 756.

dd) Z. hat weder den ganzen Artikel noch die Verse. Tsch. hat jenen,

22. Künig ruodolff machet guoten frid vff dem rin vnd in allen landen..

Anno d. Mcclxxvj do fuor künig ruodolff von habspurg gen strassburg, vnd machet ainen lantfrid mit allen stetten vff dem rin. Er machet den besten frid in allen landen, der in vil jaren je gemachet ward *er*).

Vnd als ich verstan, so sind by 24 fürsten von österrich, die von denen von habspurg komen sind, sider künig ruodolfs ziten bis zuo hertzog sigmunds vnd maximilianus ziten im 1479 jar *eee*).

It. er zwang vil herren vnd stett, die vor kainem römischen künig nie woltent gehorsam sin. Er tät so vil stryt vnd redlicher taten [206]), dass man ain aigen buoch [207]) darvon gemachet hat [208]) *ff*). Wie manlich vnd gewaltig er was, so wolt er doch nie gen rom komen, dass er kaiser wurde [209]), vnd hett es doch an guot vnd an macht wol gehept. Er was wol xviij jar künig [210]) *gg*).

Als davor geschriben stat, wie künig ruodolff von habspurg vff ainen tag das hertzogtum ze österrich vnd das künigrich zuo behem gewan, da sol man wissen, do er wolt striten mit künig ottacker von behem, der sich freuenlich starkt wider jn, vnd sich wider das rich satzt, do mant künig ruodolf alle des richs stette, fürsten vnd herren vnd ander sin guote

---

206) tat Z. Hü. 207) ain gross buoch Königsh. 208) hat Tsch. Z. von jm Hü. 209) vnd kaiser werden Tsch. Z. 210) Letzteres blos 806 und Vad.

aber das Latein auch hier weggelassen, und dessen Ankündigung „nach dem vnd vsswissend diese Verss" roth durchgestrichen. 806, Vad. u. Hü. haben es.

ee) „Des selben jars (1278) zohe ko. R. 'gen strassburg vnd macht einen lantfrid mit den steten am rein, vnd die zeit ertranck jm hartman sein sun bey réynaw. Cod. 628 p. 758. Vergl. Königsh. und Closener p. 30. Es ist der in Nürnberg 1281 im Juli geschworene Friede. —

eee) Diese Stelle haben 806. und Vad. gleich auf Albrechts Belehnung, Tsch. aber hier. In Zü. und Hü. fehlt sie.

ff) Im gedruckten Königshofen weist eine Note auf des Bischofs Heinrich von Klingenberg *Historia comitum Habsburgensium*.

gg) „Diss ko. R. wart mermals von den fursten vnd herren angesunnen, sich gen rom zu fugen vnd die kayserlich wird an sich zu nemen, welchen er als ein weiss vernunfftig man also antwortet mit dem beyspil: Es wurden vil tier geladen für einen berg, dahin der fuchs auch kom. Die tier gingen alle in den berg, dan allein der fuchs bleib heraussen steen, vnd wartet wenn die tier herwider ussgingen; aber kam keins herwider auss. Dorumb so wolt der fuchs in den berg nicht. Damit gab er den herren zu uersteen, dass vor jm manig konig uber gebirg in welhisch land gezogen, die dorinen bliben wern; dorumb so wolt er nit dar, dess'halben aber ackers vnd vil des heiligen lands verloren warn, vnd auss der cristen gewalt komen. Cod. 628 p. 759. Vgl. Königshofen und Closener p. 41. 42.

fründ vnd gönner. Also kam wenig von swaben vnd von dem rin jm zuo hilfe, wie wol er des landes herr was, wan sin titel warent graff ruodolff von habspurg, lantgraff zuo ober elsass vnd zuo kyburg; doch kament diss nachgeschribnen herren manlich vnd trostlich zuo jm, vnd hulffent jm striten mit iren rittern vnd knechten: bischoff hainrich von basel, her fridrich von kempten der kantzler, fridrich der ruch burggraff von nürenberg, graff hainrich von fürstenberg, den zwaien herren was des küniges baner [211]) empfolhen, marggraff hainrich von baden mit vil ritter vnd knechten, her berchtolt von schnabelburg, her gerhart von gössikon, her albrecht von schenkenberg, gotfrid von hochenlow, cuonrat wernher von hadstatt, der von tüffen mit mer namhaffter herren von den landen, ritter vnd knecht, die dieser herren diener warent.

Bischoff von basel,	fridrich von kempten,	fridrich der ruch,	Fürstenberg,
(Schild).	(Sch.).	(Sch.).	(Sch.)
Marggraff,	v. Schnabelburg,	Gössikon,	Schenkenberg,	Hochenlow,
(Sch.).	(Sch.).	(Sch.).	(Sch.).	(Sch.).

	Hadstatt,	Tüffen.	
	(Sch.).	(Sch.).	

It. versus de ruodolfo rege romanorum, quando fuit electus in regem:

Rex, comes in habspurg, in kyburg, lantgrauiusque
Elsatiae merito tituli pollens utriusque,
Franckenfurt festo michahelis stemmate septus,
Magnatum regni romani culmen adeptus.
Hectora pugnando, titum bona dando, catonem
moribus exuperans, regit omnia sub ratione.
Ecce coronatur, leo surgit, ad alta leuatur,
regno ditatur, ceu diua sibilla [212]) profatur.
Bis sexcentos septuaginta tres nota christi
annos, quando rex factus ruodolfe fuisti.
Te regem procerum fecit deus ipse procerum,
Cordeque sincerum, nunc mitem, nuncque seuerum.
Te coronat ea procerum collectio luce,
Quando dies martis est post solempnia luce.
Papa sedit decimus gregorius, hic quoque primus
Ruodolfus rex est, si gesta notare velimus.

Ober elsass,	Habspurg,	Kyburg hh).
(Sch.).	(Sch.).	(Sch.).

---

211) kamer Hü. 212) s. Art. 18.

hh) All dieses fehlt in Tsch. und Z. In letzterer Handschrift folgen die Verse, aber arg verschrieben (*virtusque* statt *utriusque*, wie auch Hü. thut, *ritu* statt *titum*, und der Vers *quando dies* ganz ausgelassen) erst ganz hinten vor der Erwähnung Eberhart Müllners, und die Erinnerung an die Schlacht auf dem Marchfelde erst nach der am Morgarten. Die Verse hat auch Gerbert in

23. Künig ruodolfs sun ertrank bi rinow.

It. in disem vorgenanten jar ertrank hartman, künig ruodolfs sun vff dem rin vnd etwa vil siner diener bi rinow. Der selb herr was xviij jar alt, vnd hatt des künigs von engellant tochter zuo der ee *ii*).

Cod. *epistolari Rudolphi* p. 7, und nennt sie *vulgatos eo tempore versiculos*, und p. 3 *antiquos*. Er hat sie aus *Gulliman Habsburg. lib.* 6, der sich eben so darüber ausspricht. Ich folgte hier der Hdschr. 806 p. 233.

ii) Die Handschriften Tsch. Zü. und Hü. nehmen irrig ihr Jahr 1276 an, eben so Cod 657 p. 38. Hartmann aber, mit der Britinn vermält 1278, ertrank (auch Ottokar v. Horneck hat 1279) erst 1281, wo auch der Landsfriede stattfand. Königshofen verbindet ebenfalls beide Daten, und sagt auch: in demselben jar ertrank küng rudolfs sun (doch ohne ihn zu nennen, während Cod. 628, oben *ee* ihn nennt) by rinow vnd etwa vil siner diener. Schon Closener hat p. 30 „In demselben jore (1280) an sant thomas obent ertrank hartman, kunig rudolfs sun, der was 18 järig, unn was jm gemahelt des kuniges dohter von engellant, unn ertrunkent ouch mit jm etwie vil sinr edeln dienern. Das beschach bi rinowe." —

Anno d. 1280 do verbrann die mer statt zürich vntz an lützil hüser. Cod. 657 p. 55.

Anno d. 1280 do verbrann die mer statt zürich vntz an wenig hüser von einem pfister. cit. p. 60. 631 p. 342.

Anno d. 1284 do gab her eberhart von lupfen (s. Note *w*.) sin tochter, frow gertruten, lütolden von regensperg, her volrichen sälgen von regensperg sun, vnd gab jm darzuo cc mark lötigs silbers, vnd widerlait ir der von regensperg 400 mark luters silbers. Diss täding beschach in der maignowe an dem nächsten mentag noch vssgenten ousterwochen des vorgenanten jares. Hye bi warent herren, ritter vnd knecht, an dess von regensperg tail: lütold von regensperg, her fridrich grouffe von toggenburg, lütold der jung von regensperg, sin vetter, herr ruodolff von wediswilr, ruod. von güttingen, her herman von bonstetten, her ruod. von rüssegge, ritter vnd fry, hainrich v. tengen, fridrich v. wissenburg, her eberhart der kilchherre ze steinmur, her egebrecht v. schauffhusen, her sifrid zum tor, her ruod. von beggenhofen, her wilhel bochkelm, h. kuonrat v. steinmur, h. bernhart v. wilflingen, h. bilgrin v. jestetten, h. egbrecht der rot, h. fridrich v. buchse, h. ruod. h. hainr. vnd h. berchtold v. endingen gebrüeder, vnd all dryg ritter, peter an dem orte von schaffhusen, mörlin, volrich v. mandach, arnold v. steinmur, volrich v. weningen, otto v. balde, hainr. v. jestetten, herman vnd aulbrecht gebrüeder v. kloten, hainr. von vare. It. diss all versprachen vnd versigloten für den v. regensperg.

It. by den herren v. lupfen: des ersten her eberhart v. lupfen, h. eberhart sin sun v. lupfen, eberhart vnd hainr. v. lupfen, sins bruoders sälgen sun, der v. tüffen, der custos von den einsidlen, grauff herman v. sultz, her rüegger der manesse, der struss v. warfenberge, her cuonrat v. zimern, h. berchtold vnd h. herman v. sunthusen, der v. wasserstelzen, h. diethelm v. wissenburg, ouch sin

24. Künig ruodolf starb.

Do man zalt von der gepurt cristi Mcclxxxxj, an dem ersten tag in dem brachet starb der hochgeboren fürst künig ruodolf von habspurg,

sun vnd vil ander redlich lüt, ritter vnd knecht. Vnd beschach an dem mentag nach vssgender osterwochen in dem vorgenanten jare. Hüply p. 169 ganz hinten unter allerlei bunten Dingen (des Sultans Brief an den Herzog von Sachsen und des türkischen Kaisers an „küng fridrich von österrich."

„Donoch uber unlang (nach Erwähnung von 1284 und 1285) do bekumbertent ettelich herren daz rich, wan der kunig ein alter herre was unn hoffetent, er solte schiere sterben, doran su doch betrogen wurdent. Unn worent die: der bischof von kure (Fridrich v. Montfort 1282 — 1290), unn der abbet von sant gallen, sin bruder (Wilhelm 1281—1301), unn dri groven von muntpfort (Rudolf v. Feldkirch, Hugo zu Tettnang und Scheer, und Ulrich zu Bregenz und Sigmaringen), der vorgenanten abbetes unn bischofes brudere; die brochent die snene unn die eide, die su künig R. unlang vormals hetten gesworn, unn woltent sinen gebotten nüt gehorsam sin. Do er das vernam, do samete er ein her, unn besas ein stetelin, heisset wille, unn zehant erhungert ers unn gewan es, unn fuor do dannen, unn maht einen friden zwischent dem groven von mumpelgart unn bischof peter unn den burgern von basel. Der grove hette gevangen wol das vierde teil der burger zu basel unn ouch die besten under inen, unn vil edeler lüte in dem bistum zu basel unn von andern gegenen dütsches landes; dise lidigete der kunig alle sament usser strenger gevengnüsse, die man mit grossem gute nüt möht gelöset han. — Die wile daz der k. alsus bekumbert was — do was der bischof von kure unn sine bruder, die groven v. Mtf. unn der appet von st. gallen, die zogetent vf die groveschaft von habesburg, unn brantent unn roubetent unn verherjetent daz lant. Do wider samete k. rudolfs sun, der hertzoge von swaben, ein michel her unn zogete uber die viende, unn gesiget in an, unn wurdent ir vil erschlagen unn die besten gevangen; under den was der bischof von kure einre, unn der groven einr von Mtf. die schiht er in gevenknüsse. Do wolt sich der bischof us der gevenknüsse han verstolen heimeliche, unn lies sich zu eime felse abe, unn viel zu tode. Do zoget der hertzog von swoben den vienden nach, von einre veste zu der andern. Ze jungest besas er das alte tockenburg, gar ein gut vesten, die des appetes von s. gallen was, unn gewan sü zehant, wande nüt spise daruf was, unn ouch daz die duffe worent, keine hoffenunge hettent keinre beschütunge. Do noch besas er die burg hymberg (Iberg), die gewan er ouch zehant, unn die burge zog er an sich unn behube si eweklich, und mit sins vaters helffe entsatte er den appet von s. g. unn satte einen von kempten (Konr. v. Gundelfingen) zu appete. Er twang ouch die groven von olten unn von friburg, daz su jm mustent zu dieneste sitzen, unn beroubet su der stat ze zovingen. — In dem selben jore (1287) do fartent sich die von berne wider k. R. umb etliche reht, die su ime dun soltent, unn ir jm abegiengent. Do besas er su, unn do er lange do gelag, do schuf er nüt; do lies er das her zerriten, unn besatte die umbe gelegenen vesten mit

der römische künig, dess sele ruowen müesse in dem friden jemer ewenklichen. Amen [213]).

Künig ruodolf von habspurg hatt bi siner elichen hus frowen dri sün vnd vj töchter, als die nachgeschriben verss vsswissent.

Ruodolfus rex,	Anna regina,	Albertus,	Tyrol,
(Schild).	(Sch.).	(Sch.).	(Sch.).

Ecce bonos fructus fert (feret?) arbor bona, testis
Vox evangelii probat ista notis manifestis.
Arbor presignis rex ruodolfus pietate
Conspicuus prolem genuit mira probitate.
Nam rex hic superexcellens laicalia vere
Tres natos et sex natas monstratur habere.
Istius egregie prolis flagrantia [214]) late
Nomina conjugia perstringam sub breuitate.
Albertus cui jus primogeniti foret ensis [215]),
Conjugii lege gener est comitis tyrolensis.
Hartmanno socer es, rex anglice, nam tua nata
Est sibi danda prout sponsalia sunt celebranda.
Ruodolfus puer impuber juga connubialis
Legis nescit adhuc virtutum preditus alis (?) [216])

---

213) So Tsch. 806 und Hü. In Zü. fehlt der Wunsch. 214) *fraglancia* Hü. *flaglancia* Vad. 215) *fore tensis* 806. Hü. *testis* Vad. 216) *p dict 9 alis* 806 und Hü. *dictis alis* Vad.

ritterschaft, unn det jn mit degelichem kriege so getrenge, daz die burger nüt herus mohtent kumen, noch nieman von ussen hinin. Sus besatte er sü, daz sü grossen gebresten litent, unn sunderliche an saltze. Do der krieg sus anderhalp jor hette geweret unn sich noch do nüt woltent lassen biegen, do fuoget es sich eins dages, daz k. R. sun, der hertzog v. Sw. kam mit 300 ritterschaft gegen der stat zu berne, unn begerte mit inen zu vehtende, unn sante ein teil sins volkes zu der stet porten. Do die burgere ir als wenig do sohent, do wondent su, su soltent inn angesigen, unn zogetent gewefnet gegen inen harus. Do kam der h. mit dem uberigen volke, unn wart gestritten do, unn gesiget der h. unn erschluoge ir 150, unn vienge 100 der besten; die andern fluhent. Sus twang er die statt B. daz su muostent tagedingen noch allem willen sins vatters unn och sin, unn muostent die stat unn die burger zu dieneste sitzen, die vormals fri worent, unn nam inen grossen schatz gutes, unn hies die muren, zinnen unn die schloss an den portes' abebrechen, daz widerbot der k. unn liess es also bliben. In dem stritt wart ouch erschlagen grove ludwig von hohenburg (Homburg), der k. R. mög was, der wart begraben zu wettingen. Umb den groven hette der h. von swaben grossz leit, unn wart also zornig, daz er der besten von berne etwie vil det döten, daz er sus nüt hette geton, were er nüt erzürnet worden um dess groven dot." Closener p. 33. 34. Vgl. Kuchimaister und Vonarx I. p. 411 ff. Ersterer, was St. Gallen betrifft, am ausführlichsten und auch Tschudi's Quelle.

Ecce palatino ludewico maxima natu
Mechtildis nubet, quod res est digna relatu;
Saxonicoque duci datur agnes, quae genitorum
Exequare studet vestigia stemate morum.

Hartmann,	*Engelland,*	*Palatinus,*	*Mechtildis,*	*Sachsen,*	*Agnes,*
(Sch.).	(Sch.).	(Sch.).	(Sch.).	(Sch.).	(Sch.)

Hinc sedet heilwigis quae legis connubialis
Nescia sub matris uiuit, prout hanc decet, alis.
Filius hainrici norici ducis otto vocatur,
Cui Katherina decens per conjugium sociatur [217]a).

	Hainricus otto noricus,	*Katharina,*	
	(Sch.).	(Sch.).	

Innuba clementia perilustris celibe vita
Vivit adhuc cultu morum mire redimita.
Pugillo regis vodoacri filia regis
Nomine guota datur, socialis federe legis.
Rex ruodolfus et illustris regina dat anna,
Natio quae floret jam prae reliquis alemanna;
Nam ruodolfus et anna, quibus precor omnibus annis
Ut sit honor virtusque, trahunt genus ex alemannis kk).

25. Die herren von österrich gewunnen buochhorn.

Anno d. Mcclxxxxj an sant martis tag ward buochhorn gewunnen von den hertzogen von österrich, künig ruodolfs sünen. Si gewunnent ouch des selben jars nellenburg vnd wil im turgöw, vnd vil ander sloss ll), vnd schadgotent alle die sich wider si gesetzt oder getan hattent. Do si buochhorn gewunnent, do machtent si sackmann in der statt, vnd tatend schaden in den hüsern me den acht tusent mark wert.

26. Der graff von nassow ward zuo ainem römischen künig erwelt mm).

Anno d. Mcclxxxxij do ward erwelt von den curfürsten zuo ainem römischen künig adolf der graff von nassow. Also satztent sich die hertzogen von österrich, künig ruodolfs sün, fast wider disen künig, vnd hattent jn ouch fast geirrt an der walung [217]b). Also zoch diser künig adolf von nassow nn) umb vnd zwang vil herren vnd stett.

217a) Diese 2 Verse fehlen Vad 217b) welunge Z.

kk) Das Ganze fehlt Z. Hü. hat es arg in der II. Abtheilung. Letzterer oben 8 gemalte Wappenschilde, jedoch den Habsburger Löwen 4 mal; dann gegen das Ende 7 Schilde, der Löwe 5 mal.

ll) Dieselbe Angabe, aber irrig 1391, in Cod. 630 p. 402, was Vonarxen II. 95 Note a zu einem Fehler veranlasste.

mm) Bei Tsch. und Hü. leerer Raum für Nassau's Wappen.

nn) Hier fehlt Hü. zwischen p. 14 und 15 ein ganzes Blatt.

It. er nam von dem künig von engelland hundert tusent [218]) mark sil-
bers, vnd versprach jm ze hilff ze komen mit den fürsten vnd herren von
tütschen landen, ze striten wider den künig von franckrich. Das selbe gelt
behuob jm künig adolf allein, vnd kouffte damit ain graffschafft. Do er
den fürsten vnd herren solt och geben, dass si mit jm zügint, da er inn
nüt ze geben hatt, do wolt nieman mit jm. Also hielt er dem künig von
engellant nit das er jm versprochen hatt, damit gelestret er sich vnd das rich.

It. in disen tagen, nach gottes gepurt Mcclxxxxv was alwenzuo gross
vigentschafft entzwüschent künig adolf vnd hertzog albrecht von österrich.
Der hertzog redte dem künig übel zuo, dass er dem künig von engelland
nit gehalten hett das er jm versprochen hatt; darumb wolt künig adolf
dem hertzog von österrich sin hertzogtum genomen han. Dawider stuond
dem künig hertzog albrecht starklich; also hankte künig adolf vil herren
vnd stett [219]) an sich vnd traib grossen muotwillen in dem lande. Also
verdross vil herren vnd stett des gewaltes vnd muotwillens, den künig adolf
traib vnd sine vögt, vnd schwuorent zuosamen wider den künig der bischoff
von strassburg vnd die statt, item die lantgraffen von elsass, die herren
von liechtenberg, von ochsenstain, die graffen von fryburg, von hayerloch,
vnd vil fürsten vnd herren vnd stett, vnd ward gross krieg in dem lande.
Also schicktent die curfürsten nach hertzog albrecht von österrich, dass er
käme gen mentz, so weltint si jn erwellen zuo ainem römischen künig,
wan künig adolf wäre ain vnnützer man vnd ain zerstörer des hailgen
richs, vnd weltint jn mit recht entsetzen, als ouch beschach. Also huob
hertzog albrecht von österrich vf, vnd samlet ain gross mächtig volk von
österrich, von kernden, von der stirmark, von vngerland, von bechem, vnd
zoch da her gen mentz mit ainem grossen volk vnd mit macht. Also hatt
er ouch vil grosser herren vnd stett an dem rin vnd in swaben, die jm en-
gegen zugent, vnd es mit jm hieltent. It. bischoff cuonrat von liechten-
berg von strassburg allein kam zuo dem hertzogen mit Dccc ritter vnd
knecht on ir gesind. It. die statt strassburg mit vier tusent [220]) gerittner
vnd ze fuoss, vnd bekamend [221]) jm zuo fryburg vnd empfiengent jn erlich,
vnd vil ander herren vnd stett, die es mit dem hertzogen hatten. Also
hatt künig adolf ouch grosse macht vnd vil volkes, vnd schadgot alle die
es mit hertzog albrechten hieltent. It. also kam hertzog albrecht von ös-
terrich gen mentz zuo den curfürsten, vnd beroubetent die curfürsten von
redlicher sach wegen den künig adolfen von nassow, vnd entsatzten jn von
dem rich, vnd machtent hertzog albrecht von österrich zuo ainem römi-
schen künig, vnd schwuorent jm ouch gehorsam ze sin als ainem römi-
schen künige [222]). Diss beschach an sant johans aubent ze sungichten, nach
gottes gepurt Mcclxxxxviij jar.

---

218) so Z. und Albert. Argentin. und Cod. 628 p. 761. 219) vnd stett blos Z.
220) so Cod. 628 und Königshofen. Tsch. Z. und Closener 10000. 221) noch jetzt schwei-
zerisch „begegnen". 222) Diese und die folgende Periode in Z. entstellt.

27. Hertzog albrecht von österrich ersluog künig adolfen von nassow in ainem strit.

Als nun künig adolf horte, dass der hertzog von österrich gen mentz komen was zuo den curfürsten, do zoch er mit sinem volk gen spir, vnd wolt do warten, was die curfürsten vnd der hertzog von sinen wegen [223]) tuon weltint. Do nun künig adolf vernam, dass jn die curfürsten entsatzt hattent, vnd hertzog albrecht zuo ainem römischen künig erwelt hattent, vnd ouch dem gehult [224]) vnd gesworen hatten, do maint der künig je, er welt das an dem hertzogen vnd an den curfürsten rechen, vnd nam zuo jm die stett spir, wurms, franckfurt, oppenheim vnd sin volk das er hatt, wan er hatt gross volk bi jm von herren, ritter vnd knechten. Vnd do der hertzog wider den rin vff wolt von mentz, do begegnet jm der künig adolf in dem wurmsgöw, vnd graif den hertzog kecklich an, wan künig adolfen was not ze striten, wan er forcht, dass jm hertzog albrecht entgieng.

It. also huob sich da ain grosser strit, der wärt wol ainen halben tag; do gesigot [225]) hertzog albrecht von österrich, vnd ward künig adolf von nassow erslagen vnd vil volkes ze baiden siten, vnd ward künig adolfs sun gefangen vnd vil edler lüt, vnder denen warent lx graffen. Die anderen fluchent. It. es erstickten ouch vil volkes in dem strit von grosser hitze, die da was. Es erstickte ouch des selben mals herr otto von ochsenstain, der des hertzogen panner truog, vnd der von isenburg, der des küniges panner truog *oo*).

---

[223]) von sinen wegen f. Z.   [224]) so Z. — gehielt Tsch.   [225]) gesignot Z.

oo) Die zeit tet sich der hass, der konig A. in Verhinderung der wal von hertzog albrechten von Oe. zugezogen was, in feintschafft aussbreyten vnd in rachsal zu ergeben; wan durch hertzog A. offenlich geret wart, dass ko. A. dem ko. von engellant sein zusaguug, dorumb er mercklich gut enpfangen, nit gehalten het. Desshalben A. hertzog albrechten seins furstenthumb zu berouben vermeint, dess jm aber derselb hertzog ernstlich widerstund. In disen dingen k. A. zwen lantfogt in elsass gesetzt wurden, welche zu uerdriess conraden von lichtenburg, bischoue zu strassburg, der hertzog albr. anhing, das land elsas jenseyt vnd hye disset reins sere beschedigten, dorumb sich der vorg. bischoue, di stat strassburg, der lantgraue von elsass, die grauen von freyburg, von zweyen brucken, von leyningen, von hayrloch, die herren von lichtenberg, v. ochsenstain vnd andere wider k. A. veraynten, aus dem dann swere urleug vnd krig sich erhuben vnd geübt wurden. — (Jetzt Wenzeslavs Vermälung „im v. jar ko. adolffs"). Do zwischen sich k. A. mit grossem folck besammet vnd zu layd dem bischoue zu strassb. die stat rufach belegert, vnd die gegent da vmb mit raub vnd brant verwust hat. — Im vj. jar ko. adolffs wart albrecht von dem bischoff zu meintz vnd ettlich andren kurfursten, die sich zu meintz zu ko. A. versamnet hetten, gefordert, welcher alb. sich grosslich versamnet hat; tet dem auch der bischoue von Str. mit 800 pferden vnd die stat strassb. mit 4000 mannen zu ross

It. zuo hand nach disem strit bezwang künig albrecht von österrich
alle stett vff dem rin vnd ouch die herren, vnd satzt andere vögt in dem
lande. Er satzt in dem elsass ²²⁶) zu lantvogt iohannsen von liechtenberg
enent dem rin²²⁷) des von oehsenstain sun, der in dem strit erstickt was;
in swaben den graffen von wirtemberg. Also besatzt er das land allent-
halben wol. It. er zoch darnach mit grosser macht gen ach vnd liess sich
da krönen, vnd hat das rich gewaltigklich inn vnd mit grossen eren, vnd
richsnet zechen jar vnd vj wuchen. Diser künig was künig ruodolfs sun
von habspurg, vnd was ain manlich gepürscher man vnd ain vnverzagter
vnerschrockener herr, vnd hat allweg gross volk bi jm, vnd was dennocht
vnbehuot, darumb er ouch sin lib verlor. It. bi dises küniges ziten ward
das künigrich ze vngern ledig, do schuof künig albrecht von österrich,

---

²²⁶) Thebald von Ferrere (Fehler für Ferrete, Pfirt) Clos. p. 43. ²²⁷) Hermann
von geroltsecke. Ders.

vnd zu fuss zu freyburg in hilff, begonten eylands gein meintz zu keren, wo in
des abzohe ko. A. mit seinem folck gen speyr. Also kam hertz. A. gen meintz,
daselbst k. A. von ettlichen kurfursten mit urtel des reichs entsetzt vnd h. A.
v. O. an sant johans abent sunbenden des vorg. jars durch si zu romischen ko-
nig erwelt, vnd jm durch dieselben fursten huldung gethan ward. Da zwischen
sich k. Ad. mit den steten speyer, wurms, franckfurt vnd oppenheym versamne-
ten —. Aber k. Ad. ein man grosses gemuts, solcher hilff (Herzog Otto's v.
Baiern) nit erbeytend, sunder besorgent was, dass jm h. alb. entgehen mocht,
vnd demselben hertz. in dem wurmsergew bey dem dorff gilnssheym in streyt
begegent, da dan ein halber tag hertiglich gestriten wart, sunder ko. Ad. vnd vil
folcks zu beyden seyten erslagen vnd der sieg h. albrechten zu steen ward, in
welchem streit ko. adolffs sun mit edeln, vnter den 11 grauen waren, gefangen
wurde, ouch hitz halb vil folcks in den harnasch erstickt, sunder herr ott v.
ochsenstein in des hertz. heer vnd der v. ysenburg in ko. ad. heer oberste furer
vergingen, die andern sich zu flucht gaben. Nach dem betzwang h. alb. die stet
auff dem rein vnd in det wetterau, vnd macht zu lantfogt in elsas johansen herrn
zu lichtenberg, vnd jenseyt reyns des von ochsenstein sun, des vater im streyt
bleib, vnd iu swaben den grauen v. wirtenberg. Von wirtgelesen, nach dem ko.
Ad. in dem obgemelten streyt selb drit gleich gewappet was, dass zwen weyss
hentschuhe in übung des streits auff jn geworffen, do mit er verraten, erslagen
vnd einer wunden also nackend tot funden wart, vnn zu speyer begraben, vnd
dass alle die di wider jn gesworn hetten, vnrechts tods vergingen: nemlich wart
der graue von hayrloch erslagen, herr ott von ochsenstein erstickt iu dem streyt,
der bischoue von meintz starb sitzend auff einem sessel, der bischoue von strass-
burg ward vor freyburg von einem fleischhacker erstochen, der graue von zweyen
brucken ertrank, in der bless, der graue von leyningen wart vor seinem end
vnsynnig. So wart konig albr. hernach von seins bruders sun erslagen. Also
wart diss konig ad. von got gerochen. Cod. 628 p. 762. 763. Vgl. Closener
p. 43—48 und Königshofen.

dass es künig karole siner swester sun gelihen ward von dem bapst. It. diser künig albrecht was gittig nach guot, wan er hatt vil kinden, vnd hat recht vnd gericht, vnd was ain fromer herr*pp*).

28. Wie beschach dem adel ain gresser slag, wan künig albrecht von österrich ward ermürt²²⁸).

Anno d. Mccoviij do ward künig albrecht, ain fürst von österrich, erslagen an dem maitag²²⁹) als er vnd sine diener woltent gen rinfelden riten zuo siner muoter²³⁰a). Vnd do er vnd die sinen über die rüss gefaren warent²³⁰b) bi w i n d i s c h, do wartet sin hertzog hans sin vetter, sines rechten bruoders sun, vnd ein diener, vnd sluogent da den künig ze tod. Diser hertzog hans von österrich was wol xv. jare alt²³¹), wan er was dennocht ain kind, vnd ward in jn getragen²³²) von sinen dienern vnd räten, die och disen todslag tatent, vnd ward erslagen bi brugg, da das closter ze kü- n i g s v e l d e n stat. Das selb closter stift frow elisabeth, des selben künig albrechts wib, vnd ward darnach volbracht vnd vssgemachet von frow ag- nesen künigin ze vngern, die ain hertzogin von österrich geboren dis künges schwöster Vad. was, vnd ir wesen fast ze brugg. im ärgöw hatt²³³).

228) Die Rubr. f. Z. 229) an dem hailgen crüzes tag ze maien Tsch. Z. Hü. (was auch Tschudi korrigirte). 806. Vad. richtig. 230a) Tschudi korrigirte den argen Ver- stoss aller Handschriften, Königshofens und Cod. 628. 230b) vber die rünss fuorent Vad. 231) Tsch. Z. sagen 20 Jahre, hingegen 806, Vad. Hü. u. Cod. 631 „wol 15". Johanns Vater starb 1290. Vgl. Böhm. *Regesta imperii* 1844 p. 251. 232) ward angetragen Z. 233) Diese Stelle hat Z. schon vorne, s. Note *bb*.

pp) Albrecht, der erst hertzog zu osterreich, ein sun konig rudolffs, des stams von habspurg, kam an das reich nach cristi geburt xijclxxxxviij, vnd her- schet 10 jar an 6 wochen*pp*¹). Vnd wan nw ettlich kurfürsten nit bey seiner er- wellung warn, gab er sein erste wal auff in der kurfürsten hant, auff dass man nicht sprechen mochte, dass er das reich vnrechtlich mit freuel besessen. Also erwelten sie jn eintrechtlich zum andern mal, vnd wart zu ache gekront, nach welcher kronung er gen strassburg kam vnd daselbst vmb vnsser frowen tag assumpcionis vil herren ir lehen verlehe, vnd hat bey jm vnter andern grossen menig in seinem heer 600 vngern mit hantpogen, do mit si sere snel zu schies- sen warn; aber keins harnasch gebrauchten sie, sunder lange hare, geflochten als die weiber, vnd vil kotzen zu cleidung hetten sie, vnd warn fast kune, also dass selten kein wasser was si furen oder swimten hindurch. Diss albrecht was an der person pewrisch, von antlitz vngestalt vnd eineucket, wan jm eins mals vergeben, da er dan durch die ertzte bey den fussen auffgehangen, jm das ein aug aussgestochen vnd die gifft von getriben ward, do mit er genas. Er was ouch nach gut geytig, das er doch dem reich nicht zu wendet, sunder seinen kin- den, der er uil het. Cod. 628 p. 764. Vgl. Königsh. p. 122 und Closener, et- was ausführlicher p. 48. 49.

*pp*¹) Albrecht herrschte nicht 10 Jahre und 6 Wochen, wie oben im Texte, aber auch nicht 10 Jahre minder 6 Wochen, wie hier steht, sondern 10 Jahre, minder 86 Tage, vom 27. Juli 1298 bis 1308, Mai 1,

Der erst pünd vnd anfang
der Aidgnossen

Anno xij cc vj In dem hornmonat macht
ent die drü lender, Vri pünd Schwitz vn
vnderwalden, vnd schwürent zesamen. Den so
pünd ze halten, das was der erst pünd,

Tschudi's Codex p. 10

Der erst pündt vnd anhab der aidgnossen
cc vj jar indem cristmonat machtet die drü lender aine pündt vnd
schwürent zesame den selben pündt zehalten dz vz der erst

Cod. 806 p 254.

Der erst pünd vnd anhab der aidgenossen
Anno dni xij cc vj in dem hornmonat machtend drü lender aij
Schwiz vri vnd vnderwalden vnd schwurent zesamen den selben
zehalten das vast der erst pünd

Hüply p.

Itt es ist auch zu wissen als in dem obgenanten zit do
sich etlich pure indem gäuew abgern gerey vnd
am seuls vnd dar am am burgdorf vnd vndersünst
urloser gerets zu betriegent vnd mand die loff ge
nemand wist war vmg es sich gütrey pft scmd ich
Hüply hau die coronik vsgschriben an dem samstag
thoma dir man zu den balfrissen complet lut in den heij

It. die von wart, von eschenbach, von balm vnd ander, die jm dess gehulffen, wurdent genzlich vertriben, dass nieman wisst war si je kament. It. dise tat was dem adel ain grosser slag vnd zerstorung. Dess selben mals beslussent die von zürich ir tor, dass niemann in ir statt fluch, der an dem todslag schuldig wäre; also muost man den herd von den toren rumen, dass man si zuo künd getuon, wan si vor in vil jaren nie beslossen wurdent, wan diser künig hat guoten frid qq).

29. Der erst pundt vnd anhab der aidtgenossen.

Anno d. Mcccvj, in dem rebmonat machtent die drü lender ainen

---

qq) Do von gottes g. was 1308 jar, am maienteg, ward küng A. erschlagen ze windasch von dem von wart vnd von dem von äschibach vnd von dem zer balm, vnd was hertzog hans, des künigs vetter, 13 jar alt (Tschudi korrigirte in 16), den er vertriben vnd vertruckt wolt han. Do beschlussend die züricher iri tor, dass niemann in ir statt flühi, die den küng hettend erschlagen; die warend 30 jar offen gestanden tag vnd nacht, vnd muosst man den herd rumen vor den toren, dass si zuo möchtind gan. Cod. 631 p. 346. 657 p. 61 (hier verschrieben „an ainem mentag"). →

Im 10. jar der regierung konig A. nach dem nw hertzog johans ein sun johans qq^1) hertzogen zu O. ko. albr. bruder, merer mals sein vetterlich erbteil vnd ein teil des lands jm durch rechte zu stend an k. A. gefordert hat, wart jm von demselben A. dafur ein krentzlein zu gesendet, welchs h. hans so swerlich zu hertzen nam, dass jm die augen mit wasser erfult wurden, vnd solichs seinen freunden vnd dinern in betrubnuss clagen tat, welche clag den von eschenbach, dem von der palmen vnd dem von der wart vor andern zu hertzen ging, vnd als nw ko. A. zu seiner muter qq^2) gen reynfelden reyten wolt vnd an dem tag der zwölffboten philippi vnd jacobi uber das wasser genant (die ruse) mit seinen dienern fur, vnd nach der uberschiffung auff sein pferd sass vnd vngewappet nach alter gewonheit vngebiten qq^3) der seinen biss gar uberschifften, vor hinweg geeylet, wart er von hertzog johans, seinem vettern vnd den obgenanten seinen freunden vnd anhengern, die sich dartzu mercklich gesterckt hetten, ubereylet vnd erslagen, an welcher stat durch fraw elssbeten, ko. A. weib ein schonss closter, konigsfelt genant, in costnitzer bistum gelegen 'zu bawen angefangen, aber hernach von fraw agnesen konigin von vngarn, die auch des stams was, folbracht vnd dahin diss ko. A. begraben. — Aber die vorgenanten missteter, die ir hend an den gesalbten konig gelegt hatten, wurden alle vertriben, die doch von manchem man geclagt wurden, wan sie durch redlich sach dartzu kamen von wegen hertzog johansen, dem sein erbteil vorgehalten ward. Cod. 628 p. 768. Sehr ähnlich Closener p. 49, und ohne die Endstelle Königshofen p. 123.

---

qq^1) Der Verf. von 628 nennt wiederholt Rudolfs ältesten Sohn Johann. qq^2) s. Note 230. Closener hat die Stelle nicht. qq^3) nicht wartend von biten, beiten.

pundt: switz, vre vnd vnderwalden, vnd swuorent zesamen, den selben pundt ze halten. Das was der erst pundt rr).

---

rr) Die in sehr alten Chroniken erwähnten Volksaufstände seit etwa 1260 gegen mutwilligen Adel, wovon oben bei Regensberg und Note r Beispiele vorkamen, und was bis etwa 1296 gedauert zu haben scheint, wo Kaiser Adolf 1297 den Eidgenossen den Brief Fridrichs II. von 1240 erneuerte, veranlassten schon Aeltere und sogar wieder ganz Neueste, den ersten Bund in das Jahr 1296 zu verlegen, und Tschudi geradezu für den Erfinder der Ereignisse von 1305 — 1307 auszugeben. „Im 1296 jar hand sich die drü lender erledigt von der wütrich hand, vnd dem nach ein jar darnach sind si wider an das römisch rich. Das beschach durch küng adolff den fromen, der hat si fry lütt im rich gnempt vnd si so herrlich mit fryen gaben vnd fryheiten erkent. Darnach hats den herren von österrich so mechtig verdrossen ir grossi fryheit, das ers inen wolt wider gnomen han; dess ist er sit in grossen schaden kon, wie ir jetzt wol werdent hören." Handbüechli — vssgezogen vss einer gloubwirdigen kronik, so ven einem burger von zürich geschriben ist, mit namen Heinrich Grebel. 1546. p. 238. 239. und daraus Jakob Ruefs Verbesserung des Urner Tellenspieles vom Jahre 1545. Pforzheim 1843 p. 49. — Nun nennt hier eine 100 Jahre ältere Chronik, die Klingenbergische, geschrieben bereits vor 1462, und zwar in der Abtheilung I. deren Sammler mit dem Jahre 1334 schliesst, in welchem die Kritik beinahe einen Zeitgenossen erblicken darf, ausdrücklich das Jahr 1306, sogar mit Angabe des Monats und den Worten: das was der erst pundt. — Bei solchen Umständen hält es der Herausg. dieses Buches mit dem Berner L. Wurstemberger, welcher in seiner trefflichen Geschichte Peters II. von Savoyen 1. Theil p. 238 sagt: „Zweifeln darf der Geschichtschreiber wohl, aber die Meldungen seiner Vorgänger auszumerzen, ist er nur dann befugt, wenn er deren Unrichtigkeit urkundlich nachzuweisen vermag"; und p. 244: „weil sich ein von einem Geschichtschreiber erzähltes, nur anderthalb Jahrhunderte altes Ereigniss, wegen eingeflochtener Unrichtigkeiten in der Zeit und den Verumständungen, doch nicht so unbedingt verwerfen lässt." — Wir stuhnden bereits an der Schwelle, die Erzählung des Rütlibundes und den Tell aus unserer Geschichte hinauszuweisen. Kopp und Schneller haben, und sicher in guten Treuen und besser ausgestattet als der Pfarrer Freudenberger 1760, an jener Epoche gerüttelt, und eine gewisse Schule hat dies begierig aufgegriffen und ausgebeutet. Passt sie etwa nicht in jene Zeit? Tschudi meldet ausdrücklich 1300 Albrechts Forderung, unter Oesterreich zu treten. Es ist das Jahr, wo Heinrich von Buchegg urkundet, dass er und sein Vater die Leute des St. Ursusstiftes in Solothurn, „über die wir Vogt sind" wider Glimpf und Mass beschwert haben, und verheisst, dies zu bessern. Es ist das Jahr, wo Abt Wilhelm von St. Gallen bei Albrecht bitter klagen muss, er vorenthalte ihm die dem Stifte gehörige Stadt Wil, und Oesterreich habe, um diese zu Grunde zu richten, auf Stiftsboden widerrechtlich die Stadt Schwarzenbach erbaut. Der Kaiser wiederholt aber 1301 das Unrecht, und weigert sich eben so, den 3 Ländern ihre Freiheiten zu ur-

30. Die von zürich verlurent ze wintertur.

Anno d. Mcclxxxxij, in dem zit als küng adolff, von nassow geboren,
zuo römischem küng erwelt was, vnd künig ruodolffs sün[234]) von habs-

---

234) sun Tsch. Hü. Zü. Vad.

kunden. Er fügt 1302 das Gaster als „Niederamt" willkürlich zu Glaris, worauf
das nahe Schwiz mit Wernher von Homberg in March und Raperswil auf 10
Jahre Bund schliesst und für ihn 1303 gegen das österreichische Gaster bewaff-
net auszieht. Gleichzeitig waren die Leute von Küssnach mit ihrem Vogte Eppo
von der dortigen Ritterfamilie im Streite, hatten sich mit ihren Nachbaren ver-
bunden und ihn in seinem Schlosse überfallen, und waren mit ihm vor ein
Schiedgericht aus Schwiz und Luzern gekommen. 1304 sandte Albrecht erbittert
seine Vögte in die 3 Länder, deren Untervögte auf Schwanau und Rotzberg sassen,
während 1305 Rudolf von der Lauffenburger Linie Vogt des alten Zürichgaues
wurde, zu welchem sie alle gehörten. Deren Uebermut schildert Justinger 1421
und das „weisse Buch" in Obwalden (1474) gleich scharf, letzteres „Gesler"
und Landenberg mit Namen nennend, wie die Unthaten am Manne im Melchthal
und zu Altsellen 1306, und Albrechts Geiz Vitoduranus, die Klingenberger und
Cod. 628, Closener und Königshofen ausdrücklich, welcher das freie Reichsland
Hasli auf gleiche Weise dem Anhänger Otto von Strassberg überliess, und nach
den Klagen im Archive Pfävers dies Kloster in seinen Besitzungen in Weggis
per nimiam Alberti regis rapacitatis sitim schädigen liess, und zwar abermal
gerade in dem erwähnten Jahre 1306. —

Kopp hat durch seine Aufhellung, Gessler könne das Schloss Küssnach
nie besessen haben, welches immer im Besitze eigener Edlen blieb, die Tradition
des weissen Buches, Tschudi's und Anderer von Gessler mit Recht als unhaltbar
aufgelöst, aber ohne sie durch die naheliegende, ächtere, zu ersetzen. Die viel
älteren: Malleolus (1450), Felix Faber (1488) und Mutius (Ulr. Hugwald Mutz
aus Stooken bei Bischofzell) 1539, und mit ihnen die konstante Volkssage in
Lowerz erzählen übereinstimmend, Habsburgs Kastellan und Thalvogt über Arth
(*vallis gubernator*, somit der Untervogt Gesslers) habe eine Jungfrau des Thales
entführt oder zu entführen versucht, sei aber von ihren 2 Brüdern auf dem Wege
(die Sage sagt, als er seinem Schlosse Küssnach zuritt, in der „hohlen Gasse")
um-
gebracht worden. Als der „Graf" (der Landgraf?) sie strafen wollen, seien „zwei
Schwizer, ihnen verwandt, diesen 10 und dann noch 20 und endlich das ganze Thal
ihnen beigestanden, haben zusammen geschworen und zuerst Uri, dann Unterwalden
an sich gezogen. Hier haben wir Stauffacher's erstes Auftreten, ob als einer
der Brüder oder der 2 Verwandten, also nicht wegen seines Hauses, und (auf
Anrathen seiner Gattinn, weisses Buch p. 7) sein Fahren nach Uri (auch Pirck-
heimer sagt: *Suitenses primi, deinde Urienses et Unterwaldenses* und das weisse
Buch nennt die ersten Verbündeten „des Stoupachers gesellschaft") und den Bund.
Wer sind nun die Verbündeten? Unsere Chronik nennt sie nicht, eben so we-
nig Vitoduran und Justinger, und die allerälteste Aufzeichnung im Lande selbst,

purg, die hertzogen²³⁵) zuo österrich, jn gern daran geirrt hettint²³⁶a), **vnd gross krieg** mit einandren hattent, als vor stat²³⁶b), do zugent die von z **ü r i c h**

²³⁵) die hertzogen Tsch. Hü. Vad. der herzoge Z. ²³⁶a) hettint Tsch. Hü. hett Zü. ²³⁶b) als du hernach vinden wirt an dem plat Vad.

die (angeblich lateinisch geschriebene) Chronik des Landammanns Johannes Püntiner von 1441, welche das Ausführlichste über diese Ereignisse enthalten zu haben scheint, ist leider verloren. Hingegen nennt die ächtalte Volkssage von jeher alle drei Verschwörer „die Tellen", und zwar: Wilhelm Tell von Uri (in den ältesten Kapellengemälden kenntlich an der Armbrust), Konrad ab Altsellen aus Unterwalden, den Tödter des Vogtes im Bade (kenntlich an der Axt, nach Anderen Arnold aus dem Melchthale), und Stauffacher von Schwiz; so z. B. die Kapelle ob Freienbach, so die bekannte Denkmünze mit der Jahrzahl 1296, so Stumpf, das Volksspiel „Helvetia" (Ruef hat den aus Melchthal), während das weisse Buch sagt „Stoupacher, Fürst von Uri, und der Melchthaler", Etterlin aber: „einer von Uri, Stouffacher vnd der vss dem Melchtal", eben so Brennwald. Mit Tells Namen hat man unnöthig gedeutet und sogar den Taufnamen Wilhelm damals ungebräuchlich finden wollen, während er auf Schweizerboden sehr bekannt, in der burgundischen Schweiz und dem nahen Wallis sehr beliebt war, und im Schwizer'schen sogar Geschlechtsname zahlreicher Familien wurde. —

Das Jahr 1306 steht nicht isolirt bei Klingenberg; auch die Inschrift an der Kapelle bei Steinen (nicht an der Stelle, aber unweit des Staufacher'schen Hauses) sagt „1306 ists gewesen"; das Handbüchlein" von 1546: „Geschach im 1306 jar", und Vadians Chronik der Aebte St. Gallens bis 1531 sogar „im 1306. jar im rebmonat", sicher aus der Vadiana. Hisely hat „Rebmonat" falsch mit Februar übersetzt und sich auf Grimms Rechtsalterthümer berufen; man verwechselte häufig den wahren Hornung, Redmonat der Göttin Reda, mit Rebmonat, und schrieb ihn auch so, während bei uns Niemand im Februar mit den Reben zu thun hat, und dies der ächte Name des Weinmonats war (s. unter anderm *Priscae veterum borealium mythologiae lexicon, Havniae* 1828 p. 837 „*Rebmonat, mensis uvarum*"), wie auch Guillimann den Bund im September hat, und Simler am 17. Oktober, welcher Tag ebenfalls noch dem alten Volks-Rebmonat (23. September bis 22. Okt.) angehörte. — Der Schuss durch den Apfel ist vielfach angefochten, wird übrigens weder durch denjenigen von William Cloudesly im 13. noch den des Dänen Tokko im zehnten Jahrh. widerlegt, da dann letzterer eben so unwahr wäre, weil er, was dem Vogte kaum unbekannt sein konnte, als viel älteres, mythologisches, Märchen vom Bruder des Sonnengottes und Künstlers Weland, des nordischen Dädalos, oder eher Vulkan, dem Schützen Eigil, weithin erzählt wurde. Den Vogt selbst, mögen Spätere ihn nun Grissler (einfach Schreibfehler für Geissler, das alte Giselher, heute noch Gissler) oder Gessler nennen und in dem Rittergeschlechte auf Bruneck und in Meyenburg suchen, oder mit Schilling einen Seedorfer, wo es wirklich noch Jahrhunderte lang „Geissler" gab, kann eben so wenig irgend Jemand bei uns erfunden haben, als die Schussgeschichte, die das weisse Buch kaum 160 Jahre später schon ausführlich erzählt, und schon damals ein Volkslied (sagt Russ 1482) behandelte;

mit ir helffern vnd mit aller ir macht für die statt ze wintertur, vnd lagent also vor der statt, vnd wartotent des bischoffs von costentz, der inen

---

und wenn auch dieses und das vielleicht nicht viel jüngere Volksspiel (Ruef verbesserte 1545 eines, welches „vorzyten" in Uri öffentlich gespielt wurde) die Thatsache ausgeschmückt hätte, so kann kaum ein Sinniger annehmen, dass es bei uns welche gegeben, eine solche zu erfinden, noch weniger, den Fall sogar gesetzt, sie zu glauben. Das Volk denkt lang. Der Landsgemeindebeschluss von 1387 in Schmids Urnergeschichte, welcher den Tell nennt, mag irrig den Sonntag als 7. Mai datiren, statt 5., aber er ist nicht ärger verneuteutscht als tausend Urkundenkopien, und die Festprozession wurde ihm gemäss immer gehalten. Ferner sagt Balthasar in der *défense de G. Tell*, der „selige" Landammann Püntiner (1720) habe in einer alten Chronik gefunden, Wilhelm Tell habe 2 Knaben gehabt, Wilhelm und Walther, mit seinem Schwäher Walther Fürst am Morgarten gekämpft, und sein Stamm sei „noch nicht erlöscht". Letzteres wird uns klar, wenn der Pfarrer J. B. Megnet in Attinghausen (1672—1691) alle vor ihm in die Kirchenbücher verzeichneten Nell ohne Ausnahme als Täll einträgt, und deren letzte, Maria Verena erst 1741, somit nach Püntiners Notiz, den Stamm schloss. Mag man nun finden, es haben sich Nell erst seit 1400, aus Bomatt her, in Uri eingekauft, so sagt dies blos, dass es noch andere des Namens gab, oder Püntiner und die erst 1808 als 86jährig gestorbene Frau Hauptm. Müller, welche jene Verena noch blödsinnig in Altdorf betteln gesehn hatte, und die Letzte des Tellstammes nannte, müssten mit dem Pfarrer Megnet, einem Altdorfer, Fälscher oder getäuscht sein; aber dann eben so gut schon die Erzählung im weissen Buche, worinn (weil Nell, Noll bei uns einen Cretin oder Blödsinnigen bedeutet, wie Nill in der Gaunersprache, daher das „Nöllethörchen" in Luzern, wie „Tall, dalen, toll" und das Thor beim Tollhause in Utrecht die „Tallespforte",) der Tell sich bei Gessler mit den Worten entschuldigt: „wäre ich witzig vnd ich hiessi anders vnd nit der Tall".

Da nun der in der Hohlgasse Erschlagene einer von Küssnach war und nicht Gessler, die dortige Kapelle eine Tellenkapelle blos heisst, weil die 2 Brüder (sollten sie Wernher und Heinrich die Stouffacher sein, die ich im schönen alten Jahrzeitbuche zu Steinen fand?) ja auch Verschworene oder Tellen wurden, Gessler selbst aber, nach Russ aus Luzern „auf der Platte selbst" erschossen wurde, wie auch das Volkspiel in einigen Ausgaben sagt: „der ein vogt ward ztodt erschlagen Zu Underwalden in eim Baden, Der andere zu Ury erschossen", so fällt in die Augen, dass man später die beiden Todtschläge auf der Platte und bei Küssnach als einen ansah. Dass Tschudi sich durch seinen Glauben an einen frühern Bund von 1206 (Chron. I. 104) verleiten liess, in seiner Abschrift p. 101, wo doch deutlich, wie in 806, in Z., Vad. und Hü. 1306 stuhnd, was er früher selbst am Rande notirt hatte, den einen C. auszukratzen, bedaure ich.

Geschah nun der Bund 1306, so liegt Tschudi's Darstellung: die Schlussberathung am Rütli am 8. Nov., Tells Gefangennehmung Sonntags 19., der Schuss Montags den 20. und die Einnahme der Burgen „am Weihnachtsabende",

och versprochen hatt, mit ainem grossen züg zu inen gen[237]) wintertur für
die statt ze koment vnd inen. ze helffen die statt zuo gewinnen, wan der
bischoff hatt mit denen von zürich ain püntnuss. Also vernam graff hügllin von werdenberg [238]) mit dem ainen oug, dass vns der bischoff ze hilff
welt komen, vnd ee sich der bischoff berait mit den sinen[239]) ze komen, da
hatt graff hüglin ain gross volck gesamlet, vnd hatt des bischoffs paner
gemachet, vnd zoch da her. Do wondent die vor zürich, inen käm ir guoter fründ, der bischoff von costentz; do kam[240]) graff hüglin vnd graiff
si[241]) an, vnd zugent die von wintertur vss ir statt mit aller ir macht, als
es dan[242]a) graf hüglin mit inen angelait hatt, vnd sluogent all an die von
zürich vnd an ir helffer. Also verlurent si gar swarlich, dass wenig lüt
darvon kam; doch entran graff eglin[242]b) von toggenburg, der der von zürich
houptman was, vnd etwa maniger[243]) mit jm. It. der von wintertur houptman was graff hüglin von werdenberg, der denen von zürich[244]) den
grossen schaden tät. It. dise manslacht[245]) beschach an dem xiij tag im
abrellen[ss]).

31. Kaiser hainrich von lützelburg.

Anno d. Mcccviij ward erwelt zuo ainem römischen künig graff hainrich von lützelburg; der ward och kaiser ze rom, als gewonlich ist,
vnd richsnet iiij jar, x manot[246]), vnd starb ze pys in wälschen landen, da
ward jm vergeben[247]) am nächsten tag nach sant bartolomäus tag anno
d. Mcccxiij[tt]).

---

237) für Z. 238) v. W. f. Z. Hü. 239) mit den sinen beraite ze Z. 240) der falsch
Z. 241) falschlich Z. 242a) der falsch Z. 242b) eglolf Vad. 243) mengi Z. 244) vns
Z. 245) slaht Z. 246) iij jar x monat Z. 247) ze pys — vergeben f. Z.

in nocte nativitatis domini, sagt Malleolus, Sonntags 24. Dez. 1307, damals schon
1308 gerechnet, nahe genug.

ss) Ouch laitend sich die von zürich für wintertur mit irem houptherren
graff eglin v. toggenburg. Vnd do man gefochten hatt mit den v. W. vnd in
dem imbis was, vnd ire harnasch abgezogen hattend, vnd gar sicher woltand
sin, do forcht graff hüglin von Werd. der dero von Wi. houptherr was, dass die
von Z. die statt Wi. gewunnend, vnd samnot gross volk, vnd machotand die paner vnd wapen als es der bischof v. costenz wär, der och dero von Z. aidgenoss was,
vnd enbuttend den v. Z. der byschof keme zuo jn. Do was es graff H. mit den von
Wi. vnd fuor gar wit vmb, vnd gab zaichen in die statt, vnd griffand die zürcher hindan vnd vornan an, dass si sich nie geweren mochtend, vnd wurdent
vil erschlagen vnd gefangen, vnd dess von To. diener hulffend ir herren darvon
anno 1292, am 13. tag des abrellen. Cod. 631 p. 345. 657 p. 60.

tt) Anno d. 1313 ward an sant bartolomeus tag kaiser hainrichen von lützelburg vergeben ze lamparten. — In demselben jar do verbran der rennweg Z.
nach vnts an die brugg, vnd wer wider buwen wolt, der muost ains gadems
hooh sin hus muren, vnd geschach am 5. tag des ougsten. Cod. 631 p. 346.

Wie lang es ist, dass künig ruodolff von habspurg starb.

Mortuus est anno milleno C triplicato,
Sex minus atque tribus, julii rex mense rudolfus.

Wie lang es ist, dass künig adolff von nassowe starb.

Millenis et trecentis, binis minus, annis,
In julio mense rex adolfus cadit ense
Per manus austrani, processi et martiniani.

Wie lang es ist, dass künig albrecht von österrich starb.

Mille simul tria C simul octo rex patitur ve,
Albertus romanorum cadit ense suorum
Philippi iacobi, rogo det veniam deus illi.

Wie lang es ist, dass künig hainrich von lützelburg starb.

Caesaris hainrici mortem plangamus, amici,
Qualiter hic vitam finivit per jacobitam;
Per corpus christi venenum traditur isti.
Hic in laude dei moritur die bartholomei.
Est pisam latus, ibi cum fletu tumulatus
Anno milleno ter centeno teridenou u).

82. Es wurdent zwen künig erwelt, die kriegten vil jar mit einander umb das rich.

Anno Mcccxiiij do wurdent ze franckfurt zwen künige erwelt von den curfürsten. Der bischoff von mentz, der bischoff von trier, der künig von behem, der marggraff von brandenburg erwaltent hertzog ludwigen von payern; do erwaltent der bischoff von köln, der pfallentzgraff vom rin, der hertzog von sachsen, hertzog fridrichen von österrich vv).

---

657 p. 61. 643 p. 131. Vgl. über Heinrichen Königshofen, welcher in der lateinischen Chronik die Vergiftung hat, in den teutschen p. 125 nicht mehr. Closener p. 52 und Cod. 628 p. 771 haben sie Beide.

uu) Diese Verse haben blos Z. und Hü. weil 806 u. Vad. nur theilweise vorhanden sind. In den Züricher Mittheilungen II p. 73 sind die ganz klaren Ausdrücke *Processi Martiniani* (d. h. der 2. Juli) und *patitur ve* missverstanden, und Hü. hat bei Albrecht und Heinrich die Rubriken verwechselt, bei ersterm irrig Millenis statt Mille, und im 2. Verse einen Einschiebsel *romanorum* (*qui vi*).

vv) Ludwig der jung, der vierd des names, ein sun ludwigs, hertzog in obern bayrn, ward von dem merern teil der kurfursten — erwelt, vnd wider jn in zwitracht ward fridrich der elter vv[1]), h. zuo O. ein sun albrechts etwan romischen konigs, durch den myndern teil — erkorn, vnd zu bunn gekront, wan er durch sein kleine macht nit gen Frkf. komen mocht. — L. ward ze ache gekront — wnd was in dem alter seiner erwelung bey 30 jaren, einer auffgerich-

vv[1]) der ältere in Bezug auf seinen Neffen Fridrich, der zur Zeit der Abfassung der Chronik 628 noch lebte (er † 1362).

Vnd also lagent die zwen erwelten kunige zuo franckfurt mit grosser
macht, vnd wolt jeder künig sin, vnd lagent also an dem wasser, vnd
mochtent nit zuo ainandern komen. Diss vernam hertzog.lütpolt von öster-
rich, des vorgenanten hertzogen fridrichs von österrich bruoder, vnd sam-
lot ain gross volk, vnd zoch gen frankfurt, vnd verjagt künig ludwigen,
dass er fliehen muost, vnd schadgot alle, die es mit künig ludwigen hat-
tent. It. darnach kamen die zwen erwelten künige in swaben bi essli n -
gen ongeschickt [248]) zuo ainandern [249]), vnd strittent.mit ainandern, dass
zuo baiden tailen vil volkes verloren vnd gefangen ward. Also kriegtent
si stets vff ainandern. Darnach anno d. Mcccxx [250]) do, zoch künig lud-
wig mit grossem volk den rin vff; das vernam künig fridrich von österrich
vnd sin bruoder hertzog lütpolt,. vnd samletent ain gross volk, vnd zugent
zuo künig ludwigen, vnd kament zuo einandern bi strassburg.vff der brüsch,
vnd lagent also gegen einandern ze landtwer [251]), vnd zoch.jetwederm tail
gross volk zuo, wan die herren von österrich hettent gern ainen .versproch-
nen strit mit künig ludwigen von payern tan, das inen ouch künig ludwig
verhaissen hatt. Also schickte künig ludwig zuo künig fridrichen vnd zuo
sinem bruoder, ob si bereit ze strite wärint, er welt des tages mit inen
fechten. Do antwurt künig fridrich vnd sin bruoder [252]): ja, wir hand sin
doch lang hie gebaitot vnd begerent nüt anders. Also richtent si sich ze
strit, vnd stuonden zuo fuos von iren pfärden, vnd do si den strit ganz
geordnotent, vnd wondent si söltin mit künig ludwigen striten, do was er
geflochen durch den forst [253]), vnd zoch gen hagnow hin, vnd wolt ir nit
warten. Do [254]) zoch jm künig fridrich von österrich vnd sin bruoder her-
tzog lütpolt nach me denn zwo tag waid, vnd mochtent jn nit erylen.
Also zugent si baide wider haim gen österrich, vnd wuostent ir vigent.

33. Ain grosser strit.

Darnach über ain jar zoch aber künig fridrich vnd sin bruoder
hertzog lütpolt von österrich vff künig ludwigen gen payern, vnd ver-
hergoten vnd wuosten das ganz payerland. Der künig belaib in den slos-
sen vnd torst nit heruss komen; also schadgotent si ainandern swarlich.
It. aber.darnach anno d. Mcccxxiij do samlot künig fridrich aber ain gross
volk vnd schickte jm der künig vss vngerlant vier tusent schützen, vnd
wolt künig ludwigen aber haimsuochen; do samlot hertzog lütpolt noch
ain grösser volk, vnd zoch künig fridrichen sinem bruoder nach. Also do
künig fridrich aber in payerland kam vnd das land wuoste, do hat künig

---

248) aun geschicht Z. 249) z. a fehlt Z. 250) 1315 Z. 251) so auch Königshofen.
zuo ainer lantwer Z. 252) vnd sin br. fehlt Z. 253) d. d. forst fehlt Z. 254) doch Z.
ten person, weiss, adelich, leydenlich, fridlich, in streit vnd in andern dingen
glucklich, aber gnedig vnd vergeblich den die der gerechtigkeit widerstanden,
vnd zu der arbeit was er treglich. Cod. 628 p. 772. Closener und Königsh.
haben dies nicht.

l u d w i g och ain gross volk gesamlot, vnd zoch gen künig fridrichen an aim was-
ser, vnd do si also gegen ainandern an dem wasser lagent, vnd nit zuosamen²⁵⁵)
komen mochtent, do schussent die schützen vss künig fridrichs her, dass
künig ludwigs her muost wichen. Also enbot künig ludwig künig fridrichen,
er welt mit jm fechten; do sprachent künig fridrichs ratgeben, er sölt sines
bruoders, hertzog lütpolts baiten, der noch mit grosser macht kemi, vnd
nit me denn ain tag²⁵⁶) von jm was. Disem rat wolt künig fridrich nit folgen,
wan er was ain küener, zorniger man, vnd sprach: er hat mir vor me strit
enboten, vnd floch, do ich wond, er sölt mit mir fechten. Also huobent
si mit ainandern an ze striten, vnd do der strit in dem sterksten²⁵⁷) was,
do kam der burggraf von nürenberg mit vier hundert helmen geritten kü-
nig ludwigen ze hilff, vnd mit vil fuossgenger²⁵⁸), die geruowet warent,
vnd zertrantent das her, vnd gewan künig ludwig den sig, vnd ward künig
f r i d r i c h gefangen, vnd vil herren mit jm. Also hat diser krieg nün jar
gewäret. Vnd diss vernam hertzog lütpolt von österrich, wie sin bruoder
darnider gelegen was, vnd zoch betrüebt wider haim. It. darnach kriegte
hertzog lütpolt streng vnd vast vff künig ludwigen, vnd tät jm als not vnd
als we mit krieg, dass er sinen bruoder künig fridrichen vss der gefängk-
nuss lassen muost; doch versprach er künig ludwigen, dass er jn vngeirret
welt lassen an dem römischen rich. Darnach starb künig fridrich bald *ww*).

It. in disen ziten satzte sich der bapst wider künig ludwigen; do zoch
künig ludwig gen rom, vnd machet ein andern bapst, vnd liess sich den
zuo kaiser krönen. Vnd do er wider von rom kam, do ergab sich der
selbe bapst an den rechten bapst, vnd kam zu gnaden. Also verbannet
der bapst kaiser ludwigen, dass alle die herren vnd stett ze banne warent,

---

255) zuo ainander Z. 256) tagweid Z. 257) besten Z. 258) fuozgender Z.

ww) Im 11. jar konig ludwigs herschung vereynet sich der selb ludwig in
einer geheym vnd stil mit fridrich v. O. dem erwelten, den er in seiner gefengn-
uss het, vnd verpunden sich zu einander also, das sich F. nit allein diss wal
gen jm vertzieg, sunder sich ouch verschrieb, das weder er noch kein herr v. O.
wider keinen herren von bayrn nach dem romischen reich nicht stellen noch
trachten solt, vnd swuren bed solichs alles zu halten auff dem heil. sacrament,
das si bed die zeit darauff vnter der mess enpfiengen. Also ward F. aussgelassen,
vnd bleib L. bey der wal —; aber F. hielt solcher gelubnuss nicht, wan nicht
lang darnach schreib er sich einen konig des romischen reichs, vnd was nicht
ingedechtig der gnad vnd libschafft jm von ko. L. beweyset, sunder er krieget
auch wider ko. L. Solche vntrew aber got hernach swerlich an F. rach. —
Des jars (1330) starb der erwelt F. — wan jm von einem diener etwas zu es-
sen geben ward, in meynung jm dauon holt zu werden, dadurch jm wunderlich
spitzig wurm alss wie leuse aus dem leib wuchsen, die jn verzerten. Cod. 628
. p. 774. 775. 779. Closener hat dies nicht, Königshofen aber p. 128 Fridrichs
Tod kurz, aber sein Loswerden aus der Haft wie unser Text.

die es mit dem kaiser hieltent, vnd on allen gotzdienst sin muostent. Also
hattenz der bapst, der künig von frankrich vnd hertzog lütpolt von öster-
rich mit ainander wider den kaiser, vnd schuof hertzog lütpolt, dass des
bapsts brieff wider den kaiser [259]) allenthalben verkündt wurdent, vnd
kriegte [260]) stets vff den kaiser.

34. Sant pülten ward serbrochen.

It. hertzog lütpolt von österrich belag sant pülten, vnd gewan es
vnd brach [261]) es ze grund ab, dem kaiser zelaid. Er tät jm grossen scha-
den an sloss vnd an stetten, vnd an lüt vnd an land, wan er was des kai-
sers vigent biss an sinen tod.

35. Die slacht an dem margarten.

In disen dingen anno d. Mcccxv vff sant othmars tag [262]) hattent die
vögt vnd die landtsherren ain grosses volk gesamlot von herren vnd von
stetten, vnd woltent die von switz zwingen vnd gehorsam machen. Also
lagent die von switz, von vre vnd von vnderwalden vff ainem hohen
berg, vnd zugent inen die herren nach an den berg; also liessent si stain,
stögg vnd anders den berg ab louffen vnder die herren, vnd muostent die
herren wichen, vnd ertrunkent etlich in dem wasser, wan es beschach an
dem morgarten bi egre, vnd gelagent [263]) die von switz vnd ir helffer ob,
vnd gelagent die herren darnider. Es warent och mit der herschaft gezo-
gen etwa manig stett, zürich, bern, luzern vnd ander stett.

Anno d. Mcccviiij jar do ward ain apt zuo den ainsidlen erwelt, von
ainem edlen geslächt, hiessent die von ruoda [264]). Diser apt hatt etwa vil
zit stöss vnd spen mit denen von switz vmb die waiden in den alpen vnd
in den bergen, die si doch in hattent gehept gar menge zit vnd lenger denn
jemant kond verdenken noch mocht erfaren onansprächig, on krieg vnd spen
allermengklichs, vnd woltent och dem apt dess nit gestatten, vnd wertent
sich kreftigklich vnd stark. Vnd ainsmals do kament si in das closter mit
gewaffneter hand vnd freuenlichen, vnd suochtent den apt. Vnd do si jn
nit fundent, do giengent si widerum hinweg. Aber etlich von des apts
knechten oder lüten sprachent, die von switz hettint das hailig wirdig sa-
crament vsser dem seckel vff den altar geschütt, vnd darum so tät der apt
die von switz in den bann. Der werot vil zits, vnd bat diser apt hertzog
lütpolt von österrich, dass er jm hulff rechen den sun der junckfrowen
marie, darumb dass si jn hettent vssgeschütt vff den altar. Aber do die von
switz das marktent, do hettint si das gern fürkomen, dass kain krieg darumb
wäre worden, vnd erbuttent sich järlichen gelt davon ze geben, vnd vnder-
tänig ze sin in dienstbarkait vnd in rechten kriegen wider menglichs. Aber

---

259) wider d. k. fehlt Z. 260) kriegten Z. 261) zerbrach Z 262) *Necrologium Wet-
tingense ap. Herrg. III.* p. 847 „XVII. Kal." und codd. 657 und 643 „sant othmars
abent." So Tschudi 263) belagent Z. 264) Abt war 1298—1326 Johann von Swanden
(Bernisch).

durch rat des apts vnd graff hainrichs von montfort, ains chorherren vnd
landuogtz vnd des von griessenberg die woltent si nie vor vnd nach vmb
kain sach erhören, vnd samlotent ain gross volk von edelen, von burgern,
von diessenhofen vnd von arow. Die koftent alle strick, dass si si vnd das
vich daran heruss füertint gefangen. Aber diser sind gar wenig gesund
wider haim komen, wan si wurden nach all erslagen, von arow koment
xlv man in ainem schiff, die erslagen warent. Also kam hertzog lütpolt
mit ainem grossen volk an den berg bi egri, da och fast ain tüff wasser ist,
als obstat, vnd do si kament an den berg zuo der ersten huot, da was
wenig lüt die sich wertint; aber zehand ward ir fast vil, die sich manlichen
wartent, vnd on alle erbärmd si totent. Do das des hertzogen diener er-
sachent, do kartent si sich all vmb, vnd fluchent dahin, vnd der erst der
floch das was graff hainrich von montfort, der corherr, der vil volks ertot
mit den rossen, vnd vil ertrunkent vnd vast vil wurdent erslagen, aber kainer
gefangen. Also lagent die switzer ob, vnd nament da harnasch vnd andre
gewer von den erslagnen lüten. Aber was si vor vnd nach von den gefang-
nen vnd von rossen vnd von gelt gewunnen, do machtent si capellen allent-
halb in dem land denen die do wit von den pfarrkilchen wonetent, got ze
lob vnd den hailigen, den lebenden ze nutz, vnd ze hilff den ellenden ar-
men selen. Aber die da verlurent in disem slahen der warent me den xij
hundert, on die von lucern vnd von dem gemainen volk, dess onzallich
vil was *xx*).

Anno d. Mcccxxij jar. Ettlich von disen, mit namen die von vrsinen,
ersluogent vff ainen tag v hundert man von curwalhen, vnd viengent
iren vogt, vnd totent sinen sun vnd nament inen alle ir gewer, vnd behieltent
die, vnd gab der vogt inen M lib. dn. der selben müntz, vnd darnach stuon-
dent si in guotem friden vntz zuo künig ludwigs ziten.

xx) Anno d. 1315 an sant othmars abend do wolt hertzog lütpolt von O.
ze schwitz ingefallen sin vnd bezwungen han, vnd do si kamend an den mor-
garten an den berg, der ist hoch vnd obnen ain wenig eben, vnd lit schwitz en-
net dagegen, vnd ist ain bachtail ennot daran, do warend schwitzer obnen vf dem
berg, vnd schluogend an die herren vnd ross als mannlich, dass des hertzogen
volk flüchtig ward (dass si die halden ab fielen in ägerisee, dass die wellen uber
si schluogen, Cod. 631), vnd wurdend menig herren vnd ander lüt erschlagen vnd
in der egre ertrenkt. Vnd die v. zürich hattend dem hertzogen 50 man gelihen,
die woltend nit fliehen, vnd verlurend in des hertzogen dienst, vnd verlor der
von schwitz nit mer denn ain. Codd. 657. 631. 643. Es sind diese die ältesten
Berichte von der Schlacht neben Vitoduran, und zwar der ausführlichere und
das von Urseren blos in 806. und Vad.

Do man zalt von g. g. xiij hundert jar vnd xv jar, an sant niklaus tag, do
machten die dry lender vre, switz vnd vnderwalden die ersten puntnuss mit
enander, vnd das was ain anfang der eidgnossschafft. Cod. 643 p. 157.

36. Schnabelburg vnd vil vestin wurdent gewunnen, vnd ward der adel vertriben.

Anno d. Mcccviiij ward s c h n a b e l b u r g [265]), die lustig burg, gewunnen vnd zerbrochen. Die selb vesti was dess von eschibach, der den künig albrecht von österrich [266]) ze windisch halff erslahen. Es ward och in den selben ziten [267]) vil guoter burgen gewunnen vnd zerbrochen, vnd ward vil adels vertriben, wan alle [268]) die die bi dem todslag warent, wurdent genzlich [269]) vertriben, vnd darzuo' alle, die sich ir annament.

37. Die von luzern verbundent sich zuo den lendern.

Anno d. Mcccxxxj do verbundent sich die von l u z e r n zuo den dryen lendern, switz, vre vnd vnderwalden, vnd swuorent also ainen punt ewenklichen mit ainandern ze halten; doch behieltent [270]) die von luzern dem hertzogen von österrich vor ab vnd vss sine rechtung [271]), gericht, zins vnd gülte yy).

38. Ain kind ward gemartret von den juden.

Anno d. Mcccxxxij [272]), an dem ersten tag im mertzen ward ain kind ze ü b e r l i n g e n gemartrot von den juden, hiess volrich, vnd was ains ledergärws sun ze überlingen, hies der fryg.

39. Swannow ward gewunnen.

Anno d. Mcccxxxiij ze mittem ougsten ward die guot vesti s w a n n o w gewunnen von des richs stetten strassburg, basel zürich vnd andren

---

[265]) schnabelberg Hü. [266]) Albrecht f. Z. [267]) dem selben zit Z. [268]) alle f. Z. [269]) alle Z. [270]) behuobent Z. Hü. Vad. [271]) richtung Z. [272]) 1331 Hü.

yy) Darnach derselb byschoff nicolaus (von Kenzingen, Sohn Jakobs, des Vogtes von Frauenfeld und Hofmeisters der Herzoge, 1333) ist worden ain vogt der hertzogen v. O. in oberswaben, als im ergöw, turgöw vnd elsäss gemainer. Vnd von stund an die switzer vnd lucerner (die pflichtig warent?) im gehorsam zuo sind, als ainem vogt der hertzogen, sich wyder jn laitend. Vnd alsbald do satzt er den strengen vechtbaren ritter, hern volrichen v. ramschwag vff die burg r o t e m b u r g, nach bi lucern, der emsenclich besach vnd betrachtet die gegen wurff vnd vffsätz des wydertails. Vnd zuo ettlicher nacht etwa vil zites verruckot was, do giengend vss etwa mäniger gewapoter fuossgänger, by zwaihunderten, vsser der stat L. vnd verbranten ettlich dorff by R. vnd den rob, was inen werden mocht, füerten si mit inen hinweg. Das für also von den wachtern vff R. gesehen, der genant ritter von dem schlaff geweckt, nam zuo jm süben vnd zwaintzig gewapoter, vnd von stund mit gewapoter hand viel er in das selb volk vnd erschluog fünf vnd achtzig man; die andern sind in den wassern emma vnd rüssa ellentklich ertrunken. Vnd von stund an sind gemachet worden güetlich tag, vnd durch den weg gütlicher verainung alle gestalt der wyderwärtikait zuo den ziten gestillet. Gebh. Dachers Konstanzer Chronik bis z. J. 1470. — Bei Tsch. ist hier die 7. Zeichnung Luzerus Wappenschild.

stetten; vnd do man vor der selben burg lag, do was es zwölf wuchen an ainandern schön, dass es ainen tropfen nie geregnet; vnd hett es nu ainen tag geregnet, so werint si entschütt, wan diewil si essen vnd trinken hettint gehept, so möcht si niemand gewunnen han, hett es geregnot. Vnd do kain regen wolt komen, do sprach der herr, dess die vesti was: Ich sich dass got selb mit mir krieget, wider den ich mich nit setzen kan noch wil; vnd also ward die selbe burg gewunnen. It. des selben jars ward der aller best win zz).

40. Der kaiser lag vor merspurg.

Anno d. Mccccxxxiiij do lag der kaiser ludwig vor merspurg; der selb kaiser was ain hertzog von payern.

41. Die burg altstetten ward gewunnen.

Anno d. Mcccxxxviij, an des hailgen crützes tag ze herbest ward alt-stetten, die burg, gewunnen zz¹).

---

zz) Anno d. 1331 ze mittem ogsten do ward schwanow die vesti gewunnen von den v. Str. von B. von Z. vnd von andren stetten, die dem rich zuogehörent. Darnach des selben jars ward der guot win zürich, won es was 12 wochen ane regnen. Cod. 657 p. 62. Etwas mehr 631 p. 346. 643 p. 131.

zz¹) Ist blos in Z. Hü. und in Cod. 630 p. 401, aber hier „vff vnser frowen tag, als si erhöcht ward." Es traf beide Burgen Altstätten, Neu und Alt, Albrechts von Werdenberg, dessen Edle die Städte St. Gallen und Lindau beleidigt hatten. Tschudi I. 351. Dacher sagt: In dem jar d. m. z. tussend drü hundert drissig vnd acht jar, an des hailgen crütz tag zuo herpst, ward altstetten die burg gewunnen von den von costentz vnd andren des richs stetten. Es warend vil ritter vnd knecht in der burg, die all ainer nacht daruon giengend, won die burg was mit antwercken fast bekumbert. Konst. Chron. p. 98.

Zweite Abtheilung,

bis zum Jahre 1439 *a)*.

---

1. Die statt bern ward buwen [1].

Anno d. Mclxxxxj, an dem nünden tag nach sant valentins tag [2] huob hertzog berchtold von zeringen die statt b e r n an ze buwen *b)*.

---

[1] Wenn B. gebuwen ward Z. Die statt zeringen ward buwen Hü. [2] s. Note *b*.
[3] Es ist die Rede von Freiburg im Breisgaue, und der Sammler hier im Irrthume.
a) Hier hat die Handschrift Tsch. plötzlich 3 leere Seiten, und fährt dann, augenscheinlich als Fortsetzung durch einen Zweiten, fort mit näherer, sogar etwas wiederholender, Schilderung der Habsburger Vaterrache, Albrechts und Adolfs Begraben, dann Berns Erbauung, dem Adel in Aar- und Thurgau, hierauf, genau wie am Anfange, weltgeschichtlichen Daten, abermal Heinrichs Kaiserwahl u. w.

Die Handschr. Zü. hat, nach Altstättens Einnahme, wenn auch ohne sichtbaren Zwischenraum, plötzlich die Geschlechter Aargau's, dann die Kinder Kaiser Rudolfs, die Verse der Kaiserwahl, hierauf Bern, erst nachher, auf Heinrichs Wahl, die Vaterrache.

Hüply's Abschrift springt gleichermassen von Altstätten auf Aargau's Geschlechter, dann Rudolf's Kinder mit mehr Versen als Zü., hierauf die Blutrache, Berns Stiftung, die Geschlechter im Thurgau und jene welthistorischen Daten, komisch eingeleitet mit der Rubrik „Hans Erhart von Rinach Ritter", welcher Name auch später neue Abschnitte introduzirt. Er hat Bedeutung, denn er gehört jenem Sohne Ulrich's von Rinach, welcher mit seinem Vater Hartmann 1392 dem Turnier in Schaffhausen beiwohnte, dann aber, als sein Vaterland Aargau eidgenössischer Unterthan wurde, mit seinen Söhnen, Heinrich und diesem Eberhart oder Erhart, aus Unwillen und aus Liebe zu Oesterreich, die Schweiz verlassend ins Sundgau zog, und der Vater bis auf unsere Tage blühender Reinach wurde. Aus all diesem ergab sich die Reihenfolge natürlich.

b) Das selb fryburg [3] vnd bern warent vor zitten nit anders mit einander denn als brüeder, wan si von eim herren, dem herzogen von zeringen, gestifft warend.

Hertzog berchtold von zeringen stifft die statt b e r n in vechtland an

2. Die geslächt im ergöw [5]).

Die edlen, guoten, alten geslächt von graffen, herren, rittern vnd knech-
ten, der in dem ärgöw gar vil gewesen sind, die alle vertriben vnd abge-
storben sind, dass von den geslächten nieman me lept: des ersten von
graffen, frien, herren, die graffen von lenzburg, von nidowe, von besser-
stein, von wart, von eschibach, von balm, von froburg; die grafen von ar-
berg, von schnabelburg, von wediswiler, von schenkenberg, von gösskon [6]).

3. Die geslächt im turgöw.

It. die geslächt zwüschent den wassren im turgow, graffen, herren,
ritter vnd knechte, die vertriben, erslagen vnd abgestorben sind, dass von
disen geslächten nieman me lept, die der geslächt sigint. Vnd des ersten
graffen vnd fryen. It. die alten graffen von rapreswil, von grimmenstain [7]),

---

4) war der 14. Febr. 5) Tsch. hat die Rubrik, der Abschreiber ist aber in den Ar-
tikel Turgöw verirrt. 6) Blos Z. und Hü. aber gleich darauf die Verse. Note. 7) Gin-
nistein Z.

sant valentins [4]) achtenden tag anno dni Mcxo primo, vnd darnach da bern ge-
stifft ward, do gab si der hertzog von zeringen vss siner hand in des römschen
richs hand imer ewangklich, vnd was vor ein wilder wald. Diss tett der her-
tzog siner swöster, ein greffin von kyburg, zeleid diss stifften vnd hingäben, als
vorstat, vnd aller lantsherren zuo einer vergifftigung. Wan die selb greffin sin
swöster zwayen jungen knaben, sinen sünen morttlich vergeben hat mit gifft vnd
ouch dem vatter zöffery in ainen gürtel gewürkt hatt, vmb dass er nit me ber-
hafft wurde. Der hertzog erwarb ouch denen von bern gross frygheit an keysser
fridrichen künig ze sicilien mit siner guldin bull vnd insigel. Cod. 629 p.
241. 242.

Darnach (nach Berns Bau und der Handfeste) hatt der graff von ky-
burg die von bern gar hertt, wan si dennocht nit mechtig worent, vnd bracht
si mit sim gewalt in des keyssers grossen bann vnd acht, vnd wolt si für eygen
zwingen. Do ergabent sich die von B. dem graffen von saffoy, vmb dass si nit in des
von kyburg hand kämeut. Die graffen von saffoy mit denn von kyburg vil tagen
dorumb laistent, dass je der von kyburg nüt gen wolt vm den von saffoy. Vnd
nach vil red besamlet sich der graff von saffoi vff blamatt wider den von K. vnd
zwang den von K. dass er die von B. vss acht vnd bann laussen muost. Darnach
tattent die von B. dem von S. ein reyss in weltsche land in sinem dienst mit
der panner, mit guotem volck, vnd tatent ein geuecht vnd ein strit mit sinen
vyenden, dardurch si gross eer beiagtent vnd manheit, dass si der von S. aller
eygenschafft wider ledig liess, vnd gab inen hinwider iren brief vnd macht do
der herr einen pund mit den von B. einer ewigen steten fründtschafft vnd eydt-
gnosschafft, das ouch den herren von S. dick wol erschossen hatt, vnd ouch die
statt B. damit gröslich vffgenomen hatt. Cod. 629 p. 242. Vgl. Justinger S.
22—28. Wurstemberger, Peter der II., 1. Bd. S. 156. 437 ff.

von honberg, von kiburg, von falkenstain, von griessenberg, von regens-
perg, die edlen Graffen von habspurg, von turberg, von der altenklingen,
von bürglen, von vozingen, von eschibach, von wandelburg, von bäbingen,
von matzingen, von wunnenberg, von wart, von altenburg, von uster, von
astan [8]), von der alten tüffen, von der hohen tüffen, von fryenstain, von
griffenstain, von äschlinkon [9]), von wil, von tegrenfeld, von önwangen, von
märgstetten, von kaiserstuol, von wasserstelz, von gütingen, von wängi,
von end, von toggenburg, von rinegg [10]).

4. Diss sind ritter vnd knecht vnd dienstlüt in dem selben kraiss vmb.

It. von urstain [11]), von buochenstain, die omen, von wartense, von
ötlahusen [12]), marschalken von mamertzhofen, von blidegg, von räten-
berg [13]), von hertenberg, von sulms, die schälen von gaissberg [14]), von berg
von rin (rein), von toppelstein [15]), die von särinen, die büler von obern-
dorf [16]), von arnang [17]), die meiger von oberdorf [18]), die stocker, von ain-
wil, die vom tell, die meiger von lochnow, von yberg, von wiltberg, von
horwen [19]), von fürberg, von waldegg, von eckelstain, von swanden, von
schalken [20]), von wilberg, von schalkhusen, von ruchenberg, von cloten,
von rigoltzhofen, von der egg, vom nord, von bruggbach, von lochen, von
sädelberg, von bockberg (bocksberg), die snöden, von wasserfluo, von rot-
tenfluo, von schamatten, von müsslingen, die straiffen, von lamperswil, von
kesswil, die spitzen, von heinrichsberg, von wolfartswil, von steinwil [21]), von
dietswil, von luterberg, von bichelse, von schowenburg, von allgöw; von
tussnang, von ittingen, von schönenberg [22]), von sternegg, von spiegelberg,
von lindenberg, von wildenrain, von hittnow, von töss, von brunberg, die
löwen, von zuckenriet, vom mos, von lantsperg, von schönow, von liten-
hait, von henckhart, von zimikon, von mitlen, von wetzikon, von hännegg
(hönegg), von bockslo, von secki, vom ghögg, von bongarten, von gerlikon,
von hagenbuoch, von murkhart, von humbraspüel, von spilberg, von hol-
derberg, von strass, von strussberg, von steinegg, von meigersperg, von
winfelden, von tegrenwile, von hönerhusen, von hard, von amenhusen, von
eschenz, von lübatswile, von mülberg, von tettikon, von mülhein, von bluo-
menstain, vom jungholz, stubawit, von steckborn, vom riet, von salenstain,
von liebenfels, von girsperg, von widen, von huttwile [23]), von wesper-
spuol [24]), von altlikon [25]), von schitterberg, von eggingen, von rütswil, von
hettlingen, von baden, von winkon [26]), von buchstorren [27]), von wuppnow,
von genigow [28]), von ochsenhart, von alezhart, von werdegg, von ringgwil
(rogwil), von bernegg, von kempten, von wagenberg, von dünrten, von

---

8) ostan Z.   9) öschlikon Z.   10) rinegg hat Z. im folg. Art.   11) vstren Hü.
12) vilahusen Z.   13) unweit Oberbüren; rottenburg Z.   14) bei Z. als 2 Geschlechter.
15) hinter Appenzell; tappelstein Z.   16) bei Z. 2 Geschl.   17) arnwangen Z.   18) ober-
berg Z.   19) herwen Z.   20) schwalken Z.   21) geinwil Z. und Hü.   22) Diese bei Z.
und Hü. zweimal vorkommend.   23) hatwil Z.   24) westerspuol Z.   25) attlikon Z.   26) win-
koufen Z.   27) büechschorren Z.   28) geinpan Z. gempow Hü.

batzenberg, von hadliken, truchsessen von rapreswil, von rainbach, von gamlistain, von bollingen, von illnow, von rossberg [29]), von ottiken, von dienberg, von liebenberg, did schaden, von mandenswil, von kämnaten, die meiger von mersperg, von wülflingen, die bochsler, von sall [30]), von humliken, von tettliken, von welsiken, von nerach, von bell (boll), von rinsfeld, von steinmur, von jestetten, von sultz, von iffentail, von wissnang, von wissendangen, von rossbach, von griffenberg, die schenken von kaiserstuol, von castell, von gündisow, von griffense, von dübelstain, von fridperg, von vriken, von schirmense [31]), von humbrechtiken, von lunghofen, von sturzenegg, von äbersperg, die mayer von mure [32]), von hugeltshouen, von lönberg, von sehem, von sultzberg, von haidelberg, von emishouen, die von hegin [33]).

5. Aller bischoff namen ze costents.

It. hienach stand geschrieben aller bischoff namen, die ze costentz je gewesen sind, von anfang des bistumbs ze costentz.

It. der erst hiess bischoff maxentius (Maximus, von Vindonissa kommend), b. ruodolff, b. vrsinus, b. gaudentius, b. martinus (6.), b. johannes (5.) [34]), b. opthardus, b. pictavius, b. severius, b. hans (johannes II 15.), b. ruso (boso 7.), b. astropius (Ausonius 11.), b. anafredus (Erenfred 13.) was ain abt ze sant gallen (Reichenau), vnd was x jar bischoff, b. sinodius (sidonius 14.) was ain abt ze st. gallen, vnd was xxij jar b. ze costentz, b. gangolfus (8.), b. fidelis (9.), b. theobaldus (10.), b. egino (16.) was xxxij jar herr, b. wolflos (17.) der was xviij jar herre, b. salomon, b. bathego, b. gebhart der was xvj jar herr, b. salomon, jt. aber salomon (III.) was xiij jar b. vnd machet pelayen sarch vnd die zwai crütz nebent fron altar, vnd stifte das gotzhus zuo bischoffzell vnd die statt bischoffzell, vnd gabet das erlich, vnd was abbt zuo st. gallen, vnd was ain vrsächer xij gotzhüser vnd ein wisser herr vnd aller welt lieb [35]); b. notinger was xv jar herre, b. cuonrat, das was st. cuonrat, der was ain graf von altdorf [36]), vnd stift die kilchen zuo st. johanns vnd die kilchen ze st. paul vnd st. mauritien cappel. Er gab viertzig march järlichs geltes, sines väterlichen erbes an dise vorgenanten gestifte, vnd was xlij jar bischoff ze costenz, vnd starb anno dni viiijclxxvj [37]); b. gamenolfus, was nach sant cuonrat iiij jar herr, b. gebhart, das was sant gebhart, vnd was ain graf von bregentz, der stift

---

29) bei Wald; rosenberg Z. 30) stoll Z. 31) schinense Z. 32) Von da an fehlt alles Z. 33) Tschudi's *Gallia comata* hat p. 79 diese Geschlechter alphabetisch, und mit den noch lebenden vermengt; „wie nachfolgende Abschrift aus Klingenbergs Histori bezeuget. † bedeutet, dass dero niemand mehr gelebt hat zu seinen Zeiten, anno d. 1420." und am Ende: „Bisher *Klingenbergius*". 34) Unter ihm starb nach neuerer Forschung st. Gall 625, unter K. Dagobert, kurz nach Eustasius in Luxeuil, 10 Jahre nach Kolumban. Diese Liste hat mehr Bischöfe als die unsrigen. Die eingeschlossenen Ziffern sind die wahre Reihenfolge in Konstanz. 35) Hü. hat Salomo I. II. nicht, „vnd stifte — lieb" fehlt Z. 36) von altdorf fehlt Tsch. 37) Hü. irrig blos 900.

das closter ze petershusen von sines vatters erb, vnd was xvj jar herre;
b. lampertus, der was xiij jar bischoff; b. ruothardus, was iiij jar herre ze
costenntz, b. heimo, was iiij jar herre, b. warmannus was vj jar herre, b.
eberhart, b. theodoricus was iiij jar herre, b. ruomoldus was xviiij jar herre,
vnd wicht das thum (nach ihm Karl); b. ott was xiij jar herre (dann Berch-
told); b. gebhart was xxvij jar herre, b. volrich. was ain graf von kyburg,
der stifte das closter ze crützlingen vnd was x jar herre, vnd starb anno
dni Mcxxxij; b. volrich, ain münch von sant blasy, wicht sant steffan; b.
herman was der herschaft von arbon vnd gab ccc mark [38]) järlichs gelts
an das gotzhus vnd was xxvj jar herre; b. ott was viij jar herre; b. berch-
told was x jar herre, b. herman was xij [39]) jar herre, b. diethelm was xviij
jar herre, b. wernher was iiij jar herre (dann Konrad), b. hainrich von tann
der kouft küssenberg vnd tannegg vnd buwt das vnd was xvj jar herre;
b. eberhart von waltburg kouft gottlieben mit sinem aignen guot vnd buwt
das; er kouft och ander guot an das bistumb vmb siben tusent mark vnd
cc vnd xxxvj mark, vnd was xvj jar bischoff, vnd starb anno dni Mcclxxiiij;
b. ruodolf, ain graf von habspurg, der was künig ruodolfs vetter, der do
zemal römischer künig was, der kouft arbon an das bistum, darzuo gehort -
c mark gelts, vnd vor sinem tod gewan er grossen krieg mit den hertzo-
gen von österrich, mit künig ruodolfs sönen vnd mit andren iren fründen,
vnd verzart gross guot, vnd ward och fast geschadgot von den hertzogen
von österrich. Er [40]) liess dem gotzhus ze gelten M mark vnd starb anno
dni Mcclxxxxiij vnd was xix jar herr gesin. Bi dises bischoffs ziten ge-
wunnen die hertzogen von österrich buochhorn, nellenburg, wil im turgöw,
vnd andre sloss. Bischof hainrich von clingenberg was von siner muoter
von costenz vnd ward bestätet von dem bischoff von mentz anno dni
Mccxciij; b. gebhart (Gerhard) ain walch von auion, b. ruodolf, ain graf
von montfort, was xj jar herre, b. clauss von keinzingen, b. volrich pfef-
ferhart von costentz, was vj jar herre, b. hans windeck (Windlok) von schaff-
husen ward ermürt ze costentz vff der pfallentz ob dem nachtmal, anno
dni Mccclv, *in die agnetis;* bi hainrich von brandis, b. mangolt von bran-
dis [41]), dem ward vergeben ze kaiserstuol; b. clauss von risenburg, der gab
das bistum mit willen vff; b. burkart von höwen, was vor thumpropst; b.
fridrich von nellenburg, b. marquart von randegg vss dem riess der was
x jar herre, des vater was ain patriarch ze agley; b. albrecht blarer von
costentz was iij jar herre, der was vor thumprobst, der gab das bistumb
uff vmb ain lipding, diewil er lebt. B. ott ain marggraf von hochberg,
ward bischoff anno dni Mccccxj vmb die liechtmess, vnd ward jm das
bistumb vffgeben, als vor geschriben stat. B. fridrich von zolre was vor
thumherr ze strassburg, dem gab bischoff ott von hochberg das bistumb
vff och järlich vmb ain gross lipding, vnd ward och darumb versichert [42]),

---

38) mark fehlt Z. 39) xj Z. 40) und er Z. 41) Dieser Name vom Abschreiber in
Tsch. übersprungen, 42) verschrouwot Z.

diewil er lepti, vnd ward bischoff anno dni Mccccxxxiiij. Also lebten ains mals iij bischöff, die all bischöff ze costentz gesin warent: bischoff albrecht blarer, bischoff ott, ain marggraf von hochberg, vnd bischoff fridrich, ain graf von zolre. Bischoff hainrich von höwen was vor tumherr vnd techan ze strassburg, er was och thumbropst ze costentz vnd ward erwelt anno dni Mccccxxxvj [43]). Also lebtent aber iij bischöff: b. albrecht blarer, b. ott von hochberg vnd b. hainrich von höwen [44]). Bischoff burkart von randegg was custor ze costentz vnd ward erwelt anno dni Mcccclxij jar c).

6. Historische Daten.

It. adams sun abel ward erslagen von sinem bruoder cain in dem jar als adam was hundert vnd xxxviij jar alt, den tod wainet adam vnd eua hundert jar [45]).

It. abraham lebte vor gottes gepurt ij tusent jar.

It. adam vnd eua, vnd himel vnd erd, vnd alle creaturen wurdent erschaffen vor geburt gottes v tusent vnd ijc jar, minder j jar [46]).

It. alle die welt verdarb vnd ertrank in der sündflut, on allein noe selb achtend, die belibent lebendig in der arch noe; dis geschach vor gottes gepurt iij tusent jar.

It. alexander der gross richsnet über alle die welt vnd tät vil grosser ding vnd vil striten, vor gottes geburt iijc vnd xxx jar.

It. sant ambrosius, der vier lerer ainer, starb nach gottes geburt iijc vnd j jar.

It. sant augustinus orden erhuob sich nach gottes geburt iijc jar; darnach starb sant augustinus über xxxviij jar.

It. babelonye der hoch turn ward gebuwen, da die zwo vnd sybenzig sprachen gewunnen iren vrsprung, vor gottes geburt iij tusent jar.

It. basel die statt ward von den hunnen zerstört Dccccxviij jar.

7. Graf hainrich von lützelburg ward zue ainem römischen künig erwelt.

Anno dni Mcccviiij in dem selben jar was ain bapst, hiess clemens der fünfte. It. in dem selben jar ward erwelt von den curfürsten graf hainrich von lützelburg vnd ward ze ach gekronet von den curfürsten an dem zwelften tag nach wienechten [47]).

It. in den selben ziten [48]) was ain orden, nampt man tempelherren, die wurdent des selben jars gefangen vnd zerstört von dem künige ze franckrich, hiess philippus, vnd och von andern herren in der cristenhait, vnd geschach das mit willen vnd gunst des vorgenannten bapstes.

---

43) Z. falsch 1446. 44) Alles folgende bis Heinrich VII fehlt Z. Hü. hat es. 45) Anno ab Adam cxxx viij *Chain occidit* Abel, *super quem Adam et Eva flebant c annos. Königsh.* latein. Chronica. Teutsch wörtlich wie oben im Cod. 629 p. 295. 46) vnd ijc jar vnd nünden jar Hü. 47) wichen nächten Z. 48) dem selben zit Z.

c) Genau so weit geht der Katalog der Bischöfe in Cod. 630 p. 407. Eben so weit Tschudi's Katalog derselben in Cod. 609 p. 6: „uss Clingenberg."

It. in dem selben jar gebott der bapst dem maister vnd den brüedern des hailgen spitals von jerusalem ain merfart, dem hailgen lande ze hilf, vnd gab grossen ablass allen den die ir [49]) almuosen daran ze [50]) hilf gabent [51]).

It. der selbe bapst gebott och dass man stöck in alle pfarrkilchen sölt machen, vnd dass man das almuosen dar in sölt legen, das man dem hailgen land ze hilf geben wolt. It. diss gnad vnd ablass solt fünf jar wären.

It. als man nun diss gnad vnd ablass predigen ward [52]) in allen landen [53]), do huob sich gross volk vff von den stetten vnd vss den dörfern, arm snöd volk on zal, krank lüt, von gepurt puren vss den dörfern vnd handtwerchslüt von den stetten, vnd verschuldt böss volk, vnd woltent alle über mer, vnd machtent crütz an sich, wiewol nieman das crütz nit prediget [54]) noch die merfart, denn allain die gnad vnd den ablass; do sprachent üppig lüt vnd grob volk, die pfaffen weltint das guot selb behaben [55]), vnd machtent crütz an sich als vorstat, vnd luffent [56]) von ainer statt zuo der andern vnd von dorf ze dorf, vnd baten an die merfart, vnd ward inen gross guot geben von jederman; also [57]) kouftent si harnasch an sich vnd machtent wappenröck, vnd machtent sich gar raissig uff, vnd luff [58]) inen vil zuo, also dass si gesellschaften machtent vnd maisterschaft vnder inen, vnd hattent je drissig oder fünfzig oder achtzig, oder darnach als ir dann was, ain hoptmann, vnd machtent panner, crütze vnd marterbild, vnd jetliche [59]) schar ir stat zaichen darzuo, oder warent si von den dörfern, so machtent si ir herren panner darzuo.

It. si nament pfaffen zuo inen, die predigotent in den stetten vnd vff dem lande, war si dann kament, vnd saitent von den grossen zaichen, die gott tät mit ir bilden, die si truogent, vnd machtent also mit ir predigen vnd mit ir liegen, dass inen allermengklich guot gab, vnd huobent also das gröste guot vff, das je gehört ward.

It. wo [60]) si kament zuo ainer statt, so wapnet sich jegkliche schar so best si kund [61]), vnd giengent also mit ir marterbilden vnd mit ir fanen vnd mit ir panner, mit ir trumeten, mit pfiffer vnd posuner, vnd mit ir herwagen vnd herkarren durch die stett vnd durch die dörfer, vnd giengent denn zuo den aller achtbaristen kilchen, so in den stetten warent, vnd kament denn rich vnd arm, vnd wurffent gelt vff si, dass inen vnzällich guot ward. Do nun das arm lüt [62]) sächent, dass man inen so vil guotes gab, do huob sich der mertail des armen volks, vnd das nit gern werchet, vff, vnd brachent alle vff, recht als ob niemand in dem land beliben welt, vnd machtent crütz an sich vnd sluogent sich zu disem volke, vnd zugent gen afion zuo, da was der vorgenant bapst clemens zuo afion.

---

49) hailig Z. 50) dar zuo ze Z. 51) vnd gab —— bei Hü. übersprungen. 52) solt Z. Vrgl. Cod. 657 p. 43. 53) in dem lande Z. 54) daz crius nieman niut pr. Z. 55) selbe haben Z. 56) Z. liufent. 57) man gab in guot, da mit Z. 58) liuf Z. 59) ieglichiu Z. 60) so Z. 61) kundent. 62) die armen liut Z.

It. do nun diss volks mänig tusent gen afion kam, vnd och gen mar-
silien, do was inen kain schiff berait, wan man wisst von inen nütz[63]) ze
sagen. Si warent von inen selb vss gefaren, vnd wisst der bapst noch
niemand, dass so vil volkes kam[64]), wan man hat den maister von rodis
vnd vnder herren geordnet, die soltent faren; aber von disem folk wisst
nieman.

It. als nun dis folk sach, dass si nit schiff haben möchtent, do wur-
dent si sich vnder ainandern zertragen, vnd kriegtent[65]) och mit den bur-
gern ze afion, vnd woltent nit lenger baiten noch beliben, vnd nament also
von dem bapst den segen, vnd zugent wider haim, vnd verkouftent ir har-
nasch vnd züg, vnd wantent mänig tusent bilgri, die sich och vff die strass
gemacht hattent vnd das almuosen genomen hattent, in der wisse, als ob
si och über mer wöltint; die kerten mit inen herwider haim, vnd verkouf-
tent ir harnasch vff der strass vnd luffent wider haim[66]) als buoben, vnd
warent recht lüte als si vor och warent, vnd verzartent vnd vertatent das
gross guot, das dem hailgen lande ze hilf geben was, vnnutzlich, vnd fuor
nieman über mer dann der maister von dem spital ze jerusalem vnd sin
bruoder, graf hans zchalun[67]), ain herr von horburg vnd die ritterschaft,
die darzuo geordnet warent, vnd etwa vil bilgri giengent ze fuoss, doch
was dero fast wenig.

8. Die hertzogen von österrich rachent iren[68]) vater.

It. in dem selben jar, anno dni Mcccviiij, belag hertzog lütpolt von
österrich, künig albrechts sun, ain burg in burgund, hiess altbüren, die
was ains fryen herren, hiess der von balme. Der selb herr hat geholfen
künig albrechten ze tod slahen in dem nächsten jar vor disem jar. Also
rach hertzog lütpolt sinen vater vnd gewan die burg mit gewalt on alle
gnad, vnd fieng alle die daruf warent, vnd enthoptet vff ain tag sechs vnd
vierzig man.

It. aber in dem selben jar[69]), anno dni Mcccviiij, belagent[70]) hertzog
lütpolt vnd hertzog fridrich von österrich, gebrüeder[71]), den von eschen-
bach ze schnabelburg, darvmb wan er dabi vnd da mit was, vnd half, iren
vater erslahen, den fromen herren, künig albrechten. Also gewunnent si
die guoten burg schnabelburg mit gewalt, vnd schlaitztent si vnd brachent[72])
si nider vff den herd[73]), vnd totent mengen schönen stolzen[74]) man,
wan si vertribent vnd ertotent alle die bi dem todslag warent gesin[75]) oder
rat oder tat darzuo geben hattent, wan si rachent iren vater so strengklich
vnd so manlich, dass alle die sterben muostent oder vertriben wurdent[76]),
dass nie kain man ze land wider getorst komen, vnd och nieman wisst,

---

63) niuhtes niut Z. 64) was Z. 65) vnd kriegen, und kriegotent Z. Hü. 66) blos
in Z. 67) chalm Z. zchalin Hü. 68) ir Z. 69) mit Wiederholung der Ueberschrift im
Plural nach den 2 folg. Art. verschoben, wo die Jahrzahl nimmer passt Z. 70) besaz
Z. Hü. 71) bei Fridrich wiederholt „von österrich, sin bruoder" Z. 72) brantent 806.
73) grund 806. Vad. 74) stolzen fehlt Z. 75) gesin f. Z. 76) werden Tsch.

war si je kament *d*). Hiemit vertraib der adel sich selber, dass fast ze sorgent[77]) ist, dass in den selben landen der adel nit bald me[78]) gewaltig werd[79]), wan die herren brachent inen die sloss vnd totent vnd vertribent si, vnd nament inen was si hattent, vnd straftent si hertenklich, wan si das wol verschuldt hattent an dem fromen fürsten künig albrechten, dem römischen künige.

9. Die herren von österrich tätent iren vater mit grossen eren begraben.

It. in disem vorgenanten jar, Mcccviiij, hiessent hertzog fridrich vnd hertzog lütpolt von österrich iren vater, künig albrechten, vesgraben in ainem grawen closter, haisset w e t t i n g e n, do er ain jar vnd iij manot gelegen was, vnd fuortent jn gen gen s p i r e[80]), vnd begruobent in da in der künige grab mit grossen eren, de zegegen[81]) was künig hainrich von lützelburg vnd mänig mächtiger fürst von layen- vnd von pfaffenfürsten. Des selben mals ward och da ze spir begraben künig adolf von nassow, den diser künig albrecht erslagen hat; der was och me denn zechen jar gelegen in ainem closter bi dem[82]) tunresperge[83]), da er och erslagen ward.

10. Ain erdbidemen[84]) vnd ain tod.

Anno dni Mcccxlviij, desselben jars kam gar ain gross erdbidem. It. desselben jars was der gross tod in allen landen, vnd was ze herpst aller gröst hieumb. It. des selben jars giengent och die geissler[85]).

11. Das wasser in zürich was fast gross.

Anno dni Mcccxliiij[86]) vff sant jacobs tag do warent die wasser ze zürich als gross, das es vber baid[87]) bruggen gieng, vnd vber das silfeld, vnd muost man die bruggen beswaren mit trot bömen, mit stainen vnd mit zubern vol wasser. It. des selben mals ran hern gottfrid müllers hus vff der nidern brugg ze zürich in der nacht enweg, vnd gestuond an der brugg in dem hard bi dem turn. Vnd do man das hus an fieng slissen, do brach die selb brugg, vnd gieng das hus vnd die selb brugg mit einandern

---

77) sorglich Z. Hü. 78) fehlt Z. 79) Satz, welcher die Gleichzeitigkeit des Verf. andeutet. 80) Hü. verschriben „gespir". 81) zuo gegni Z. Vad. 82) fehlt Z. 83) dondersperg 806. Vad. 84) erdbidem noch üblich. Tsch. erdbidmen. 85) Cod. 657 p. 348 sagt Mcccxlviiij. 86) Codd. 631 p. 348 und 657 p. 63 sagen Mcccxliij. Cod. 643 p. 133 Mcccxlij. Z. Mcccxlviiij. 87) die Z.

d) Anno dni Mcccxvj (von Tschudi korrigirt viiij) zog hertzog lüpolt des vorgenanten küngs albrechten sun für die vestin schnabelburg, die ward da gewunnen vnd zerbrochen. Vnd was die selb burg des von eschibach, vnd man lag ain gantz jar vor schnabelburg. Do ward das silueld der statt zürich, den si noch habend, der was der obgenanten von eschibach. Cod. 631 p. 346. Nur kurz in Cod. 657 p. 61, und auch hier 1316.

enweg. It. es runnent och des selben mals die müllinen ze zürich all en-
weg, vnz an zwo, die behuob man mit not*e*).

12. Man brannt die Juden in allen landen von des grossen tods wegen *f*).

Anno dni Mcccxlviiij do gieng der gross mordtlich lümdt vss von den
j u d e n, dass si alle wasser, die man vergiften mocht, es wärint brünnen
oder bäch, vergifft hättint. Dieselb gift des ersten von den totten [88] ju-
den kam, vnd was vermeret, als man sait, mit vnken, vnd was als vnrain,
welich mensch mit der gift versert was, dass lebt nit lenger denn biss an
den dritten tag, vnd kam darzuo, dass kain priester zuo den siechen lüten
gan welt, vnd floch mengklich von den siechen, wan dass man in etlich
stetten knecht kostlich darzuo gewünnen muost, die die lüt ze kilchen
truogent, so si erst gesturbent, vnd zehand begruobent. It. diser siech-
tag was als giftig, wenn ain gesund mensch dem siechen in die nähi kam,
dass es der atem oder tunst von dem siechen angieng, oder sin gewand be-
ruert, der muost sterben. Vnd gieng von aim an das ander, also dass
ganze dörfer, gassen vnd hüser öde stuondent, vnd was der grösst tod vnd
das vngehortest sterben [89] in allen landen, das man von anfang der welt
vff ain zit allenthalb je vernam. Vnd huob zuo dem ersten an ennent
dem mer, darnach kam es in welschi land, darnach in alle tütsche land.
Also wurdent die juden in allen landen verbrennt, binach alle juden, die
gewachsen warent; vil kind wurdent getouft vnd behalten. Also wurdent
die juden verderpt von irs grossen vngehorten mordes wegen, vnd nit mit
vnredlicher sach. Des selben jars wurdent alle juden im elsäss verbrennt
im jenner, vnd ze zürich umbe sant mathis tag och des selben jars, als da
vor·stat.

---

88) rotten haben Z. und Hü. falsch, was Ettmüller nicht erklären konnte. 89) Die-
sen Satz bis dahin hat der Abschreiber Tsch. und Hü. übersprungen.

e) Anno dni Mcccxliij an sant jacobs tag (Cod. 657 „abend") do wurdent
die wasser als gross, dass die a zürich gieng uber baid bruggen von dem grossen
wuot guss, vnd gieng uber das silueld, vnd muost man die bruggen beswaren
mit trottböumen vnd standen vol wassers vnd mit grossen stainen, vnd ran her-
götz müllers huss enweg, vnd gestuond an der brug diu im hard by dem turen
ubergieng. Vnd do man das huss schleitzen wolt, do brach die brug vnd ran
alles enweg.· Vnd fuor man ouch zuo frowen münster inn der kilchen mit
schiffen. Vnd runnand ouch etlich mülinen (Cod. 643 „die mülinen") vff der a
enweg, vntz an zwo, die bliben mit not. Cod. 631 p. 348. 657 p. 63. 643
p. 133.

f) Do man zalt Mcccxxxxviij bewegt sich ein grosser, dicker, schüchzlicher
dampf im gwülch. Vss dem fiellend vff die erden nider ein grosse vnzal gwürms,
das schier den gantzen erdboden vergifft, dass an vil orten kum der x. mentsch
lebendig bleibent, vnd etliche ort gar vss sturbent. Grebel's „Handbüechli"
S. 270.

13. Wie künig karolus das römisch rich behuob.

It. als da vor stat, wie künig ludwig von payern das rich behuob
an künig fridrichen von österrich, wan er jm mit strit obgelag, als vor stat,
vnd wie sich der bapst wider disen kaiser satzt, das alles vorgeschriben
stat [90]), also gebott nun der selb bapst den curfürsten, dass si ainen andern
künig erwalten, wan diser kaiser wär ain ketzer vnd ain vncristner man,
wan der bapst hatt jn in sweren bännen, als vor stat. Also warent die
curfürsten dem bapst gehorsam, vnd kament zesamen ze franckenfurt vnd
erkantent sich da mit recht, dass das hailig rich onversechen stuond, wan
diser kaiser ludwig vor vil jaren von siner vntat wegen entsetzt wär von
dem bapst, vnd erwaltent da karolum des küniges sun von behem, zuo
ainem römischen künige, diewil kaiser ludwig dennocht lebt, das jm doch
ain gross smacht was. Dis walung beschach nach gottes gepurt Mcccxlvj
jar. Also besamlet diser kaiser vil herren vnd stett vnd fräget, ob si jn
für ainen kaiser wöltint haben vnd halten, oder disen karlen, den die cur-
fürsten zuo ainem römischen künig erwelt hatten. Also antwurtent vil her-
ren vnd stett, si weltint sich an dise walung nütz keren, noch an des
bapstes brieff; si weltint jn für ainen kaiser han. Also was gross zwaiung
in der cristenhait. Do nun diser kaiser ludwig gestarb, do fuor der vor-
genannt künig karolus, das was karolus der viert, des küniges sun von
behem, vnd kaiser hainrichs von lützelburg sun, zu vil des richs stetten,
vnd bat si das si jn hieltint für ainen römischen künig g). Vnd diewil er

---

90) Alles in Z. noch am Ende des Judenartikels und erst jetzt die Aufschrift.

g) Des obgenanten xxxiij jars der herschung kayser ludwigs, am· xi
. tag des monats october reyt der selb ludwig von seiner stat münchen, frey-
singer bistums, an das gejeyd, sein lust vnd freud zu haben mit dem
wild, dartzu er dan sere geneigt was. Vnd als er nw ettlich zeit an dem
gejayd was, kam jm botschafft, wie jm sein haussfraw einen menlichen erben
zu der welt bracht hat, der noch vngetaufft were. Dorumb er bald mit den sei-
nen heym eylent was. Indes, als ettlich sagen, wart er mit siechtag, appoplexia
genant, vmb mittag begriffen vnd geslagen, das er mitten vnter seinen dienern
vom pferd auff das ertrich fiel vnd eins snellen tod's an beicht vnd rew also
verging. Aber ettlich ander setzen, jm sey von einer hertzogin von Osterreich,
die im geheym vnd von elsas zu jm vnd wider in Osterreich kerend was, verge-
ben worden, vnd also ist wissenlich, das nicht vmb sust die gotlich plag an jm
ist erschynen. Vnd wo vor ettlichen jarn ee er starb die ampt vnd gericht mit
tyrannen besetzt het, die selbigen den armen kein gerechtigkeit erzeigten, sun-
der hiess er die armen sere schinden, den spitaln, kirchen, clostern, geistlich vnd
werntlichen prelaten er vnd sain sun gar herte, nemlich er den werntlichen pfaf-
fen gar feind was, wan er mermals offenlich sprach, ob er die schetz mit schauf-
feln aus dem kot geheben mocht, so wurd doch kein werntlich pfaff noch pfrund
von jm nit gebawt nach erhaben. Vnd also von solchen geschichten hie oben

also vmb fuor zuo den stetten, do ward jm haimlich gesait, die curfürsten
weltint ainen andren römischen künig érwelen, als och beschach, wan si
walten künig edwarten von engellant, vnd sprachent, künig korolus

---

benent er von babst johanni xxij excommunicirt vnd in den pan gethan — — —
Cod. 628 p. 786. 787. Kürzer Closener p. 54. 55. und Königshofen p. 130.

Anno dni Mcccxlvij (Cod. 657 hat viij) an dem xj tag des andern herbst-
monats was kaiser ludwig vf ainem gejägt, vnd fiel ab ainem ross, dass er gäch-
lingen starb. — Hienach vor dem grossen wasser kam hunger, dass vil lüten
hungers sturbent.

Anno dni Mcccxlviiij do giengent die gaisler. An dem herbst ze vnser her-
ren (Felix und Regula) dult do was der gross tod hie vnd in vil landen.

Anno dni Mcccxlviiij an dem dritten tag mayen do was die pfaffhait wider
gen Z. komen, als si von kaiser ludwigs wegen was vssgeschlagen, vnd vff den
selben tag vieng man an wider gotsdienst haben, vnd was och damit alle pfaff-
hait vnd alle burger Z. von allen pennen ledig gemacht von der sach wegen.

Anno dni Mcccxlviiij do brant man die juden Z. an sant mathias abent,
wan man sprach, si hetten gift in die brunnen geton, vnd ze jarumb do kam
die mordnacht uff sant mathias abend. Cod. 631 p. 348. Cod. 657 p. 64 bei-
nahe wörtlich gleich. Cod. 643 „von der gifft wegen, als man meint, dass si die
wasser vnd die brunnen vergifft hettin". p. 134. Vgl. Cod. 628 p. 792 ff. welche
Chronik mit dieser Epoche schliesst und bei Anlass des Aufruhrs in Strassburg
sagt: „Vnd ist wol zu glauben, dass solich slachtung der juden mer auss begir-
ligkeit zu irm gut habend dan vmb schuld der tat solcher zignuss, ob si anders
dess schuldig gewesen sint, dan vnglaublich ist, gescheen sy."

Do kaiser ludwig von bayer starb in anno dni Mcccxlvij, *in die audomnediss,
post festum michahelis*, xiij *die* do santent die von auch [91]) des kaisers sun
disen brieff.

Ainem hochen edlen mächtigen fürsten vnserm lieben herren von gottes gna-
den, dem marggrauffen von brandenburg, kurfürsten vnd kamrer des hailgen röm-
schen richs schriben wir der richter, die schöpfen, der raut, die burgermaister
vnd ander burger gemainlich des künglichen stuols von ahen beraitschafft vnsers
dienstes mit aller gunst, wirdikait vnd eren. Lieber herre, wan wir vernomen
haben, dass vnser lieber gnädiger herre der kaiser, üwer vatter, von ertrich ge-
schaiden ist, dem gott gnädig sige, als gottes wille was, dass wir von allem her-
tzen betrüept syen, wan er uns ain güetlich gnädig herre gewesen ist, so laus-
sen wir üwer hochait verstan vnd wissen, dass nun diser tag ains der küng von
bechem sin botten mit sinen brieffen an vns gesant hat, vnd schraib vns, dass
wir jm hulden welten vnd jn für einen römschen küng halten. Dar vmb, lieber
herre, wir wol bedurffen trostes, hilffe vnd guotes rautes vnd sonderlich wan ir
sin kurfürst sind des hailgen römschen richs, vnd töch das hailig römsche rich
bewolhen ist ze behuoten vnd ze bewarent in sinen rechten mit andren üwern
mitgenossen, so dass es in sinem recht belibe, als es von alter her komen ist, vnd

walung wär nit guot gesin, sid si beschechen wär do kaiser ludwig lebte, vnd anders das si ze wort hattent. Also erwaltent die curfürsten den künig von engellant zuo ainem römischen künige, vnd verschribent jm die walung. Also verschraib er inem widerumb [92]), er wölt sich des richs nit vnderwinden, er hett mit dem künige von franckrich gnuog ze schaffen, vnd dankte also den fürsten der eren vnd früntschaft so si zuo im hattent. Also woltent je die kurfürsten nit ablassen, si woltent ainen römischen künig han [93]) wider disen karolen, vnd santent also nach dem marggrafen von missen, kaiser ludwigs tochterman, vnd erwaltent den zuo ainem römischen künige. Darnach überkam künig karolus mit dem marggrafen von missen [94]), vnd gab jm zechen tusent mark silbers, vnd gab jm der marggraf die walung vff, dass er sich des richs nie an genam.

14. Der graf von swarzburg ward römischer künig.

Dar nach kament die curfürsten aber zesamen gen franckenfurt, vnd erkanntent sich aber mit vrtail vnd recht, dass das rich vnversechen vnd ledig stüend, vnd nach vil sachen erwaltent si zuo ainem römischen künige graf güntheren von swarzburg, der in disen ziten der fürnemist vnd entsässist [95]) was von dem man wisst. ze sagen. Diss beschach nach gottes gepurt Mcccxlviiij jar. Darnach sluog er sich mit grosser macht für franckfurt vnd lag da vj wuchen als ain erwelter künig; darnach entpfiengent jn die von franckfurt vnd ander des richs stett erlich als ainen römischen künig [96]). Also ruofte nun der vorgenannte künig karolus all sine fründe, herren vnd stett an wider disen künig günther.

It. er nam des hertzogen tochter von payern zuo der ee, wiewol dass er vnd der brut muoter geswisterig kind warent, darumb dass jm der

---

92) her wider Z. 93) wellen Z. 94) vom ersten bis 2ten „missen" in Tsch. übersprungen. 95) antseznost Z. was Ettmüller abermal mit Recht räthselhaft fand. 96) Darnach — künig fehlt Hü.

wor üwer herlichhait wol kündig ist, dass das hailig römsche rich von alter vnd von recht also her komen ist: so ain herre zuo ainem römschen küng erwelt wirt, als er von recht sol, dass der mit den kurfürsten des hailgen römschen richs ze auch sol komen, vnd da sin künglich kron enpfachen, als er ouch von recht schuldig ist ze tuond. Dar vmb so flechen vnd bitten wir aixmotenklich üwer vermugenlich herlikeit ernstlichen vnd getrüwlichen, da wir sunderlichen gelouben vnd gantz trüw zuo halten, dass ir vm gottes vnd des hailgen römschen richs eren willen vns üwren getrüwen wissen raut mit üwern brieffen vnd mit disem gegenwirtigen botten wider schribent, wie wir vns bewaren mugen, dass das römsch rich vnd sin recht, als es von alter herkomen ist, von der zit der nieman gedenkt, nit gekrenkt, gemindert noch entlit werde. Vwer herlichhait var wol säliklich lange zit vnd gebiet allwegen zuo vns als zuo üwren getrüwen fründen etc. Anno dni Mcccxlvij. (Hüpli allein, aber ohne allen Zusammenhang hinten vor Beginn der 4. Abtheilung p. 167.)

hertzog von payern sölte [97]) helfen; dennocht was jm günther zuo starck. Darnach über dry manot kam künig günther aber gen franckenfurt vnd was fast siech; do kam ain arzet zuo dem künig vnd sprach, er welt jm ain trank geben, dass er genäse; vnd do der arzet das trank berait vnd für den künig kam, do sprach der künig: maister, ist üwer trank guot, so trinkent vor, so wil ich nahin [98]) trinken. Der arzet erschrak vnd muost trinken, darnach trank der künig och, vnd wond es wär gerecht, do der arzet vor trank; darnach zehand ward der arzet blaich vnd starb am dritten tag. Also ward künig günther vergift, dass er geswal, vnd ain krank todsiech man ward an dem lib. Als nun künig günther lag vnd vff den tod siech was, do truog künig karolus aber an mit disem künige, vnd gab jm zwai vnd zwainzig tusent mark silber vnd zwo stett in türingen, dass er sich sines rechtes an dem römischen rich entzige; diss richtung machot der marggraf von brandenburg vnd bracht künig günthern dennocht kum darzuo, wiewol er todsiech was, als es sich bewiste, wàn er starb darnach in ainem manot, vnd ward ze frankenfurt erlich begraben, vnd was künig karle zegegen.

15. Diser künig überkam alle sin sachen mit guot. [99])

It. diser künig karolus ward kaiser vnd überkam die curfürsten mit grossem guot, dass si sinen sun wentzlaus zuo ainem römischen künige walten bi sines vaters leben. Diss beschach anno dni Mccclxxvj.

16. Von der statt zürich wirt es hienach sagen.

Her eberhart müller ritter vnd schulthaiss der statt ze zürich hat beschriben die krieg vnd löuff so die von zürich gehept hand in der jarzal als hienach geschriben stat. Er hat och etwa mänig ding beschriben, das in disen landen beschechen ist, vnd besunder das die von zürich vnd ir aidgenossen antrifft.

17. Zuo dem ersten von dem vffleuff ze zürich.

Anno dni Mcccxxxvj jar an dem sibenden tag des brachmanots [100]) beschach ain grosser vfflouff ze zürich in der statt. Der rat ward geändret vnd entsetzt, vnd wurdent die gewaltigen all abgestossen, vnd ward der erst burgermaister gesetzt, hiess ruodolf brun. Der selb was xxiiij [101]a) jar burgermaister ze zürich. Es wurdent och do zemal zunften gemacht, die vormals ze zürich nie[101]b) warent gesin. Es wurdent och die alten ratsherren vnd die den gewalt [102]) geüert hattent, vss der statt zürich geslagen, vnd muostent och die statt versweren vff ain genant zil vnd och bis dass si gnuog tätint vnd die buoss vollaist wurde, die inen vffgesetzt was vmb den grossen muotwillen, den si mit den armen lüten getriben hattent, vnd von des bösen, vngerechten gewalts wegen, dass si den burgern kain recht geben woltent, vnd ander sachen, die dann ain ganze gemaind zuo zürich

---

97) wolt Z. 98) nach üch Hü. 99) Z. hat diese Aufschrift im Kontext. 100) barchota Tsch. Hü. 101 a) 23 jar Hü. 101 b) och nit zuo zürich Vad. 102) den rat Tsch. Hü. Vad.

zuo inen ze sprechen hatt. It. die selben vss geslagenen burger von zü-
rich [103]) zugent den mertail gen rappreswil vnder den grafen von habspurg,
mit dem wir in guoter früntschaft wondent sin.

Quando suos enses acuunt in se thuricenses,
Finem dat litis paulus prior ex heremitis [104])
Bis sexcentis quinquaginta iungitur annis
Unicus a christo cum desüt ista tyrannis [105]) *h*).

18. Von der slacht ze grinow.

Anno dni Mcccxxxvij an sant mauritien abent beschach die slacht ze
grinow. Die selbe burg grinow was der graffen von habspurg vnd lag
ain graff von toggenburg mit den von zürich vor der burg. Also besamlot
der selbe von habspurg alle sine lüt, die er hatt ze rappreswil vnd in der
march, vnd wolt die selben burg entschütten; das ward jm aber fast wider-
raten von sinen dienern, vnd sprachent zuo irem herren von habspurg:
„herr, ir hand ain klain volk, vnd ist aber vnser vigent gar vil; ir vnder-
stand üch grosser sachen, ain solich volk anzegriffen mit ainem klainen
züg. Ir sond herren vnd fründen, stetten vnd lendern schriben vnd nach
volk stellen, dass wir si mit gewalt dannen slahint [106])". Des rates wolt der
von habspurg nit folgen vnd sprach zuo sinen lüten allen gemainlich: wend
ir from an mir sin, als ich üch des wol getruwe, vnd wend mir min veter-
lich erb helfen [107]) retten vnd behan, so hat got dick klainem her [108]) ge-
hulfen; dem getruwe ich och wol [109]), er tüege es hüt aber, so wellent wir
uns frölich an si wagen [110]). Do antwurten sine lüt all [111]) mit gemainem mund:
ja, herr, wir wend hüt bi üch sterben vnd genesen. Also zoch der von habs-
purg mit den sinen durch den buochberg, vnd do si die sichtig wurdent, die
vor der burg lagent, do ordnotent si sich ze strit, vnd mant si der von habs-
burg fast, dass si keck vnd manlich wärint, wan er wolt [112]) der erst sin.
Also griffent si ainander manlich an, vnd fachten hert vnd stark mit ain-
ander. Also ward der graf von habspurg vnd etwa menger mit jm des

---

103) zuo inen — burger von zürich hat Hü. übersprungen.   104) d. h. 10. Jan.
105) Blos bei Hü. aber verschrieben *tyrannus*.   106) herren vnd friunden schriben — schla-
chent dannen Z.   107) helfen fehlt Z.   108) clainerm volk Z.   109) hüt Z.   110) fehlt
Tsch.   111) all fehlt Z.   112) welt Hü.

h) Anno dni Mcccxxxvj do geschach der ufflouff zürich an dem viij (Cod.
657 und 643 sagen vij) tag brachots, vnd ward ruodolf brun der erste burger-
maister, vnd was xxiiij jar burgermaister, vnd die nüwen räte vnd zünfte ge-
setzt, vnd wurdent die alten ratsherren abgestossen vnd vss der statt geschlagen,
wan si kain rechnung woltent geben. Daruber nam si der graf von habspurg
(657 sagt ruodolf) zuo jm gen rapperswile in die statt, do er zuo den von zürich
geschworn hatt. Vnd also kriegte derselb von habspurg vnd die vssgeschlagnen
von Z. lang zit mit dem burgermaister vnd mit den burgern Z. Cod. 631 p.
347. Cod. 657 p. 62. Cod. 643 p. 132.

ersten angriffes erslagen; vnd do das gefecht ain end nam, vnd des
von habspurg lüt sachent, dass ir herr erslagen was, do hattent si den von
toggenburg gefangen, den sluogent si och ze tod also gefangen, vnd alle
die inen, werden mochtent *i*).

19. Die ersten höwstaffel kament in das land.

Anno dni Mcccxxxviij do flugent die ersten höwstaffel ze mittem
ougsten; si assent korn vnd höw, dass man inen fast weren muost mit sla-
hen vnd wie man kunt. It. si flugent och an dem fünfzechenden tag des
ersten herbstmanots als dick als ain dicker nebel *k*).

20. Der strit ze louppen [113]).

Anno dni Mcccxxxviiij an der zechen tusent ritter abent, in dem bra-
chot, beschach der strit ze louppen, vnd was an dem ainen tail die von
bern vnd von switz, vnd was an dem andern tail der graf von nidow vnd
ain helfer. Also gelagent die von bern vnd die iren [114]) ob, vnd gelag die
herrschaft darnider, vnd ward der graf von nidow erslagen vnd vil volks
mit jm *l*).

---

113) Z. immer Louffen. 114) vnd ir helfer Z.

i) Darnach anno dni Mcccxxxvij zugent die von zürich für grinow die
burg. Dess besamnotand sich die vorgenanten von habspurg vnd die vsgeschlag-
nen von zürich mit den von rapperschwil vnd mit den lüten in der march, die
doch geschworn hattend, wider die von zürich nit ze tuonde, vnd kamend an
enander ze vechten, vnd ward der von habspurg vnd lx man mit jm erschlagen,
vnd wart der von Z. by l erschlagen, vnd ward ain graf von toggenburg ge-
uangen an der von zürich tail. Do die von rapperschwil vernamend, dass der
von habspurg, ir herr, erschlagen was, do erschluogend si den von toggenburg
also geuangen. Diser strit beschach an sant mauritius abend. Cod. 631 p. 347.
Cod. 657 p. 62. 63. Cod. 643 p. 132.

k) Anno dni Mcccxxxviij do flugend die ersten höwstöffel ze mittem
ougsten, vnd ouch an dem xv tag des ersten herbstmanots (Sept.), vnd was ir
also vil, dass man die gloggen wegen inen lute, als ob ain gross vngewitter käme.
Si tatend grossen schaden an korn vnd an höw. Cod. 631 p. 347. Cod. 657
p. 63. Cod 643 p. 132.

l) Anno dni Mcccxxxviiij an der x tusent ritter abend (Cod. 643 „tag")
do beschach der strit ze louppen ze mitten brachot, vnd verlor der hertzog
von österrich von den von bern vnd von der von switz vnd von andren wald-
stetten, di wider jn warend, der sinen vil grafen, ritter vnd knecht. xiiij gra-
fen verlorend, xv hundert sättel wurdent lär. Diss hatt der graf von nidow
vorgesait, do er sprach, man durschlüeg (durchhüwe) so vil stachels als wol
als die von bern. Do sprach der hertzog: es verzagt doch nie kain nido-
wer. Do sprach der von nidow: „hüt nidow vnd niemer me nidow", vnd dett
grossen schaden e er verlur (verdurb). Cod. 631 p. 347. Cod. 657 p. 63.

21. Die von zürich auogent alle ir pfaffhait vss der statt.

It. in dem selben jar wurdent ze zürich all pfaffen[120]) vss der statt
geslagen, vnd was man zechen jar vngesungen vnd on allen gotzdienst,
vnd beschach das von kaiser ludwigs wegen, wan der bapst hatt den selben vnd

115) Das erst hingeschriebene „tag" ist durchgestrichen und mit „abent" ersetzt.
116) Verschrieben xxviiij. 117) Valendis, Valangin. 118) beim Volke noch Burdlef (Ber-
toldsdorf, Berthoud). 119) Vrgl. Justinger p. 108—118. Magenberg ist *Montmacon*.
120) ir pfafhait Z.

Cod. 643 p. 133 beginnt des Herzogs Worte: „Red nit also zaglich!" und
631 schliesst: „Die von bern hatten die von switz bi jnen vnd hatten gemacht
von isen herwegen, die nit hindersich mochtend gan; damit brachent si die her-
ren vnd den strit."

An der zechen tusent ritter abent[115]), do man zalt Mcccxxxviiij[116]) jar do
hattent alle lantsherren, die von kyburg, von nuwenburg, von nidow, von valen-
sis[117]), von arberg, von strassberg, von buochegg, graff ludwigs sun in der want,
die von gryers, vom turne, die byschoff von basel, von losan, von sitten, die von
fryburg, von thun, von burgdolff[118]), der römsch keysser ludwig, der hertzog von
österrich, die alle viengent an ain krieg mit denen von bern, vnd belagent
louppen, das der von bern was, darin der von bern ain viertel volks lag ze
were, vnd enbuttent die herren vnd die von fryburg denen von bern ze stritten.
Do nament die von bern den stritt vff gegen iren vyenden, wan ouch die von
bern gesworn hattent, die von louppen ir mitburger ze lösen vnd ze retten oder
aber darumb sterben, vnd sannten iren potten, her hansen von kramburg, ein
fryen herren, zuo den dryen waltstetten von vre, swytz vnd vnderwalden, die
dennocht nit ir eidtgenossen warend, si ze bitten vmb ir hilff wider ire vyend,
das wöltent si ze ewigen zitten vmb si verdienen. Vff die pitt si jnen von jett-
lichem der dryen orten schicktent iijc man wol vss bereit jnen ze hilff. Das
was viiij c man. Mit denen zugent ouch die von hasle vnd die von nider si-
bental vnd ir herre, der von wyssenburg. Vnd do si gan bern kament, do zu-
gent si mit denen von bern gen louppen vff dem vorgenempten abent gegen iren
vyenden. Vnd do si vmb vesperzitt nach hinzuo gen L. kament, do warend si
von der hitz gar müed worden, vnd woltent ruowen vntz morndes. Do warent die
herren so girig vff die von bern, vnd zugent zuo jnen von iren zelten vff das veld.
Also ruofftent die von B. die iren an, dass jederman sin bestes tät vnd gedech-
tent hüt bern vnd jemerme, oder aber hüt bern vnd niemerme. Vnd also strit-
ten si mit einandren ze beden siten gar ritterlich, je dass die von B. den sig
gewunnent vnd der vyenden erschluogent vff xvc man, vnd behuobent das veld
vbernacht, vnd zugent wider hein gan B. mit grossem guot, das si iren vyenden
angewunnen hattent, ouch damit louppen entschüttet, vnd wurdent da namhafftig
erschlagen: graff ludwigs sun ysser waut, der graff von nidow, der graff von
valensis, her hans von magenberg schultheis ze fryburg, vnd vil erbrer burger
von friburg, her burkhart von vlingen ritter, vnd vil ander erbrer, die da er-
schlagen wurdent. Cod. 629 p. 242[119]).

alle die es mit jm hieltent [131]), also in sweren bännen, dass man on allen gotzdienst sin muost; vnd also do die pfaffen des bapstes hott halten woltent, vnd weder singen noch lesen woltent, nach denen von jürich kain gotzrecht tuon woltent, do muostent si vss der statt zürich. Der selb kaiser ludwig was do ze mal römischer künig [132], als davor von jm och geschriben stat m).

22. Die von zürich verbundent sich zuo den aidtgenossen.

Anno dni Mcccl do verbundent sich die von zürich zuo denen von vry, von switz, von vnderwalden vnd von lucern, vnd swuorent och den punt also ewengklich mit inen ze halten, nach dem als denn die puntbrief wisent vnd sagent, die si darumb gemacht hand. It. des selben jars was die grosa romfart, der man spricht annus jubileus n).

23. Graf hans von habspurg wolt zürich überfallen han, vnd haisst die mordtnacht [123]).

It. aber des selben jars, Mcccl, an sant mathis [124]) abend, des zwölfbotten, vmb die mittenacht kament in vnser statt zürich gefallen graf hans von habspurg mit sinen dienern vnd helfern, mit denen wir nüts wisstent ze schaffent han denn guotes, vnd wondent wir söltint ainen getrüwen frid mit jnen han. Es kam och mit jm in vnser statt herr beringer von der hohen landenberg mit andren vil siner helfer, mit denen wir ainen guoten frid hattent. It. es kament och mit inen ain tail vnser burger, die von ir missetat wegen vssgeslagen warent vnd versworen hattent, in vnser statt zürich nit me [125]) ze kament, vnz das [126]) si ir buosa vollaistint, die inen geben was nach der richtung vnd nach des vsspruches sag, so vnser gnädigen herren [137]), künig ludwig, der darnach kaiser ward [138]), vnd hertzog albrecht von österrich getan hattent, der offen brieff wir och darumb hattent; über das alles fielent [129]) die selben vnser vssgeslagnen burger an den vorgenannten grafen von habspurg vnd verhiessent jm vnser statt in ze geben, das doch got vnderstuond. Dise vorgeschribenen alle woltent also nachtes bi slafender zit [130]) vnwidersait ingenommen han die

---

131) hattent 806. Vad. 122) Das Folgende fehlt Z. und Vad. 123) vnd haisst — fehlt Z. 124) Z. verschrieben Mathes, was erst im September ist. Cod. 637 mathyas. 125). me fehlt Z. 126) e Z. Hü. s vnd ob Vad. 127) vnser gnädiger herre Z. 128) kaiser ludwig, römischer künig Z. Hü. 139a) wurbent Z. Hü. 129b) vad nit beschach Vad. 130) diet 806. Vad. Hü. und 657.

m) Anno dni Mcccxxxviij (Cod. 657 und 643 sagen 39) do ward die pfaffhait vsgeschlagen zürich, won si nit singen wolten, von der benn wegen, als der bapst kaiser ludwigen bannat, vnd was man xviij (Cod. 647 sagt xj) jar ane gottes dienst. Der selb kaiser ludwig hatt sin magen zuo hübsch oder ze der e genomen, dauon der bann was. Cod. 631 p. 347. Cod. 657 p. 63. (kürzer, ähnlich mit 643 p. 133).

n) Dieser Artikel steht in Z. vor dem vorigen. Bei Tsch. hier die achte Zeichnung, Zürich's Wappenschild.

statt zürich; si woltent och ermürdet han ruodolfen brunen den burger-
maister vnd alle die an sines tails siten warent; also half got dem burger-
maister [181]) vnd den sinen, dass si das innen wurdent, vnd das si sich ir
erwertent mit grossen arbeiten, vnd ward gefangen graf hans von habspurg,
volrich von bonstetten vnd etwa menger siner diener o).

---

181) Hü. hat diese 13 Worte nicht.

o) Do man von gottes gepurt zalt Mcccl jar, an sant mathias abent, vmb die
mitten nacht kamend in vnser statt zürich gefallen graf hans von habspurg
mit andren sinen helffern vnd dienern, mit dem selben grafen vnd siner statt
raperswile vnd mit den sinen wir ain geschworen ewig püntnuss hattend, vnd
in ainem getrüwen frid. Ouch kamend mit jm in vnser statt herr beringer
von der hohen landenberg mit andern vil siner helffern vnd dienern, mit dem sel-
ben wir och ain getrüwen offen frid hattend. Ouch kamend mit inen in die
stat vff die selben zit ain tail vnser burger, die von ir bosshait vnd vnrechtes
wegen verschworn hattend, nit in vnser statt ze komen, e das si ir buoss vol-
leist hettind, die jn geben was nach der richtung vnd ouch dem vssspruch vnsers
gnedigen herren kaiser ludwigs vnd römschen küngs, vnd hertzog albrecht von Oe.
der offen brief wir ouch darvmb hattend. Diss vorbenempten alle woltent also
nachtes by schlafender diet vnd vnwidersait ermürdet han ruodolf brun burger-
maister, vnd alle die sines tails warant vnd die statt Z. by eren, by nutz, by
guoten gerichten, by friden vnd by gnaden gern behebt hettend; derselben etlich
ermürdet wurdent über das si der kainen, so also in vnser statt kam, wissotend
ze entsitzen (Cod. 631 „ermürdet wurdent noch gern fürbas ermürdet hettind,
daruber der keiner so in die statt koment, nit wustent ze entsitzen"). Des halff
got dem vorgenanten burgermaister vnd den sinen, dass si mit grossen arbeiten
inen selber dess vor warend. Der graff von habspurg ward gefangen vnd etwa
uil siner dienern mit jm vnd ward der von landenberg vnd etwa menger mit jm
erstochen vnd erschlagen der selben zit. Cod. 657 p. 64. 65. Cod. 631 p. 349.
letztere handschrift nicht so deutlich „unsere Stadt" und in der ersten Person.
Eben so 643 p. 134. Königshofen (Kap. V.) hat Folgendes: Der krieg zu
zürich vnd schwitz. Do man zalt Mcccl, do wolt sich graf johans v. habs-
purg rechen an den von Z. vnd andern switzern, wan si jm sinen vatter hattent
erslagen in aim strit, vnd truog an mit ettelichen von Z. das er sölt komen, si
wöltent jm die statt jngeben. Als kam er ains nachtes in die statt mit vil ge-
woffenter. Do wurdent es die von Z. gewar, vnd fiengent disen grafen johans
vnd ersluogent vil siner ritter vnd knechte, vnd satztent vil vff reder von der
statt, die schuldig warent von dirre verrätenüsse.

Sübentzig von strassburg wurdent erslagen. Zu disen zitten
hattent die waldener von sultze ein krieg mit den von Z. vnd ward der von Z.
etwie menger gefangen vnd berobat zuo elsäs von den vorgenanten W. Hervmb
fiengend die von Z. hundert burger von basel vnd lxx von strassburg, die da
woltent zuo den ainsidelen zuo vnser frowen sin gefarn, wan es was das jors die
gröste fart zuo den ainsidelen. Dis gefangen wurdent vsgenomen vff ain zil mit

24. Diss nachbenampten wurdent vff reder gesetzt [152]).

It. es wurdent och mit dem rechten in der statt zürich verderbt diss nachgeschribnen: des ersten Hainrich schüpfer. Oftringer. Der dietel. Dietel schenk. Krieg haintz. Wasmer. Windegger. Cuoni von matzingen. Der affo. Johanns ab dem huss. Wernli bilgri. Voli schaffli. Rüegger ab dem tor. Johanns von schlatt. Cuoni vss der ow. Johanns von herdi-(herli) berg [153]). Fritschis sun ab votenwis. Haini von bussenhart.

Summa xviij mann [154]a).

25. Diss nachgeschribnen wurdent enthouptet.

Des ersten Hainrich wigant. Ruodolf broso (borso). Johanns friburger. Ruodolf rävel. Ruodolf fenno. Hainrich fenno. Oremus [154]b). Andreas keller des wissen knecht. Sigrist von küssnach. Der grundeli. Claus bilgri. Der tuggern (tugginer) [155]a). Der fischli. Claus von bussenhart. Hans iten. Der goldbacher. Haini arnolt des von landenbergs knecht.

Summa xvij.

26. Diss nachgeschriben verlurent an frischer tat.

Zum ersten herr beringer von landenberg. Herr ruodolf biber. Herr wiss ritter. Volrich von matzingen fry. Herr ltolt gasser. chorherr ze embrach. Volrich schaffli. Hainrich störi. Spiser von sant gallen. Frantzen sun ab dem tor. Ruodolf bilgri. (Hans) Losser. Herr wissen des ritters knecht. Hanns von glaris. Hainrich der alt schüpfer. Ruodi schüpfer sin sun, vnd des schüpfers knecht. Johanns störi. Hainrich rävel [155]b).

Summa xix mann.

27. Diss verlurent an der von zürich [155]c) **tail.**

Des ersten her ruodolf maness schuolher der probsty zürich. Johanns heintschuwer buwmeister. Jakob maness kramer. Ruodolf binder. Ruo-

---

152) Z. und Hü. haben hier und folgende 3 Artikel eine 2te Aufschrift noch mit dem Text vermengt. 153) So cod. 657. heranberg Z. 154 a) Die Summen hier und später haben blos 806 u. Vad. Die Namen sind in den Handschriften ziemlich ungleich geschrieben. 154b) So Tsch. 806. Vad. 657. und Zü. (aber letztere Handschr. mit dem nächsten Namen verbunden). Hü. hat ihn nicht. 155 a) tughen Z. 155 b) Vad. hat gasser und Chorherr als 2 Namen und Cod. 806 zwei Störi. 155 c) an des burgermaisters vnd ander von Z. tail Hü. grosser bürgschafft. Hie zwüschen so hielt man tag vnd stund mit den von Z. Also aischotent si (die von Z.) vnbeschaidenlichen gros guot, das man jn die gefangen wider antwurte, vnd verbundent sich die v. strasb. von basel, v. friburg, von brisach zesamen zuo den hertzogen v. Oe. vnd der hertz. zuo jn, vnd ward ain gesworner bund gemachet fünf jar vnd rustant sich der vorgenant herts. vnd die statt vf mit aim grossem volk, vnd woltant für Z. ziehen; derzuo die byschoff von str. vnd v. basel waltent och mit den stetten sin gefarn. Hievon entsassent sich die von Z. vnd schiktent die gefangnen alle ledig vnd los wider hain vnd wurde die rais dozemal wendig. Königshofen Cod. 632 p. 375; 376.

dolf tygo. Ruedi riffli. Der furter. Haini (hans) sumer. Hans michelman.
Cuoni rütschli. Summa x man p).

---

p) Darzuo wurdent mit dem rechten verderbt, si kümind uf reder, oder si
wurdent enthouptet, die hie nach geschriben stand:

Hainrich schupfer. Estringer. Dietel schenk. Kriech. Haintz wasmer. Windegger. Cuoni v. Matzingen. Affo. Johans ab dem hus. Wernli bilgri. Voli schafli. Rüegger ab dem tor. Hans v. schlatt. Voline vss der ow. Johans meyger v. herliberg. Frischis sun ab votenwis. Heini von bussenhart.

Dos wurdent diss enthouptet:

Johans fryburger. Rüeger reffal. Hainrich wigant. Ruodolf borse. Ruodi mäni vnd H. mäni. Oremus. Amman keller. Des wissen knecht. Sigrist v. küssnach. Grundelli. Claus bilgri. Tuginner. Fischli. Claus v. bussenhart. Johans iten. Goltbacher tschus. arnolts knecht v. landenberg.

Diss verlurent an frischer getat: Her baringer v. landenberg. Her ruodolf biber. Her wiss wiss ritter. Volrich v. matzingen fryherr. Lütelt gasser chorherr se emerach. Volrich schaffli. Hainr. störi. Spiser v. sant gallen. Frants san ab dem tor. Ruod. bilgri. Losser. Her wiss ritters knecht. Johans v. glaris, Hainr. d. alt

Heinr. schürpfer. oltinger. Dietel. Schenk. Kiloh. Heintz wasmer. Windegger. Cuoni v. matzingen. Affo. Johans ab dem hus. Werli bilgeri. Volrich schaffli. Rüger ab dem tor. Johans von schlatt. Voli vss der owe. Joh. meyer von Herdeberg. Fritschis sun ab ottwins. Heini v. bussenhart.

Joh. friburger. Rüdger beuel. Heinr. wingant. Rnod. berso. Ruodi veno. Heinrich. Venni. Oremus amman. keller des wissen knechte Sigrist v. küssnach. Grundeli. Claus bilgeri. Tugginer. Vischli. Claus von bussenhart. Johans iten. Gotbacher Heinr. tschud. Arnolts knecht v. landenberg.

Her beringer v. landenberg Herr ruodolff biber Herr wiso wiss ritter. Volrich v. matzingen fryher. Lütold gasser corher zuo embrach Volr. schafflin Heinrich störi Spisser v. sant gallen. Frantzen sun ab dem perg tor Ruodolff bilgeri. Losser Herr wisen ritters knecht Joh. v. glaris. Heinrich d. alt schüpfer,

Heinr. schupfer der oltinger dietrich schenk krieg heintz wasiner der windegker affo johans ab dem hus werni bilgri volrich. schaffli rüdger meyer von herdiberg. Fritschis sun ab vottlen wis heinrich von busenhart.

Johans friburger ruodi reuel heinr. wigant ruodi borso ruodi fenno Heinz fenno oremus andres keller des wisen knecht der nigrest v. küssnacht der grundeli klaws bilgri der tuginer der rischli klaws v. bussenhart johans iten der geldbacher heini arnold des von landenberg knecht.

Her beringer von landenberg der von matzingen ein fryer her ruodi biber ritter her wiss ritter her lüteld gasser korher zuo emräch der spiser v. sant gallen frantzen sun ab dem tor ruodi bilgri der loser des wisen knecht johans von glarus hainr. d. alt schürpfer ruodi schürpfer sin sun des

It. in der selben nacht, als vorgeschriben stat, warent och die burger von rappreswil mit der macht so si denn haben mochtent, vnd och die lüte vss der march mit schiffen vss gefaren, vnd woltent och gen zürich sin vnd irem herren von habspurg gehulfen han. Vnd do si·wol vff das halb tail herab kament, do wurdent si gewarnet vnd hortent och ze zürich in der statt sturm lüten. Inen ward och kund vnd ze wissen getan, dass irem herren misslungen was; also kertent si wider vmb vnd fuorent haim q).

28. Die statt rappreswil ward gewunnen.

Als nun diss alles was geschechen an dem zinstag in der nacht, als vor geschriben stat, darnach vff den nächsten mentag fuor der vorgenante burgermaister vnd die von zürich hinuf gen·rappreswil für die statt, vnd och mit inen die von schaffhusen, die do dero von zürich aidtgenossen warent [137]), vnd lagent also vor der statt bis an den dritten tag. Vnd do also an dem dritten tag ward [138]), do gabent si die statt uf vff gnade vnd mit sölichem gedinge, dass die von zürich denen so in der statt wärint,

---

136) Disere vorbenampten personen aber sind hieuer ettlich an dem alten regiment gsin, vnd nit die minsten redlinfüerer des ellenden handels. Cod. 647. 137) vnd santent ouch die von Sch. unser aidtgn. ir erbar hilf Z. 138) fehlt Z. ·

schüpfer. Ruod. schüpfer sin sun, vnd des schüpfers knecht. Johans störi. Hainr. reffel.	sin sun vnd des schüpfers knecht. Johanns störi Heinrich refel.	schürpfers knecht volrich schaffli heinrich störi johans stori heini refel [136]).
So sind diss die an des burgermaisters tail erschlagen wurdent vnd ermürdet:		
Her mannes schuolherr der bropsty zürich. Johans hentscher bumaister. Jac. mannes kramer. Rüedine binder. Ruodolf tyo. Rifli furter. Heini sumer. Johans michelmal vnd cuoni büschli. Cod. 657 p. 65. 66.	Her ruodolff mannes schuolherr der bropsty zürich. Johans hentscher buwmeister Jacob manes kramer. Ruodi binder Ruodolff thyge rissli furter Heini sumer Joh. michelmän vnd cuoni rüschly. Cod. 631 p. 349. 350.	Her ruodelff manees schuolherr zuo der propsty zürich. hans henntschower buwmeister zürich. jacob manes kramer ruodi binder ruodi riffli der furter. heini sumer hans michelman cuoni büchler. Cod. 643 p. 135.

q) Der selben nacht warent ouch die burger von rapers wile mit der macht so si gehaben mochtend, vnd och der lüten etwa vil vss der march mit schiffen vssgefaren, vnd woltend ouch in vnser statt (Cod. 631 in die statt Z.) sin, vnd vns vnwidersait übel getan haben, Vnd do si nach vf halben tail herab kamend zuo vnser statt, do wurdent si gewendet, vnd ward jnen ze wissen getan, dass dem grafen, irem herren, misslungen wäre. Dess kartent si wider vmb vnd fuorand haim. Cod. 657 p. 66. Cod. 631 p. 350. 643 p. 135.

weder an lib noch an guot schaden söltint tuon [139]) von der tat wegen;
si söltint och die statt rappreswil han mit allen den rechten so si der von
habspurg in gehept hatt, vnd och graf hansen in der gefengknuss haben
als lang vnz die von zürich versorgt [140]) wurdint vnd sicherhait getan
wurde, dass si sölichs übels von dem von habspurg vnd von den sinen
überhept wurdint nun vnd hienach [141]). Also swuorent och die burger ge-
mainlich arm vnd rich ze rappreswil dem vorgenanten burgermaister zuo
der statt banden ze zürich. It. die von zürich versprachent och denen von
rappreswil, si bi allen iren frihaiten vnd rechten beliben ze lassen, so si
von irem herren hattent vnd als er si och hat lassen beliben r).

29. Es ward ain frid daran gemacht.

It. diss gestuond nun etwa vil zites, dass die von zürich die burg vnd
die statt ze rappreswil inne hattent mit grossem kosten vnd sorgen vnd
mit grosser huot, dass si da zwischen allweg muostent fürchten ze verlie-
ren lib vnd guot, wan si warent in grossen forchten [142]) von der von habs-
purg wegen, wan es wolt nieman kainen frid noch richtung an die von
zürich suochen, weder die von habspurg noch nieman von iren wegen.
Als die von zürich nun sachent, dass nieman weder frid, noch rich-
tung, noch früntschaft an si wolt suochen, do wurdent si ze rat
dass si den graffen von habspurg ze wissen tätint, sider dass nieman we-
der früntschaft, frid noch richtung an si suochti noch begerti, vnd si nie-
man besorgen welt, dass si hin für vor sölichen übel sicher wärint, als

---

139) tuon fehlt Z. 140) besorget Z. Hü. 141) Z. heftet diese 3 Worte irrig an die
folgende Periode. 142) sorgen Z. Vad.

r) Vnd als diss beschach an dem zinstag in der nacht, als vor beschaiden
ist, darnach an dem nechsten mentag fuor der vorgenant burgermaister vnd ouch
ain tail der burger von zürich (fuor der b. vnd die von Z. dar nach am nechsten
mentag Cod. 643) hin vf für die statt ze raperswile. Dar santand die von
schaffhusen vnser (ir Cod. 631. di do zemal dero von Z. eidg. warend) aidgnossen
och ir hilf zuo vns (inen Cod. 631), vnd lagent also vor der statt zwen tag vnd
zwo nächt, vnd do an dem dritten tag ward, do gab man die statt vf an gnad,
also das si denen so in der statt warend, an lib noch an guot nit söltin schaden
von der getat wegen. Des schwuorend ouch do di von rapreswil, arm vnd rich,
dem vorgenanten burgermaister gemainlich von vnser statt zürich wegen ze dienen
vnd ze warten, in aller wis vnd mass als si vorhin den grafen von habspurg ge-
gedienst hattend, vnd die selbe statt mit lüt vnd mit guot sölltind die von zürich
also inne haben, vnd ouch den graffen in geuanknuss haben all die wile vntz vff
die stund das die von zürich sich selber versorgtind vnd sicher getan wurdint,
das si vnd ir nachkomen solichos mordes vnd übels nun vnd hienach ledig wer-
dind von dem vorgenanten von habspurg vnd allen iren nachkomen, vnd von ir
lüten baide in der statt raperswil vnd in der march. Cod. 631 p. 350. 351.
Cod. 657 p. 66. 67. Cod. 643 p. 136.

vorstat, so wöltint si och nit lenger in forchten sin, si wöltint sich selb
besorgen mit der statt rappreswil vnd mit andren [143]), als si denn notturf-
tig wärint. Das vernam die küniginn von vngern, die do zemal ir wesen
fast ze brugg hatt, vnd ward darin reden, vnd och ander erber herren,
vnd machtent ainen frid daran vff ain genant zil, dass man dar zwüschent
ain richtung suochti, dass die von zürich versorgt wurdint, als vor beredt
ist, vnd denen von habspurg ir statt rappreswil vnd das ir wider wurde.
Der friden wurdent also drî nach ainandern gemacht, je vff ain genant zil,
die doch alle verluffent, dass da zwüschent nieman kain richtung noch
frid machet noch begert; vnd do es aber etwa lang gestuond on frid vnd
on tag, vnd on alle täding, vnz zuo sant verenen tag, do fuor aber
der genant burgermaister vnd die von zürich hinuf in die march, vnd be-
lagent die burg, die alten rappreswil, vnd brantent vnd wuostent vff ainen
tag in der march alles das die von habspurg angehorte, vnd [144] die von
costentz vnd von sant gallen, die do zemal der von zürich aidtgenos-
sen [145]) warent, schicktent inen ir erber hilf. Vnd do man also vor der
burg gelag von dem mentag bis vff den samstag, do überkam man [146])
mit denen, die vff der burg warent, der warent drissig man, dass si die
burg vfgabent vff gnade, vnd mit dem gedinge [147]), dass man ir lib vnd
guot sicher saite, vnd man si damit liess gan oder faren war si wöltint;
man solt och alles das vff der burg onverändert lassen das des tages
daruf was, als si besessen ward. Also wurdent die von zürich ze rat, dass
des kosten vnd der sorgen ze vil wurde, vnd brachent die burg nider vff
den herd, vnd wuostent si genzlich. Also swuorent och alle die lüt in
der march, die denen von habspurg zuo gehortent, dem vorgenanten bur-
germaister zu der stat handen von zürich, inen [148]) ze dienen vnd gehor-
sam ze sind [149]) als irem herren vnd si denen von habspurg vor getan hat-
tent. Also zugent die von zürich vnd ir aidtgenossen wider haim s).

---

143) andern Z. 144) santent ouch Z. 145) unser aidgenozen Z. 146) überkamen
Hü. Vad. 147) ding Hü. 148) im Z. 149) sin Z. Vergl. Note I 162.

s) Diss stuond also etwie vil zites, dass die von Z. die burg vnd die statt
ze rapreswile also inne hattend vnd mit grossen kosten vnd sorgen verhuotand,
dass si da zwüschent allwegen fürchtend warend, ze verlieren lüt vnd guot, dass
von wegen der von habspurg nieman kain rechtung an die von Z. suocht. Dess
wurdend si ze rat dass si denen von habspurg ze wissen tätind, sid nieman si
besorgen wölte, als da vor berett ist, so wöltind ouch si also nit lenger in sorgen
sin, won si wöltind sich selber besorgen mit der statt ze raperswile vnd mit
andern, als si nottürftig sind. Dess ward die küngin von vngern innen vnd wur-
dent si vnd ander erber herren darzuo redent, vnd frid machtend vf ain genampt
zil, dass man da zwüschent ain richtung suochte (satzte Cod. 631), vnd aber die
burger Z. besorgti, als da vor beschaiden ist. Der frid wurdent dry nach ainander
gemacht je vff ain genempt zil, die doch alli verluffent, das dazwüschen nieman
kain riehtung machte.

30. Es ward aber ain frid gemacht.

Diss gestuond also etwa mengen tag, dass der comentur [150] von kling-now [151] vnd ander erber lüten zuo der sach redtent, wie man es aber ge-fridoti vnd fürbas ain richtung suochti, e dass noch grösser schad darvon ufstüend. Also ward ain frid beredt vff ain genant zil; den selben frid nament och die von zürich also uf, vnd hettint in gern gehalten vnd san-tent och dess denen von habspurg ir offen brieff mit ir statt insigel. Dess was bott hainrich am stad von schaffhusen, vnd do er zuo den zwain graf-fen von habspurg kam, do versprachent si das vnd woltent kainen frid han mit denen von zürich noch mit den iren, vnd sandtent inen die brief wider vmbhin [152] gen zürich.

31. Die von zürich verbrantent die statt ze rappreswil vnd slissent die muren.

Also wurdent aber die von zürich ze rat, wie si die burg ze rappre-swil vnd die statt mit grossem kosten vnd sorgen inn hettint, vnd mües-tint [153a] fürchten, dass si etwann von denen von habspurg überfallen wur-dint vnd lib vnd guot da verlurint; vnd fuor aber der vorgenant burger-maister vnd ain tail der von zürich hinuf gen rappreswil in die statt vnd schicktent bi lx mannen der erbrosten vnd der besten burger von rappreswil gen zürich, vnd empfalhent inen dass si da belibint vnd inen hulfint ir lib vnd guot retten vnd beheben [153b]. Also brachent der burgermaister vnd die von zürich des ersten die burg nider vff den herd [154], vnd brantent och die vnd schlaiztent sie ganzlich [155]. Darnach brachent si och die ringk-mur an der statt, wo es si komlich [156] bedunkte;t) also ward och die statt

----

150) comptur 806. Vad. 151) Tsch. und seine Chronik und Z. und 657 klingnow 806. und Vad. lüggern. 152) hin umb Z. haim Hü. 153a) muosten Z. 153b) behailten Vad. 154) v. v. d. herd fehlt Z. 155) geinzlich Z. 156) kumlich Hü. und Vad.

Vnd do es aber also etwa lang stuond, an frid vnd an tag, vnd an alle täding vnts vff sant verenen tag, do fuor aber der vorgenant burgermaister vnd ain tail der von Z. hin vf in die march für die alten rapreswil die burg, vnd brantand vnd wuostand vf ain tag in der march was denen von habspurg zuo gehort. Dar santand die von costentz vnd die von sant gallen, ir aidgnossen, ir erber hilff, vnd do man also vor der burg gelag von dem mentag vntz an den samstag, do gabend die vff der vesti warend, der warend wol drissig, die burg uff an all genade, also dass man si mit dem leben liesse dar ab gan, vnd dass man alles vff der burg lassen sölte, das des tages daruf wär, do si besessen wurdent. Dess ward die selb burg vndergraben vnd nider geworffen gentzlich vff den herd. Da schwuorand all die lüt in der march, die dien von habspurg zuo gehortand, dem egenanten burgermaister von der statt wegen Z. gemainlich ze dienend vnd gehorsam ze sinde in allem dem rechten als si getan hattend den von habspurg. Cod. 657 p. 67. 68. Cod. 631 p. 351. Abgekürzt Cod. 643 p. 136.

t) Diss stuond aber etwa mengen tag, dass der komentur von klingnow vnd ander erber lüt zuo der sach rettent, wie man es fürbas fridote vnd ain richtung

angezündt, verbrannt, gewüest vnd verhergot vnd die ringkmuren nider ge-
slaizt in der masse, dass nieman mehr solt sinnen weder burg noch statt
da ze machen; vnd tatent das die von zürich von deswegen, als vor ge-
schriben stat, vnd och vmb deswillen, dass sie sölichs übels fürbas über-
hebt wurdint von denen von habspurg vnd von denen von rappreswil [157]).
Also do die statt ganzlich gewüest ward vnd es die burger von rappreswil
vernament, die bi denen von Zürich in ir statt [158]) warent, do erschrakent
si vnd stal sich je ainer nach dem andren haimlich enweg, als er denn
mocht, vnd forchtend dass wir inen an ir lib vnd leben [159]) schaden wöl-
tint, das wir doch vngern getan hettint. Es belibent och ain tail der sel-
ben burger von rappreswil [160]) ze zürich, bis [161]) dass der krieg gericht
ward; aber die da heim kament, die fundent ire wib vnd kind vnd die iren
vff dem feld liggen [162]) vnd fundent ir statt vnd was da vmb was, verher-
got vnd verbrennt, vnd verklegtend die von zürich [163]) fast gegen allen her-
ren [164]) vnd wo si vns och gegen iren herren von habspurg verunglimpfen [165])
kondent ald mochtent, vnd verklegtent vns och vor hertzog albrechten von
österrich vnd vor andren herren vnd wo si wisstent oder si duchte, dass es
vns schaden möcht bringen [166]), vnd laitent vns grossen vnglimpf zuo. It.
die selbe statt rappreswil stuond och etwa vil zites wüest, dass nieman
kain wonung darinne hatt. In disen ziten verbundent sich die von zürich
zuo den aidtgenossen, als das vor geschriben stat, anno Mccl [167]).

32. Hertzog albrecht von österrich redt übel mit denen von zürich.

It. diss gestuond also bis vff den nächsten fritag ze ingendem ougsten
anno dni M drü hundert vnd ain vnd fünfzig jar, do kam hertzog al-
brecht von österrich heruf gen brugg im ärgow. Do schiktent die
von jürich ir erber botten hin, die dem hertzogen ain guoti schenki brach-
tent, die er och gar dankbarlichen ufnam [168]), vnd dem glich redte, wie er

---

157) von den von R. und ir herren von Ha. Z. Hü. 158) bi vns ze Zürich warent
Z. 159) v. l. fehlt Z. Hü. 160) bi uns Z. 161) unz Tsch. Z. Hü. 162) liggen blos Tsch.
163) uns Z. 164) und swa si kunden Z. 165) unglimpften Z. 166) schaden möcht Z.
Folgender Schluss fehlt Z. 167) Allein in Z. Vgl. Cod. 631 p. 350. 643 p. 136. 632
p. 375. 1210 p. 152. 657 p. 69. 168) empfieng Z. Hü. und 657.

mochte, e dass noch grösser schad vnd gebrest dawon vfstünde, vnd ward ouch
darúnder ain frid berett vff ain benamptes zil, vnd genampstand ouch die von
Z. denselben frid, vnd santand ouch dien von habspurg ir offnen brieff mit ir
anhangendem insigel. Dess was bott hainrich am stad von schaffhusen, vnd do
er zuo den zwain graffen von habspurg kam, do versprachend si das vnd woltand
kainen frid han, vnd santand die brieff widervmb gen Z. Dess fuor aber der ver-
genant burgermaister zuo vnd die von Z. vnd brachent die burg ze der statt ze
raperswile, vnd ouch die ringmur an der statt etwie vil als si ducht, dass si
notturftig vnd ouch kemlichem wärint. Cod. 657 p. 69. 69. Cod. 631 p. 351.
352. Mit wenig Worten Cod. 643 p. 136.

vns ganzlich in sinen gnaden haben wölte, dess wir[169]) och gar fro warent. Darnach über etwa mengen tag besandt der hertzog alle sine diener für sich ab dem land vnd von den stetten, vnd hatt ain gespräch mit inen. Er sandt och heruf[170]) gen zürich, dass wir och vnser erber bottschaft hinab zuo jm sandtint, er hette etwas mit inen ze reden. Das tatent wir och vnverzogenlich, vnd do vnser erber botten hinab zuo jm kament, do empfieng er si zornigklich vnd sprach, wir hettint an jm übel getan, dass wir die vesti vnd statt ze rappreswil also gewuost vnd verbrent hettint, vnd och an der burg ze der alten rappreswil vnd an der march, die wir von des grossen übels wegen, so si vns getan hattent, gewüest vnd gebrochen hattent, vnd muotet vns heftigklichen an, das alles wider ze buwend vnd vnschadhaft ze machen. It, er muotet vns och zuo, dass wir jm die vesti zuo der alten rappreswil vnd die march in söltint antwurten mit lüt vnd guot vnd in allen den eren, als si vor gewesen was. Das mochtent noch kundent wir nit getuon, wan wir ab der selben vesti ermürdt warent, vnd och die daruf fundent, die vns übel getan hattent. Er redt vns och fast übel[171]) zuo von der von rappreswil wegen, die vns bärlichen gen jm verklagt hattent, wir bettint vnerlich an inen getan, vnd tät vns fast vngüetlich mit sinen worten. Also schied vnser bottschaft[172]) vnfrüntlich von jm u).

33. Hertzog albrecht lait sich für die statt zürich.

Diss gestuond nun also etwa vil zites, dass wir wol marktent vnd verstuondent, dass vns der hertzog nit hold was, vnd dess glichen tät,

---

169) warent wir Z. 170) ber brief Z. zuo vnsren räten 657. 171) übel f. Z. 172) schieden unser boten Z. Vad.

u) Diss stuond also vntz uff den fritag ze ingendem ougsten in dem ain vnd fünftzigosten jare, do kam hertzog albrecht von Oe. her vss gen brugg. Der santand vnser herren (codd 631 vnd 643 die herren) von Z. ir erberen botten zuo jm, vnd brachtand jm ain erbere schenki, die er gar dankbarlich empfieng, vnd dem gelich rette, wie er vns (631 si) in sinen gnaden gentslich wölte han. Darnach uber etwa mengen tag do besant er für sich alle sin diener vss dem land vnd von den stetten, vnd hatt ain gespräche mit jnen. Ouch sante er her uf zao vnser räten (zuo den von Z. 631. 643), dass wir vnsre (jene Codd. si ir) erbern botten hinab zuo jm santind; er hette etwas mit jnen zuo reden. Vnd do vnser botten hinab zuo jm kament, do rett er mit jnen gar vnfrüntlich vnd zornklich, wir (si) hettint an jm übel getan an der vesti zuo der alten rappreswile vnd an der march, die wir von des grossen übels wegen, so si vns (jnen) getan hattent, gewüest vnd zerbrochen hattent, vnd muotet vns (jnen) an, dass wir (si) jm die vestin vnd die march jn antwurtent mit lüt vnd mit guot, vnd wider buwtint vnd vnschadhaft machtint. Das mochtand wir (die von Z.) nit getuon wan wir (si) ab der vesti ermürt wurdent vnd ouch die dar vf fundent, die vns (jnen) übel hattent getan. Cod. 657 p. 69. 70. 631 p. 352. 643 p. 137.

dass er vns vigent [178]) ain wölt. Vnd do es nun ward vff des hailigen crützes tag ze herbst, des vor genanten jares, do kam der selb hertzog albrecht von österrich mit ainem grossen volk, vnd lait sich für vnser statt [174]) zürich, hie dissent der glatt bi örlikon, bi swamendingen vnd bi affoltron, vf vnd ab, wol mit sechszechen tusent mannen, ze ross vnd ze fuoss, wol bezügtes volkes, vnd hette yns gern übel getan, vnd schadigot vns och fast durch ainen grossen muotwillen, vnd über das dass wir es mit kainen sachen verschuldt hatten, vnd wir alwegen gern getan hettint was jm dienst vnd lieb wäri gesin.

It. do nun der hertzog also vff vns lag vnd yns swarlich schadigot, do rittent erber herren darunder, graff fridrich von toggenburg, bruoder hertegen von rechberg, herr cuonrat von berenfels von basel, vnd vnser guoten fründ von bern, vnd ander erber herren ab dem land vnd von den stetten, vnd brachtent es mit tädingen darzuo, dass wir von zürich vnd alle vnser aidtgenossen von lucern, von switz, von vre [175]) vnd vnderwalden vns dess begabent vnd och dess ainhelligklich ingiengent, ob wir in kainen stucken oder in kainen sachen wider hertzog albrecht von österrich getan hettint, dess kämen wir vff die hochgebornen frowen frow agnesen, wilunt künigin ze vngern, also dass hertzog albrecht von österrich zwen zuo ir setzen sölti [176]), vnd wir von zürich vnd alle vnser aidtgenossen och zwen zuo ir setzen söltint von vnser aller wegen; vnd wes sich die oder der mertail vnder inen erkentint, dass wir bessren vnd ablegen söltint, ob wir in kainen stucken überfaren [177]) hettint, oder üts [178]) getan, darumb wir strafwirdig wärint, das wöltint wir gern vnd getrüwlich halten vnd och gehorsam ain, doch also, dass vns nieman reden noch sprechen sölt an vnser püntnusse, noch an vnser aid, noch an vnser frihait, vnd dass man vns bi vnsren guoten gewonhaiten vnd rechten liessi beliben, vnd darumb dass der hertzog die täding also ufnäm vnd mit dem zug ufbräche und das volk zerritte, dass vns nit grösser schad beschäch, vnd och dem hertzogen zuo eren do ward beredt, dass wir dem hertzogen in sinen gewalt geben söltint sechszechen der erbresten burger von vnsern räten ze zürich, so in vnser statt wärint; die söltint ligen in giselschaft vnz dem spruch gnuog beschäch vnd gehalten wurd. Vnd also santent wir sechszechen der erbrosten vnd der besten von vnsren räten ze zürich, als wir versprochen hattent, gen baden vnd gen brugg, die da in giselschaft ligen vnd laisten söltint [179]), durch dass die richtung vnd der spruch vnverzogenlich ainen fründlichen usstrag gewunn, vf ainen guoten frid oder vff ain ganzi richtung vnd aine ewige stäte süne. Die selben sechszechen vnser burger von zürich lopt och der vorgenant hertzog albrecht von österrich [180]), er wölti si in sinen gnaden vnd in sinem schirm behalten, vnd wölti ir lib

---

173) vnser vigent Tsch. Z. Hü. 174) v. st. fehlt Z. und Vad. 175) Auch hier hat 606 und Vad. Uri voran. 176) wolt Z. 177) widerfaren Z. 178) iutes iut Z. 179) die da — söltint fehlt Z. 180) vnd och d. v. h. A. v. ö. kamen überein Z.

vnd guot schirmen alle die wil si da in giselschaft lägint; Vnd als sich
die selben sechszechen vnser burger geantwurtent, als wir[181]) versprochen
hattent, vnd gern getan hettint was si tuon söltint, do hiess si hertzog al-
brecht vachen vnd in die türn werffen, vnd hielt[182]) si gar in herter ge-
fengknuss, vnd graif vns aber an; dar zuo besatzt er alle sine sloss vnd
stett mit sinen dienern, mit denen wir ganzlich vmbsetzt warent, vnd die
och all tag vff vns rittent vnd raisotent, vnd vns grossen schaden tatent,
vnd gern noch me getan hettint. Och schadgotent wir dem hertzogen sin
lüt vnd land wo wir kundent oder mochtent; es ward och das land vmb
zürich ganzlich gewüest, gebrant vnd verhertgot, dass nieman da kain wo-
nung hatt noch gewonen[183]) torst.

34. Die aidtgenossen gewunnent glaris.

It. in denselben tagen[184]) zugent die von zürich vnd ir aidtgenossen
in das land ze glaris vnd gewunnent das land on grosse not, wan si
warent willig zuo den aidtgenossen; vnd also nament die von zürich[185])
da in[186]) lüt vnd guot. It. das selb tal glaris was och des hertzogen von
österrich.

35. Die von Zürich jagent mit gwalt[187]) gen baden.

It. diss gestuond aber also, dass der hertzog alwenzuo[188]) vff vns rai-
sot, bis vff den hailigen tag ze wichnächten, do zugent wir von zürich
uss mit dem huffen vnd mit aller macht, die wir haben mochtent
in vnser statt zürich, on ander vnser aidtgnossen, vnd zugent hinab
gen baden zuo den bedern; da warent[189]) vns etlich verzaigt, die vff vn-
sern schaden da lagent vnd vns och vil ze laid taten vnd getan hattent.
Die selben woltent wir gefangen han; do warent wir ze spat vss gefaren,
dass wir vns ir versumpt hattent. Also brachent wir die hüser zuo den
bedern, vnd wuostent was vns werden mocht; dis geschach vff den hailigen
tag ze nacht. Vnd also zugent wir die lindtmag nider vnz gen frödenow
nider in den spitz, vnd die rüss wider uf vnz gen baden zuo dem galgen v).

---

181) si Z. 182) huob Z. 657. 183) gewinnen Hü. 184) des selben mauls Z. 185) wir
Z. 186) nit in Z. 187) macht Tsch. Z. Hü. 188) alwegen zuo Tsch. Vad. 189) wurdent
806. Vad. und 657.

v) Diss stuond also vntz vf den nächsten des hailigen crützes tag ze herbste
do lait sich hertzog albrecht von Oe. mit ainem grossen züg für vnser statt
hie disent der glatt by örlikon, by swamendingen, by affholtrau uff vnd ab wol
mit sechzehen tusent mannen ze ross vnd ze fuosse, vnd hett vns gern übel getan
durch sinen grossen muotwillen, daruber dass wir es mit kainen sachen verschult
hattent. Do rittent erber herren darunder, graf fridrich von toggenburg, bruoder
herdegen von rechberg, her cuonrat von berenfels von basel, vnser guoten fründ
von bern vnd ander erber herren uff dem lande vnd von den stetten, vnd brach-
tend es mit tädingen darzuo, dass wir vnd all vnser aidgnossen von lutzern, von

Da battent die vigent vnser gewartet mit ainem grossen volk ze ross
vnd och ze fuos, wol bi vier tusent mannen wol bezügter, vnd griffent vns
da an fraidiklich [190]) vnd kecklich; also giengent wir an ainandern mann-
lich vnd mit verdachtem muot, vnd fachtent do mit ainander ze ross
vnd ze fuoss wol ain mil in die nacht. Das beschach an sant steffans tag,
do die die sunn wolt vnder [191]) gan, vnd gelagent die von zürich ob vnd
verlurent nit me denn vierzig mannen [192]) w).

---

190) fehlt Hü. 191) nider Z. 192) und half got den von Z. daz si obgelagen und
nit me denne lx man verlurent Z.

schwitz, von vnderwalden vnd von vre das benampzotand: ob wir in kainen
sachen wider hertzog albrechten getan hettint, dass kämind wir uff die hochge-
pornen frowen frow a g n e s e n wilant küngin ze vngern, also dass hertzog A.
zwen zuo. ir satzti, vnd och wir vnd vnser aidgnossen gemainlich zwen von vnser
aller wegen, vnd wess sich die oder der mertail vnder inen erkantint, dass wir
bessren oder ablegen söltint, ob wir ützit getan hettint; aber vns vnd vnseren
aidgnossen ward vor behebt vnd usgelassen, dass nieman reden noch sprechen
sölt an vnser bünden vnd an vnser aiden, an vnser frihaiten, an vnser rechten
noch an vnsren guoten gewonhaiten. Vnd darvm dem hertzogen ze eren vnd
dass der zug ufbräche vnd zerritte, do santand wir sechzehen der erbresten von
vnsren räten Z. gen baden vud gen brugg, die da in giselschaft lägint vnd laisten
söltind, durch dass die richtung vnuerzogenlich ain frid vud stäten suon gewunn.
Die selben xvj vnser burger nam ouch der hertzog in sin genad, vnd lopt ir lib
vnd ir guot ze beschirmende all die wile so si da laistint vnd ir giselschaft werti,
vnd gab vns och darvm sin offen besigloten brieff. Do sich dieselben xvj vnser
burger also antwurtent in giselschaft, vnd tatent was si tuon soltand, do hiess
hertzog A. si vachen vnd in türn werffen, vnd huob si gar in herter geuangknuss.
Darzuo besatzt er alle sin vestinen vnd sin stett mit sinen dienern, mit den wir
gentzlich vmbsessen warent, vnd all tag uff vns rittent vnd vns gern übel getan
hettint. Ouch schadgotand wir sin land vnd lüt was wir mochtand, so verre
vntz das das land vmb vns verbrent vnd gewüest ward.

Ouch zugent wir vnd ander vnser aidgnossen in das land ze g l a r i s, vnd
gewunnent jm das ab, vnd nament da jn lüt vnd guot.

Diss stuond also vntz uff den hailgen tag ze wyhennächt, do zugent wir vss
mit dem huffen vor vnser statt Z. an vnser (631 ander) aidgnossen, hinab gen
b a d e n ze den bedren, da vns ettlich verzaiget wurdent, die uff vnsern schaden
da lagent, das beschach an dem hailgen tag ze nacht vnd woltand die geuangen
haben. Dess warent wir ze spat uss gevarn, vnd versumpten vns, dass si vns
engiengent. Des brantent vnd wuostent wir die hüsser ze den bedren gentzlich,
vnd zugent die lintmag nider vntz ze frödnow in den spitz, vnd die rüss uf vntz
gen baden zuo dem galgen, vnd brantent vnd wuostent was da zwüschend was,
vnd do hattent die vygend vnser gewortad. Cod. 657 p. 70. 71. 631 p. 352. 353.
Abgekürzt 643 p. 137. 138.

w) In dem jar do man zalt Mccclij jar, on sant steffans tag ze abend, do

86. Die von zug raisetent über die von switz.

Darnach vff die liechtmess des selben jares do man zalt Mccclij, fuorent die von zug uss mit x*x*) schiffen, vnd woltent über die von switz, vnd kament gen art [193]), vnd woltent die geschadigot han; dess wertent si sich vnd ersluogent den von zug zwölf man, vnd ertranktent ir och etlich, doch empfiengent si och ain wenig schaden.

---

[193]) ard Z. Vad. hatte auch so, korrigirt aber.

hattent die vygend vnser gewartat 'gar mit ainem grossen volk ze ross vnd ze fuoss, an yiertusent vnd griffent da enander an muowillenklichen an mit verdachtem muot, recht als die sunn wolt vndergan, vnd fachtent da mit enander ze ross vnd ze fuoss wol ain stund (631 mile) in die nacht. Doch halff vns gott vnd vnser getrüwen hailgen, dass wir ob gelagent vnd die wal vnd den sig behuobent, ir wol fünff hundert erschluogent; doch verlurend wir och xlvj man. Wir brachtent in vnser statt des von erlibach (Tschudi korrigirte Ellerbach) paner, der des kriegs houptman was, der statt paner von basel, der von bremgarten paner, der von lentzburg paner, der von mellingen paner, der von brugg paner, die alle offenlichen Z. vff vnserm rathuss vsgestossen warent lang. Cod. 657 p. 71. 72. 631 p. 353. 354. 643 p. 138.

Nur um zu zeigen, wie Chroniken ganz in der Nähe zuweilen über die Ereignisse unterrichtet waren, stehen hier einige Zeilen aus derjenigen Gebhard Dachers von Konstanz (welche auch die Kaiser Konstantin und Karl für gleichzeitig und Gegner hielt, und annahm, bei Laupen haben — Zürich und Schwyz einander bekämpft, ohne dass eine Partei den Sieg davon getragen, S. 183) „Als man von der gab. cr. zalt tuset drühundert fünfftzig vnd zway jar do kamend die von zürrich vnd die von swytz zesamen vor der stat zuo baden by dem galgen, uff dem berg, den man nennet den badberg, vnd wurdent vil erschlagen, zuo baiden syten, dar vmb aller nit gesait wirt, weder tail oblag oder wen erschlagen sy." Dann folgen die gemalten Wappen der beiden angeblichen Gegner p. 185.

Die erst rais für zürich. Do man zalt Mccclj jar do belag der hertz. v. Oe. die statt Z. mit grosser macht, vnd muostand die von strasburg vnd v. basel vnd v. friburg ouch für Z. ziechen, wan si mit dem h. in dem bund worent, als da vor ist geseit. Ouch kament zuo dem h. die grafen von wirtenberg vnd vil ander herren, das der h. hatt vor Z. zwai M gleffen vnd zwaintzig M gewaffenter. Do hattent die v. Z. bi jnen von den schwitzern, von vrache, vnd von vnterw. von lutzern, die alle zuo den v. Z. varbunden warent. Do alsus der P. vor Z. lag, do tät er vnd die von Z. ain anlass von aller ir missehelle wegen, vnd fuor das folk von Z. wider hain. Do der anlass vsgesprochen war, do woltent die v. Z. den anlass nit halten, vnd giang der krieg wider vff, vnd die von switz betwungen des hertzogen tal glaris vnd zugent es an sich. Königshofen Cod. 632 p. 376.

x) Die Zahl der Zugerschiffe haben blos Codd. 657 u. 631.

37. Die von wesen woltent glaris wider in genomen han [194]).

It. vff den selben tag ze liechtmess in dem vorgenanten jar do warent alle der von zürich [195]) aidtgenossen bi ainander ze zürich, vnd warent och der von glaris zwai hundert bi vns vnd hulfent vns vnsre statt behüeten vnd lib vnd guot retten, als ander vnser aidgenossen och tatent, wan der hertzog hatt stets volk das vff vns raiset [196]) vnd vns schadigot. In disen tagen lag herr walther von stadian [197]) ze wesen, der rait gen glaris in das land, vnd ander edellüt mit jm, vnd och etwa vil der erbresten burger von wesen, vnd woltent das land ingenomen han; dess wertent sich aber die von glaris, vnd ward her walther von stadian vnd ain ritter von gumeringen erslagen, vnd der von wesen vnd der andren, die mit inen hin in warent, wol bi fünfzig mannen, vnd nament die von glaris nit grossen schaden *y*).

38. Die aidtgenossen brantent vnd nament ainen roub.

Darnach vff mittfasten Mccclij do zugent die von lucern vns mit vns von Zürich vnd mit andren vnsren aidgenossen vnd brantent vff ainen tag münster im ärgöw vnd siben dörfer vnd höff, vnd brachtent mit vns ainen grossen roub *z*).

39. Der hertzog brant küssnach, vnd nam ainen roub.

It. darnach vff den nächsten maitag des selben jars do zugent des hertzogen volk wol vierzechen hundert gen küssnach bi lucern vnd brantent

---

[194]) Dieser Art. in Z. vor dem vorigen. [195]) unser Z. [196]) die uf vns raisotent Z. Vad, [197]) stadigen Z. Hü.

y) Do man zalt v. cr. g. Mccclij jar do warend vnser aidgnossen by enander zürich vnd vff cc der fromen vnd vesten lüten von glaris. Do rait her walther von stadingen vnd ander edel lüt vnd vil der erbrasten von wesen ze glaris in das land, vnd woltand es wider gewunnen han. Dess wertand sich die von glaris vnd verlor her walther v. st. vnd ain ritter von gumringen, vnd der erbrosten burger von wesen wol L verlurend vf selben tag. Cod. 657 p. 73. 631 p. 354. Tschudi I. 406. 407 zählt 150 Todte.

Darnach als m. z. v. cr. g. 1352 jar, an sant pangratius tag (12. Mai) beschach die gross verlurst zuo ourwalchen, do der alt grauff aulbrecht von werdenberg vnd der jung, sin sun, dahin geraiset waurend. Do ward gar vil ritter vnd knecht erschlagen: grauff hainrich v. hochberg, her aulbrecht von bussnang, zwen von marchdorff, h. hainrich von klingenberg, aulbrecht von stainegg, frank v. bollingen, h. egloff v. honburg, burkart v. hochenfels, ainer v. bartenstain (weiter hinten braitenstein), eglin v. rosenberg, vnd ander vil edel lüt, vnd vil erber lüt von den stetten vnd ander armer knecht vil. Dachers Chron. S. 108. Wiederholt S. 185.

z) Vnd vij kilchspel on ander dörfer vnd höff, vnd brachtend mit in ain grossen roub an vich vnd andrem guot. Cod. 657 p. 72. 631 p. 354. 643. p. 138.

vnd also huobent des hertzogen volk an, vnd sluogent ain brugg über die lindtmag, in den hard gen dem turen*ll*). Vnd[209] mochtent wir inen das nit geweren[210]), vnd wurdent ze rat vnd machtent ainen floss in vnser statt zürich vud liessent den nachts das wasser ab, vnd brachent inen damit die brugg ab. Also fundent si ainen furt durch die lindtmag, den si rittent, vnd ains tages an dem nächsten fritag vor sant laurenzen tag do warent di vigent wol drü hundert übern graben[211]) geritten, vnd fuotrotent vnder friesenberg[212]). Dess wurdent wir gewar vnd zugent die von lucern *mm*) mit irem panner us, vnd och ander vnser aidtgenossen mit inen, vnd woltent die[213]) hinderslagen han, vnd zugent aber ze ferr hinan an den berg, dass es des hertzogen volk ab hönggerberg sach; die brachent uf vnd zugent über den furt[214]), ir wol drü tusent wol berittner vnd wol bezugter[215]) vnd verrittent[216]) den vnseren den weg, dass si nit wider über die silbragg herin mochtent komen[217]), anderst das si[218]) müestint züchen ob wisdikon uf an die sil hinder engi; dess iltent inen die vigent strengklichen nach, vnd eriltent si an der sil, vnd e dass die vnseren durch das wasser kament, do verlurent si wol zwainzig man; doch nament die vigent[219]) och schaden *nn*). It. si schalmuztent täglich mit vns an vnseren[220]) letzinen.

44. Man tädinget darunder.

Diss gestuond also bis vff den nächsten mentag darnach, do kament des marggrafen rät von brandenburg, der och bi dem hertzogen vor vns lag, zwen die der marggraf gehaissen hat darunter ze reden vnd täding ze triben zwüschent dem hertzogen vnd vns; vnd redtent mit vns vnd vnseren aidtgenossen, dass wir inen luter ze erkennen gäbint, was wir dem hertzogen tuon wöltint vnd nüt anders, vnd inen das och in geschrift gäbint; das wöltint si für iren herren den marggrafen[221]) bringen, vnd getruwtint si wöltjnt ain früntliche richtung machen vnd schaffen, dass der zug[222]) ufbrächi vnd vns vngeschadigot liess[223]a), wan wir doch anderes nüts begertint denn rechts. Also wurdent wir ainhelligklich ze rat, was wir dem hertzogen tuon[223]b) wöltint oder möchtint, vnd das wir gern[224]) getruwen wöltint dem marggrafen von brandenburg, wiewol er vnser

---

209) also Z. Hü. 210) erweren Tsch. Vad. 211) graben fehlt Z., Hü. Vad. und 657. 212) filtrotant Z. was Ettm. natürlich nicht zu erklären wusste. Auch 657 hat fuorotent. Vad. irrig griesenberg. 213) si Z. 214) den furt über Z. 215) bezugt Z. gewaffnet 657. 216) wertent 846. Vad. 217) über die s. b. kommen mochten Z. 218) wan das si Z. wan si Vad. 219) die figint nament Z. Vad. 220) diese 7 Worte fehlen Hü. 221) den marggr. fehlt Z. 222) der hertzog Tsch. ziug Z. züg Vad. 223a) liegen Z. 223b) antwurten Vad. 224) gern fehlt Z.

ll) Vnd lagen gen jm xvij tag vnd nächt vnd machtend die vyent im hard ain brugg by des manessen turn über das wasser. Blos Cod. 643 p. 139.

mm) Zugent die vnseren 657.

nn) Ouch verlurent si ettwa mengen erbern ritter vnd knecht vnd vil rossen das si grössern schaden enpfiengent vnd nament den die von Z. Cod. 631 p. 356. wie Cod. 657 p. 75. 76.

vigent was. Also rittent die vndertädinger wider in das her mit der geschrift vnd botschaft, so inen empfolhen was; vnd do in der nacht ward, do brach das her uf vnd zugent dar von, dass wir es nie gewisstent vnz morndes am zinstag. Do liessent wir och vnser gezelt nider vnd zugent wider in vnser statt zürich *oo*).

Es ist och zuo [225]) wissen, dass wir von zürich vnd vnser aidtgenossen gegen den hertzogen ze feld lagent, an unserm letzigraben sibenzechen [226]) tag vnd nächt, dass die vigent alle tag zuo vns kament vnd mit vns schalmantent; vnd vns dick veranochtent vnd hertenklichen angriffent vnd vns gern grossen schaden getan hettint. Wir maintent och dass it bi xx oder xxx vor vnser statt verlurent, die wil si vor vns lagent, die von vns vnd unsren eidtgenossen erslagen vnd ersiochen [227]) wurdent *pp*).

45. Wie aber ain tag gen lucern ward gesetzt.

Als nun das volk enweg gezogen was, vnd darnach an dem vierden tag *qq*) kament die vndertädinger wider gen zürich, vnd wurdent witer [228]) von den sachen mit vns vnd vnsren aidtgenossen reden, vnd machtent ainen vnverzognen tag gen lucern in die statt, vnd da ward der krieg ganzlich verricht [229]) nach des marggrafen von brandenburg vssspruch, also dass man vns vnser burger von zürich, die gefangen lagent, ledig vnd los in vnser statt gen zürich antwurten sölt, vnd söltind wir [230]) och graf johannsen von habspurg ves der gefangknuss ledig vnd los lassen; wir sölltint och die von glaris ir aiden ledig sagen vnd iren herren wider haissen dienen vnd gehorsam sin als vor; wir söltint och die statt zug irem herren wider in sinen gewalt antwurten vnd ires aides ledig sagen vnd jn haissen gehorsam sin als vor [231a]), doch dass die pünt stät [231b]) söltint beliben, die wir zuo ainandern gesworen hattent, irem herren an allen rechten, herlichaiten, nützen vnd diensten on schaden [232]); wir söltint och wider geben, ob wir dem hertzogen üts me hettint abbrochen, das och alles also volfüert vnd gelaist ward.

46. Vnser gefangen kament wider [233]).

Vnd do vnser gefangen wider haim gen zürich kament, do muostent wir far si geben wol sibenzechen hundert guldin vmb den kosten, den si in der gefangknuss verzert hattent, vnd dunkt vns, dass vns gar vngüetlich

---

225) Man sol ouch Z. Hü. Vad. 226) xvj Z. 227) v. e. fehlt Z. 228) wider Z. fürbas 806. Vad. Hü. 229) gericht Z. 230) wir sölten Z. 231a) daz ouch allez völbraucht ward Z. Vad. 231b) der stett Vad. '232) aun gefärde Z. 233) fehlt Z.

oo) Vnd do si da iij wuchen gelegen, do zugents aber dar von fruo an aim mentag in der nacht so si baldost mochten, also das sie die von Z. nie innen wurden, vnd morndes am zistag zugen die von Z. vnd die aidg. wider in die statt vnd liessent ir zelt nider. Cod. 643 p. 139.

pp) Kürzer in Codd. 657 p. 76. 691 p. 856.

qq) an dem fritag Cod. 657.

vnd vnrecht daran beschäch, wan es beredet was, dass man si ledig vnd los wider antwurten sölt *rr*).

47. Hertzog albrecht klagt dem künige [234]) ab denen von zürich.

Das gestuond nun also etwa vil zites, dass den hertzogen alweg dunkt, jm wäri nit gnuog beschechen nach des spruches sag, den der marggraf von brandenburg getan hatt, vnd: klagt dem künig fast ab [235]) vns von zürich vnd vnsren aidtgenossen, wir hettint jm vnrecht getan vnd alle tag tätint. vnd hettint jm das sin vor wider er vnd recht, vnd verklagte vns bärlich vnd fast *ss*).

48. Der römisch künig karolus welt den krieg verrichten.

Anno dni Mccclij, an dem nächsten samstag nach sant michels tag, do kam karolus der römisch künig vnd künig ze behem selbs gen zürich vnd hertzog albrechts rät mit jm, vnd lagent ze zürich in der statt vnz vff sant gallen tag, dass si alweg gern ain ganze richtung vnd [236]) ainen stäten frid vnd suon gemacht hettint zwüschent dem hertzogen von österrich vnd den aidtgenossen. Also tatent. des hertzogen rät gross zuospruch zuo vnseren aidtgenossen won lucern, von switz, von vnderwalden *tt*), wie si von alter har der herrschaft von österrieh zuo gehortint, vnd erzaltint vil sachen vor dem kaiser, dess sich aber vnser aidtgenossen redlich verantwurtent, vnd maintent, dass si niemand zuo gehortint denn dem hailigen rich, switz vnd vnderwalden. Die von vre [237]) machtent ooh kuntlich, dass si von alter her dem rich zuogehort hettint. Der hertzog hetti wol etwas rechtung, nütz vnd zins [238]) in iren landen, das wöltint si jm ooh wol gunnen. Also verhort der künig [239]) vnser vnd vnser aidtgenossen brieff, er verhort ooh des hertzogen rät vnd ire brieffe; also ward da kain richtung gemachet, ynd

---

[234]) kayser Hü. [235]) von Z. [236]) a. g. v. fehlt. Z. [237]) So interpunktirten Tsch. und Vad. genau. Z. hat „Schwiz, Underwalden und die von Ure." [238]) zins vnd. herrlichait Tsch. nütz, zins, rent vnd gült Vad. [239]) hier und in den Aufschriften „kaiser Tsch. Z.

rr) Cod. 657 p. 76. 77. 631 p. 356. Mit wenig Worten Cod. 643 p. 139.

Die ander rais für zürich. Do man zalt Mccclij do besamnot der hertzog alles das folk das er haben mocht vnd belag Z. mit zwain tusent gleffen vnd zechen tusent fuosgender gewaffnet. Do ward zuo jungst vbertragen, das die von Z. kainen burger me söltent enpfachen von des h. lüten, vnd söltent den grafen v. habspurg ledig lassen vss der gefaknuss vnd dem h. wider geben das tal glaris vnd zug vnd lutzerne. Dis geschach vnd ward ain gesworner sön vnd frid gemacht zwüschen dem hertzogen vnd den v, Z. Darnach verbundent sich die von bern zuo den von Z. vnd zuo den switzern, vnd lutzerne vnd zug vnd glaris verbundent sich ooh zuo jn vnd woltent nüt des hertzogen sin. Königshofen Cod. 632 p. 377, vergl. mit Cod. 629 p. 245.

ss) Mit wenig Worten Codd. 657. 631. 643.

tt) Uri, als anerkanntes Reichsland, ist hier absichtlich nicht erwähnt.

vff sant gallen tag kam dem künig botschaft ernstlich, dass er enweg
muost von siner notturft wegen, vnd also fuor er den rin ab vnd des her-
tzogen rät mit jm, vnd ward die sach also gestellt [240]) bis dass der künig
her wider kam *uu*).

49. Der künig kam wider gen zürich.·

Diss gestuond also in frid unz in die osterwuchen Anno dni Mcccliiij,
do kam der künig wider den rin uf [241]), vnd kam aber gen zürich,
vnd bracht och mit jm des hertzogen rät von österrich, vnd hetti
aber gern ain richtung gemachet [242]), zwüschent dem hertzogen vnd
vns, also dass wir vnd vnser aidtgenossen alle vnser sachen ganzlich dem
künige [243]) getruwet hettint vnd an jn gelassen, wan der hertzog hatt dem kü-
nig vertruwet vnd an jn gelassen [244]) alle spenn vnd stöss vnd alle sachen, so er
mit vns ze schaffend hatt; das hettint, wir och gern getan vad hettint alle
vnser sachen an jn gelassen, also wit [245]) dass vns nieman gesprochen
hette an vnser aid, vnd dass wir beliben wärint. bi vnser püntnuss, die wir
zuo ainandern gesworen hattend, vnd bi vnseren frihaiten vnd guoten ge-
wonhaiten, dass wir darumb versicheret [246]) wärint. Das mocht aber nit
gesin vnd kain fürgang han, wir wöltint denn der sachen ganz on alle
fürwort dem künig getruwen vnd vff jn komen [247]). Das kundent noch
mochtent aber wir nit getuon, wan wir vns fast entsassent in den sachen.
Also wolt der künig [248]) nit me [249]) von den sachen hören, vnd wolt och
nieman me darin lassen reden; also fuor der künig wider enweg vnd belaib
die sach vngericht [250]) zuo der zit.

50. Der künig fuor von zürich, vnd machet ainen frid.

Als nun der künig von zürich schied, vnd er die sachen nit gerichten
kunt, do machet er ainen frid zwüschent dem hertzogen vnd den aidtge-
nossen, der ze baiden tailen [251]) stät vnd fest beliben sölt, bis dass [252]) jn
der künig selbs mit sinen besigloten brieffen absaiti, vnd darnach sölti der
frid dennocht vier wochen wären. Des selben frides was das gemain land
fro, wan wir maintend, er sölti gar lang wären, vnd getruwtent dem künige
so wol, er sächi lieber frid in dem land denn vnfrid, wan wir dem hailigen
rich zuo gehortent, dess er ain beschirmer sin sölti, vnd sich och schraib
ain merer des richs.

51. Der künig sait selber den frid ab.

Diss gestuond nun also unz [253]), dass der künig ward den frid absa-

---

[240]) bestelt Z. zogen Tsch. [241]) den rin wider uf Z. [242]) ain frid gemacht und ain
richtung Z. [243]) d. k. fehlt Z. [244]) wan der hertzog — gelassen fehlt Z. und Hü.
[245]) wit fehlt Z. und Hü. [246]) besorgot Z. und Hü. versorgt Vad. [247]) laussen Z.
[248]) wolt man Z. er Vad. [249]) nit fürbass Tsch. Z. Hü. [250]) folgendes fehlt Z. Hü.
[251]) stüend und Z. [252]) unz 806. Hü. [253]) unz blos Z. und Vad.

uu) Nur etwas kürzer, aber immer dieselbe Quelle, Cod. 657 p. 77. 631 p.
357. weniger 643 p. 139.

gen mit ainen brieffen, als er es verlassen hatt, dass der selb frid us was vff den nächsten mentag nach sant jakobs tag anno dni Mccoliiij, vnd galich als der frid usgieng, was aber hertzog albrecht komen mit grossem volk herus von österrich, vnd lait sich aber für vnser statt zürich mit aller macht vnd mit grossem her zuo der glatt [254]) vnd wuost [255]) aber alles das er fand vnd gewuosten [256]) mocht vv).

52. Hertzog albrecht lait sich aber für vnser statt zürich.

Als nun der hertzog mit grosser macht an der glatt lag, do fuor graff hans von habspurg zuo vnd warb an dem hertzogen vnd och an vns. von zürich, dass man jm gunti mit jm selbs vnd mit der statt ze rappreswil still ze sitzen, diewil der krieg wärti, wan die selb statt verhergot vnd gewuest [257]) wäri, dass man sie zuo kainen nöten behaben mocht; also wurdent dem von habspurg dess brieff vnd gelüpt von dem hertzogen vnd och von vns von zürich.

53. Der hertzog brach uf, vnd nam die statt se rappreswil in [258]).

Als nun der hertzog wol acht tag vor vnser statt zürich gelag, vnd da wuost vnd verhergte [259]) was er fand, do truog aber graf hans von habspurg mit jm an, dass er ufbrach mit allem sinem volk an ainem samstag ze angender nacht, vnd wisst nieman war er wolt; vnd do es ward an dem sonntag fruo, do erst der tag her brach [260]), do warent si ze rappreswil, vnd hatt ir graff hans von habspurg gewartet, vnd antwurtet do graff hans hertzog albrechten die statt ze rappreswil in mit lüt [261]) vnd guot vnd hiess sin burger, dass si dem hertzogen swüerint vnd jn hettint [262]) für iren rechten natürlichen herren, daran vns von zürich gar übel beschach, wan wir wurdent dar durch fast geschadigot; wir wondent och gar sicher sin [263]) vor graff hansen von habspurg vnd vor siner statt rappreswil ww).

54. Hertzog albrecht buwet die statt rappreswil wider vnd das sloss.

Also nam nun der hertzog von österrich die verbrennte vnd wüeste statt rappreswil in [264]), vnd swuorent jm da arm vnd rich gemainlich als irem herren. Also lag er da mit grosser macht vnd mit gewalt, vnd huob an die statt widerumb ze buwen, vnd wer kam der werchen kund oder mocht oder werchen wolt, dem gab er sinen baren sold, vnd machet also die ringmur wider vmb die statt, die zerstört vnd verhergot was, als vor

---

254) statt Hü. 255) verdarbt Tsch. 256) verderben Tsch. 257) verderbt vnd verhertget Tsch. gewüest und gehergot Z. 258) fehlt Z. 259) gehergote Z. verdarbt Tsch. 260) gieng Z. 261) lib Z. 262) v. i. h. fehlt Z. 263) dass wir fast sicher wärint Tsch. 264) die brend und die gewuosten statt in Z.

vv) Wieder beinahe wörtlich Cod. 657 p. 77. 78. 631 p. 357. 358. 643 p. 139. nur kurz.

ww) Cod. 657 p. 78. 631 p. 358. 643 p. 140. mit wenig Worten.

geschriben stat, denn dass si on etlichen orten hülzin getüll wider gemachet
hattent vnd mit armuot wider gebuwen als si möchtent. Vnd do nun also
der hertzog die ringmur wider vmb die statt gemachet, wo es sin notturftig
was, vnd jn dunkt [265]), dass man die statt wol beheben möcht zuo allen
nöten, do gab er den burgern gross frihait vnd wess si jn batent, durch
desswillen, dass si ir hüser wider buwtint, vnd sich wider in die statt zugint.
Er hiess jm [266]) och die vesti [267]) in der statt buwen in der masse als si
vor gewesen [268]) was, vnd besatzte die och wol.

Man sol och wissen, die wile der hertzoge ze rappreswil lag, vnd die
statt buwet, dass er vns vnd den vnsren grossen schaden tät; er wuost [269])
den see zuo beiden siten, was denen von zürich vnd den iren zuo
gehorte xx).

55. Die slacht ze mailan an der letzi.

Der herzog vernam och dass wir ze mailan an der letzi volk hettint
ligen, vnd sin da wöltint warten; vnd do es ward an vnser lieben frowen abent
ze mittem ogsten, do kam vil volkes von rappreswil herab vnd gewunnent die
letzi ze mailan, vnd ersluogent an der letzi wol bi fünfzig mannen, vnd
brantent vnd wuostent [270]) was da was, vnd zugent wider haim gen rapp-
reswil yy).

56. Der küng leget sich och für zürich.

In diesen tagen kam der römisch künig karolus von behem mit vil
volkes vnd mit grosser macht, mit vil fürsten vnd herren vnd mit des richs
stetten zz), vnd lait sich och für vnser statt zürich an die glatt, da der
hertzoge vor gelegen was. Vnd do er zwo nächt da gelag [271]), do brach
er uf vnd zoch hinüber zuo dem kalten stain gen dem see, vnd brach och
hertzog albrecht uf ze rappreswil vnd kament zu ainandren, der künig vnd
der hertzog, zuo dem kalten stain, vnd also zugent si da mit ainandren
mit grosser macht vnd mit grossem gewalt vnd laitent sich für vnsere statt
zürich ob der klosen, vnd vnder der klosen [272]), vnd brantent vnd wuostent
was vor der statt was, das si vor nit gewüest hattent, vnd sluogent die reben
vss, vnd an dem samstag, das was an des hailigen crützes abent ze herbst,
do zugent si obnen durch hottingen vnd ob fluntren hin und verdarbtent [273])

---

265) beducht Z. 266) nu Z. 267) das sloss Tsch. 268) gesin Tsch. 269) verdarbt
Tsch. 270) verdarbten Tsch. 271) Dieser Anfang fehlt Z. 272) an die Klosen Z. ob
der klose vnd an die klose Hü. ob der klose vnd an der klose 657 p. 79. an die klos
ze stadelhofen 643. 273) wuostent Z. Vad.

xx) Fehlt in den 3 Codd. 657. 631. 643.

yy) Cod. 657 p. 79. 631 p. 358. Nur berührt 643. p. 140.

zz) mit vil volkes von behaim vnd mit allen des richs stetten von dem
rine vnd von swaben vnd all die namhaftigen graffen, herren, byschof vnd ander
fürsten, die in römschem rich warend Cod. 651. p. 358.

was si fundent, vnd laitent sich an die spanweid zuo dem[274]) ussern ketzi-
graben, vnd lagent da vor vnser statt mit grossem gewalt.

57. Der herren namen die vor zürich sind gelegen.

Diss sind der fürsten vnd herren, och der stett namen, die
mit ir selbs lib vor zürich gelegen sind vnd die da denen von zürich abge-
sait[275]) hattent; es sind och etlicher herren vnd stett namen, die vor mit
dem hertzogen vor vnser statt zürich gelegen sind, vnd die nu zemal mit
dem künig vnd mit dem hertzogen nit vor vns lagent.

Des ersten karolus der römisch künig vnd künig zuo behem, albrecht
hertzog zuo österrich, marggraf ludwig von brandeuburg, eberhart graf zuo
wirtenberg, der des hertzogen kriegshoptman was, ludwig graf zuo öttingen,
fridrich graf zuo öttingen, aber graf fridrich zuo öttingen, zwen grafen von
smalnegg, graf fridrich von ortenburg, der burggraf von nürenberg, zwen
grafen von tettnang, graf eberhart vnd graf hainrich von nellenburg, graf
wilhelm von kilchberg, zwen grafen von fürstenberg, graf ruodolf vnd graf
hartmann von werdenberg, der graf von mäggburg[276]), des grafen diener
von safoy, der graf von hochberg, dri grafen von tierstain, graf ymer von
strassberg, der graf von kyburg, der graf von nüwenburg, der graf von
nidow, graf peter von arberg, graf hemann von froburg, der graf von zolre,
der bischoff von wirzburg, der bischoff von frisingen, der bischoff von
babenberg, der bischoff von basel, der bischoff von costentz, der bischoff
von chur, der hertzog von vrslingen, hertzog fridrich von tegg, vnd darbi
vil herren, ritter vnd knecht, deren namen hie nit verschriben stand aaa).

It. an sant bartlomeus abent zugent die von costentz vss zuo künig
karolus vnd hertzog albrechten von österrich anno dni Mcccliiij.

58. Das sind der stett namen[277]).

Dise nachbeschribnen stett sind och mit den herren vor zürich gelegen:
strassburg, basel, friburg im brissgöw, brisach, nüwenburg, soloturn, costentz,
schaffhusen, bern vnd wil, vnd vil ander stett, die vor mit dem hertzogen
vor zürich gelegen warent, deren namen hie nit alle geschriben stand bbb).

59. Das her brach uf, vnd zoch enweg.

Do man nun also vor vnser statt zürich lag mit aller macht vnd mit
grossem gewalt, do stiessent wir von zürich des richs panner vss vnd
manotent den kaiser, dass wir doch anders nieman zuo gehortint denn dem

---

274) enhalb dem 657. 631. 275) widersait 806. Z. Hü. Vad. 276) magberg Z. meg-
tenberg 657. mädenburg Vad. 277) fehlt Z.

aaa) In Codd. 657. 631 nicht sehr genau. Besser 643 p. 140.

bbb) In Codd. 657. 631 u. 643 fehlt Wil, heisst es aber in ersterm p. 75
am Ende: der hertzogen sind iij, der byschofen v, der grafen xxviij, der stetten
sind viij.

hailigen römischen rich, dar wider wir och niemer getuon wöltint; wir wöl-
tint jm. och gern gehorsam sin als ainem römischen künige zuo des riches
handen, wan wir das²⁷⁸) billich vnd recht tätint. Vnd do der künig hort
vnd sach vnsern glimpf, vnd dass wir gern gehorsam wöltint sin, vnd also
morndes fruo ward an dem sonnentag, das was an des hailigen crützes tag
ze herbst, do brach das her mit ainandren uf vnd zugent enweg. Vnser
statt zürich was och not dass wir me gnad hettint an dem künig denn
wir hettint an hertzog albrechten von österrich vnd an den sinen, vnd dass
wir besser fründ an herren vnd an stetten hettint die vor vns lagent, wan
der selb hertzog hett vns gern fast we getuon, wan es was ganzlich wider
jn, dass der künig ufbrach vnd er dannen muost ziechen ccc).

_____

²⁷⁸) von Z. Vad.

ccc) Fehlt ganz in Cod. 657. 631. 643.

Die dritte vnd gröste rais für zürich. Do man zalt Mcccliiij do
kam kaiser karle gen elsäs vnd fuor der hertz. v. Oe. zuo dem k. vnd klagte jm
wie gros vnrecht die v. Z. vnd switz jm tätent, vnd bat den k. das er jm
beholffen wär wider die v. Z. vnd ouch sw. Do fuor der k. zuo jn gen Z. vnd
sprach das si dem h. das sin liessent, lutzern, zug vnd glaris. Do antwurtent
die von Z. si wöltent dem h. tuon was si jm von recht tuon söltent, aber si
weltent den von zug vnde lutz. vnd gl. beholffen sin, wan si hettent zuo jn
gesworn vnd zuo jn verbunden. Do sprach der k. zuo den von Z. si hortent an
das rich vnd möchtent kain verbuntnuss tuon an (ohne) aines künges od. ains
kaisers willen, vnd darvmb söltent si den aid vnd den bund ablassen. Do ant-
wurtent die von Z. si wärent ainfeltig lüt vnd verstüendent sich nüt vff sölich
sachen, wan das si gesworn hettent, das wöltent si ouch halten. Do der k. nüt
anders an jnen finden kond, do rette er mit jnen, er wölte lutzern vnd zug an das
rich kouffen, wan von der selben zwaier stett wegen menig gros krieg vnd vnfrid
wär vfferstanden, vnd wölt dem h. ander stett geben zuo Oe. die besser wärent,
vmb das dirre krieg verricht wurd. Do dis der hertzog enpfand, do ward er
zornig vnd sprach, er wölt e des k. guot kouffen denn der künig jm sin guot
abkouffte. Do sprach der k. er wand (wähnte), das er dem h. damit lieb täte;
sid es aber den h. verdrüsse, so wölt er selb mit allen stetten des riches ziechen
für Z. Dornach mant der k. vnd der h. all ir stett, fründ vnd herren, vnd zogtent
mit ain vnzalichen folke für Z. in dem ougsten. Die von strasburg schiktent dem
h. zuo helfe C gleffen, die besten vss der statt, vnd ccc gewaffent, der rittent je
vj vff aim wagen; wan si warend in aim bund mit dem h. Dasselbe tatent ouch
die andern stett vff dem rin vnd in swaben. Sus lag ain gros vnzalich folk vor
Z. vnd verhergetent das land da vmb; doch mochtent si die statt nüt gewinnen.
Nun hettent die von Z. vnd switzer ain tieffen graben vmb sich gemacht vnferne
von der statt, vnd laitand sich da vnderwiland zuo velde. Do woltent die vsseran
mit jn gestritten han. Do sprach der byschoff von oostentz, er vnd sin volk
wärend swaben, vnd wöltent den vorstrit han, als es von alter her wär komen.

60. Der hertzog besatzt sine sloss, vnd krieget täglich vff die von zürich.

Als nun das volk alles mit ainandern enweg.zoch, do hat der hertzog alle sine sloss vnd stett wol besetzt, vnd was an vns stiess das raiset [279]) alle tag vff vns vnd schadgot vns vnd wir die sinen och [280]) wo wir kundent. Vnd do es ward an der pfaffen [281]) fastnacht *ddd*) fruo anno dni Mccclv, do kam des hertzogen *eee*) volk wol bi [282]) fünfhundert pfärit vnd hattent och bi inen [283]) drühundert *fff*) ze fuoss, vnd kament an die silen, vnd brachent die letzi haimlichen uf, dass wir sin in der statt zürich nie innen wurdent, vnd stiessent für in [284]), vnd brantent die.hüser an der sil; vnd do wir in der statt das für sachent vnd das geschrai hortent, do zugent wir zuo rennweger tor vss vnd fachtent mit inen, dass si flüchtig wurdent vnd grossen schaden empfiengent. Vnd also sluogent wir si erlichen dannen *ggg*).

61. Der landtvogt bracht vil vnger mit jm heruf in das land.

Das bestuond nun also dass vil sachen hie zwüschent beschachent [285]), die hie nit verschriben sind *hhh*); doch vff den fünfzechenden tag des brachots anno dei Mccclv, do kam aber ain lantsherr [286]) von österrich, hiess der buochhaimer, der was des hertzogen lantvogt, vnd bracht mit jm wol fünfhundert [287]) vnger, die vff disen tag ze wintertur inrittent, vnd tailtent

---

[279]) vnd raiset Z. Hü. [280]) och fehlt Z. [281]) herren Tsch. [282]) mit Z. [283]) fehlt Z. [284]) vnd laitent für in Tsch. [285]) beschach Z. Hü. [286]) lantherre Z. [287]) so 806, Vad. Z. Hü. 657. 631. Grebel, Rhan. Tsch. und sein Chronikon fünfzechen hundert.

Do sprach der hertzog, er wölt den strit mit siner baner vnd mit sim volk anfachen. Do sprach der byschoff; so wil ich den swaben ir recht nüt minderen, vnd fuer er vnd die swaben weg, vnd ward nüts vss dem stritt. Do nu der k. vnd der h. vff siben woochen vor Z. gelegent, do wolt der k. nüt langer de beliben vnd fuor enweg mit. den sinen. Do fuorend die andern ouch enweg. Do leit der h. sin volk in die stett da vmb vnd hiesse si.die strassen verhalten, das man kain spis dem von Z. bröhte, vnd fuor er ouch enweg in der mainung das er für Z. wider wölte ziechen. Dar nach batteletent die von Z. mit des h. folk dike, das zuo baiden siten vil erslagen wurdent vnd gefangen. Zuo jungst ward der krieg verricht, vnd wärt die richtung nüt lang. Königshofen Cod. 632 p. 377—379.

ddd) am sunnentage Cod. 657. 631.

eee) der hertzogen von österrich vnd der lantlüten Cod. 657.

fff) hundert Cod. 657. 631.

ggg) Do wurdent der vygend wol sechzig erschlagen, der belibend wol sechs vnd drissig vf der walstatt by vns tod, die andern fuortand si wund mit inen hain, die aber der selben sach sturbend. Cod. 657 p. 80. 631 p. 359.

hhh) Diss stuond also das si darnach nit zuo vns kamend vnts — Cod 657 oit, zu inen 631.

sich da, ain tail vff die nüwen regensperg²⁸⁸a), vnd ain tail gen baden. Die selbigen vnger tätent vns och grossen schaden vnd vff ze laid²⁸⁸b), wan es was selten. kain tag si kämint zuo vns vnd für vnser statt mit iren bogen, vnd ander volk mit inen, vnd zecketent²⁸⁹) mit vns vnd wir mit inen. Ir verlor och etwa menger vor vns²⁹⁰) vnd kament vmiii).

62. Der krieg ward ganzlichen verricht

Diss gestuond aber, dass vns der hertzog mit täglichem krieg schadgot wo er kund oder mocht, vnd wir jn och bis vff den nächsten sant jacobs tag des vorgenannten jares, do ward ain tag beredt vnd gesetzt gen regen-spurg kkk), da wir vnser erber botschaft och hin sandtent. Also redtent²⁹¹a) der kaiser vnd erber herren²⁹¹b) darin vnd ward der krieg ganzlich gericht vmb alle sachen. Der selben richtung wir och brieff habent besiglot mit kaiser karolus insigel vnd och mit hertzog albrechts von österrich insigel²⁹²).

63. Hertzog albrecht macht sinen canzler bischoff ze costentz.

Anno dni Mccclij do machet hertzog albrecht von österrich sinen canzler johannes windegger²⁹³) von schaffhusen zuo ainem bischoff ze costentz, vnd ward bestät vom bapst innocentio dem sechsten²⁹⁴), decimo kalendas januarii.

64. Diser bischoff ward ermürt²⁹⁵).

Anno dni Mccclv an sant agnesen tag ward der selbe bischoff ze²⁹⁶) costenz in der pfallenz ob dem nachtmal erslagen vnd jemerlichen ermürd t, do er sich vor nieman wisst ze hüeten. Bi disem todslag warent herr walther von stofflen ritter²⁹⁷), eglin von empts, vad von etlichen burgern von costenz²⁹⁸), mit namen: strüblin goldast, von aim swartzen, von aim roggwiler vnd aim wiener. Die muostent vom land wichen. Aber in ainer andern cronik hab ich funden, es habint es zwen von stofflen getan, warent gebrüeder, vnd zwen swarzen, och gebrüeder, ritter²⁹⁹). It. dieser bischoff was ain fromer herre vnd gesprach nie kain wort denn: maria, gottes muoter, hilf dinem getrüwen capplan lll).

288a) regenspurg Z. Vad. 288b) vns och gar vil ze laid tatent Vad. 289) zickten Z. zanketent Tsch. 290) Folgendes fehlt Z. Hü. 291a) rait Hü. 291b) lüte Vad. 292) Ueber dies Königshofen S. 326. 327. 293) windegg Z. Vad. Er hiess von Windlock. 294) Datum fehlt Z. 295) fehlt Z. 296) von Z. 297) so interpunktirt Tsch. genau. Eben so Schodoler und Tschudi. Z. verbindet „ritter" mit Eglin. 298) In Z. und Hü. fehlt alles Folgende bis „diser bischoff". Wörtlich so in Schodoler I, 140. 141. 299) Cod. 806 p. 263.

iii) Kürzer in Cod. 657 nnd 631 citt.

kkk) Hü. und Cod. 657 verschrieben regensperg. Sonst beinahe wörtlich p. 80 und 631 p. 359.

lll) In dem jar do man zalt von criste geburt Mccclviij (sic) xv. kal. jan. ward der selb innocencius bestätigen des lamen hertzogen albrechts cantzler ze byschof ze costentz vnd hiess der byschof johannes. Den erschluogand, et-

65. Die von bern swuerent och zue den aidtgenossen.

In diesen tagen do, verbundent sich die von bern och zuo den aidt-
genossen, vnd besunders zuo den waldstetten, anno dni Mccliiij*mmm*).

66. Ain kalter winter.

Anno dni Mcccliiij [300]) do was der winter als kalt, dass der zürichse
überfror, dass man von rappreswil gen zürich über den se zuo den swirnen
in [301]) rait vnd gieng, vnd mit geladenen karren fuor, vnd wäret die kelti
vnd das is unz vff den karfritag, dass man allweg zoch vnd rait über den
se, vnd gieng morndes an dem osterabent das is alles enweg [302]). Die
wilden enten flugent och in die statt zürich [303]), vnd assent mit den zamen
enten. Des selben jars erfrurent och die reben allenthalben an dem see,
dass man si muost usslahen *nnn*).

---

[300]) Vgl. Cod. 631 p. 361. Tschudi hat an den Rand notirt 1364. [301]) „gen zü-
rich — in“ blos Z. und Hü. [302]) das man alwegenzuo über den se reit vnd gieng,
und morndes a. d. o. was d. i. a. e. Z. Hü. [303]) Es flugent och d. w. e. Z. Hü.

lich von costentz in sinem hus ob tisch ze nachtmal. Der schilt mit dem roten
crütz ist des selben byschofs zaichen.

Darnach in dem nächsten jar käm küng karolus, der da kaiser erwelt
ward in dem jar Mcccxlvj (sic) gen costentz mit gar vil gaischlicher fursten vnd
herren, da er gar erlich enpfangen ward. Do fuor er gen sant gallen vnd hiess
im sant gallen vnd sant othmars greber vf tuon, vnd nam jetweders houbtes
den mertail. Dz selb tett er ouch in der richen ow sant marcus houpt des
ewangelisten vnd ander vil hailgen, vnd ze costentz nam er ain schultern sant
pelagii, vnd fuort es alles gen brage. Cod. 657 p. 44.

mmm) Do man zalt Mcccliij iar, ward ain ewiger bundt gemacht zwü-
schent den waltstetten vnd denen von bern, als die brieff darumb wysendt.
Cod. 629 p. 275. Zü. hat gar 1357. Bei Tsch. hier als 9. Zeichnung Bern's
Wappenschild.

nnn) — do ward der winter so kalt vnd so lang vnd stark, das der zü-
richsee überfror, und das man darvff allenthalben wandlet ze ross vnd ze fuoss,
vnd grosse fuoder dar vff fuorte mit wägnen vnd mit karren vnd mit schlitten.
Vnd wärte der gross frost von dem vnd es anvieng vntz vff den nächsten stillen
fritag; darnach morendes am osterabend zergieng das ys gentzlich vnd verrann,
das man es nit me sach, vnd von dem selben frost wurdent die reben als schwach,
das man si vss dem herde vss schlahen muost. Vnd in der kelti des selben
winters wurdent die wilden wasser vogel von rechtem hunger als zam, das si
zürich in der statt flugend mit den zamen enten, assent das inen die lüt gabend.
Cod. 657 p. 82. 83. Etwas anders stylisirt 631 p. 361. In 643 p. 141 „— das
man dar über fuor mit gladnen wägen von rapperswil herab bis gen Z. ze den
schwirnen jn, vnd gieng man darüber.

67. Ain grosser erdbidem an vil orten.

Anno dni Mccclvj an sant lucas tag ze herbst kam der [304]), gross e r d -
b i d e m, dass vil stett vnd burgen nider fielent, vnd grosser schad beschach.
Des ersten fiel basel nider vnd verbran; es verfielent [305]) och etwa vil lüt
darinn. It. die statt ze villaeh, das stettli liechtstal, die burg [306]) honberg,
zwo tellsperg [307]), zwo schonenberg [308]), it. drü sloss hiessent alle drü warten-
berg, it. kienberg, varnsperg, gilgenberg, münchsperg, löwenberg, herten-
berg, mörsperg, tierstain, bischoffstain, wildenstain, nüwen engenstain,
angunstain, richenstain, hagenbach, branbach, froburg, hasenburg, landeser,
münstrall, stainbrunnen, büttingen, ottlikon [309]), hertwiler, die burg ze alt-
kilch, zwo bietikon, waldkilch, büningen, günteltingen, birsegg [310]), dornegg,
pfäffingen, sengür [311]), bürron, dryesche, zwo lantskron, zwo eptingen, madlen,
münchenstain. Es fielent och des selben mals alle die kilchen, die zwüschent
basel vnd nüwenburg warent ooo).

68. Hertzog albrecht von österrich starb.

Anno dni Mccclviij do starb der hochgeboren fürst [312]) hertzog a l b r e c h t
von österrich ze mittem höwat, der vns vnd vnsren aidtgenossen vil ze laid
getan hatt [313]). It. er was lam worden, ee er starb [314]), das man jn tragen
muost; er mocht och nit anders riten denn vff ainer rossbar, vnd was doch
ain mannlicher, hefftiger man vnd ain vnverzagter herr [315]) ppp).

69. Die brugg ze rappreswil ward gemachet über den see.

Anno dni Mccclviij wmb sant johans tag, des töffers, fieng hertzog
ruodolf von österrich ain brugg an ze machen von r a p p r e s w i l [316]) über
den see gen hurden, vnd hatt vil maister, die jm dar zuo rietent, vnd jm
das wasser massent vnd die brugg hulfent slachen vnd machen. Er was

---

[304]) diu Z. Hü. [305]) verfiel Z. Hü. [306]) vesti Z. Hü. [307]) felsperg Z. [308]) schö-
nenberg Tschudi's *chron.* schowenberg Z. Hü. [309]) Etlikon Z. [310]) brisegg Z. Hü.
[311]) hier bricht Z. den Artikel plötzlich ab. Saugen, *Soyhière!* [312]) Titel fehlt Z.
Hü. [313]) hatt thon Tsch. [314]) fehlt Z. Hü. [315]) Tschudi am Rande: ja boshaft. [316]) fehlt
Z. hat aber Hü. auch.

ooo) Do man zalt von cristi geburt Mccclvj jar, an sant lucas tag vnd in
der nacht vnd by dryen tagen darnach kamend gross erdbidem in das
land in costentzer vnd in basler bystum, vnd da by in vil stetten, dz vil stett,
burg, kilchen vnd ander kostlich büw vielent, vnd och vil lüten verdurbend, vnd
sunderlich die statt basel vnd liestal, vnd och xlvj bürg; allein in basler bys-
tum verfielend lxxxiiij bürge, vnd was grossi not vnd arbait, sunderlich ze ba-
sel. Cod. 657 p. 45. 82. Nur kurz berührt 643 p. 141. Mehr Closener p.
113, der „obewendig basele wol lx burge" zählt. Vgl. Tschudi L. 447. Dacher
p. 109 zählt in den Sprengeln Konstanz, Bysanz und Losanne 84 Burgen.

ppp) Kaum berührt 657 p. 82.

7 *

ain fromer wisser herre, vnd maint man, dass er das tät den mertail von den armen bilgri wegen *qqq*).

70 Es kam ain grosser tod vnd türe.

Anno dni Mccclxij do was ain g r o s s e r. t o d im land.. Des selben jars im rebmonat, im merzen, im aprellen starb vil vichs von rechtem hunger vnd von frost, als lang wäret der sne vnd die kelti; es was och des selben jars vil höwes verdorben von hitz, dass man vil viches nider muost slachen, dass es nit hungers sturbe.

It. man gab des selben jars ain malter sprüwer vmb dri schilling pfennig, vnd alle ding warent tür. Es enttaktent och etlich lüt in den dörfarn ir hüser, die mit strow gedeckt warent, vnd gabent es dem vich ze essen *rrr*).

71. Hie wird gesait von den ersten engellendern.

Anno dni Mccclxv an sant volrichstag kam ain gross volk gen elsas über die staig herin, die man namt die e n g e l l e n d e r; der selben gesell-schaft houptmann hiess der erzpriester. In dem selben volk warent

──────────

qqq). Nur kurz erwähnt 657 p. 82. 643 p. 141. Vnd wan vnser aidgnossen vnd vns tuochte, das jnen vnrecht beschehe, als wir z u g die statt, die wir mit grossen arbaiten in dem krieg gewunnen hattend, die wir der herrschaft von österrich wider muostend geben, die selben von zug aber ewiklich zuo vns vnd zuo vnsern aidgnossen ain buntnuss geschworn hattend, vnd vns och all vnser bund vnd aid in der richtung vor behebt warend, darumb so staltand. vnser aidgenossen von schwitz darnach, das si vnd, och wir by den aiden belibent, vnd kurtzlich nach der vorgesaiten richtung namend die vorgenannten von schwitz die vorgenempten statt zug in vnd ernüwrotand mit den burgern daselbs die aid vnd die buntnüsse, als si vnd ander aidgnossen vor zuo inen geschworn hattend. Das beschwärt die obgenannten herrschaft vnd vf diss zit was hertzog albrecht von diser welt geschaiden, vnd was die herrschaft an hertzog ruodolf komen, won er der eltost was vnder hertzog albrecht vnd hertzog lüpolt, sinen bruodern. Des, hettent die selb herrschaft etwas gern getan zuo der sach, als zug ingenommen was. Dorunder rittend wir die von zürich vnd hattend dar vm gross kosten vnd arbait, das die sach do ze mal vertädinget ward vnd ze friden kam, also das die von zug vnd das ampt der herrschaft von österrich geben vnd uns richten sölte was si inen billich geben söltind, als si von alter her komen wärind, vnd das die selb herrschaft ain ammann ze zug von dem lande ze schwitz setzen süll, der da ze ir wegen richten söllt, als och die selb herrschaft von alter her komen wäre. Vnd also ist es zwischen der obgenanten herrschaft vnd vnser aidgnosschaft in sätzen vnd guotem friden gestanden etwa menig jar.. Cod. 657 p. 81. 82. 631 p. 360.

rrr) Fast wörtlich in 643 p. 141 mit dem Schlusse: Vnd gab inen dar nach im nechsten jar ein müt kern vm xxxiiij β.

xxxtM sss) pfärit, vnd darzuo vil fuossknecht [317]). Vnd also kāment die
selben engellender in der nacht gen küngshofen bi strassburg vnd bran-
tent da etwa menig hus. Vnd do es morndes fruo ward, do rittend si zuo
der statt strassburg zuo dem galgen vnd da vmb, vnd hieltent also vor
der statt vnd enbutent denen von strassburg, in die statt, ob si mit inen
wöltint fechten, so wöltint si irer da warten, vnd wöltint si da redlich bestan.
Also zugent die von strassburg mit irem panner für das münster, ritter vnd
knecht, edel, arm vnd rich vnd alle zunfte, vnd jederman gewaffnot zum
besten dass er mocht, ze ross vnd ze fuoss. Es warent och alle dorfflüt
in die stett vnd in die sloss[318]) geflohen, dass niemand vff dem land was.
Als nun die von strassburg hieltent vor dem münster mit grossem volk, do
wär ain tail gern hinus gesin vnd hett gern mit den engelschen gefochten;
ain tail wolt doch nit mit inen fechten, wan der engelschen was ze vil[319]).
Vnd do die Engellender sachent, dass die von strassburg nit mit inen
woltend fechten, do laitent si sich in alle dörfer vmb strassburg vnd in dem
bistumb vmendum, vnd was si fundent, das was verlorn; doch hattent die
herren im elsass fast geflöcht. Aber die puren wottent nit glouben, daz
niemand als mächtig wäri, der mit gewalt dörst in das land züchen, darumb
wurdent si fast geschadgot. Was lüt die engellender ergriffend, denen
tätent si gross marter an vmb guot; si schatztent die richen vmb guldin,
vmb hengste vnd vmb tuoch, wan ir ding[320]) was allain vmb guot. Si
schatztent die armen vmb ross isen vnd vmb rossnägel vnd vmb schuoch,
vnd darnach vmb alles, das si haben mochten vnd vermochtent.
It. die von strassburg liessent deren enkaines vss der statt gan, darumb
man geschätzt was, wo si es innen wurdent. Wo si frowen oder tochtern
wusstent oder begraiffent, mit denen traiben si iren muotwillen. It. si ver-
brantent wenig[321]) dörfer denn[322]) die von inen selber angiengent; si trow-
tent wol fast, si wöltint das land gar verbrennen, man gebe inen denn guot;
aber man wolt inen nüts[323]) geben, vnd schuof das man forcht, geb man inen
jetz guot, so kämint si hernach aber vnd dester ee wider in das land, wan
es warent alles nu guot gewinner. Es getorst och nieman wandlen in dem
land on ir gelait oder on ir warzaichen[324]); vnd wen si trostent, so hieltent
si es och stät, wiewol jederman inen übel getruwet.
Dise engellender hattent lange kostliche[325]) klaider an, vnd hattent
gar guoten harnast vnd baingewand an; si hattent och spitz huben uf vnd
warent gar wol gerüst[326]). Da von kam der sitte vss zuo elsas, an den
rin vnd in alle land, dass man lange klaider vnd scheggen[327]) truog, vnd

---

[317]) fuozgender. fuossgänger Hü. [318]) festinen Hü. [319]) so auch Königsh. [320]) alles
ir werben Z. Hü. [321]) menig Z. [322]) fehlt Z. [323]) kain guot Z. Hü. [324]) so auch
Königshofen Cod. 630. 632. aber 6?9, 631 und Z. Wortzaichen. [325]) kostbär Z.
und Kön. [326]) bezügt Z. Hü. [327]) so auch Kön. Tsch. hat hussecken.

sss) So auch Königshofen Codd. 629. 630. 631. 632 und Tschudi I. 462. —
Zü. und Rhan 4000.

man baingewand vnd spitzhuben liess [328]) machen, denen man noch gewonlich spricht engelsche huben, das alles vor in disen landen vngewon was. Aber die armen vnder den engellendern giengent barfuoss vnd nackent. Das volk stürmt mengs stättlin vnd sloss [329]), aber si gewunnent kains, vnd schuof das dass si nit züg darzuo hattent. Was si klainer knaben fiengent, die behuobent si bi inen zuo rennern [330]); vnd traibent grossen muotwillen in dem land.

Als nun diss engellender in dem land allenthalben richsnotent mit gewalt on allen widersatz wol bi vier wochen, vnd kaiser karolus in disen tagen och in dem land was, als vorstat [331]), wan er lag zuo selse an dem rin, do ward das gemain volk sprechen, es wäri des kaisers schuld vnd getät [332]), wan er still lägi vnd nüts dar zuo täti. Also kament dem kaiser die näre für, es wäri ain gemainer lümd, die engelschen wärint durch ein empfelchnuss [333]) vnd durch siner pitt willen in das land komen. Also enbot der kaiser denen von strassburg, dass si nach iren fründen vnd helfern staltint; er hab och geschickt [334]) zuo allen fürsten vnd herren vnd zuo des richs stetten, vnd hab si hoch gemanet, dass si zuo jm kämint mit grosser hilf, ze vertriben das bös volk, die engellender, wan er hab muot, so ernstlich darzuo ze tuon, dass man wol innen werd, dass jm laid sig, dass si das land also verderbint [335]). Also kam der kaiser haruf von selse gen strassburg mit vil grossen fürsten, herren vnd stetten, vnd mit ainem vnzalbarlichen [336]) volk, vnd sluogent ir gezelt vor strassburg bi sant arbogast uf, vnd da vmb allenthalben vff dem feld vnd in den dörfern. Also zugent die von strassburg vnd der bischoff och zuo dem kaiser, vnd sluogent ir leger [337]) och uf. Als nun der kaiser mit grossem volk da ze feld lag, do warent die engellender vmb bennfeld, tambach vnd vmb schlettstatt vnd da vmen, vnd zugent je ein wenig fürbass; vnd do der kaiser wol acht tag also still lag vnd die engellender allweg zuo in dem elsass liess richsnen, do giengent herren vnd stett zuo dem kaiser vnd sprachent: herre, wir sument [338]) vns übel da dass ir mit so grosser macht hie ligent vnd ir das böss volk lassent richsnen in dem land. Wir söltint inen nach ilen [339]), ee si vss dem land zühint, vnd söttint mit inen fechten. Do sprach der kaiser: es sind noch vil fürsten vnd herren, die mir verhaissen [340]) hand, zuo mir ze komen; deren sollent wir baiten, so mögent wir dester sicherlicher mit den engelschen fechten. Doch sach der kaiser wol, dass diss verziechen menglichem geriet [341]) verdriessen, vnd also brach er uf mit dem volk vnd zoch den engelschen nach bis gen colmar. Do nun die engelschen horten, dass inen der kaiser mit grossem volk nach zoch, do zugent si wider vss dem land, vnd sprach der erzpriester, der ir houptman was,

---

328) geriet Hü. 329) vestin Z Hü. 330) so Tsch. u. Z. Kön. hat „dienern". 331) Ist aus Königshofen mitgegangen („als vor ist gesait"). 332) getaut Z. gehaiss vnd geräte Kön. 333) sins empfelchens wegen Z. 334) gesant Hü. 335) wüestint Z Hü. 336) grozen unzallichen Z. Hü. 337) zelt Z. gezelt Hü. 338) samment Hü. 339) siechen Z. Hü. 340) versprochen Z. Hü. 341) so auch Kön. Z. hat „liez".

si wärint von des kaisers bet vnd gehaiss wegen in das land komen, vnd
hätte si der kaiser lasterlichen betrogen, vnd redtent dem kaiser übel zuo;
doch mochtent si jm wol[342]) vnrecht tuon. Vnd do die engelschen enweg
warent, do fuor der kaiser vnd jederman wider haim, vnd tatent grossen
schaden in dem land; si verderbtent[343]) alle frucht in dem elsas was die
vigent hatten lassen stan[344]), wan die raise beschach in der erne, vnd das
korn ward fast tür, vnd kam die andren jar vngewächs darnach, dass es
vj jar an ainandern tür was. Es kam och ain sterbat, also dass nach
disen engellehdern fast vil vnglückes in das land kam[ttt]).

72. Der win gefror an den reben.

Anno dni Mccclxx do ward es vor dem wymmot[345]) als kalt, dass der
win an den reben gefror, vnd wolt derselb win nie vergäsen bis ze pfing-
sten; man trank den ganzen winter most, der was sües als honig, vnd im
sumer ward er sur.[uuu]).

---

342) villicht Z. Hü., Kön. erklärt ihn schuldlos. 343) wuosten Z. Hü. 344) geleipt
haten Z. Hü. 345) Z. winmont Hü. winmonat. Es ist unser Wimmet (Weinlese), wie
Jeuet, Chrieset, Emdet.

ttt) Der Engländerzug ist, das Elsass betreffend, fast wörtlich wie in Kö-
nigshofen. Codd. 631. 632. Druck von 1698, p. 136 — 139.

uuu) Fast wörtlich 631 p. 361. 643 p. 141. 142 und 657 p. 83, letzterer
nur kurz, sagen wimnot, und ersterer „verjas".

Anno dni Mccclxx ze vnser herren, (Felix und Regula) dult do vieng her
brun, probst, den schulthaissen johans in der ow von lucern vff vnser
fryung, do si vss vnser statt rittend, vnd beschach das wider des burgermaisters
vnd des rates willen, vnd dar vm muoste der selb bropst vnd die im des hul-
fend, ewenklich von der statt sin. Cod. 657 p. 83.

Anno dni Mccclxx primo anno, an dem nechsten mentag nach dem ingenden
jar ward her eberharten brun ritter, frow katherinen siner muoter, vnd ir
junkfrowen vnd zwain irn knechten die statt zürich verbotten, von des mordes
wegen, das si begangen hattend an ainem von steg von vre, der vorgenannten
brunien bruoder. Cod. 657 p. 83. 84.

Do man zalt xiij hundert und lxxij do kam ain erdbidem am ersten tag
brachot früe. Dar nach am fünften tag, am sunnentag, ze vesper sach man ain
zaichen an oder by der sunnen, vnd vmb die sunnen ain ring vnd daby vnfern
zwai krütz. Des selben jars beschach grosser schad in acht stetten von brand
vnd von grösse der wasser vnd mord vnd manschlacht, strit vnd gross miss-
hellig vnder den richstetten in swaben. 643 p. 143. 631 p. 362.

Do man zalt Mccclxxiij iar, amedeus, graff von saffoi von einem teil vnd
denen von bern zuo dem andren teil, hand zuo samen gelopt ein ewigen bund,
das si ein andren beraten vnd behulffen sin söllint nach wysung der bundt brieff,
so in der statt kisten lygent. Cod 629 p. 275.

73. Ain grosse türe in allem land.

Anno dni Mccclxxv was es fast tür; man gab ain müt kernen vmb iij pfund vnd türer [346]); man sait och dass es in andren landen vil türer wäre, dass die lüt vor hunger sturbint, vnd vil grosser not sait man das selbig jar von türe *vvv*).

74. Die brugg ze zürich brach och nider.

Des selben jars fiel die nider brugg ze zürich in, do man ze pfingsten mit dem hailtum vff den hof gieng, vnd ertrunkent vil lüt [347]) *www*).

75. Es kament aber ander engellender in das land.

Anno dni Mccclxxv vmb sant niclaus tag zoch aber gar ain grosse gesellschaft heruss von wälschen landen an den rin. Die hattent vil zites *xxx*) in wälschen landen gerichsnot, vnd hattent sich och fast da gestercht vnd namtent sich engellender; aber es warent der minst tail von engellant, si warent vss britania [348]) vnd ander volk *yyy*), vnd was der herr von gusin vnd der herr von frant [349]) vnd ander gross herren, vnd hattent ain gesellschaft mit ainandren gemachet, vnd warent niemans fründ, wo si wisstent guot ze gewinnent. Es warent och etlich *zzz*) herren in disen landen, stett vnd herren, die man zech, si hettint haimlich gemainschaft mit inen, dass den selben herren die stett nit wol getruwtent; man forcht si och in allen landen, stett vnd herren, vnd wisst nieman über wen si wöltint, wan weiss si oberhand hattent, das was verloren. Man schatzt och dass ir wol hundert tusent *a*) wärint, wan es was gar ain gross mechtig volk, dass inen nieman mocht widerstan. Main sait och do ze mal für war, si wöltint über die herrschaft von österrich, vnd wölt der herr von

---

346) Z. hier und unten falsch türre. Vgl. Cod. 643 p. 141. 347) fehlt Z. ganz, Hü. hat es. 348) ez waren brittun Z. Hü. Vad. 349) Fraut und figent in Z. sind Schreibfehler.

vvv) Anno d. 1375 do was es so tür, das man gab ein müt kernen vmb iJ lib. vnd in ettlichen landen vmb iij lib. vnd vmb v lib. vnd vmb vij lib. vnd vmb x lib. vnd vmb xx lib. vnd in ettlichem vil lüt hungers sturbend. Cod. 643 p. 142. 657 p. 83. Darnach in den andern jaren kam misswachs, das dise türung wol sechs jar wert, vnd wenn koren vnderwilen abschluog in einer eren, das ein fiertel korn an acht β oder an zechen schilling, so schluog es in dem jare wider uff, also das ein fiertel korn gewonlich galt x β oder xij vnd dick ein lib. oder xviij schilling. Darzuo kament ouch sterbot, also das nach disen engelendern uil vngelücks kam in elsäs. Königshofen Cod. 631 p. 201.

www) Aehnlich 657 p. 83. 643 p. 142. Anno dni Mcccxvij do beschach der strit ze endingen. (Blos Hü.)

xxx) xxx jare Cod. 643 p. 142.

yyy) vnd kamen von dem vinstren lande, als jonas gewissaget hat cod. 643.

zzz) böss 643.

a) „die man schatzt für drümal hundert tusent" Cod. 657 p. 84. 631 p. 263.

gusin das land ze ärgöw han, wan es wäre vor ziten siner vordren gesin. Also hiess der hertzog lütpolt von österrich alles land vor den stetten wüesten vnd brennen, vnd die klainen stettlin [350]), die nit werlich noch fest warent, liess er slaizen, vnd flocht man in die guoten stett, vnd buwet man die noch bass, vnd wuost man die dörfer vnd was vff dem land was, dass nieman beliben kund. Man hüw och die böum vor den stetten all ab, vnd buwet jederman für die gesellschaft, wan man forcht si vmb vnd vmb, stett vnd herren [351]). Also zoch die selb gesellschaft in das elsass vnd den rin vf in das ärgöw vnd hettint gern fast gewüest; do hatt hertzog lütpolt das alles vor hin gewüest vnd brennt, vnd was alles geflöcht, dass si nüts fundent vor den stetten. Si mochtent och in dem land nit beliben, wan es was fast kalt, es was vmb sant hilarien tag, vnd kundent sich nit enthalten, denn dass vil volkes, ross vnd vich erfrorent [352]). Darmo mochtent si och nit spise haben; also zugent si ain tail gen bern in uechtland [353]) mit dem herren von frant [354]). Vnd do si kament gen frowembrunnen in das closter vnd gar sicher wondent [355]) sin, vnd sich vss gezugent vnd ir ruewe woltent han, also hattent die von bern ir kuntschaft da, wie si irn harnasch vssgezogen hettint, vnd si zuntent das kloster nachtes [356]) an, vnd griffent [357]) och das volk an vnd ersluogent vnd verbrantent ir wol bi hunderten. Do ward och der graf von nidow erslagen. Also lag der herr von gusin mit dem andern volk ze buttensulz [358]), da si och angegriffen wurdent von den aidtgenossen vnd ir och ain tail erslagen wurdent. Dennocht lagent si da an, der ar bi dem herren von gusin etwa mengen tag vnd hattent weder hus noch wonung, dass si beliben möchtint, wan der hertzog das land vor [359]) gewuest vnd gebrennt hatt; vnd hette er das selb nit getan, so hettint si [360]) grossen schaden in dem land getan. Do mochtent si sich niena in dem land [361]) enthalten; do hattent si och nit züg bi inen, weder stett noch vestinen ze nöten [362]), wan inen möcht sunst nieman widerstanden sin. Vnd also zugent si vngeschaffet von disen landen, vnd liessent ross, harnasch vnd anderi ding hinder inen. Si gewunnent in disen landen kain statt noch kain sloss [363]), vnd schuof das fast [364]) die kelti, das [365]) si nit beliben kundent [366]).

It. in disem vorgenamten jar was es ain hert jar mit krieg, roub, mord vnd brand, vnd was ain schaltjar vnd was der hailig tag ze wienächten vff ain zinstag b).

· · 350) stett Z. Hü. 351) vmendum Hü. allenthalb, herren vnd stett Tsch. 352) liute und rosse erfror Z. Hü. Vad. 353) gern ain tail in Uechtland Z. öchtland Hü. 354) figent Z. verschriben aus fiant, wie auch 806 und Hü. haben. 355) wolten Z. Hü. 356) in der nacht Tsch. 357) graiffent Tsch. 358) buttenhulz Z. Es ist Buttisholz, Luzernisch. 359) vor fehlt Z. 360) so hett die gesellschaft Tsch. 361) nienen Hü. niendert Z. nümen Tsch. 362) stett noch vesti ze gewinnen Z. Hü. 363) noch anders Z. Hü. 364) vast das Z. 365) und das Z. 366) Vgl. Cod. 643 p. 142.

· b) — vnd kamend über die first in das elsäss her in vnd für strassburg her vf, vnd wuostand vil dörfer vnd tätend baidi lüt vnd guot: we vnd zugend jemer

76. Die aidtgenossen machetent ain pund mit dem hertsogen.

Des selben jars, anno dni Mccclxxv, do machetent die aidtgenossen ainen pund mit dem hertzogen von österrich vff den nächsten fritag vor sant gallen tag, vnd sölt der selbe pund wären zwölf jar; in dem selben punt warent die von switz nit [367] c).

---

[367] vnd aber die von S. warent n. i. d. s. p. Tsch. Vgl. Cod. 643 p. 143.

me das land her vf, vnd kamend ze olten über den hag, vnd laitend sich für fridow an die ar, da die brugg über das selb wasser gieng, vnd do soch ir vil über die brugg in das ergöw, vnd lait sich ain michel volk in ain dorf, haisset bappensulz (631 buttensulz). Da überfielent si etwa vil frischer knechten von lutzern, von schwitz vnd von andren vnsern aidtgenossen, die derselben engnlender vil erschluogend vnd ir och in ainer kilchen vil verbrantend, das inen do von denselben aidgnossen als we beschach, das si harwert nit me härwert geluste, vnd zugend sich von dannen wider bern hin vf vnd laitand sich da in ain kloster, haisset frowen brunnen. Do überfielent si vnser guoten fründ (631 die biderben eidgnossen) die von bern vnd erschluogand vnd verbrantand ir gar vil (vnd das kloster mit jnen, vnd ward den von bern gros guot von jnen, denn do waren gross küng vnd ander gross herren vnder jnen. Des selben jars ward win vnd korn vnd als ratz gnuog, vnd gab man ain guot rind vmb iij lib. hlr. vnd was alle ding vast wolfeil 643 p. 142. 143). Vnd damit wurdent dieselben engelschen von disem land flüchtig. Aber e das si also geschadgot wurdent, do hattend si solich wunder in dem ellsäs vnd anderschwa getan; vnd sait man als vil hertikait von inen, das nieman wonde sicher sin ze turgow, ze schwaben, noch in vil andren landen, vnd das man stett vnd vestinen ver jn verhuet vnd die tor versloss. Cod. 631 p. 363. 657 p. 84. Den Schluss vom Schaltjahr hat auch 643.

Auch in Dacher's Chronik p. 188. 189 überfallen „vor winächten die von switz, vnd hatten by inen die von lucern vnd die von entlibuoch, iro wol viertusent in ainem dorff, haisst buttunsultz vnd verbrantend da in ainer kilchen vnd ertottend in der kilchen iro gar vil vad erstauchend och die andern in dem dorff, also das si aller dings all viertusend vmb komend."

c) In demselben jar von derselben löffen wegen schwuorend die von zürich vnd die von bern vnd von lutzern zuo hertzog lüpolt von österrich vnd der selb herr zuo inen wider die vor genanten engeulender. Des mante och der vor genannt hertzog die von zürich vnd die von lutzern. Die santand im vil volkes vnd erber hilfe. Vnd do si vf dem feld mit der paner warend, vnd gern an die engelschen wärind gesin, do widerbot inen hertzog lüpolt, das si wider hain zugind, won im sin ritter vnd knecht vnd ander sin volk in den sachen nit als trostlich warend als si billich getan hettind. Cod. 657 p. 85. 631 p. 361 nennt noch Unterwalden, sagt aber ausser dem Schwören bloss: am fritag ver sant gallen tag, vnd solt der frid weren von st. gallen tag vntz st. jörgen tag vnd dannen hin uber 12 jare. Aber die von schwitz woltent nit zum hertzogen

77. Der hertzog von österrich erkouft feldkilch.

Anno dni Mccclxxv[369]) überkam hertzog lütpolt von österrich mit[369]) graff ruodolfen von werdenberg vmb sin herrschaft ze feldkilch, nach sinem tod, vnd koufft der fürst die selben grafschaft feldkilch[370]) mit aller zuogehörd vmb sechs vnd drissig tusent guldin; die gab er jm bar, dass er sin not da mit verstellen mocht, vnd liess jm die herrschaft dennocht die wil er lebt: doch swuorent die amptlüt, der herrschaft von österrich nach graff ruodolfs tod gehorsam vnd gewertig zuo sin. Darnach nach langem kouft aber die herrschaft von österrich von graff hansen[371]) albrechten von werdenberg Bludenz vnd den hailigen berg och[372]) vmb bar gelt, vnd antwurt graf albrecht die baiden herrschaften der herrschaft von österrich in, bi sinem lebendigen[373]) lib d).

78. Kaiser karolus starb.

Anno dni Mccclxxviij do starb kaiser karolus an sant andres abent, vnd ward sin sun nach jm römischer künig, hiess wenzlaus. Er was och künig ze behem. Er was ain böss man, das erzöigt[374]) er an vil ding vnd sachen e).

---

369) 1366 Z. 1376 Vad. 369) überkomen h. L. v. Os. und Z. 370) nach s. t. — feldkilch fehlt Z. hat aber Hü. auch. 371) hansen fehlt Z. Vad. 372) och fehlt Z. 373) lebenden Hü. 374) bewist Z. Hü.

sweren, wan vmb ain stäten ewigen frid; wan also hand si zuo den von Z. vnd andern iren aidgnossen gesworn ewenklich." Vnd 643 p. 143 „Vnd kond nieman so vil das die von switz zuo dem hertzogen schweren wölten."

d) fehlt in den anderen codd (657 etc.) Dagegen: Do man zalt 1374 do kam so vil regen vnd vsbruch der grossen wasser, das in vil landen dörffer vnd hüsser, vich vnd lüt vnder giengent vnd enweg runnen im wintermanet, vnd kamen erdbidmen vnd do vmb liechtmiss brachen die berg vff vnd wurden gross hülinen vnd giengen ab ir statt vff die felsen, vnd hatten die lüt gross sorg nacht vnd tag, Cod. 643 p. 143.

Do man zalt 1376 in der mittwuchen nach sant maria magdalenen tag do sach man den grossen stern, der so wunderlich vnd selzenlich vnd menger hand farw was geschaffen. Des jares was der kaiser karlis wider die richstett vil in swaben, vnd lag souil snewes, das nieman zuo dem andern komen mocht uber berg noch uber tal. Cod. 631 p. 361. 362. 643 p. 143.

Do man zalt 1377 jar nach dem xij tag flugen so vil schwartzer vogel uber die statt lutzern, das man an ettlicher statt kum mocht den himel gesehen. Darnach in den selben tagen kamen so vil wolffen in dise land, das man in den kleinen stetten die tor vor inen beschloss. Si schwumen uber rin vnd kamen in schwaben land. Cod. 643 p. 143.

Do man zalt 1378 jar do vieng man den silwald wider an höwen hienor by des pfunger hoff. Darnach starb der kaiser von bechem, der such hiess karle an sant anders abent, kaiser vnd küng ze bechem. Cod. 631 p. 362.

e) Derselb kaiser karolus hatt etwas stössen mit hertzog ruodolffen von österrich.

79. Wie der graff von wirtemberg kriegete mit den richstetten, vnd lag daralder.

Anno dni Mccclxxvij hat der graf von wirtenberg krieg mit den richstetten, vnd an dem nächsten dornstag nach dem hailgen tag ze pfingsten kam der jung von wirtenberg mit vil herren, ritter vnd knecht für die statt ze rütlingen, zuo sant lienhart kilchen [375]), vnd hat inen [376]) grossen schaden tuon. Also iltent die von rütlingen vss ir statt an die herren, vnd fachtent mit inen vnd ersluogent alle die, die hie nach geschriben stand [377]); was si aber verloren hand, stat da nit geschriben.

80. Deren namen, die da vmb kon sind vnd erslagen.

Des ersten ward erslagen graff hanns von swarzenburg, graff fritz von zolre, her volrich pfalzgraff von tüwingen vnd herr ze herrenberg, her götz schadrer von wissenhein ritter, truog des von wirtenberg panner, herr reinhart von niderberg, schwiger von der hochen gundelfingen [378]) ritter genant von estetten, her hanns von saldenegg ritter, der lang von erlishain ritter, berchtold von sachsenhain ritter, fridrich sin sun, her fend von francken ritter, wolffo von stamhain des von wirtenberg hofmaister, zwen sturmfeder die man nemt burgherren, benz kaib [379]) von hochenstain, hanns von rütlingen, hanns von lustnow [380]), sitz von wellenberg, cuonz von heningen, cuonz kaiser, walther von hochenfels, schwigger von gassmügen, der scharb [381]) von bernhusen, kilchher ze gratzingen, sitzo vnd hainrich waler, cuonz truchsäss [382]), hannsen von richenhusen sun, albrecht von killo, eberhart von stoffle von bollanden, eberhart stöinfels vogt in dem zabergöw, hainrich von liechtnegg, hanns von sperweregg, andres von esslingen, volrich von liechtnegg, diepolt von nidlingen, cuonz von richhein, wolf habstolz von pfaffenhein, cuonrat kiner, wolfhart von jungingen, walther spät von ainstetten, hainrich mayer, sifrid von sachsenhain, der münch von haimstett, sifrid raff von erdtbach [383]) von francken, hainrich von hedifon [384]) von francken, hanns von rettbach von francken, hanns von trunbach von francken [385]), raff von liechtstain, wolf von fronhofen, folki von kirkein des viridus schweher, cuonrat bilgri von francken, hanns lüpold von würzhein och von francken, wilhelm tür von francken, hartman von bonenstein, steinfeder von francken, cuonrat bilgri von franken, andres von zübel von fran-

---

375) der kilchen s. L. Z. 376) hät in gern Z. 377) Folgendes fehlt Z. hat aber Hü. 378) Gungelfingen Z. 379) Keil Z. 380) costnowe Z. 381) starb Hü. 382) Tschudi am Rande „von Buchishusen". 383) Pfaff von Erlibach Z. Erlibach auch Hü. 384) haidenhou Z. 385) Diese Zwei in Z. ausgefallen, Hü. hat sie.

vnd von den vnd ander sach wegen verband er sich zuo den von zürich mit sinem offnen brief, der mit siner mayenstät insigel versiglot was, vnd nam er ooh der von zürich brief vad sigel von der selben puntnuss wegen, vnd stuondant die brief gelich, vnd was ouch das dieselb puntnuss weren solt die wyl der kaiser lebte vnd nach sinem tod zwai jar. Cod. 657 p. 85. 631 p. 364. In Cod. 643 p. 144 „der klain kaiser karlo."

.cken, ruoprecht goldzüdel.[386]). It. man meint och dass der von wirtenberg
an diser slacht verloren hett lxxxvj.[387]) edler, on ir kneoht; aber man
fand ir nit als vil *f*).

81. Der bischoff von costents ward burger ze zürich.

Anno dni Mccclxxx[388]) an dem nächsten fritag vor aller hailgen tag
ward bischoff niclass von costentz burger ze zürich mit klingnow,
kaiserstuol, tannegg vnd mit andren slossen; er gab aber bald darnach das
bistumb uf *g*).

82. Der graff von kyburg schadget die von soloturn.

Anno dni Mccclxxxij do wolt der graf von kyburg ze soloturn
ingefallen sin vnd die statt ingenommen han. Also wurdent die von solo-
turn gewarnet, dass si nit in die statt komen mochtent. Also ersluog der
graf von kyburg vnd sin volk alles das si vor der statt fundent, vnd ver-
darbtent[389]) och alles das da was[390]) *h*).

83. Burgdorf ward gewunnen.

Anno dni Mccclxxxiij do mantent die von bern all aidtgenossen, vnd
wen si ze manen hattent, über den[391]) grafen von kyburg, vnd zugent
jm für burgdorff. Also kament die von zürich, von lucern, von vre,
von switz, von vnderwalden vnd von glaris, vnd half inen och der graf von
safoy vnd der graf von wälschen nüwenburg, vnd gewunnent die statt mit
tädingen vnd vmb guot. Also ward burgdorff denen von bern, vnd half
ain herr den andern vertriben *i*) *k*).

---

386)'golzenbol Z. 387) xxxvj Z Hü. hat 86. 388) Tschudi korrigirte hier und Cod.
631 p. 363 (wo 1381 stund) 1385. 389) wuosten Z. Hü 390) Vgl. Cod. 631 p. 362. 361.
Cod. 657 p. 85 ff. 391) die Z.

f) Fehlt alles in dem Züroher'schen von 657, 631, 643.

g) Cod. 631 p. 363 fügt dem Bürgerrechte bei: „die wil er lebt, vnd jnen
wartot mit clingnow, mit kaiserstuol, mit tannegg vnd andern vestinen. Es
sehwuorent die von clingnow an sant simon vnd judas tag. Es wolt der apt in
der richen ow ouch das bistum haben, vnd starb aines gächen todes, do der frid
vse gieng.

h) Darnach anno d. 1382 do hatt sich graf ruodolf von kyburg mit ainem
grossen volk von welschen vnd von tütschen landen haimlich besamnat, vnd
soch mit dem selben volk vnwidersait · nachtes an die statt gen solotran, vnd
wolt die also vngewarnoter dingen übervallen, vnredlichen jn genomen vnd vmb
ir lib vnd guot bracht han, dann das die von solotran des innen wurdent vnd
ir statt von gottes gnaden von iren vyenden, die si nit wisstend ze entsetzen,
erlich behuobend. Vnd do der vor genant graf ruodolf markte, das er nit geschaf-
fen mocht, do zoch er vnd die sinen vm die statt,' vnd wen si fundent, der gen so-
lotran hort, der ertötend si, vnd ward do vil mannen vnd frowen erschlagen vnred-
lich vnd vnerlich. Cod. 657 p. 85. 86. Ganz kurz 631 p. 362, dann aber p. 364.

i) Vnd in dem lxxxiij jar do manten die von bern ir aidgnossen vber die

Anno dnī Mcccxxxiiȷ an dem nächsten zinstag vor sant bartlomeus
tag do was das erst hofgericht ze zürich an der klos ³⁹²).

------

392) Wörtlich so Cod. 631 p. 362.

von kyburg, vnd kamen zesamen von allen aidgenossen wol xxc man, vnd leit-
tent sich für burgdorff, vnd lagen da sechs wuchen. Ouch hatt hertzog lütpolt
von Oe. verheissen, nieman durch sin sloss lassen, der wider die aidg. wäre.
Do liess er wol viijc durch sin schloss, die vns geren geschadgot hättint; doch
ward burgdorff den von bern mit täding vmb guot. Cod. 631 p. 362·

Do man zalt 1383 jar ward burgdorff gewunnen von den von bern, lucern,
zürich, switz, vnderwalden, glarus vnd von andern aidg. das was des graffen von
kiburg gesin, vnd halff jnn der graff von saffoi, die graffen von der welschen
nüwenburg, vnd ward mit täding gewunnen. Cod. 643 p. 144.

k) Diss stuond also das die von bern vnd von solotran, ir aidgenossen, mit
der herrschaft von kyburg hert tödenlich krieg hattend also lang zit, das die von
bern vns von zürich, von lutzern, von zug, von vre, von schwitz vnd von vnder-
walden vmb hilf gen burgdorf für die statt mantand. Des santand die von bern,
von solotran, von lutzern, zug, vre, switz, vnderwalden, vnd och wir von zürich
vnser erber botten zuo hertzog lüpolt von österrich, vnd laitend dem die sach
für, vnd sprachend die von bern vnd von solotran, inen wer als vnrecht von dem
grafen von kyburg beschehen, das si nit möchtind gelassen, si wöltind das an
inen vnd an iren lüten vnd an irem guot, sunderlich an der burg vnd statt ze
burchdorff, da si behuset wärind, zuo komen. Vnd woltand si och von dem
egenannten hertzog ain wissen haben, ob er sich wölt der sach an nemen, ald
ob er den von kyburg hier inne wölt zuo legen ald ir vyand dur sin land vnd
durch sin vestinen lassen ziehen. Des antwurt der selb hertzog lüpolt mit sinem
rat offenlich, er noch die sinen wöltend sich der von kyburg sach nützit an ne-
men vnd wöltend och besorgen, das man durch sin stett noch schloss, noch über
die wasser nieman liess ziehen, der die von bern oder ir aidgenossen in der sach
schadigen oder vff si ziehen wölte. Vnd dar vf fuorend die von bern, vnser
vnd ander aidgnossen botten wider hain, vnd wurden wir von zürich, von lutzern
vnd och von zug vnd die waltstett von den von bern fürbas als verr gemant,
das wir inen erber hilf santand, sunderlich wir von zürich schicktend inen iiijc
gewafnoter mannen ze ross vnd ze fuoss in vnsern kosten. Vnd zugend also
all mit ainander, vnser aidtgnossen vnd die von solotran vnd die von bern, für
burgdorff, vnd schluogend vns da nider mit ainem grossen mächtigen her in dem
abrellen in dem lxxxiij jar, vnd lagend da vor der statt vnd der burg mit grosser
macht vnd mit gewalt, das man all zit dar in mit etwa mängen bliden warf, vnd
mit vil büchsen vnd mit anderm geschütz hin in schoss, vnd das wir si als
verr an lüt vnd an guot schadgotand, das graf berchtold von kyburg, der sich
der herrschaft vnd des kriegs hatt vnderwunden, won graf ruodolf do ze mal
tod was, vnd och die burger ze burgdorf vnd die by in in der statt warend,
ainss frides an vns begertand, der och da gemacht, beredt vnd betädingt ward,
des si vnd och vnser her ain getrawen frid mit ainander haben soltind .iij gantz

84. Wie die aidtgenossen haad ain pund gemachet an dem rin.

Anno dni Mccclxxxv an dem ainliften tag im brachot do swuorent all aidtgenossen zuo dem grossen [325] pund an dem rin vnd in swaben.

---

325) grossen fehlt Z.

wochen von dem tag als der frid gemacht ward, vnd soltand wir mit vnserm her dry gantz wochen vor der statt still ligen, vnd sölte weder der graf noch die burger da zwüschend die statt noch die burg nit sterken weder mit lib noch mit kainem geztig, dann das der graf wol an sin fründ vnd an sin herrn, an ritter vnd an knecht werben möcht, das si in in den vorgesaiten iij wochen entschuttind. Wär aber das si in dem zil nit redlich entschütt wurdint, das wir inen das veld lassen müesstind vnd si vns von der statt noch von dem veld nit tribind, so sölte man vns dien von bern vnd von solotran die vorgenanten burg vnd statt an gnad in antwurten. Des bewurbent sich die von kyburg als verr, das si ain gross volk, herren, ritter vnd knecht ze rosse nach zuo burgdorf by ainer halben mile brachtent, vnd von dem selben huffen schicktent si by hunderten ze ross, das die haimlich in die burg kamend, darüber das vns doch verhaissen was, das man die selben veste noch statt mit dehainen dingen sterken sölte. Des kam vns der ander huff noch kainer vnder inen nie als nach das man si oder die vnsern by zwain oder by iij armbrost schützen erraichen möchte, vnd was der vsseren hoptman graf hainrich von tettnang, der och mit dem selben volk by dem tag von dem veld zoch vnd nit mer hinwider kam. Vnd also belibend wir mit vnserm her in dem gesäss still vnuerruckt, vntz das die vorgenanten iij wochen gentzlich vss kämend.

Vnd als der vorgenannt hertzog'lüpolt hatt geredt, das er sich der von kyburg sach nit wölt an nemen, vnd och gelopt hatt, das er schaffen vnd verhüeten wölt, das man nieman der vff vns ziehen wölt, durch sin stett, durch sin schloss vnd über wasser solte lassen, do erfand sich das vnser vyant durch des vorgenanten hertzog lüpolts stett, schloss vnd über wasser vff vns gezogen warend, vnd das sin ritter vnd knecht vnd sin diener, die er in dem land hatt, in den ziten vf vns geraiset hand. Das hat all vnser aidgnossen gar vast beschwärt, vnd ist darvm vil sachen vff geloffen, als man hienach geschriben vint.

Vnd do wir die vorgenanten statt und burg also die iij wochen vss besessen vnd den frid gehalten hattend als vor geschaiden ist, do vordrotand wir die vorgenanten burg vnd statt, das man vns die jn antwurte, als vor beredt vnd betädinget was, vnd och der vorgenant graf berchtold vnd der beste tail der burger ze burgdorf des offenlich ze den hailgen geschworn hattend, das ze volfüeren, die wir oeh darvm ir aide mantend, die aber vns nit volfüertand, als si vns gelopt hand. Vnd do man vns als vnredlich getan hatt vnd betrogen, do sugend wir von dem veld, jederman in sin statt vnd in sin land.

Diss stuond also in grossem krieg zwüschend den grafen von kyburg vnd den iren ainet vnd den von bern vnd iren helfern vnd dienern andret, vnd do das also gewert vntz in den mertzen in dem lxxxiiij jar, do santand wir vnd vnser

Der selb pund sölt viij jar wären. In dem selben pund wärent aber die switzer nit [394]).

It. des selben jars was es gar tür, man gab ainen müt erbs [395]) ze zürich vmb iij d. *l*) *m*).

---

[394] Vgl. Cod. 631 p. 362. 643 p. 144. [395] vesen Hü.

aidgnossen, die von zürich, lutzern vnd och die waltstett, hin vf gen bern, zwüschend die sachen ze reden. Die botten sich och der vnder arbaitand als verr, das die selb sach vnd der selb krieg luter vnd gantz bericht ward an dem. aibenden (Cod. 631 sibenzechenden) tag abrellen in dem lxxxiiij jar, also das dien von bern die burg vnd die statt burgdorf in geantwurt ward vnd geben für ir aigen guot, vnd gabend dar vm die von bern der vorgenanten herrschaft von kyburg viertzig tusend guldin. In demselben krieg, e das er bericht ward, gewunnend die von bern dien von kyburg vnd iren helfern an dis nachgeschribnen vestinen: grünenberg, swanden, sweinsburg vnd trasselwalt.

Won aber die herschaft von österrich in den vorgeschribnen sachen gegen alle vnser aidgnossschaft vast vbersehen vnd vns ze kurtz getan hatt, als vor geschriben ist, darumb so hattend die von bern vnd och ander vnser aidgenossen nit guoten willen zuo derselben herschaft, vnd namend die von lutzern jn der herschaft land vil vsburger. Si noch ander vnser aidgnossen woltand och nit mit hertzog lüpolten kain langen frid vf nemen, der vns doch wol genolgot were in sölicher mass das wir nutz vnd er hettind, das doch nit sin mocht von des hasses wegen, so die egenanten aidgnossschaft zuo dem obgenanten hertzogen hattend von der vorgeschribnen sach wegen. Cod. 657 p. 85 — 90. 631 p. 364—367.

l) In den ziten vnd auch davor wurbend des riches stett, der gross bunt, an die von bern, von solotran, von lutzern, von zug vnd och an vns, das wir vns zuo inen verbundint, das och do ze mal beschach vnd noch vil red vnd tädingen, die darvnder beschahend, vollendat ward ze costentz an dem nächsten zinstag vor sant mathyas tag in dem lxxxv jar. In den ziten hattend des richs stett och etwas stöss mit dem vorgenanten hertzog lüpolt von Oe., so verr das si vns darvm mantand, vnd beschach das vm sant johans tag ze sungicht. Des rettand wir mit den stetten, das si vns der manung do ze mal erliessent, won es in der ernde was, vnd das wir bedörftend das vnser inziehen. Das belaib do also vntz nach dem wimnat, do schiktend aber des richs stett ir bottschaft zuo vns vnd sprachend, si möchtend nit lassen varn die sach, so si zuo der herrschaft von Oe. zesprechen hettind, vnd das wir vns darnach richtind; wurdent si aller stössen nit vss gericht gentzlich vf den zwölften tag, der schierost ze wienachten in dem lxxxvj jar kam, so wöltend si nit lenger baiten, vnd die herrschaft des vm fürderlich an griffen, vnd mantand vns och darvff aber, so si jemer ernstlichost kundent, vnd rettand mit vns vnd mit andren vnsren aidgenossen botten, die do hie ze zürich warend, das wir vns dornach richtind, das wir inen beholfen wärind. Die red entsassent wir übel vnd sich jetliche statt gern besorgat hette. Cod. 657 p. 90. 91. 631 p. 367. 368.

85. Wie hertzog lütpolt von österrich kam gen zürich.

In disem vorgenamten jar kam hertzog lütpolt von österrich gen zürich in die statt vnd wolt haim sin gen österrich. Do empfiengent jn die von zürich gar erlich vnd schanktent jm, si vnd ir aidtgenossen, vnd fuorent mit jm hinuf gen rappreswil, vnd tatent dem hertzogen vil eren an. It. die von switz batent jn, dass er den zoll abliess ze rappreswil, als die strass durch rappreswil vnd durch switz gen lamparten gieng, wan der selbe zoll kam denen von switz nit gar wol. Also eret der hertzog die von switz vnd die andren, vnd liess den selben zoll ab. Also schied er von inen ze rappreswil vnd empfalch inen sin lüt vnd land, vnd bat si dass si den sinen beholfen wärint, bis er wider ze land komen möchti, das si jm och getrüwlichen versprachent ze tuond. Er empfalch och allen den sinen, dass si den aidtgenossen tätint was inen lieb vnd dienst wäri, vnd die pündtnuss vnd den frid getruwlich an inen hieltint, die er mit inen gemachet hetti. Also schied der hertzog von dem land.

86. Die von zürich woltent rappreswil haimlich ingenomen han.

Darnach an sant thomas abent des selben jars, der was an ainer mittwuchen, vnd was gross markt ze rappreswil, do hattent die von zürich angelait, die statt ze rappreswil inzenemen, vnd was ain tail von zürich ze rappreswil, als ob si marktlüt wärint. Es was och ain tail da ze markt, die von der sach nüts wisstent. Es lagent och etlich ze rappreswil, die nit gen zürich getorstent komen, vnd die statt verschuldt hattent von ir missetat wegen, vnd man ze rappreswil wand, si wärint dero von zürich vigent, an die man sich nüts versach, die inen och des woltent gehulfen han. Also kam denen von rappreswil warnung, vnd sandtent gen grüeningen nach her hainrichen gässler, der des hertzogen rat was, vnd also luffent si zuo ainandren vnd laitent jm die sachen für. Vnd do die sachent, die das getan woltent han, dass die burger ze rappreswil also zuo ainandren luffent, do versachent si sich wol, dass si gewarnet wärint, vnd verstalent sich ainer nach dem andren hinweg, als si denn mochtent, vnd wantent die schiff, die von zürich gen rappreswil woltent sin, als si daz denn geordnet hattent. Es lagent och die von glaris ze hurden vnd ze pfäffikon da, als die von rappreswil nüts von wisstent. Also ward rappre-

---

Anno d. 1385 an ainem sunnentag am xj brachot do swuorent die von Z. vnd all aidgnossen zuo dem grossen pund am rin (zuo richstetten in swaben vnd vff dem rin Cod. 631 p. 362) nün jar, vnd woltent die von switz nit darin. Diser pund was aber den aidg. wenig nutz, wan das si jnen nit tatent. Des selben jars gab man Z. ein müt erwsen iij lib. hlr. iiij d. Cod. 643 p. 144. Cod. 631.

m) In dem lxxxv jar ward der guot win, vnd was gar ain truchner sumer. Cod. 631 p. 363.

Klingenberger Chronik.

swil nit ingenomen von den aidtgenossen, vnd ward die sach vertruckt, dass die von zürich maintent, es wäre nit war, si hättint sin nit muot gehan, wan des hertzogen rät vnd die von rappreswil die redtent inen übel darvmb zuo.

87. Ain eathaiss tatent die von rappreswil [396].

Die von rappreswil satztent och järlich ain crützgang uf vff sant thomanstag ze tuond, vnd sechs viertail kernen armen lüten an der spend ze geben, dar vmb dass si got behüet hat vnd der lieb herr sant thoman *n*).

88. Die von lucern nament rotenburg in in ainem frid.

Anno dni Mccclxxxvj an der kindlin tag ze wichnächten was kilchwichi in der pfarrkilchen ze rotenburg. Die selbe kilch lit vor der statt, vnd gieng her hemman [397] von grüenenberg vogt daselbs vnd meniglichs zuo der kilchen on alle gewer, wan si wisstent nüts denn guots. Also, machtent sich die von lucern uf, vngewarnoter sach vnd onwidersait, vnd kament haimlichen in das stettlin ze rotenburg, do meniglich in der kilchen was, vnd nament also das stättlin vnd das sloss in. Vnd do das geschrai in die kilchen kam, do lüff mengklich zuo der statt, do hattent si die tor beslossen. Also nament die von lucern rotenburg in, die guoten herrschaft, im friden, vnd brachent das herrlich sloss nider, vnd wurfent es in das tobel. Sie brachent och die muren an dem stättlin vnd fultent die graben darmit. Die selbe herrschaft was deren von österrich, vnd stuond her hemman von grüenenberg [398] *o*).

89. Wie sich der krieg anhuob, ee der frid usgieng.

Also huob sich da der krieg mit der herrschaft von österrich vnd den aidtgenossen mit rouben, brennen, erslachen vnd erstechen, vnd wie jederman den andern geschadgen [399] mocht, wan der herrschaft rät vnd vögt sprachent, der frid wäre gebrochen, das aber die von lucern nit maintent. Der hertzog was do ze mal nit im land, als vor geschriben ist [400].

---

[396] Dieser Artikel und die folgende Aufschrift in Z. versetzt. [397] Z. irrig Hermann. [398] Hier hat Z. eine blosse Wiederholung: „Dar nauch aa der kindlin tag" —. [399] So auch Schodoler I, 272 nach derselben Quelle. verderben Tsch. [400] staut Z. Hü.

n) Alles Bisherige hat blos unsere Quelle.

o) Diss stuond also vntz vff der kindlin tag in den wienachten anno lxxxvj, do nament vnser aidgnossen die von lutzern die vesti rotenburg vnd ouch die vorburg daselbs in iren gewalt. Das stuond her hammen von grüenenberg von der herrschaft von Oe. Die selben von L. namend ouch die von sempach vnd die von entlibuoch ze burgern. In den selben löuffen nament die von L. vnd die von zug mayenberg die statt inn, vnd laitand vnser aidg. etwa vil lüten von iren stetten vnd lendern gen mayenberg, die statt ze behüeten. Cod. 657 p. 91. 631 p. 363. wiederholt 368. 643 p. 144.

90. Die von entlibuoch wurdent burger ze lucern.

Anno dni Mccclxxxvj, bald nach wichnacht, wurdent die von entli-
buoch burger zuo lucern, vnd brachent sich[401]) ab irem rechten natür-
lichen herren, vnd hattent ze wort, herr peter von torberg wäri inen ze
hert, der si do zemal inn hatt. Das selb tal entlibuoch was och der herr-
schaft von österrich p).

91. Wie wolhusen gewunnen ward.

Anno dni Mccclxxxvj an dem ingenden jar erlasch die sunn, vnd
morndes zugent die von vre, von lucern, von switz vnd von vnderwalden
für die vestin wolhusen, vnd gewunnent die vnd zerbrachent si nider vff
den grund[402]) q).

92. Ander burge wurdent och gewunnen.

It. in dem selben jar vnd in den selben tagen gewunnent die von lu-
cern ain vestin die hiess baldegg, die was herrn ruodolfs von hünen-
berg, vnd verbrantent si vnd brachent si nider. It. si gewunnen och des-
selben males die vestin lielen[403]), vnd die vestin rinach, vnd brachent
si bed samen nider r).

93. Die von sempach wurdent burger ze lucern.

Aber in dem vorgenamten jar vnd in den selben tagen do wurfent

---

401) enbrachent Z. vielent von Tsch. 402) uf den herd Hü. Z. hier der Artikel
verstellt. 403) Z. Vad. falsch Lieben.

p) Und wurden die von entlibuoch burger ze lucern wider ir herren von
torberg willen, wan der selb her peter von torberg hat jnen, ee das si burger
wurden, gross guot mit vnrecht abgenomen vnd si geuangen vmb ir aigen guot,
vnd vmb das si jm nit wolten guot geben hiess er ettlich ertrenken, ettlich er-
henken, ettlich schatz er suss vmb guot uber das si es nie verschult hatten, vnd
hat jnen in kurtzen jaren abgenomen me den xvij tusent guldin, die wil er
herre was, uber die rechten stüren, die si jm jerlich darzuo muosten gen. Vnd
das si von jm solichs vnrechts uber wurdin, da wurdent si burger ze lucern.
Cod. 643 p. 144.

q) Cod. 643 p. 144 ähnlich.

r) Aehnlich Cod. 643 p. 144. 145. 657 p. 94. wo es heisst: Darnach (nach
Verbrennung Wolhusens) manţand die von lutzern vns vnd och die waldstett,
vnd e das wir von Z. zuo inen komen mochtand, do zugend die von L. vnd och
die waltstett in das ergöw vntz gen münster, vnd warend da dry tag vnd dry
nächt vf dem veld vnd zugend och gen surse, vnd wuostand vnd brantand was
in dem ergöw was, vnd in denselben ziten namend die von L. jn diss nachge-
schribenen vestinen: richense ain statt, vnd dry rinach, baldegg, liela, schefflan-
gen, schenken, aristow. Do namend die von schwitz och in disen löuffen jn
sant andres, die veste vnd die vorburg. So auch Cod. 631 p. 369. 370. und
fast wörtlich Justinger S. 213.

sich die von s e m p a c h ab irem rechten natürlichen [404]) herren von österrich vnd wurdent ´ingesessen burger ze lucern wider irs rechten [405]) herren willen.

94. Die von mayenberg vnd richense wurdent och burger se lucern.

Als aber ward in denselben tagen do brachent sich die von m a y e n -b e r g vnd von r i c h e n s e w och ab irem herren von österrich, vnd wurdent och burger zuo lucern wider den hertzogen [s]), also dass die von lucern dem hertzogen ein fast land abbrachent vnd sich jedermann fast zuo denen von luc ern tät [406]).

It. in dem selben zit als nun die von mayenberg warent burger worden ze lucern, do lagent die von lucern vnd ander aidtgenossen fast ze mayenberg vnd behuotent das stättlin vnd das land allenthalben. Vnd ains mals kam des hertzogen landtvogt für die statt ze mayenberg vnd machet da ain gezöuch; vnd also iltent si hinus, soldner vnd ander aidtgenossen die da lagent, vnd kament in ain huot vnd wurdent ir zwölf minder denn zwai hundert erslagen. Die zwölf verhuobent, si warint sunst [407]) all erslagen worden. Also zugent die aidtgenossen widerumb gen mayenberg, vnd verbrantent die statt, von des falschs wegen, wan die aidtgenossen maintent, die von mayenberg hettint si verraten vnd hettint die sach all vor gewisset [t]).

Darnach bald in den selben tagen überfielent die herren richensee, vnd verbrantent das stättlin, vnd nament was da was, vnd erstachent och da etwa mangen man. Es verbrann och vil volks [408]) in dem stättlin; etlich fluchent vnd ertrunkent in dem see.

95. Rümlang ward och verbrennt.

It. in dem vorgenanten jar verbrantent die von zürich die burg ze r ü m l a n g vnd die mülin, vnd nament och ainen roub da [u]).

96. Wie der von landenberg versprach, denen von zürich regensperg in se geben.

Do zemal kam volrich v o n l a n d e n b e r g vnd ain wib von der alten

---

404) r. n. h. fehlt Z. Hü. 405) r. fehlt Z. und Hü. 406) hielt Tsch. Vad. Hü. vnd zuo inen schluogent Vad. 407) oder si wärint 806 und Hü. 408) vil lüt 806. Hü. lüten Schod.

s) Bei diesem Worte, mitten im Satze, bricht die Züricher (Sprengersche) Handschrift plötzlich ab, und endet der Abdruck in den Mittheilungen der antiquar. Gesellschaft II. S. 96.

t) Aehnlich Codd. 657 p. 92. 631 p. 368, wo 100 erschlagene Eidgenossen gezählt werden. Nach Cod. 657 „by hunderten. Doch so wertend sich die vnsern als ernstlich, das si der vyenden och etwa vil erschluogend, vnd kamend och etwie vil der vnsren erlich von den vyenden mit ir leben.“ Die C o d i c e s 6 5 7 und 6 3 1 h a b e n alle, bisher für uns im Original noch nicht aufgefundenen Absagebriefe mit Datum und Namen. Aus ihnen Tschudi.

u) Ganz kurz Cod. 643 p. 145.

regensperg[409]) gen zürich für rät[410]), vnd versprachent sich vns ze dienen mit ir vesti, vnd sölt alten regensperg der von zürich offen hus sin, vnd vns och damit ze warten vnd ze dienen, diewil der krieg wäreti zwüschent der herschaft von österrich vnd den aidtgenossen. Vnd also schicktent die von zürich ir armbrost, ir büchsen vnd iren züg vff die alten regensperg, vnd buwtent och die selben vesti[411]) mit decken vnd wo si dess notturftig was. Die von zürich woltent och die selben vesti besetzt han mit guoten soldnern; do fuor der selb von landenberg vnd sin wib hin, vnd gabent die vesti dem hertzogen von österrich in, der si och gar wol besatzt mit guoten soldnern, die vnser statt zürich, vil zelaid tatent ab der selben vesti, vnd ward denen von zürich nit gehalten mit der selben burg, das der von landenberg vnd sin wib versprochen hattent. Die von zürich warent och vmb iren züg komen, den si dahin geschickt hattent[412]).

97. Die richstett machtent aines frid bis suo pfingsten.

It. do darnach ward zuo der alten fastnacht, och des vorgenannten jars, do machtent die richstett ainen frid zwüschent der herrschaft von österrich vnd den aidtgenossen. Der selb frid sölti wären bis zu vsgender pfingstwochen, vnd ward och also gehalten v).

98. Wie der frid vsgieng, vnd pfeffikon verbrennt ward.

Als nun der selb frid vsgieng ze pfingsten, darnach an der nächsten mittwuchen vor sant peters vnd sant pauls tag[413]), do zugent die von zü-

---

409) so Tsch. Cod. 643 p. 145 und Schodoler. 806 volrich v. l. von der a. l. vnd sin wib. 410) den rat 806. Vad. Hü. 411) das selb schloss Tsch. 412) Vgl. Cod. 643 cit. und Schod. I. 277. und so ferner. 413) vor petri vnd pauli Hü.

v) Diss stuond also in krieg vntz ze sant mathias tag anno lxxxvi, do rittend des richs stett vnser aidgnossen von dem grossen bunt ze swaben zwüschend die sachen, so verr, das si ain frid dor vnder machtand von dem selben sant mathias tag hin vntz vf den sunnentag ze vsgender pfingstwochen, der darnach schierost kam. In dem selben frid lüffend vil löffen vf, das der nit als redlich gehalten ward als er aber verschriben vnd verbriefet ward; doch belaib er also das entwedra tail den andren mit grossem schaden nit angraif, denn das etlich fry knecht, die man ze baiden siten nit bezwingen wolt oder enmocht, etwas angriffes dar inne tatend. Vnd do der selb frid vss kam, do besamnot die herschaft vnd warb in alli land vm gross volk, die zuo im kamend ane das lantvolk, so er in diesem land hatt, vnd wuostand baidtail enander grösslich mit roub, mit brand, mit totschlagen, mit geuanknuss. Cod. 657. p. 93. 94. 631 p. 369.

Vnd do sich der vorgenant hertzog von Oe. also besamnot vnd vm gross volk geworben hatt, do mantand wir vnser aidgnossen, die von lutzern, vre, schwitz, vnderwalden. Dieselben vnd och die von (leergelassen, Tschudi füllte aus „glaris") vnser aidgnossen mit grossem volk vnd mit ir erbar hilf her gen zürich kamend in dem brachot in dem lxxxvj jar. p. 97.

rioh, von lucern, von switz, von vre vnd von vnderwalden zuo dem ferren
pfäffikon in kyburger ampt, vnd verbrantent das dorf vnd nament ooh
ainen roub. Vnd do si wider haim woltent züchen, do schrüwent die die
vff der burg warent: wo wend ir hin, ir küegehyer? Vnd also machtent
si das mer vnder inen [414]) vnd zugent wider hin vmb, vnd gewunnent die
burg, vnd brantent si vnd erstachent alle die die dar vff warent. Die selb
burg war her albrechts von landenberg. It. die ze pfäffikon in der vesti
warent bi diser tat [415]), die sagent anderst denn es hie vor geschriben stat.
Als die aidtgenossen pfäffikon das dorf verbrennt hattent, do warent ir et-
lich von pfäffikon in schiffen vff den see gewichen; die schruwent den aidt-
genossen zuo vnd nach, als si enweg woltent züchen: ir küegehyer, vnd an-
ders, vnd also kartent si wider vmb vnd zugent zuo der burg, vnd redtent so
vil mit inen, dass si den aidtgenossen das sloss [416]) vfgabent vff gnad, wan
si hattent kainen züg bi inen; vnd do si herus kament, do sluogent die
aidtgenossen si alle ze tod. Etliche liessent si och für tod ligen, die ge-
nasent, die och dis saitent vnd klegtent, der scherrer vnd ander [417]).

99. Ober windegg ward och gewunnen.

Dar nach an sant volrichs tag [418]) des selben jares gewunnent die von
glaris die obern windegg, vnd vndergruohent die selben vesti, vnd bra-
chent si ganz nider *w*).

100. Bülach ward verbrennt.

Darnach an dem nächsten dornstag nach sant volrichs tag verbrantent
die von zürich das stättlin bülach, vnd wuostent och daselbs vm [419]).

101. Wie torberg vnd koppingen wardent gewunnen.

In den selben tagen vnd in demselben [420]) jar zugent die von bern für
torberg vnd gewunnent die burg vnd verbrantent si. Si gewunnent och
des selben mals ain vestin, hiess koppingen. Die selben zwo burge
warent herr Peters von torberg *x*).

102. Das land ward fast übel verderbt.

In denselben ziten vnd des selben kriegs [421]) ward das land ganzlichen
verderbt [422]) vnd verbrennt von der herrschaft vnd von den aidtgenossen;

---

414) warent si das mer machen Tsch. 415) by der statt Hü. 416) die vesti Hü.
die burg Vad. 417) Vgl. Cod. 643 p. 145 und Schod. cod. 631 p. 372. 657 p. 97 zählt
26 Erschlagene, der von 643 aber 28. 418) volrichs abent 806. Hü. und Cod. 643 p. 145.
146. sant jörgen abent Vad. 419) Vgl. Cod. 643 p. 145. und Schod. 420) vorgenanten Hü.
421) In dem selben zit vnd in demselben krieg, 806. Vad. 422) gewüest (wie immer) 806. Vad.

w) ganz f. bei Hü. Cod. 657 p. 100. 643 p. 145. 146 windek, die da ist
se ober (Tschudi verbesserte Nider) vrenen. Cod. 631 p. 374 „vnser getrüwen
lieben eidg. von glarus".

x) Cod. 643 p. 146.

wer je bas mocht der tät bas [423]), dass man es nit als aigenlich geschriben
kan. Doch was die aidtgenossen getan hand, das ist ze guoter massen
hie geschriben.

It. do das **korn** rif [424]) ward desselben jars, do erloubt man jederman
ze zürich, vssert den letzinen das korn abzesniden, das man es nit wüest [425]) *y).*

103. Hertzog lütpolt von österrich kam her ze land mit starkem zug.

Anno dni Mccclxxxvj, als des vorgenanten jares, do kam hertzog
lütpolt von österrich heruss ze land, vnd rait vil herren, ritter vnd knecht
zuo jm, die jm klagtent von den aidtgenossen, wie si nit gehalten hettint
den frid, den er mit inen gemachet hette, die jarzal vss als es beredt wäri,
vnd wie si inen das ir in genomen, verderbt vnd verbrent hettint. Vnd kam
also gross klegt für den hertzogen von herren vnd och von sinen stetten;
och was er fast zornig, dass sich die sinen also ab jm vnd von jm ge-
brochen [426]) hattent on alle not, vnd maint je, er wölti es rächen oder er
wölti darumb sterben [427]) *z).*

104. Slacht [428]) ze sempach.

Do es ward an dem nünden tag des höwmanots des vorgenannten ja-
res do zoch hertzog lütpolt von österrich mit sinen dienern, herren, rittern
vnd knechten, für das stätlin ze sempach, die sich so schantlich ab jm
geworfen [429]) hattent, vnd wolt das korn vnd das feld da wüesten. Also
warent dess die aidtgenossen innen worden von lucern, von switz, von vre
vnd von vnderwalden, vnd an dem nünden tag des höwmanots, vff ainen
mentag, do es fast haiss was, vnd hertzog lütpolt mit sinen dienern vff
dem feld lag, vnd das wüest, do zugent die aidtgenossen daher mit ir pan-
nern gegen den herren. Also do die herren die aidtgenossen ansichtig wur-
dent, do sachent si wol, das der aidtgenossen me was denn der herren;
dennocht hett ain tail gern mit inen gefochten. Do wolt ain tail nit fech-

---

423) der tät bas f. Hü. 424) zitig 806. 425) dass es nüt gewiest wurd Hü. 426) abge-
worfen Tsch. 427) Schod. I, 284. 428) gefächt Hü. 429) gebrochen 806. Vad. Hü.

y) In den selben ziten zugent die von zürich vs dik vnd ze mängem mal
vnd branten vnd wuosten vil dörffer vnd hüsser vmb sich by zwei milen. Das
selb taten ouch die von lucern, von zug vnd ander aidg. Des glichen tät die
herrschaft herwider, vnd ward als land verbrent vnd verwüest zuo baiden tailen.
Vnd do das korn riff ward, do erloupt man mänklichem ze sniden, wer gern
wolte. Cod. 643 p. 146.

z) Vnd do die vorgenanten vnser aidgnossen mit irem volk by xiiij tagen
by vns warend gesin, das si vnd och wir etwa dik in der herrschaft land ge-
zogen warend vnd wider haim kamend vnuersert vnd vnbekümbert von vnsren
vyenden, do kam vnser aidgnossen für, das hertzog lüpolt gross volk zuo enandren
bracht hatt, vnd das er maint gen sempach ze ziehende; do erloptend wir den
selben vnsren aidgnossen das si haim söltind vorn. Cod. 657 p. 98. 631 p. 372.
Fast wörtlich so Justinger S. 217.

ten vnd maintent, ir wäre ze wenig gegen den aidtgenossen, si söltint me
hilf baiten. Also wolt kainer des andern zag sin vnder den herren, vnd
stuondent all ze fuoss von ir pfäriten, wan es warent die mannlichosten,.
redlichosten herren, ritter vnd knecht, so in disen landen warent. Vnd
als si sich beraitent[430] ze fechten, do redtent si mit irem herren, hertzog
lütpolten von österrich, er sölti nit fechten[431]), er sölti da halten vnd be-
sechen wie sich jedermann hielti, vnd sölti die sinen lassen fechten. Das
wolt der fürst nit tuon vnd sprach: Das welli got nit, sölti ich üch hüt
lassen sterben vnd sölt ich genesen? ich will hüt übels vnd guots, wol vnd
wee mit üch han, ich wil bi minen rittern vnd knechten hüt sterben vnd
genesen vmb das min vnd vff dem minen vnd vmb min väterlich erb. Also
giengent si an ainandern nit wol geordnet, wan inen was ze not, doch
frölich vnd vnverzagt. Vnd des ersten angriffes sluogent die herren die
aidtgenossen fast hinder sich, vnd hattent ir och vil ze tod erslagen,
dass ain grosser huf toter lüten vor inen lag. Also warent die herren gar
wol bezügt[432] vnd anglait[433]) mit harnasch, dass si es die lengi nit geli-
den[434]) mochtent, wan es was des selben tages vss der massen ain haisser
tag, vnd hettint gern ain tail irs harnaschs[435]) vnd irs züges von inen ge-
tan; do mochtent si nit wil han, wan si alwen zuo so streng mit ainan-
dern fachtent, dass vil herren ze tod ersticktent, ee ob si je wund wurdent.
Es hielt och der swarz graf von zolre vnd her hanns von oberkilch mit
vil volkes, dass sie nie zuo dem gefecht[436] kament, vnd rittend och also
mit irem volk enweg, diewil si denn noch fachtent, vnd do es die aidtge-
nossen sachent, do schruwend si: die herren fliechent, vnd luffent inen do
etlich zuo, die vor gewichen warent; vnd also nament si erst do den truck,
vnd ersluogent die herren vnd gewunnent do den sig. Also empfiengent
die aidtgenossen des selben tages och grossen schaden vnd ward ir vil
erslagen vnd och vil wund[437])a).

---

430) rüstent Tsch. 431) an die schlacht gan Tsch. 432) gerüst Tsch. 433) über-
zügt 806 Hü. übel bezügt Vad. 434) triben Tsch. Hü. 435) ain tail iren harnasch vnd
iren züg Tsch. Vad. 436) an die schlacht Tsch. 437) Entschieden die älteste und nicht
die schlimmste Beschreibung der Schlacht.

a) Vnd do si haim kamend, do ward inen aber fürbass kund getan, das
der hertzog mit sinem volk gen sempach wölte. Des zugent die vorgenanten
vnser aidg. von lutzern, vre, switz vnd vnderwalden gen sempach, das si uff den
mentag fruo, der was der nünd tag höwmanots, anno 1386 daselb warent. Vnd
vff die selbe zit was der egenant hertzog mit sinem volk och by sempach.

Vnd do baid tail ain andren sahend, do scharatand si sich vf ain aker vnd
zugend also gescharat mit bedachtem muot vf flachem veld zuo ain andren, vnd
kamend mit ain andren ze vechten, vnd gab der almächtig gott den obgenanten
vnsern aidgnossen signust vnd gelük, das si den vyenden ritterlich ob gelagend
vnd das si das veld mit grossen eren behuobend, vnd ward der obgenant hertzog
L. vnd mit im der sinen wol vjclxxvj vnd mer erschlagen, vnd das alles herren

N.º 4 S. 121

Klingenberger Chronik

Tschudi's Codex p. 187.

105. Ain clag.

O sempach, wie schantlich [438]) sich din trüwe brach,
Von dem dir nie laid geschach!
Fürbas geb dir got vngemach
das sye hinfür din bestes tach,
wan dises übels bistu ain vrsach,

---

438) schamlich Hü. Vad.

vnd vast edel lüt warend vnd gar erber lüt gewesen sind, vnd ist iren ain tail
gross herren gesin, das wol schinbar was an irem guoten harnasch vnd an iren
kostlichen klainod, das by inen funden ward. Vnd warend der vyenden mer
denn M.M.M.M. ze ross vnd vil fuoss volkes, vnd was vnser aidgnossen nit mer
denn xvc man. Vnd do der stritt also gentzlich ergangen was, do zugend vnser
aidgnossen wider hain, das nit vil me denn hundert man verlurend, vnd fuortand
mit inen ab der walstatt die paner vor tyrol, des von ochsenstain paner, des
grafen von tierstain paner, der margrafen paner von hochberg, der statt paner
von schafhusen, der von mellingen paner vnd andri klaini venli, der si nit er-
kantand. Cod. 657. p. 98. 99. 631 p. 372. 373. Derselbe Schluss wörtlich bei
Justinger S. 214.

Do zoch hertzog lüpolt von Oe. mit grossem volk in das ergöw für das
stettli sempach, vnd wolt das korn vnd land gewüest han. Do zugen die von
lucern, vre, switz vnd vnderwalden gegen jm mit fryem muot, vnd stuonden die
herren von den rossen all ab ze fuoss, vnd traten frischlich an enander, vnd
fachten hertenklich, vnd ward hertzog L. erschlagen vnd xvi graffen vnd fryen
vnd ander ritter vnd knecht der edlesten vnd redlichosten herren so man mocht
vinden in allen landen da vnd me den vi hundert man, vnd warent die weide-
lichesten herren vnd die reisigosten, so in allen landen mochten sin. Cod. 648
p. 146.

Anno Mccclxxxvj jar ward hertzog lüpolt v. Oe. vnd vij graffen, ouch vil
herren, ritter vnd knecht erschlagen vor sembach von den schwitzeren. Cod.
630 p. 402.

Bei Tsch. ist die 10. frische Zeichnung, die Schlacht mit Winkelrieds Opfer-
tode p. 187; bei Hü. blos 2 Oestereicherfahnen p. 57. Aus derselben Quelle
Schodoler I. 284—290. Vergl. Cod. 629 p. 247.

Der krieg vnd der strit zwüschen dem hertzogen vnd den
switzern. Do man zalt Mccclxxxvj jar do erhuob sich aber gros missehelle
vnd krieg zwüschent dem h. lüpolt v. Oe. vnd den von zürich, von bern, von
switsen vnd ir eidgenossen, das sind die von lutzerne, von vrach vnd v. vnder-
walden; wan der h. maind, das die vorgenanten stett vnd ir aidgenossen wider
recht vnd beschaidenhait abgezogen vil schloss vnd teler die sin wärend, vnde
enpfiengend sin aigen lüt vil zuo burgern, vnd irretant jn an vil rechten, die jm
zuo gehortant. Hiewider maintant die vorg. stett vnd ir aidg. si hettent sich
zuo denselben slossen v. telern verbunden, das si jn müestend beholffen sin wider

vnd ist nu doch din gestalt ze swach.
Wie kan man das genuog verklagen,
dass von den sinen 440) ist erslagen
der 441) edel fürste hoch erboren,
vnd bi jm so mänig from man hat verloren 442).

---

439) Im Schilterschen Abdr. S. 343 falsch gelesen abgeton megen. 440) puren
441) biderb Schod. und edle Schod. 442) Hie ist der fürst da nider gelegen, vnd mit jm
so menger stolzer (Schod. küener) tegen.

aller menglichen vnd hettent ouch sölich frihait von küngen vnd kaisern, das si
wol möchtent burger enpfachen. So geschach jn vnd den selben ir burgern dik
so gros schad. v. widerdries von des h. vögten v. ambtlüten, das si nüt möchtent
erliden; vnd hervmb kriegtent die vorg. stette v. ir aidg. vff den hertzogen, vnd
er herwider vmb vff si, das zuo baiden siten gros schad geschach von roubend
vnde brennende in den landen da vmb. Vnd in disem krieg wurdent dem h.
och angewunnen rotenb. zug, sempach, entelbuoch, glaris v. vil ander stett vnd
dörffer v. telern. Do disen krieg niemand kund verrichten, wie fast man dar-
zwüschen rett, do zogtend die von Z. vnd switzer aber vs mit ir aidg. in des h.
land. v. verhergetent v. verbrantent vil dörffer v. gewunnent die vesten genant
pfeffekon, v. ersluogend vff der selben vestin xxvj man, v. verbrantent die selben
vestin vnd zogtant do wider hain von menglichen vnbekümbert. Dornach über
ain manet, nach st volrichs tag des vorg. jars, do macht sich der h. vff mit aim
grossen folk vff süben hundert gläffen guotes folkes, vnd zogtent für das stättelin
sempach vnd woltant das gestürmet vnd wider gewunnen han, was es dem h.
was abgezogen vnd vil switzer in dem selben stättelin lagend zuo lantwer. Vnd
wär es das der h. nüt möcht S. gewunnen han, so wölt er aber, als man seit,
das korn v. die frucht da vmb verwüestet vnd abgemeget han 439) mit den
madern, die er och do bi jm hatt. Dis befundent die von lutzern v. v. switz
v. von vrach v. v. vnderw. vnd machtent sich och vff mit zwain tusent gewaf-
fenter fuos genger, vnd waren die von Z. von bern noch ander lüt nüt bi jn
vnd zogtant och gen S. Vnd do baide her ainander sichtig wurdent, do was der
h. vnd ain tail sines folkes als girig zuo stritende, das si zuo stund abassend
von ir hengsten vnd gabend die ir knechten vnd rennern zuo habende, v. iltent
je ainer für den andern gegen den switzern. Och warend in des h. folk vil
junger edler lüt, die woltent ritter sin worden vnd ir frumkait erzaigen, vnd
iltent och für si sichteklichen, vnde schrüwend vber die switzer, man sölt die
buoben erstechen. Hie zwüschen hattent die switzer ain spitz gemacht vnd sich
wol geordenat nach strit, vnd stalletant sich zuo wer, vnd strittent da mit
ainander vff aim eben veld vor S. das zuo baiden sitten ritterlich gefochten ward.
Nun was es do zemal der haissest tag des jares, v. von der hitze v. arbait in
dem strit wurdent die herren zehand vermüedet v. swach, das si in irm har-
nasch erstiken woltant. Davon ward den herren zuo hand angewunnen der druk
vnd geriettent fast vnderligen. Do das die andren ettelich des h. harsch ersa-
chend, die nach do vff ir hengsten hieltent, wie es gieng in dem stritte, do rann-

Diss nach beschribnen edlen, wolgebornen marggrafen, grafen, fryen, ritter vnd knecht, der namen hienach stand, sind alle bi dem hochgebornen fürsten erslagen ze sempach vff den nechsten mentag vor sant margreten tag, an dem nünden tag in dem hömanot, in dem jar do man zalt von gottes gepurt Mccclxxxvj jar [443]).

Orta est lux malis et rectis corde tristicia b).

Des erstem ward erslagen der hochwürdig fürst hertzog lütpolt von österrich. Marggraff ott von hochberg. Graff walraff von tierstain. Graff hanns von tierstain, sin bruoder. Graff hainrich [444]) von fürstenberg, was herr ze hasslach. Herr hanns von ochsenstain fry. Der von hasenburg fry. Herr walther von der tick fry. Herr walther von der geroltsegg fry. Herr peter der jung von bollwil fry. Diss nachgeschriben sind pannerherren gesin: herr ott der truchsäss von waltpurg. Hr. fridrich griffenstainer. Hr. fridrich von münstral. Hr. volrich von stouffen. Hr. albrecht von rechberg. Hr. wilhelm von end ab der etsch. Hr. wernlin waffler von hattstatt. Hr. äppen sun. Hr. bernhart vom hus. Hr. burckhart von massmünster.

Es verlurent och vff den selben tag vnd kament vm drizeohen edel, die all wappensgenoss warent, vss dem hertzogtum burgundy, vss wälschen landen.

Diss nach beschriben sind von swaben: Hr. eglof von empts. Hr. volrich von empts sins bruoders sun. Hr. Burkhart von fryberg der jung Hr. ruodolf von wächingen. Hr. hanns von liechtenstain von francken. Hr. hainrich von schellenberg. Burkhart salzfass. Hr. hanns von randegg chorherr ze costentz. Hr. hanns von grüenenberg. Wolf von Bettmaringen vnd zwen siner vettern Hr. fridrich von ärzingen. Hanns lusser. Schan von hasenburg. Felix ravenspurg. Hr. cuonrat von richenstain. Herman von liechtenfels. Volrich von tierberg. Hanns hilwer. Hr. cuonrat vom stain. Cuonrat dietrich. Hanns von hochdorf. Hr. brun der güss.

---

443) *et fuit crastina kyliani et sociorum ejus* Hü. 444) Hans Tsch. und in der Chronik, und Hü.

tent si davon. Do das die herren in dem strit sachent, do brachend si uss dem strit vnd schrüwend nach ir knechten: hengst har! vnd woltant och davon sin gerant. Bo warend die knecht mit ir hengsten enweg geflochen, das ir vil der herren nüt mochtent zuo ir hengsten komen. Die wurdent do zehand erleit von den switzern vnd och erslagen. Hiemit was der strit ergangen, vnd gesigtent die sw. den herren an vnd behuobent das veld. In disem strit nam man zuo baiden sitten nieman gefangen vnd wurdent der sw. erslagen vf cc, vnd vff des h. sit vf cccc guotes folkes, das fast landes herren v. erber lüt warend. Königshof. Cod. 632 p. 379—381.

b) Die Handschr. Tsch. hat *Orta lux malis et rectis corde leticia.* Es ist aus Psalm 96, 11 (*Lux est orta justo, et rectis corde laeticia*). Das im Texte oben ist bei Hüpli Umkehrung in österreichischem Sinne.

Hamman güss sin vetter. Hamman von brandegg. Wilhelm von glär.
Hr. hamman von wisswiler. Hr. hans von wisswiler. Hr. Lütolt von mül-
heim. Hanns von bosswil von nidern acker. Aberlin von mädingen, des
von rechberg diener. Hensli lächler von vilingen. Frick von brandis der
bastart, *idem fuit filius abbatis augie majoris et fuit primus qui mansit in
bello.* It. des hertzogen harnischer hofmann von biberach der alten fürsten
kuchimaister. Hanns gasser von wintertur.

Das sind ritter vnd knecht, der mertail v o n d e r e t s c h : Hr. volrich
arberger füert die panner von österrich. Hr. hainrich kel ab der etsch
füert das panner von tyrol. Hr. peter von slandensperg. Hr. cuonrat im
turn ab der etsch. Der thorand. Hiltprand von wissenbach. Hr. niclaus
götsch von botzen. Cristoffel götsch sin bruoder.

Diss nachbememten, ritter vnd knecht, sind von dem e l s ä s s gesin 445):
Hr. claus von bäbenheim von colmar. Hr. hamman von witenhain genant
gigen nagel. Hr. hamman schupfner von turikem. Her hans von schwan-
degg. Her diethelm der schulthais. Gerye des jungen herren kuchimaister.
Von dem obren elsäss: Hr. peter von ratsamhusen. Hr. dietrich von rat-
samhusen. Hainrich von ratsamhusen. Her herman waldner. Her hamman
waldner. Crafft waldner von sultz. Cläwi waldner ain basthart. Walther
vnd wetzel von mörsperg verlurent da selb fünf von mörsperg. Hr. peter
von andelow 446). Walther von andelow. Aber ainer 447) von andelow.
Ainer von kagenegg von strassburg. Her hanns ruodolf von lobgassen.
Hüglin von klett von strassburg. Fridrich von klett von strassburg. Burk-
hart von lobgassen. Wilhelm von routbach. Hr. counrat stör von emps-
haim. Hanns von wetzelhaim. Brugger 448) zu berckeim. Hr. hanns beren-
hart. Grautt von sultz. Hr. walther von nüffren. Cuonz von mülnhaim.
Adelberg von bernfels 449). Wilhelm von rautbach. Hainrich stocker von
brunnentrut. Stucki von waltkilch.

Diss nachbenemten ritter vnd knecht sin vom ä r g ö w gesin: Her tü-
ring von hallwil. Hr. hans von hallwil sin vetter. Henslin von hallwil
her türings basthart. Her. marquart v. baldegg. Hr. ruodolf v. hünen-
berg. Hr. ruman von küngstein. Hr. hartman von sehen. Hr. götz müller
von zürich. Hr. götz mayer von obren baden. Hr. albrecht von mülinen.
Herman och sin sun. Hr. wernher schenk von bremgarten. Hr. hartman
von büttikon. Volrich sin bruoder. Hr. götzman von baden ward ritter
da. Franz volrich von tegerfeld. Hr. hainrich von rinach. Fridrich von
rinach. Hr. volrich sin bruoder. Rutschman v. rinach. Gunther v. rinach.
Hr. hemman von äschenz. Heinzman vnd hartmann sin sün. Hr. franz
von castelnöff ritter.

Diss nach benemten ritter von knecht sind von b a s e l , vss der grossen

---

445) Diese Worte f. bei Hü. 446) andelach Tsch. Hü. 447) Tschudi notirt Jörg.
448) Schodoler: ain Bürger. 449) kernfels Hü.

statt: Hr. wernli von berenfels. Hr. cüenzlin von berenfels ein bruoder. Hr. lütin von berenfels. Hr. hemman zem wigghus. Hr. ruodolf von schönow, den man nempt der alt hüruss. Walther meyer sin diener. Hr. wernlin von rotperg. Cuonzlin von rotperg sin bruoder. Hr. wernher von flachslanden. Cuonrat von eptingen. Türing von eptingen. Peter von eptingen. Peterman von eptingen ain sun.

Diss nach benempten ritter vnd knecht sind vss dem brissgöw: Ainer von kapfenbach [450]) ritter. Hr. martin maltrer von fryburg. Hr. heinsman küchlin. Hr. cuonrat statz [451]). Hr. eglolf von tusslingen [452]). Hr. cuonrat von bolzenhain. Hr. peter v. bolzenhain, baid von nüwenburg. Burkhart gässler. Hainrich bächlin. Anthonius von durnstain [453]). Hr. eglolf küchlin. Hr. oswald zum wyger. Hr. hemman mayger. Thoman lüpfrid schützen [454]). Hamman rat. Des von ochsenstain diener. Fritz von gössolt. Hainrich von ärtzingen. Cuonrat starkmaister [455]).

Diss sind von schaffhusen: Eberhart der löw. Hans heggezi. Eberhart hun. Wilhelm im turn. Hanns im winkel. Hegnower. Hanns fulach. Hanns brümsi. Gebhart [456]) rochart von vlenberg [457]). Hanns irmense. Herman irmense. Albrecht pfluoger. Hanns amann.

Diss sind von rinfelden: Wernlin höupti. Dietrich von bern [458]). Hans wernher. Ain armbroster. Zwen zum been. Vogt jenz [459]). Der alt brendlin.

Diss sind von zofingen: Der schulthaiss von zofingen verlor selb zwölft.

Diss sind von arow: Der schulthaiss [460]) verlor selb vierzechend.

Diss sind von nüwenburg: Der schulthaiss selb dritt.

Diss sind von lentzburg: Werlin von low [461]) pannermaister selb sibend.

Von arburg: Es verlor nit me denn ain man.

Es kament och vm vss der klainen statt ze basel: acht man.

Ach löw, was schmuckest du dinen wadel,
Vnd laust vertriben den fromen [462]) adel
Wider recht vnd mit gewalt?
Was sol dir din grülich [463]) gestalt?
Wiltu nit anders tuon darzuo,
Dich frisst der tagen ainst ain switzer kuo c).

---

450) keppenbach 806. 451) Schatz Tschudi's chron. 452) stüsslingen Hü. 453) tirmenstain Hü. 454) schussen Hü. 455) Dies Blatt in Tsch. ist unterhalb abgerissen und die Namen aus Breisgau und von Aarau an blos nach 806 Vad. und Hü. Vgl. Tschudi's Chron. I, 528. 456) Gerhart 806. Hü. und Schod. 457) vlenburg 806. Vad. Hü. 458) Tsch. setzt bei „heim“. 459) heinz 806. Vad. 460) schluch Hü. 461) Iselin's Tschudi Loro. 462) dinen hohen Chron. erschlagen so viel herrlicher — Bullinger. 463) grusame Bull.

c) Do nu dirre strit ergangen was, do behuobend die sw. das feld vntz an den dritten tag, vnd lasend vf die iren erslagnen vss den andern v. schiktent si hain-zuo begrebde, jeden da er hin gehort, vnd namend och den kostbarn harnasch

106. Die aidtgenossen zugent vor wesen vnd gewunnents.

Als nun hertzog lütpolt von österrich erslagen ward vnd swarlichen ver-
loren hat graffen, ritter vnd knecht [464]) im höwmanot, als vor stat, darnach
ze mittem ougsten des selben jars do zugent die von zürich, von switz, von
vre vnd von glaris für die statt ze wesen, vnd lagent also vor der statt
bis vff den nächsten fritag nach vnser frowen tag ze ougsten. Vnd vff den
selben fritag gabent die von wesen ir statt vf vnd swuorent zuo den aid-
genossen ewigklich d).

Des selben wals ward och die vesti, die man nempt [466]), die müli,
verbrennt. Die selb vesti was do zemal des von empts pfand vnd stuond
jm vmb vj M guldin von der herrschaft von österrich. Der selb von empts
ward in der vesti begriffen, vnd muost sweren, weder die von wesen noch
kain aidtgenossen niemer darumb an ze griffen, noch in kainen weg darumb
zuo bekümbern Vnd also versorgtent si die statt ze wesen vnd zugent
die aidtgenossen wider haim e).

107. Die von zürich zugent gen regensperg.

Vff den selben fritag als wesen was gewunnen [467]), do zugent die von
zürich, die noch dahaim warent, mit offhem panner vnd mit aller irer macht
vss ze ross vnd ze fuoss für die nüwen regensperg, vnd schussent
mit büchsen für [468]) in die statt, vnd hieltent also ainen ganzen morgen vor

---

464) hat ritter, herren vnd knecht Hü. 465) 15. Aug. Mittwoch. 466) die hiess 806.
467) gewunnen ward Tsch. Hü. 468) für feblt Hü. Vad.

v. klaider v. klainotter, die si bi den herren fundent, die da erslagen lagend.
Hie zwüschen getorst von der herren wagen nieman zuo jn komen. An dem
dritten tag nach dem strit do gabend die sw. ainen friden v. erlobtent menglich
hinzuo zuo den totten. Do warent die totten lib also sere smakend worden, wan
es gar ain haisse zit was, das man mit grossem kumber vnd jamer den h. vnd
der andern grossen herren vf lx gesuocht vss den andern totten. Der begruobe
man vf xl in dem closter zuo küngesfeld, die andern zwaintzig wurdent enweg
geffiert jeclicher in sin land zuo begrebde. Darnach mit den andern totten ge-
torst noch mocht man nüt wol vmb gan von gesmak v. von hitze. Also macht
man vf dem selben feld, da der strit geschach, ain grosse gruob, vnd warff die
totten drin, da si noch ligend. Vff die selben gruob ist sither ain klain capelle
gemacht. Königsh. Cod. 632 p. 382.

d) Vnd in den selben löffen an vnser frowen tag ze mittem ougsten [465]) do
zugend vnser aidgnossen von lutzern, von vre, von schwits, von vnderwalden,
von glaris, vnd och wir von zürich für wesen die statt, vnd sturmtand an die
statt vnd gewunnend si mit kraft vnd mit grossen arbaiten. Do wir si also inge-
nomen hattend vf den donstag nach dem vorgenanten vnser frowen tag, do schwuo-
rend si zuo vnsern aidgnossen vnd zuo vns ain ewig buntnüss. Cod. 657 p. 100.
631 p. 374.

e) Ganz so Cod. 643 p. 146. 147.

dem stättli. Es reit och ain tail rossvolk in das wental, vnd nament da ain roub. Also kam her hanns der truchsess von waltpurg, der was do zemal [469]) des hertzogen landtvogt, mit vil ritter vnd knechten vnd och vil fuoss volks, vnd triben [470]) denen von zürich den roub ab, vnd stachent vnd schussent do hert gegen ainandern, also dass die von zürich nit anders wisstent denn dass si mit den herren müestint fechten, vnd sluogent etlich vnder inen ze ritter. Also zugent si dennocht vngefochten wider haim *f*).

108. Die von friburg vss vechtland nament ain roub ze bern.

Aber in demselben jar an der nächsten mittwuchen nach des hailgen crützes tag ze herbst kament die von friburg vss vechtland mit des hertzogen volk ze ross vnd ze fuoss für die statt ze bern, vnd nament da ainen grossen roub. Do iltent dievon bern vnd die iren nach vnd errattent den roub erlichen wider *g*).

---

[469]) Des selben mals 806. Vad. Hü. [470]) eryltent Tsch. Hü. Vad.

f) Vnd vf den vorgenanten donrstag zugend wir von zürich vss vnser statt mit dem volk ze mitter nacht mit den lüten, die wir dennocht hie haim hattend, vnd das dennocht vnser statt wol besorgat was, vnd fuorend also wol swo myl von vnser statt in das wental vnd namend da ain grossen roub by tusent houpten, vnd fuortand den mit vns dannen, vnd wuostand vnd brantand was wir fundent, vnd zugend mit vnseren büchsen für die nüwen regensperg, vnd schussend da durch die tor in die vorburg. Vnd do wir dannen zugend vnd heim woltand, do kamend vns die vyand vf dem veld an by dem kräyenstain, der was drü hundert spiess ze ross vnd vil ze fuoss, mit den wir ze dem fünften mal alweg gern hettind gefochten, denn das si alli mal wider hinder sich fluhend, vnd tribend das mit inen by fünf stunden. Doch ward do hertiklich battellet, das der vyanden mer den fünfzig gewapnoter erschlagen ward. Von den vnseren belaib och by zechnen da tot, der was nit mer won dry gewaffet, vnd behuobend wir mit eren das veld, vnd tribend den vorgenanten roub mit gewalt vnd mit werhafter hand hain, vnd gelang vns von gottes gnaden wol. Cod. 657 p. 100. 101. 631 p. 374. Etwas anderst Cod. 643 p. 147. Die Oesterreicher führt Hans der Truchsess von Waltburg. Noch anders, aber aus derselben Quelle, aus welcher diese schöpften, Justinger S. 218. 219.

In disen löuffen ward rümlang die burg vnd bülach von den vnsern verbrent, vnd mosburg ward och von den vnsern jngenomen. Cod. 657 p. 101. 631 p. 374. Vrgl. Justinger S. 219.

g) Ganz so Cod. 643 p. 147. „vnd erschluogen ir me denn zwai hundert man vnd viengen xxv man, die füertents mit jnen gan bern". Näheres hat Cod. 629 p. 251. Vnd als die von bern nit in den krieg warent vnd sich lang vberhept hattend vntz nach dem stritt ze sempach, darumb inen die eydtgnossen ybel redtan vnd aber der jung hertzog lüpolt jnen grossen schaden zuo füegt vnd meyenberg von den eydtgnossen zerstört ward, also widersaittent die von

109. Die von lucern gewunnent die vesti arnstrewe.

Aber darnach vff den nächsten fritag nach sant michels tag, als des vorgenampten jars, do zugent die von lucern vnd die von zug mit drü tusent mannen gen bremgarten für die vesti arnstrowen[471]). Die selb vesti was walthers von haidegg, vnd do si die vesti gewunnent, do ertödtent si alle die die si daruf fundent[472]), vnd wurfent irer vil zum sloss uss[473]) ze tod vnd brachent die vesti nider vff den herd h).

110. Die richstett machetent ainen frid darunder.

Die richstett redtent fast darunder, also dass si etwa mengen frid darzwüschent machtent. Si machtent ainen frid vff sant gallen tag anno dni Mccclxxxvj, der solt wären bis vff die liechtmess Mccclxxxvij, vnd machtent darnach aber ainen frid, der selb hiess der böss frid, vnd was och ain bösser frid, vnd was die richstett tatent, das tatent si den aidtgenossen ze dienst vnd arbaitotent[474]) sich fast in der aidtgenossen dienst. In dem selben bössen frid kam vil korn gen zürich. Es erstachent vns von zürich im selben frid die von rappreswil v man vff hurderfeld, nnd fiengent och v man vff den höfen.

111. Nach hertzog lütpolt selgen tod kam ain andrer hertzog in das land, hiess hertzog albrecht i).

Anno dni Mccclxxxvij vff sant margreten tag kam aber ain hertzog von österrich in das land, hiess hertzog albrecht, vnd bracht mit jm sines bruoders selgen sun, hiess hertzog wilhelm, ain junger herr, was hertzog lütpolts sun, der ze sempach erslagen was, vnd kament mit inen vil ritter vnd knecht.

112. Die richstett machetent aber ainen frid.

Also rittent aber die richstett ernstlich darunder, vnd machtent ainen frid vff sant jacobs tag, vnd machtent ainen frid nach dem andern, vnd

---

471) Arnstrouwen Hü. 472) die daruf funden wurdent 806. 473) vberuss 806. Vad. Hü. 474) vebtent Tsch. vnd arbeitetent fehlt Hü.

bern dem hertzogen vnd ouch den von fryburg vnd wuostent inen ir land vmb ir statt, vnd gewunnent magenberg, tachsegg vnd castell, vnd verbrantent die dry burg. Item vnd stürmtent vil vnd dick an fryburg die statt oben vnd vnden, das die von fr. doch allwägen ir statt behuobent vnd nit haruss kament, vnd das die von B. mit ir grossen büchsen vil vnd me an die statt schussent. Darnach zugent si in das land genant blanpbei (Planfayon) ennet fr. vnd verwuostent das da was; aber des von saffoi was (sic) dem tatent si nüt vnd zugent do wider heim. Vrgl. Justinger S. 216. 217.

h) So Cod. 643 p. 147 „vnd funden dar vff xxiiij man, der erstachen si vier ze tod, die andern wurffen si ze tod uber. vsa."

i) Bei Tsch. als 11. Zeichnung Oesterreichs Schild, roth, mitten wsiss. . . .

·erdáohtént was ai kundent, dass es gefridet wurdi. Das geschach als den ·aidtgenossen ze lieb vnd dienst.

Si machtent aber ainen frid bis vff die liechtmess anno dni Mccclxxxviij. ·Vnd do nun die liechtmess kam, do ward der frid aber verlengret vier-zechen tag bis vff die alten fastnacht, do huob aber der krieg an, vnd ward .kain frid do me gemachet *k*).

113. Der hertzog von österrich nam die statt ze wesen wider in.

Anno dni Mccclxxxviij vff den nächsten samstag vor sant mathis tag samlot ·der aidtgenossen houptmann ze we s e n, den si da gelassen hat-tent, als si die statt gewunnent, der hiess ammann von den ow[175]), vnd der

_____

175) auch Vnderoyen. Tschudi's Chron. I, 541. Schmid, Gesch.·v. Ury I. 76. Vad.· sagt ·nach st. mathis.

k) Diss stuond also in kriegen etwa vil ziten, vnd vor sant gallen tag do rittend aber vnser aidgnossen des richs stett dar vnder, vnd betädingotand mit hertzog lüpolts säligen sun hertzog lüpolten, der für sich vnd für hertzog albrecht, ·sinen vettern, hertzog wilhelm, hertzog ernst vnd·hertzog fridrich sin brüeder, ain frid mit vnsren aidgnossen vnd mit vns vnd den vnsren, vnd wir mit inen vnd ·den iren ain nüwen frid vfnamend, den die vorgenanten stett berettend vnd be-tädingotand, das ·er von baiden tailen war vnd stät beliben sölt von dem nächsten samstag·vor sant gallen tag anno lxxxvj vnts vf vnser frowen tag ze liechtmess, der de·schierost kam. Vnd also belaib es och in friden das vorgefait zil va.

Vnd e das der vorgenant frid vss kam, do ritteñt des richs stett dar vnder .vnd machtand·ain frid, der weren solt von dem vorg. v. fr, tag ze liechtmess im lxxxvij jar vnts vf vnser fr.·t. z. L im lxxxviij jar, vnd gab hertzog albrecht von Oe. für sich, für ain vettern vnd für die iren·vns des sinen offnen besigloten brief, vnd .wiewol· der selb frid mit gelüpt vnd mit· briefen versichrat ward, darüber wurdent unser aidg. vnd och·wir dik vnd vil in dem selben frid·von ·den die sue der herrschaft gehortand, schwärlich vnd herteklich angriffen mit ·roub, mit·brand, mit totschlagen vnd·mit vil andern vnredlichen sachen, die vns nie ab galait wurdent, als·man vns aber nach des fridbriefes ság verhaissen vnd gelopt hatt. Vnd also littend wir vns den vorgenanten friden vss, das von de-wedrem tail nit gemain angriff beschahend. Vad do der frid vss kam, .do griffend wir ze baiden siten an ain ander, vnd ward der krieg vast hart. Cod. 657 p. 101. 102. 631 p. 374. 375.

Darnach ze sant gallen tag macheten des richs stett ain frid zwüschent der herrschafft vnd den aidg. vnts vff die liechtmiss im 87. jar.· Do nu die liecht-miss kam, do ritten aber des richs stett entzwüschent vnd machten aber ein frid ein gants jar vff die liechtmiss in dem 88. jar vff die liechtmiss, das hiess der böss frid. Dar nach im 88. jar vff margreten kam hertzog A. von Oe. mit hertzog W. sines bruoder sun, vnd machtend des richs stett ein tag vff sant jacobs tag, vnd ward ouch dar nach ettwa meng. tag gemacht, vnd tribent die richstett allwegen täding darvnder. It. darnach ze der liechtmiss im 88. jar do ward der frid aber erlengert xiiij tag bis za der·alten vasnacht. Cod. ·643 p. 147. 148. Vrgl. Just. S. 219.

9

selb sammlet ain ganzi gemaind ze wesen, vnd och sammlet er alle die da
lagent von den aidtgenossen vnd der statt huottent, vnd sait denen vor-
genempten allen, wie jm warnung wäri komen von den aidtgenossen, dass
des hertzogen volk die statt ze wesen überfallen wölti, vnd si wider in ne-
men welti[476), vnd dass der vogt ze windegg die sach so ernstlich tribe
vnd wurbi an des hertzogen volk, vnd bat si also ernstlich vnd fründlich,
dass si alle gewarnet wärind vnd wol gomtint vnd der statt wol huottint,
als lieb inen ir lib vnd leben wäri; wan si erkantint all wol dass der selb
vogt ze windegg ain heftiger vfsätziger man wäre vnd den aidtgenossen
vffsätzig wäri vnd vigent. Der wäri jetz ir nachgebur vnd fast überlegen;
aber er getruwti bald mit der aidtgenossen hilf die burg ze windegg ze
gewünnen vnd den vogt dannen ze tuond, dass die selb vesti vnd der vogt
vnd des hertzogen volk als daselbs vmb die von wesen vnd die aidtgenossen
vnbekümbert liessint. Er sait inen och do zemal dass die von glaris vnd
ander ir aidtgenossen komen weltint vnd vff morndess an dem sunnen-
tag vff den ammenden berg zühen weltint vnd den selben berg innemen
vnd die da zwingen, dass si och inen swüerint[477) dass si aber dester si-
cherer werint ze wesen.

Also ward an dem selben samstag[478) in der nacht do kament des
hertzogen volk von rappreswil vnd wintertur vnd kyburger ampt vnd grüe-
ninger ampt vnd ander des hertzogen lüt, och etlich burger von wesen,
die vor gewichen warent, do si die aidtgenossen innament, vnd nament
also die statt wesen wieder in zuo des hertzogen handen. Si hattent och
guoti kuntschaft von etlichen burgern ze wesen, die in der statt warent.
Also ward deren von glaris vnd der aidtgenossen bi lxxx mannen[479) da
erslagen. Ir kament och vil darvon die übern muren, vss fielent in das was-
ser. Si nament och do zemal ze wesen deren von glaris panner, vnd fuor-
tent es gen rappreswil. Die von glaris kament och in der selben nacht,
vnd woltent gen wesen sin, vnd mornent dess vff den ammen, als vor ge-
schriben stat. Also wurdent die von glaris vnd des hertzogen volk ainan-
dern innen, vnd enwüsst kaint wedrers tail gegen wen es was. Des hertzo-
gen volk wondent, die aidtgenossen wärint der anlegung innen worden,
dass si in der selben nacht die statt ze wesen in nemen wöltint, vnd war-
fent die brugg ze wesen bi der müli ab, dass si nit herüber komen moch-
tent; also forchtent die von glaris, do si das geschrai hortent, des
hertzogen volk welti hinüber zuo inen, vnd wurfent die brugg an dem
andern tail ab. Also vorchtent bed tail ainandern, bis dass des hertzo-
gen volk die statt vnd das volk erobrotent. Vnd do es taget, do wa-
rent die von glaris, die vss der statt entrunnen warent, vnd die andren
alsamen enweg l).

476) Nur Vad. und Hü. richtig. 477) schweren muostend Hü. schweren müe-
sind Vad. 478) Cod. 657 p. 102 und 629 p. 276. sagen „fritag" Vad. zuo mitternacht.
479) by viertzig mannen Cod. 657 p. 103 und 629. cit.

l) Do haob sich aber der krieg an am samstag vor sant mathistag in der

114. Wie die von glaris gern ain täding hettint gemachet.

Nun wurbent die von g l a r i s in denen dingen, vnd hattent etwa dick
·ir bottschaft bi den herren ze wesen, vnd hettint och gern ain täding ge-
machet mit. der herrschaft, ·dass man si nit überzogen hetti. Do forchtent

---

430) Bruhin, noch bestehendes Geschlecht. 431) Flüsschen bei Rapperswil.
nacht, vnd was in der ersten vastwuchen vnd fronfast, do kamen der herschafft
von Oe. diener mit denen von rapperswil, wintertur vnd von grüeningen, vnd
was da wider selbs vmb was, vnd zugen gan wesen heimlich vnd vngewarneter
dingen, vnd wurden jnen die tor ze wesen vff getan, vnd kamen in die statt
mit falschem rat vnd mit böser anleitung. Denn da warent ze wesen ettlich
vnder jnen die giengent gan windek vff das schloss, vnd was ein vogt dar vff,
der hiess der bruchli 430). Mit dem leitten si an das er das volk vff die selben
zitt zuo weg brechti, so wöltin si jnen die tor vff thuon vnd hin jn helffen, da-
mit das die statt wider ze der herschafft hand käme, denn das selb schloss
windek hort zuo der herschafft von Oe. Vnd kam der selben nacht zuo wesen
vmb dero von glarus xxxj man der weidenlichosten vnd besten. so in allem land
do ze mal mochten sin, vnd wurden ärmklich zuo nacht an ir betten erstochen,
do si lagen vnd schlieffen, vnd by guoten fründen wanden sin. Der selben nacht
·ward den von glarus ir landfendli genomen vss einem trog, darinn si das hert
beschlossen hatten, vnd die so in der selben kamer warent, die hatten den fyen-
den die kamer vor alslang vntz das die fyent si sicherten ir lips vnd ir guots.
Davon liessent sich die so in der kamer warent, vnd liessen si zuo jnn hin; do
erschluogents vnd ermurttens uber das so si jnn zuogeseit vnd gesichert hatten,
vnd namen das selb vendli vnd anders, das in dem selben trog da das fendli jn
beschlossen ward, vnd kam das selb fendli gan rapperswil, vnd ward eim vff
geben, der solt es gan R. tragen. Do er kam an die jonen 431), do viel er nider
·vnd verdarb, vnd fand man das fendli by jm in sim buosen. Vnd ward die selb
statt wesen mit sölichem falsch vnd mit vnredlichen sachen der herschaft von Oe.
wider jngegeben, vnd beschach das durch ettlich von W. vnd nit durch si all,
denn da was meng bider man, der nüt davon wust vnd jm die sach leid was.
Also satzt der hertzog graff hansen von sangans gan W. ze einem houptman.
Cod. 643 p. 148. 149.

Vnd do sich also in krieg vergieng vntz uff den fritag vor st mathias tag
in dem 88. jare do hattent ira vil der burgern zuo W. haimlich vmb volk ge-
worben, die von der herrschafft stetten vnd landen zuo jnen kament, vnd ir ain
tail in die statt verstolenlich giengen vnd also verborgen in den hüssern lagent.
Vnd uff den vorgenanten fritag ze mitternacht do brachent die burger von W.
vnd die si by jnen in der statt hattent, uf vnd erschluogent vnd ermurtent die ·
erbern lüt von glaris, die by jnen in trüwen vnd in früntschafft lagent, by fier-
tzigen, vnd ertotent die darüber das si sich nit wustent vor jnen ze hüeten, vnd
gabent der herrschafft mit semlicher verratniss vnd mördery die statt jn. Cod.
657 p. 102. 103. Cod. 631 p. 375. Cod. 629 p. 276. Mit den gleichen Aus-
drücken Justinger S. 220.

die herren allweg, wenn si enweg kämint vnd das volk zerritt vnd von
ainandern kämint, so hieltind si dann nüt, was si mit inen machtint, vnd
wottent kain täding mit denen von glaris machen vnd vffhemen, vnd main-
tent, es wäre vor me geschechen, vnd weltint je das land vnd lüt mit ge-
walt gewunnen han vnd zwingen, vnd woltent sunst kain täding mit denen
von glaris vffnemen noch machen: Vnd also satzt der hertzog von öster-
rich graff hannsen von sangans zuo ainem houptman ze wesen in
der statt.

115. Wie die von glaris all aidtgenossen mantent wider für wesen.

Als nun die herren die statt ze wesen wider ingenommen hattent,
do mantent die von glaris vnd die von vri, die iren ammann och da ver-
loren hattent, all aidtgenossen vnd woltent wider für die statt ze wesen.
Also kament all aidtgenossen zesamen an dem zürichsee vff den nächsten
zinstag nach sant mathis tag, vnd wurdent da ze rat, dass si nit spis
möchtint han vnd für wesen bringen, vnd zugent also an dem dritten tag
wider haim.

116. Wie sich ain gross volk versamlet ze wesen.

Das gestuond nun siben wuchen an, dass des hertzogen volk die statt
ze wesen wider inn hatt vnd da lagent vnd huotent. Vnd also hattent
des hertzogen volk ain grosse versammlung von herren vnd von stetten, dass
ir wol bi fünf oder sechs tusint[482]) warent, die da zemal gen wesen kament
ze ross vnd fuoss. Also hettint die von glaris gern etwas mit den herren ange-
tragen vnd hettint gnad gesuocht; do getorstent inen die herren nümen getruwen.

117. Von der slacht ze glaris.

Vnd do es ward an dem nünden tag im abrellen vff ain dornstag, do
zooh das selb volk von wesen gen glaris mit aller macht vnd mit gewalt,
vnd gewunnent die letzi ze nefels, vnd ersluogent iren vil an der letzi, die
sich da wartent vnd inen woltent die letzi verhan. Also wichent die von glaris
von der letzi an ainen berg vnd zugent die herren vnd das volk in das land ze
glaris vnd verbrantent die hüser vnd wuostent vmb was si mochtent, vnd
was inen der mertail nun vmb rouben vnd vmb guot ze gewünnen. Si
hattent och me denn zwölf hundert houpt vich hinderslagen vnd woltent
das dannen triben, vnd maintent, es sölti inen das niemand weren. Also
sachent die von glaris, die an den berg gewichen warent, der herren ge-
werb mit ainandern, wie sie sich so vnordenlichen hieltent vnd von
ainandern rittent vnd giengent, vnd inen nun not vmb guot was, vnd
jetlicher gern vil gewunnen hetti. Also rittent inen die herren och
nach an den berg, da si hin geflohen[483]) warent, vnd also wurfent die von
glaris[484]) mit stainen gegen den herren, dass die ross darab schüch wurdent[485]).

---

482) So hatten Tsch. Vad. u. Hü. Tschudi korrigirte „zechentusig". auch Cod. 657
u. 629 p. 276 sagen 6000. Vgl. Stumpf II. 135 b. 483) gewichen Hü. Vad. 484) „bi
vierthalbhundert werhafter". Cod. 657 p. 103. 485) schüchtent Hü. Vad.

Also ruoftent die herren hinder sich zuo dem volk, si söttint enweg wichen,
dass si nit erworfen wurdint mit den stainen. Also wichen si, vnd trucktent
die von glaris hernach, vnd kam ain flucht in das volk, das wenig jeman da
gestuond. Also iltent inen die von glaris nach über ain gross riet vss bis gen
wesen, vnd erstachent inen bi vier oder fünf hundert [486]) bis [487]) gen wesen
an die brugg, also welchi sich ze wer stalltent. Da luffent si für, wan ir
was der mertail, die sich on wer erstechen liessent; doch verlurent vnd
kament ir och vil vm, die sich mannlich gegen inen wartent vnd mit we-
render hand erslagen wurdent. Vnd do si also gen wesen an die brugg
kament, do ward das getreng also gross vff der brugg, dass die brugg in-
brach, vnd ertrunkent irer och vil, wan inen was ze not, dass niemand des
andern acht hat, vnd zoch ainer den andern vnder, wan si warent all wol
geharnascht vnd gerüst [488]). Es warent och etlich der herren, die ze gla-
ris vor in das land warent komen vnd guot gewunnen hattent, die all
wider herus [489]) rittent vnd giengent, dass si weder fründ nooh vigent sa-
chent, anderst denn die todten sachent si da liggen, vnd kament vnbeküm-
bert wider haim. Des selben tages floch och graff hanns von sangans gar
lasterlich mit fünfzechen hundert mannen, de ir houptmann ze wesen
was, vnd er das alles hatt an gelait. Er was mit sinem volk für beglingen
her in gezogen, vnd do er sach wie es gangen was, da kart er wider vmb
vnd floch.

Als nun die von glaris ob gelagent vnd die herren die flucht geno-
men hattent, bis gen wesen, do kartent si wider vnd sluogent all die ze
tod die noch nit tod warent, vnd zuchent si der mertail vss bis vff die
nidergewand vnd laitent si zuo ainandern in dri gruoben in das vngewicht
ertrich vor der letzi in die wyden m).

————

·   486) Tsch. korrigirte in Tsch. fünfzechenhundert. Cod. 657 sagt 1800. 487) uns
Hü. Vad. 488) wol bezügt Hü. Vad. 489) ussen Hü.

m) Bei Tsch. 12. Zeichnung, die Schlacht. Das bestuond also vntz ze vs-
gänder osterwuchen. In dem selben 88. jar an dem andern donstag im aberellen
do hat der hertzog aber ein gross volk gesamlet vss allen sinen stetten vnd
landen me den xv tusent man ze ross vnd ze fuos, vnd kamen gan wesen vnd
zugen da dannen mit gewalt gan neffels in das land glarus, vnd verbrannten
wol xxx hüsser vnd hatten vil vichs hinderschlagen, vnd wolten das hin weg
han getriben, vnd meinden, jnen sölt das nieman werren, vnd söltin vngevochten
dannen farn. Do warent die von glarus an ir letz nit mer denn mit iii ½ hundert
(d. h. vierthalb h.) mannen. Dero warent 1 man von switz, vnd do si sachen
das si waren komen vmb ir land vnd durch die letzi gebrochen waren vnd so
vil hüsser angestossen hatten, vnd das sich. hinderschlagen hatten, do tett jnen
das vast we vnd was jnen ein grosser kumer, vnd wurden mit enander ze rat
schnell vnd einhelklich das si ir lip vnd leben davon wöltin setzen. Vnd zugen
von der letz hin vff in das gand vnder den berg, vnd taten das dar vmb, das
si den berg zuo einem rugken hettin vnd man si nit möcht allenthalben vmb

ziechen. Do si in das selb gand kamen, mit hilff des barmhertzigen gots, siner
lieben muotter maryen vnd des lieben hern sant fridlis do griffent si die fyent
an gar mit frischem redlichem muot, vnd erschluogen vnd erstachen ii ½ tusent
(dritthalb t.) man vnd jagten si gan wesen zuo der statt, vnd kam vil lüt vff
die brugg, das die mit den lütten jn brach, vnd ertrank so vil lüt in dem se,
das nieman mocht wüssen wie vil der were. Des selben mals floch graff hans
von sangans, der ir houptman ze wesen was, me denn mit xv hundert mannen;
der was vff beglingen vnd sach wie die von glarus mit ir fyend vmb giengent,
vnd si hinweg jagten, vnd kam das geschrey vnder si so vast, das si luffen durch
den britterwald hin uff über kirchenzen, vnd meint man das vil lüts enander im
wald über den berg jn viel, vnd ertrank ouch vil lüt vnder dem walensew, vnd
luff jn nie kein man nach als man meint. Vnd gewunnen die von glarus an der
selben schlacht xiij rechter houptpaner. Der selben kamen vj paner der aller
hüpschesten gan switz, vnd wurden zwei zerschossen vnd zerzert, das man die
nit kond noch mocht vff gehenkhen; die andern fünf paner die hangen ze glarus
in der kilchen, die si iren fyenden vff den selben tag angewunnen mit anderm
grossem guot, das jnen von den fyenden ward an harnest, an rossen vnd an an-
derm guot. Es warent och ettlich fyent vntz gen glarus vff ze ross vnd ze
fuos, vnd wolten han geroubet, vnd do si vernamen wie es ze näffels gangen
was, machtends sich en weg. An der selben schlacht kam dero von glarus liiij
man vmb. Cod. 643 p. 149. 150.

Darnach an dem nünden tag aberellen anno dni Mccclxxxviij kament diss
nachgeschribnen herren vnd stett mit grossem volke als sechstusent (fünfzechen
tusent Cod. 631) mannen gen glaris an die letzi, das ist graff johanns von wer-
denberg herr ze sangans, die grafen von toggenburg, peter v. torberg, h. johans
v. klingenberg, der von rappeltstain vnd ander herren, ritter vnd knecht, vnd
diss stett: schaffhusen, wintertur, frowenueld, radolfzell, rappreswil vnd ander,
vnd gewunnent die letzi ze glaris, vnd kament mit gewalt in das land. Des
besamnotand sich die von glaris, das ir by vierthalb hundert werhafter mannen
warend, die griffent die vyant an vnd erschluogent ir etwa vil in dem land ze
tod. Des wurdent die vyant flüchtig vnd jagtand jnen die von glaris nach, vnd
erschluogent ir wol by achtzehen hundert (sechstusenden 631) mannen vnd er-
trank ir etwa vil in dem walense vnd och in der lint, das man sait, das der
herrschaft volkes in dem see so vil ertrunken, das man von eim bort an das
ander trucken wer gegangen (by xxiiijc mannen vf den tag verlor, sagt nüch-
terner Cod. 657), vnd gewunnend die von glaris xije man harnasch vnd xiij
paner vnd vil ross, vnd ward der von glaris nit me erschlagen denn liiij (xxv
Cod. 631) man. Vnd was der fyenden lebendig belaib, die fluhent gen wesen in
die statt, vnd uff den ainliften tag abrellen in dem vorgesaiten jar do stiessent
die vyent die statt wesen an mit für vnd verbrantent si gentzlich, vnd zugent
da die burger von wesen mit ir wib vnd kinden, vnd och die andren die by
jnen warent, jederman da er hin komen mocht. Cod. 657 p. 103. 104. Cod. 631
p. 375. 376. 629 p. 276. 277. Vrgl. Justinger S. 222.

Nach disem strit (zu Sempach) kam des h. säligen sun der elter, genant lüpolt, an die herschaft zuo Oe. vnd ward h. an sines vatter statt. Dirre wolt sinen vatter rechen vnd besamnot ain gros folk wider die switzer. Als tatent och die sw. her widervmb. Do ward dazwüsehen gerett vnd ain frid gemacht ain jar. Do zerrait das folk, vnd e das zil zergie, da gieng der krieg wider vff, vnd die sw. zerstortent vnd zerslaiftent die statt rottenburg v. die burg in der statt daselben ze grund ab, wan der h. gar ain grossen zol da hatt vnd die strassen den sw. ab der selben burg verhalten vnd verlait wurdent. Darnach fuor der jung h. zuo h. albrecht sim vettern zuo wiene, vnd hiess sin stett v. ambtlüt kriegen vf die sw. Das tatent si och vnd geschach robendes v. batellendes zwüschen des h. folk vnd den sw. vil v. gros schad zuo baiden sitten, das die land verherget wurdent, wan die sw. hand die edeln lüt, die vmb si sassend, vil bi gar erslagen.

Ain strit zuo glaris. Ains tages nach osteren, do man zalt n. g. g. Mccclxxxviij jar, do geschach das graf johans v. werdenbg, g. thoman (!) v. toggenbg, h. johans v. klingenberg v. vil ander herren v. stett der herschaft v. Oe. zogtent für glaris in das tal vnd land mit aim grossen mächtigen folk, drü tusend od. me, v. woltent die von gl. ybervallen han, wan si zuo den switzern gehortent, vnd gewunnend die letzen v. kamend in das land, v. lieffend in die hüser robende v. sakman zuo machende. Hiezwüschen samnotent sich die von gl. vnd switzer, das ir vf tusend[190]) zesamen kamend, vnd zugend an die herren vnd strittent mit jn. Do warent die herren zertreigelt vnd nüt bi ainander, wan si nach rob her vnd dar in den hüsern stekkatant. Davon gelagend si vnder vnd gesigtent die von gl. vnd switzer gegen dem grossen folk, vnd ersluogend ir vf xij hundert vnd gewunnent xij baner vnd tusent harnasch v. vil hengste v. ross, vnd ward der sw. vnd ir aidg. kum vff hundert erslagen. Königsh. Cod. 632 p. 383.

Dachers Konstanzerchronik zählt bei Näfels „zway hundert spiess ze ross vnd fünftusend man ze fuoss. Vnd maint der hertzog glaris zuo gewinnen, vnd schluog nun hin an die letzin, vnd hüwe die vff mit dem fuosvolk, vnd kamend entail für die letzin hin in biss zuo der kilchen, die da haisset mollia." Glarner zählt sie 600. Dann erwähnt sie das Märchen, die Eidgenossen haben die Feinde verzaubert, dass nicht nur ein Wetter entstuhnd, worinn vor Nebel und Dünkle Keiner den Andern mehr recht erkannte, sondern die Füsse der Rosse, die Speere, Schwerter und Armbruste mit Fäden zusammen gebunden und verwickelt waren. „Also wurdend si flüchtig vnd gewonnen ze eng in den wegen, das si sich nit weren mochtend, vnd kamend entail ross vnder si, die si nun och trucktend, trangtend vnd irrtend, das si nit mochtend ze wer komen, vnd wuostend sich selber also gröstlich, das es nieman gesagen kan wie vil lüt si selber ertottend mit trucken in ir aigne waffen vnd mit tretten." — „Vnd das an der flucht iro vil kamend vff die brugk, die da gat über das wasser gen wesen. Vnd die

---

190). Cod. 629 sagt „achthundert".

118. Das sind die edlen vnd namhaftigesten, die se glaris vmb komen̄t.

Hienach stand geschriben ain tail der namen, die ze glaris vmb kon sind [491]: Herr hanns von klingenberg ritter *n*). Hanns sunthusser, Hanns faiss, Hanns vetter, all des von klingenbergs diener. Hr. volrich von sax ritter. Hr. hainrich von randegg ritter. Jörg egghart des von randeggs diener. Hr. eglolf von rosenberg ritter. Hr. herman von bül ritter. Hr. low von schaffhusen ritter. Volrich von haldenstain. Hans von wagenberg. Hainz von rümlang. Diettegen von altstetten. Wolf von berg. Hanns von wilberg. Volrich schenk von castell. Fridrich von bätmaringen. Hainrich von luterberg. Hanns von langenhart. Hanns von vnderwegen. Hans von vomonans. Volrich von griffense. Hainrich von sant johann. Fridrich von richenbach. Volrich von nüwennegg. Manlach von althaim. Hans von rosshain. Reinhart von constorf. Peter bart von haberspurg. Gölli [492]) von österrich. Reinhart von adelar. Dietrich simon. Simon muoterkind. Gotthart kalbhopt. Wilhelm von gersten. Hartmann sultzer von kyburg. Hanns der haner [493]). Volrich keller von hornisshain [494]). Hr. albrecht von landenberg ritter. Ruodolf von landenberg. Beringer von landenberg. Eberhart von strass. Hertdegen von hinwil. Beringer von lomiss. Spysser von diessenhofen, was vogt ze rappreswil. Philipp rüed Wolf sürg. Karolus rottower. Hainrich gir. Cüenerli von rümlang. Hanns schappelz. Peter lapp. Albrecht schulthais. Claus walpersperg (Wolfsperger) von rappreswil.

It. des von Togkenburg volk verlor swarlich.

It. vss kyburger ampt. Von zell vss vndersee.

Von wintertur kament vm lxxx man. Von schaffhusen verlorent och. Von rappreswil lxx man. Wintertur vnd rappreswil verlurent allermaist [495]).

119. Wie der abbt von rüti die todten wider vssgrueb.

Nach diser slacht bi xx manoten fuor abbt bilgeri von rüti, geborn von wagenberg, mit vil knechten hinuf gen glaris, vnd gruob die todten lichnam wider us, vnd füert si gen rüti vnd begruob si da erlichen in das münster. Derselb abbt bilgri von wagenberg gieng selber mit ainer schufflen,

---

491) verlorn hand Hü. 492) göbli Hü. Röslin Vad. 493) hanger Hü. Vad. 494) hornstein Hü. hönisen Vad. 495) allerschwerlichest Hü.

ward nun so schwäre überladen mit volk, dann si trungend ainander, das die brugk das gros volk nit ertragen mocht, vnd vnder inen nider gieng." Man sage von mehr denn 2000 Todten. p. 194—196.

Anno Mccclxxxviij jar an dem nünden tag des aberellen wurdent erschlagen se glaris herr hans von Clingenberg vnd xx ritter vnd knecht, ouch ob sybenhundert erbrer lüten. Cod. 630. p. 402.

n) Zubenannt der Gütige oder Gute, Ururenkel (?) des ersten Verfassers der Chronik (1240 und später), und Fortsetzer, wie sein Sohn u. Enkel Johannes u. a. Er war Oesterreichs Landvogt im Hegaue. Tschudi Chron. I. 104. u. Stumpf II. 135 b.

vad durch smocht die gruoben vnd liess ain bainli nit liggen, das er echt finden kond, vnd achtet nit des grossen smackes vnd gestanks, der da was, wan die todten lichnam warent noch nit vergesen[496]). Er was ouch nüchter bis es alles geschach ze complet zit, vnd fundent in dri gruoben clxxx todter lichnam. Das geschach an sant andres abent, des zwölffpotten, anno dni Mcoclxxx vnd viiij jar.

120. Wie die von glaris aber die aidtgenossen für wesen manotent.

Als nun das alles geschechen was an dem nünden tag im abrellen, als vor stat, gelich vnverzogenlich schicktent die von glaris vnd von switz ire botten gen zürich vnd saitent inen wie es gangen was, vnd ermantent si och bi ir aiden vnd ir püntnuss, dass si kämint vnd inen hulfint, wan si weltint sich aber legen für die statt ze we se n. Also saitent inen die von zürich hilf zuo, dass si onverzogenlich komen weltint mit allem irem züg vnd mit macht. Darnach an dem nächsten sampstag zuchent die von zürich vss mit siben hundert mannen, wol gerüst[497]), vnd woltent mit denen von glaris vnd switz für wesen ziehen. Vnd do si kament gen richtiswil, do kam inen gewüsse bottschaft, dass die von wesen ire statt selber hettint angezünt vnd verbrennt, vnd wär jederman vss der statt, frömbd vnd haimsch o). Das was och war, vnd also wurdent die von zürich ze rat, dass si nit wider wöltint haim ziechen, si weltint sich legen für die statt rappreswile, wan die von rappreswile hattent och ze glaris vbel verloren, vnd die besten die si in ir statt hattent, burger vnd soldner, bi lxx mannen. Vnd also lagent die von zürich ze richtiswil bis vff den sunnentag, vnd schicktent vm me volk vnd vm züg, vnd enbutent inen dass si muot hettint gen rappreswil. Also kament die von zürich mit aller macht.

131. Die von zürich belagent die statt rappreswil mit macht.

Darnach an dem nächsten sonnentag[498]), das was der nächst nach der slacht ze glaris, nach vesperzit, do zugent die von zürich mit aller ir macht vnd mit gewalt den see vff, vnd laitent sich für die statt ze rappreswile, vnd manotent do alle aidtgenossen zuo inen für die statt, als si och kament. Vnd des ersten tages als die von zürich vssliessent, do verlurent si zwen man, do ward der ain erworfen mit ainer blygenen kugel[499]) vss der statt, vnd der ander wolt hin zuo louffen, der ward erstochen vnd vss gezogen. Vnd also zugent denen von zürich zuo die andern aidtgenossen, des ersten die von glaris, von switz, von lucern, von bern[500]), von vre, von vnderwalden, von soloturn[501]) vnd von zug, vnd

---

496) so erden worden Hü. Vad. 497) wol bezügter Hü. 498) 12. April. 499) mit e. bliden Hü. Vad. 500) 28. April. 501) 30. Apr.

o) Vnd vf den xj tag abrellen do stiessend die vyant die statt wesen an mit für, vnd verbrantend si gentzlich, vnd zugend do die burger mit ir wib vnd kinden vnd och die andren, die by inen warend, jederman da er hin komen mocht. Cod. 657 p. 104.

lagent also iij wuchen vor der statt mit gewalt, dass si gar wenig ruow hattent weder tag noch nacht, wan die von zürich hattent allen iren züg mit inen gen rappreswile gefüert, büchsen, blyden, katzen, antwerk, schirm, vnd was si han mochtent, vnd schussent vnd wurfent on vnderlass in die statt, vnd si wider heruss, wan si hattent och bliden vnd guotea züg in der statt. Also hattent die aidtgenossen bedeckti schiff vff dem see gemacht, mit schwabel, kien harz vnd bech vnd anderm züg, damit si die ergger woltent abbrennen, vnd stiessent die selben schiff durch die schwirren inen vnder die erker. Also wurfent die vss der statt gross stain durch die schiff, vnd loschtent si och mit wasser, dass darvon kain schad beschach, vnd behuobent och die schiff, das si nit wider hinuss mochtent kon.

Es warent och in der selben statt soldner von lamparten, die der herr von maylan dem hertzogen von österrich etwa menig jar hett gelichen ze dienst. Die selben wisstend gar wol vmb kriegen, vnd wie man sich in den slossen vnd darvor halten solt vnd weren, wan si hattent all ir tag nüts anders getriben. Es warent och vnder den selben soldnern gar guot jennower schützen, vnd dass man in dem selben zit, diewil die aidtgenossen vor der statt lagent, mangen herlichen schalmutzen vor der statt sach, wan die jennower vnd die soldner luffent all tag für die statt vnd schalmutztent mit den aidtgenossen, vnd tatent inen vil ze laid vor der statt, davon vil ze sagen wäre.

Es warent och in der selben statt etwa vil der von waltzhuot, die och gen glaris soltint sin vnd sich versumpt hattent, vnd also in der statt belägert wurden, das si nit druss kundent komen. Vnd also wartent si sich redlich vnd mannlich vss der statt mit werfen vnd schüssen, frowen vnd man, vnd was jederman mocht, das spart er an dem andern nit. Es warent och vil redlicher knecht in der statt vss der mittlern march vnd anderschwa her.

122. Wie die aidtgenossen sturmtent die statt.

Als nun die aidtgenossen vor der statt gelagent dri wuchen vnd in die statt wurfent vnd schussent on vnderlass, vnd denen in der statt kain ruow nie liessent weder tag noch nacht, vnd man inen die statt nit wolt vff geben vnd man si on vnderlass [502]) so fast latzt mit werfen vnd schüssen, vnd wie si das erdenken kondent vss der statt, also wurdent die aidtgenossen gemainlich ze rat, vnd laitent ain herten sturm an, vnd versprachen sich zesamen, sittenmal vnd die in der statt wärint, vnd si so schädlich heruss latztint, vnd inen die statt nit weltint uffgeben so weltint si sich an die statt wagen, vnd gewunnint si die mit gewalt [503]), so weltint si och da lib vnd guot nemen. Also woltent die von rappreswil ir statt alwenzuo vm kain sach vffgeben, ee sterben.

It. nun was in den tagen ain houptman in der statt, hiess her peter von torberg [504]), ain alt man, was ain fryer herr, der sach nun iren ernst

---

502) alwenzuo Hü. Vad. 503) überhopt Hü. Vad. 504) Arberg. 806.

vor der statt, vnd dass si stürmen weltint, vnd hett gern gesechen, dass
man inen die statt vffgeben hett, vnd sprach: es wäri weger, dass man
mit tädingen vnd mit lieb die statt in gäb[505]), denn er förcht[506]), dass si
darzuo gezwungen wurdint[507]). Aber er muost der red bald geswigen,
wan im wolt nieman[508]) folgen, weder frömbd noch haimsch in der statt,
vnd wurdent jm all gram.

123. Wie die aidtgenossen sturmtent se rappreswil am maientag.

Custodit dominus diligentes se, et vias peccatorum disperdet[p]). Als es nun
ward am maientag vmb die achtende stund vor mittem tag, do giengent die aid-
genossen all vnd gemainlich vnerschrocken vnd hert an den sturm vnd verwe-
genlichen an die muren mit iren schirmen vnd mit irem züg, vnd tribent also
den sturm vnz vm[509]) die zwai nach mittem tag[510]), dass si zuo allen orten
an die statt sturmtent vff dem see vnd vff dem land, also das si durch die
muren in die statt brachent, vnd tatent denen vff den muren so not, dass
si das nit erweren[511]) mochtent noch gesechen kondent. Also warent[512])
iren bi fünfzig mannen in ainen keller komen, vnd truogent win vas der
statt in das her vnder die aidtgenossen. Also warent si fro vnd maintent,
si hettint die statt gewunnen, wan die in der statt[513]) wisstent dennocht
nünts darvon, dass die aidtgenossen in dem keller warent. Also wurdent
si dess innen in der statt, vnd brachent obnen durch den esterich nider in
den keller, vnd tribent si mit haissem wasser wider hinuss, vnd ward ir
och vil ertödt vnd geletzt in dem keller, wan da was grosse not. Also
tribent si den sturm alwenzuo[514]) hert, das jederman gern sin bestes hette
tuon[515]), vnd viel eren bejagt[516]). It. si tribent ir katzen an die muren,
vnd truogent ir laitren an die muren, vnd giengent mit iren schirmen fast
hinzuo, vnd hattent iren züg vnd ir ding als wol geordnet, dass si die
statt allenthalb notent vff dem see vnd vff dem land, vnd tribent also den
sturm mannlich vnd hert bi vj oder vij stunden, dass da kain vnderlass
noch vffhören nit was; wan wenn ainer müed was oder geletzt ward, so
giengent ander an die statt, also dass doch der sturm allweg on vnder-
lass[517]) noch vffhören hert wären was[518]) vnd kain vffenthalt hatt[519]) bis
vff die zwai nach mittem tag. Vnd do es vff die vesperzit ward, do tra-
tent die aidtgenossen all gemainlich ab, vnd liessent von dem sturm vnd
wurdent mit ainandren ze rat, vnd brachent vff vnd zuntent ir hütten an,

---

505) vff gäb Tsch. 506) besorgi Tsch. 507) man würde das sunst müessen thuon
Tsch. 508) man wott im nit Tsch. 509) bis vff Tsch. vnz vff Hü. 510) was Hü.
511) geweren 806. Vad. Hü. 512) was Hü. 513) die innren 806. Vad. 514) on vnder-
lass Tsch. 515) getan hett 806. Hü. 516) erjagt Tsch. 517) alwenzuo 506. Hü. 518) wert
806. werst Vad. Hü. 519) da was 806.

p) *Custodit dominus omnes diligentes se, et omnes peccatores disperdet.*
Psalm 144, 20. *Dominus custodit advenas — et vias peccatorum disperdet.*
Psalm 145, 9,

vnd verbrantent ir antwerch vnd ir bliden, vnd zugent glich darvon, vnd liessent ir katzen bi den muren ston vnd iren zug, laitren, schirm vnd andres ligen, wan si warent gar bärlich geschadgot vss der statt an dem selben sturm.

Man sol och wissen, diewil die aidtgenossen vor der statt rappreswil lagent, dass in der statt dri man ze tod erschossen wurdent, vnd nit me.

124. Die aidtgenossen sugent wider haim.

Also fuorent nun die aidtgenossen mit ainandern gemeinlich wider haim, vngeschaffot, vnd rumtent das feld mit grossem schaden, wan si hattent mangen redlichen man verloren; darzuo was ir och vil wund q).

---

520) Keller, noch üblich. 521) Sehne. 522) kleines Schuttwerk.

q) Und machtend vier vnd zwaintzig grosser schirm, vnd richtetend da jegklichen vff vier schiben, vnd machtend zway hundert grosser vnd starker sturmlaytren, och mit schiben, vnd machtend wol zehen katzen, die och vff klainen pfluogredern giengend vnd mit hüten warend bedeckt, da in jegklicher zwaintzig man waurend vnd si mit sailen zugend. — Darzuo warend lüt hinder den katzen mit schirmen vnd schilten geordnet, die si och tribend, vnd vil sets schilt vnd sust schilt vnd züg, das si machtend. — Do huobend si an an ainem frytag fruo (1. Mai), recht als die sun vffgieng, vnd giengend mit ir katzen vnd mit ir schirmen vnd mit ir laytran vnd züg an siben enden an die stat, vnd sturmptend so hart vnd so vigentlich, das des gelichen kum je gesehen ward, vnd wurffend vil hart vnd fast mit den hantwerken in, vnd schussend mit den büchsen allen, so si da hattend, vnd mit iren armbrosten — vnd schussend für in crefftencklich, vnd tribend das vff dry gantz stund oder mer, das si die frowen mit den mannen so hart vnd vast wartend vnd rattend, das si vor der stat nit wol brüefen noch erkennen mochtend, welches ain fro oder ain man was. Vnd was der sturm vnd das inwerffen so gross vnd das schiessen so grülich vnd das weren vss der stat vnd leschen, vnd das für vff den tächern in der stat so vil, das si in der stat sich übersahend, das si mit ainer katzen an die mur komen warend, vnd hattend da durch in ainen ker 520) gegraben. Nun was ainem schützen in der stat ain sen 521) von ainem armbrost gebrochen, vnd der wolt in den selben ker loffen, ain ander senen holen, die er denn da wysset. Also do er in den ker luff, do woltend in die vigend, so in dem ker warend, begriffen haben, denn das er inen mit not entran." Er zeigt es aber an, worauf ein Ritter „Jörg von dem röslin" mit 8 Gesellen in den Keller steigt und mit den Eingedrungenen kämpft. „Vnd also hulffend inen die wyb vnd wurffend für in vnd brachend obnan nider, vnd schuttend haiss wasser vnd für durch nider, vnd stain vnd gemülb"522), bis sie zurück müssen. Man findet 15 Leichen im Keller. Nach neuen 3 Stunden Sturmes „mit sölichem wunderlichem vngehürem geschray, das des gelichen nie gehört ward" lassen die Aeusseren ab. Dachers Konstanzer Chronik p. 197—201.

Nachdem als es ze glaris vnd ze wesen ergangen was, do zugent die von Z. (wir C. 657) an dem 12. tag aberellen in dem 88. jar für die statt rapper-

125. Der krieg wàrt alwenzuo [523]).

Diss gestuond also dass der krieg alwenzuo hert wäret, vnd die aidt-
genossen der herrschaft lüt vnd land schadigotent, vnd herwiderumb der
herrschaft volk [524] die aidtgenossen, wie jederman den andern geschadigen
mocht ald kund [525]).

---

[523] on vnderlass Tsch. [524] lüt 806. Hü. [525] kond oder mocht Tsch. Hü.
swil, vnd kament für sich zuo jnen dar ir (beide Codd.) aidg. die von lutzern,
von zug, von vre, von switz, von vnderwalden, von glaris; darnach an dem acht‏
vnd zwentzigosten tag aberellen kam der von bern volk für die vorgenanten
statt; darnach an dem drissigesten tag aberellen kament die von solotron ouch
zuo den vnsren mit sechzig mannen ze ross vnd ze fuoss, vnd an dem ersten
tag mayen anno dni 88 do zugent die von Z. vnd ir aidg. an die vorgenanten
statt vnd sturmotent dar an, vnd ward da gar hertenolich gesturmet, vnd kam
von vnseren (der aidg. 631) ain tail in ain huss an der statt, vnd werat der
sturm von fruo als die sun vf gieng, vntz nach uff die vesper. Do giengent
vnser aidg. vnd wir (do liess man 631) von dem sturm, vnd verlurant wir (die
aidg. 631) vff dem selben sturm viertzig werhaffter mannen. Darnach an dem
dritten tag zugend die von Z. vnd ir aidg. jederman wider haim in sin land (in
-sin haimat 631). Cod. 657 p. 104. Cod. 631 p. 376. 377.

Und do das gefacht (bei Näfels) ein end genam vnd die von glarus ir vyent
so ritterlich verjagt vnd vil erstochen vnd ertrenkt hatten, do schickten si von
stund an einen botten gan Z. zuo ir lieben eidg. der jnn die sach solt sagen, wie
es gangen were, vnd sölt si manen, das si zugen gan wesen. Vnd am nechsten
samstag darnach schickten die von Z. vij hundert man wolbezügt, das si gan W.
zuo den von Gl. ziechen söltin. Do si her vff kamen gen richtiswil, do wurden
si daselbs gewendt, vnd ward jnen geseit, die fyent hettin ir statt ze W. selber
angestossen vnd verbrennt, vnd werind die fyent alle darvon geflochen. Also
warend die von Gl fro das jnen der almechtig got, sin liebe muotter aller gna-
den, die lieben halgen vnd der guot herr sant fridli vnd sant hilary gehulffen
hatten, das si by lip, by guot vnd eren bestanden warent vnd ir land behept
hatten. Vnd namen vff einen krützgang für sich selb vnd alle ir nachkomen
jemer me ewenklich von allen kilchen im land vnd von jeklichem hus der erberst
mensch, vnd sunder ein man, ob er im hus ist, vff den ersten donstag im abe-
rellen ze gand gan neffels durch die weg vnd steg da denn die von Gl. vff den
selben tag not vnd arbeit erlitten hatten, vntz gan mülihuser an den brunnen.
Vnd dor nach so hat man ein mess vff dem veld vnd begat man aller dero
jartzit die vff den selben tag verluren, si syent fründ oder fyent gewesen. Do
die von Z. ze richtischwil gewennt wurden vnd si vernamen wie es stüend vmb
die statt W. do zugen si mit den lütten von dem zürichse für die statt rapper-
swil, vnd leitten sich mit gewalt dar für. Das beschach am nechsten sunnentag
darnach vmb das nachtmal, vnd kamen zuo jnen die von luc. vre, switz, vnderw.
vnd v. zug, vnd ettwa vil von bern, vnd lagen vor der statt iij wuchen mit
gewalt, vnd hatten die von Z. da allen ir werztig vff gericht vnd wurffen vnd

126. Die von zürich verluret vor der alten regensperg.

Darnach an dem hindrosten fritag des selben maien, als des vorge-
nanten jars, do hatt sich des hertzogen landtvogt bi der alten regen-
sperg in das holz verslagen [526]) mit zwai hundert 'spiessen raissiges vol-
kes, vnd och mit etwa vil ze fuoss. Dess wurdent aber die von zürich
innen vnd zugent mit offner panner vnd mit macht vss, vnd woltent an
die herren ze ross vnd ze fuoss, vnd also iltent die soldner vnd die burger
vor der panner hinuss, vnd kament in die huot, vnd ee die von zürich mit-
der panner hin nach [527]) kament, do wurdent der vnseren bi zwainzig
mannen erstochen, vnd och etwa manger ze fuoss. Es ward och ain tail

---

526) verstellt Tsch. Hü.   527) nachi Tsch.

schussen mit ir werchen vnd büchsen in die statt, vnd wurden da von vast ge-
schadiget. Vnd do vff den mayen tag 'ward, do sturmpt man an die statt an
allen orten, vnd wurden do ze mal an dem sturm vil der eidg. wund geworffen
vnd geschossen, das ir by xxx mannen starb von allen eidg. Diss beschach vff
den meyen tag. Do morndes ward, do wurden die eidg. ze rat vad zugen mit
enander ab vnd verbrant man das werch vor der statt ee das si dannen
zugen.

It. in den ziten. vnd in dem jar als ob stat zugent die fyent aber gan glarus
ir ettwa vil vnd hatten ein roub genomen, vil vichs. Des jlten jnen die von Gl.
nach in das gaster vff schwanden, do beschach ain angriff von den von Gl. vnd
ward der fyenden vil erschlagen vnd ein fendli gewunnen, 'vnd ward der roub
errett, vnd verluren die von gl. daselbs iij man. Vnd das beschach in den zitten
do man vor rapperswil lag. Cod. 643 p. 150. 151.

Darnach zogtent die sw. für die statt wesen. Da warent vil herren inne,
die stiessend die statt selber an mit für vhde zogtent dannan. Do kamend die
sw. hinzuo vnd fundent vil harnasches v. blunders in dem für. Hienach zehand
die v. zürich, v. luts. switzer vnd ir aidg. vff acht tusent zogtent für die statt
vnd vesten rappoltzwiler vnd wurffend vnd schussend vast zuo den jnren, vnd
och die jnren herus, vnde füegt sich vf den maigtag des vorg. jares, das si die
statt mit grossem stürmende an giengend wasserhalb v. landeshalb, vnd kamend
der vsseren wol xl in die statt zuo aim fenster jn in die statt in ain kelre,
vnd woltant durch die mur han löcher gemacht. Des wurdent die jnren gewar
v. brachend die büne ob dem kelre vf v. wurffend vff si stain, haiss wasser
v. äschun v. für, das si vss dem kelre müestant entwichen, v. ir etwie manger
verdarb. Noch do was das stürmen gros, v. schussend baident halb fast, das zuo
baiden zitten gross schad geschach, vnd den vsseran verdurbend vff cc, vnd wur-
dent ir gewirset v. geworffen vff ccc, die darnach wider genassend. Do muostand
die vsseren entwichen v. fuorend wider hain mit grossen verlust v. schaden, wan
ir katzen vnd werken warend gar zerworffen. Hienach geschach aber vil ba-
tellendes vnd robentes zuo baiden zitten. Zuo jungst ward der kriege verrichtet
vnd ain frid gemacht vij jar. Dis richtung geschach in der fastun da man zalt
Mccclxxxx jar. Königh. Cod. 632 p. 784.

der vnsren gefangen. Das schuof nüt anders denn dass inen ze not was, vnd dass si der panner nit woltent baiten 528) r).

127. Die vorstatt ze mellingen ward verbrennt.

Anno dni Mccclxxxviij do verbrantent die aidtgenossen die vorstatt ze mellingen an dem nächsten zinstag nach sant vrbanus tag. Darnach an dem nächsten fritag do verlurent die von zürich vor der alten regensperg xx man 529), wie vor stat.

128. Nidow ward och gewunnen.

Darnach an dem nächsten sunnentag vor sant johanns tag des töuffers do ward denen von bern vffgeben die guot burg nidow, vnd darnach 530) gewunnent si die statt och. Darnach zuchent die von bern gen arow vnd verbrantent die vorstatt.

129. Büren ward och gewunnen.

Aber darnach in den selben tagen zuchent die von bern für büren, vnd gewunnent das stättlin vnd die vesti, vnd zuntent es an vnd verbrantent .als s).

---

528) der panner — warten Tsch. 529) 20 mann f. Hü. 530) Tschudi korrigirte „davor".

r) In dem selben zit am fritag vor sant vrbans tag (22. Mai) do rantand die vyend für den kefferberg herin vnd namend by acht rinder. Des kam das geschell her in die statt so verr das man mit den paner hinvss ward zichen, vnd do man an den letz graben kam, do gebot man menlichem by der paner ze bliben. Des woltand etlich nit gehorsam sin vnd rantand mit den soldnern für die paner hinuss vntz für die alten regensperg. Des kamend och etlich knecht von höngg her über vsser den reben gelouffen zuo jnen. Des hattend die vyent ain nachhuot gestossen. Wan do die vnsern für die huot hin vss kamend, do rittend die vyant an die vnsren vnd wurdent den vnsren by xx erschlagen. Das beschach do von vngehorsami. Cod. 657 p. 105.

Cod. 643 p. 151 hat es etwas anders und beginnt: It. vnd als do die eidg (von Raperswil) wider heim gezogen waren, do zoch ein fryhait Z. vss vnd namen mannigen grossen roub. Und am hindresten tag mayen, an eim frytag (29.) do hat sich der herschafft landvogt verstekt ze der alten regensperg in das holtz mit 200 spiessen. Vnd des wurden aber die von Z. innen vnd zugen mit der paner gegen jnn u. s. w.

s) Darnach zugend aber die von bern fur nydow die statt vnd die burg vnd gewunend die statt für sich vnd besetztand die mit achthundert mannen, vnd liessend das ander volk wider hain varen, vnd fuortand ir antwerk vnd ir büchsen vnd ander ir züg gen nydow, vnd wurfend vnd schussend in die burg vnd hattend da an gelegen by siben wochen, vnd tatent der burg vnd denen in der burg als we, das si in dem vorgesaiten zil die selben burg och gewunnend.

130. Die von zürich nament ainen roub ze wetzikon.

Do es darnach ward an dem nünden tag des höwmonats des vorgenanten jars, vff ainen dornstag, do zugent die von zürich gen wetzikon vnd gen altdorf, vnd nament da vil vichs vnd tribent das enweg. Also iltent inen die von kyburg vnd von wintertur vnd von grüeninger ampt nach ze ross vnd ze fuoss. Do hattent inen die von zürich zwo huoten gestossen nach bi dem klösterlin bi dem gefenn, vnd do si zwüschent die zwo huoten kament, do brachent die von zürich in den huoten uf vnd erstachent der vigent etwa mengen, vnd verlurent die von zürich von irem tail nit me denn dri mann t).

131. Die aidtgenossen zugent gen baden.

Anno dni Mccclxxxviij, vff den nächsten sunnentag nach sant margreten tag do kament alle vnser aidtgenossen mit fünf pannern gen zürich, vnd

Diss beschach von des vorgeschribnen von nydow wegen an dem sunnentag vor sant johanns tag ze sungicht in dem vorgeschribnen jar. Cod. 657 p. 105. Aus ganz andrer Quelle als Justinger S. 223 ff.

In den ziten do man gen rapperschwil zoch vnd man vor der selben statt lag, do zugend die von bern für büron die statt vnd gewunnend die mit rechter wer überhoubt, vnd verbrantant vnd wuostant die selben statt gentzlich vnd gar. Cod. 657 p. 104. Justinger S. 221 ganz anders, aber auch mit dem Ausdrucke, „überhoupt". Er sagt „am fritag nach dem osterlichen tage", somit 3. April. Sonntag vor St. Johann war der 21. Juni, während Cod. 629. p. 259 sagt: „In den zitten verbrantent die von bern vnd die von solothurn die von statt ze arow, vnd geschach im meyen." Dann: die von bern vnd solothurn zugent für das stettlin bürren vnd gewunnent das stettlin vnd die burg am viij tag ostern (6. April) vnd verbranten es vnd erschluogent ettlich dar inn.

Darnach an der vffart vnsers herren (7. Mai) zugent si aber mit einander, bern vnd soltorn für nidaw vnd sturmtent das wasserhalb vnd landeshalb, vnd gewunnent das stettli; doch verdurbent der von B. wol xx in eim schiff, das es vndergieng von vberlast, als ir ze vil dar inn was. Die burg enthuob sich dennocht vff iij wuchen. Also ergabent si sich, namlich der houptman her johans von roscy, ein walch. Die lies man mit ross vnd mit harnisch abziechen vnwüestlich. Darnach wert der krieg dennocht vntz vff mitefasten. p. 261. Vrgl. Justinger S. 223—225.

t) Darnach an dem nünden tag höwmanot (vff ein donstag 643) anno dni Mccclxxxviij do luffend vnser fryhait (die fr. Z. 643) gen wilberg (gan wetzikon vnd gen altorff 643) vnd namend do ain erber vich; des wurdent die von wintertur vnd ander vnser vyent innen vnd fürzugend jnen den weg vnd staktand sich ennenthalb dem gefenn by des hegnowers reben in ain holtz. Des warend wir die von Z. der vorgenanten fryhait nach gezogen vntz in das gefenn (vnd hatten aber die von Z. zwo huotten gestossen by dem gefenn 643). Des zoch vnsri fryhait zwüschend baid huffen. Des kam ouch vnser rossvolk vnd ouch vnser

zugent die von zürich och mit irem panner mit inen. Also zugent si mit sechs pannern gen baden, vnd hieltent da vor der statt ze baden mit gewalt. Es zugent och die von zürich vnd von switz mit iren pannern von den andern aidtgenossen zuo den bedern hinab, vnd wuostent 531) die beder, vnd verbrantent si vnd kament do wider zuo den andern aidtge-nossen, vnd zugent do all mit ainandern vngefochten wider haim.

In den selben tagen vnd in demselben zit satzt sich graf donat von toggenburg mit den aidtgenossen u).

132. Die dörfer an dem sürichsee wurdent verbrennt.

In dem selben zit fuorent die soldner, die ze rappreswil lagent, gen richtiswil vnd verbrantent das dorf, vnd nament was si da fundent. Si nament och ain gloggen vss der kilchen. Si verbrantent och in den selben tagen pfäffikon, fryenbach vnd was da vmb was.

Aber darnach an dem nächsten sunnentag vor sant laurenzen tag, alles des vorgenanten jars, kament aber die von rappreswil vnd die soldner, die da lagent, gen wädiswil vnd brantent da bi zwainzig hüser, vnd ersta-

---

531) verdarbtent Tsch.

schützen vnd etlich knecht mer ze fuoss hin vff zuo dem holtz, da die vyand warend, vnd kamend die vnsern die vyand an vnd wurdent do der vyand by sibentzig erschlagen, vnd verlor vnser nit mer denn 3 man ze fuoss von gots gnaden. Cod. 657 p. 106. Justinger S. 227.

Des ilten jnen die von kiburg, von wintertur vnd von grüeningen nach mit vil volks ze ross vnd fuoss vnd hettin jnen den roub gern wider genomen, vnd kamen zwüschent die zwo huotten, dero erschluogen die von Z. etwa vil, vnd wurden der von Z. iij man erschlagen. Cod. 643 p. 152.

u) Anno dni Mccclxxxviij an dem nechsten mentag nach sant vrbans (Tschudi schrieb drüber Margreten, während Cod. 643 hat „samstag vnd sunnentag nach sant m." also 25. 26. Jul. Cod. 631 hatte „vor sant vrbans tag", was Tsch. änderte „nach sant margreten") do kamend vnser aidgn. von luz. von zug, von switz vnd von vnderwalden (643 vre) vnd och die von entlibuoch, vnser guoten fründ her gen Z. vnd vff den vorgenanten mentag (sunnentag 643) zugend wir mit enandren hinab gen baden vnd wuostand vnd brantand die hüser zuo den bedern, vnd das für ward so gross vnd kam ouch wind in das für, das es über die lind mag kam vnd schluog zuo den klainen bedern, vnd das da wol xxxj hüser verbrunnend, vnd warend die von zürich vnd von schwitz in dem boden by den bedern, vnd die andren stett vnd waltstett hattend den berg inn. Cod. 657 p. 106. Cod. 631 p. 377. Justinger S. 226. Nach Cod. 643 ziehen sie „gen baden mit vj paner vnd lagen vnd hielten vor der statt mit gwalt vnd zugen die von Z. vnd von switz mit ir paner hinab zuo den bedern vnd wuosten vnd branten die beder vnd was da was gentzlich, vnd komen do wider hervf zuo den vier paner vnd zugen vff den mäntag wider hein an alles laid vngevochten.

chent acht man. Also tatent inen die vnseren als not mit stechen vnd mit schiessen, dass si grossen schaden nament, vnd ward inen als not ze schiff, dass ir etlich ertrunkent v).

Darnach vff den nächsten fritag vor sant michels tag wurdent denen von zürich ir trotten in dem h a r d all verbrennt.

133. Der graff von wirtenberg facht mit den stetten vor wil in swaben, vnd gelag ob w).

It. in demselben zit, anno dni Mccclxxxviij, ward erslagen graf volrich von w i r t e n b e r g, vnd vil herren, ritter vnd knecht mit jm, vor w i l in swaben, von den richstetten vnd iren helfern. Do gelagent die richstett desselben strits darnider, vnd gelag der von wirtenberg ob, vnd schuoffent das die von n ü r e m b e r g, die nament zum ersten die flucht; vnd hettint si das nit tuon, so wär den stetten wol gelungen. Si brachent och zum ersten den pund, vnd swuorent den landtfrid wider den pund; das geschach nach dem strit an sant bartolomeus tag des vorgenanten jars. Die aidtgenossen erschrakent übel, vnd was inen laid, dass die stett nider gelagent, wan si hattent guoten trost an ainandern, die richstett vnd die aidtgenossen, wan si tatent den aidtgenossen menge guote warnung, vnd starktent si dick haimlich [532]).

134. Die von bremgarten verlurent.

Aber in disem vorgenanten jar, Mccclxxxviij, do hattent sich die von z u g vnd etwa menger von zürich in ain huot gelait bi b r e m g a r t e n, vnd zochtent [533]) si vss der statt. Vnd do si heruss kament in die huot, do wurdent ir bi zwainzig mannen erslagen x).

---

[532]) Vgl. Tschudi I. 553. Königsh. (Cod. 632 p. 408). [533]) d. h. lockten. zugent Tsch.

v) Anno dni Mccclxxxviij am sunnentag fruo vor sant laurencien tag do fuorend die von raproschwil vnd die österricher bi xxx schiffen gen wediswil vnd verbrantend wol xx hüser. Des staltend sich die von wediswil ze wer vnd luffend gen den vyenden mit ainem geschray vnd jagtend si zuo den schiffen an den se, vnd verdurbend der vyenden, si wurdint erschlagen ald si ertrunkind, wol xvj, vnd der von wedischwyl verlurend wol viij man. Cod. 657 p. 106. 107. Justinger S. 226.

Nach des stuond es alwegen in krieg, das vnser soldner vnd ander herscher dik vnd vil vss rittend vnd luffend vnd mangen rob vnd vil viehs vnd gevangen herin brachtend von wintertur, von baden, von regensperg, vss dem wental vnd anderschwa vss der herrschaft landen brachtend. Cod. 657 p. 107. Cod. 631 p. 377.

w) Bei Hü. Würtembergs und 3 andere Fahnen. Vad. hat den Artikel nicht.

x) Anno dni Mccclxxxviij an dem nächsten fritag vor sant othmars tag (13. Nov.) do zugend vnser aidgnossen von zug vss vnd verstaktend sich am

135. Die von zürich zugent in das vischental.

It. in disen tagen zugent die von zürich ain tail in das vischental, vnd hindersluogent da ain grossen roub. Dess wurdent aber die herren innen, vnd fürrittent inen den weg; also kament si ze grinow über die rünni [534]), vnd zugent durch die march nider, vnd zugent ain schiff über hurderfeld vnd kament darvon [535]).

136. Die aidtgenossen verlurent swarlich se hünenberg.

It. vff den nächsten fritag vor wichnächt kament die herren gen hünenberg, vnd machtent da ain gezöch [536]). Also iltent inen die von zug vnd ander ir aidtgenossen nach, vnd kament in ir huot, die si inen gestossen hattent, vnd ward da deren von zug ammann vnd wol vierzig der erbrosten [537]) vss der statt zug erslagen vnd ain ritter von ospental, dass si sibenzig man oder me an der aidtgenossen tail verlurent, wan si luffent inen vngeordnet [538]) nach, vnd aber die herren hattent ir ding gar wol geordnet, dass inen kain schad geschach y).

---

534) die Lint-Rüni Tschudi I. 554. den rüni Tsch. 535) entrunnent Tsch. 536) gezöck Tsch. Vad. hat „nach wienecht". 537) selb vierzig der obristen Tsch. 538) vnordenliohen Tsch.

jonan, vnd schiktend aber wir von zürich vnser soldner vnd etlich ander ze ross vnd wol cec ze fuess vf dieselben tage den obgenanten vnsren aidg. ze dienst, vnd verstaktand sich die von vnser statt ob lunghof in das holtz. Des schiktand die von zug by fünfzig knechten gen bremgarten vf ain zöchen. Die namend och etwas viehs für sich vnd tribend das vast vnd yltend her vf gen den vnsren. Des jagtend inen die von bremgarten nach ze ross vnd ze fuoss als endlich das si die selben knecht ze lunghofen eryltend, vnd tatend inen als not, das die knecht von zug vm hilf ruoftend, vnd von dem geschray brachend die von zürich vf vnd kamend denen von zug ze hilf vnd erschluogend der von bremgarten vf der selben getat xiiij (xx Cod 643), vnd beschach diss e das die von zug mit der paner zuo der getat kämind, vnd damit zugend die von zug vnd die vnsren wider haim vnuersert. Cod. 657 p. 107. 108. Cod. 643 nur kurz, und so Justinger S. 226.

y) Anno dni Mcoclxxxviij, an mitwoohen swüschend sant thomas tag vnd dem hailgen tag se wyhennäoht (28. Dez.) do zugend die von wintertur vss ze ross vnd ze fuoss, vnd schiktend von inen durch zöchens willen by xxx röscher knechten. Vnd do die kamend an den silriehberg, des warend etlich bluot härschter von vngeschichten vss gangen vnd stiessent an gefärd vf die vorgenanten knecht von W. vnd griffend die an, vnd von des geschrays wegen lüffend etlich knecht ab dem röstelberg ooh zuo der getat vnd erstachend der von wintertur by xxv man, vnd viengend dar zuo sechs man, vnd gewunnend die vnsern vf der tat xiiij pantzer, vnd kamend die vnsern vauersert haim. (Kürzer Cod. 643 p. 152)

Morndes an dem hailgen abend se wihennächt do zoch des hertzogen volk von allen stätten in diesem land se ross vnd se fuoss an die rüss für hünanberg vf vnts an den biatzenrain vnd brantand was si da swüschent dörfer vnd hüser

137. Die von bremgarten gewunnent ainen roub.

Darnach an dem hailigen abent ze wichenächt kament die von brem-
garten gen zug, vnd nament da ainen grossen roub. Also iltent inen
die von zug nach vnd ersluogent [539]) ir bi xxx [540]); dennocht brachtent si
den roub darvon yy).

138. Der krieg wàrt ain jar.

Diss gestuond aber also dass jederman den andern schadigot mit rou-
ben, mit brennen vnd erstechen, wie jetweder tail den andern geschadigen
kunt oder mocht, vnd wäret der krieg ain ganzes jar vnd sechs wuchen,
dass darzwüschen nie kain frid gemachet ward. Es beschach och vil dings
in dem selben zit, das nit alles aigenlichen hie geschriben stat yyy).

139. Die von bern zugent in das friktal.

Anno dni Mccclxxxviiij, an dem nächsten samstag nach dem zwölften
tag zugent die von bern in das friktal, vnd gewunnent den kilchhof
ze frik, vnd gewunnent ain burg, hiess göwenstainz).

---

539) erstachent Hü. 540) xx Hü.

fundent, vnd namend do ainen yast grossen roub. Des fuorend die von zug vnd
die von sant andres vnd ander, die by inen warent, über den zuger se vnd het-
tend gern den roub errettet, vnd do si kamend gen hünnanberg zuo den reben
uf die halden, do hattend si sich dennocht nit wol besamnot vnd hattent die vyant
ain gross huot gestossen by der rüss in dem holtz, das haisset die varwe, vnd
rittend der vyant etwie menger her für, vnd zochtand die von zug, vnd also
lüffend die von zug hinab, vnd wustend nit vm die huot, vnd wie si für die
huot hin ab kamend, do brachend die vyand vf vnd erschluogend der von zug
xlij man, vnd wärind wol an schaden dannen komen, hettind si sich nit ver-
gachet (übereilt), vnd hettind ir fründen gewartat. Cod. 657 p. 108. 109.
Wenig anderst Cod. 631 p. 377. 378. Vrgl. Justinger S. 227 für beide Tage.

yy) Cod. 643 zählt xl Erschlagene p. 152.

yyy) Diss bestuond also das man da zwüschend mengen grossen roub den
vyenden nam, vnd wert der krieg ein gantz jar vnd vj wuchen, das kein frid
da zwüschent nie gemachet. Cod. 643 p. 153.

z) Anno dni Mccclxxxviiij, am sunnentag des zehenden tags des jenners, do
zugend vnser guoten fründ vnd lieben aidgnossen vss, die von bern, vnd kamand
des selben tags vntz gen solotron, vnd morndes zugend si die aren ab vntz gen
olten vnd wuostend da zwüschend was si fundent. Dannen zugend si gen göwen-
stain, vnd gewunnend die selben vesti mit gewalt vnd verburbend yf der selben
vesti by hunderten. Von dannen zugend si vntz gen brugg vnd verwuostand
och da zwüschend was si fundent. Dannen hin zugend si über den bötsberg in
das friktal vnd wuostand vnd brantend och was si fundent, vnd kamend in den
kilchhof gen frik. Dar inne was njeman won frowen, vnd fundent erber guot

140. Die von zürich gewunnent vnd fiengent fischer.

Darnach an dem nächsten fritag vor der alten fasnacht fuorent die von zürich vnd ir soldner, die am zürichse lagent, durch die brugg in den obersee vnd fiengent zwölf fischer von rappreswile vnd nament ain schiff vnd sechs vnd zwainzig gulden wert fischergarn, vnd brachtent es alles gen zürich.

141. Die von zürich machtent ainen markt.

Anno dni Mccclxxxx do machtent die von zürich ainen nüwen markt vnd ain mess ze zürich, als es gefridet ward nach dem krieg. Die selb mess solt angan ze vssgenter pfingstwochen vnd solt vierzechen tag wären vnd ward och also gefrygt.

142. Die richstett machtent aber ainen frid.

Anno dni Mccclxxxviiij do kament der richstett erber botten, von costentz, von rottwil, von rafenspurg, von vberlingen vnd andern stetten [541]) gen zürich vnd redtent aber ernstlich darunder, vnd hettint aber gern ainen frid daran gemacht. Si rittent och zuo des hertzogen landtvogt vnd zuo sinen räten, vnd brachtent es je darzuo, dass ain frid gemachet ward zwüschent der herrschaft von österrich vnd den aidtgenossen siben jar von sant jörgen tag im Mccclxxxviiij jar vnz aber vff sant jörgen tag in dem Mccclxxxxvj jar. Also ward och der selb frid ze zürich vnd in allen landen der aidtgenossen offenlich vsgerüeft an dem ersten tag im abrellen. Wie aber der selb frid gemachet ward, vnd was jederman dem andern tuon sölt, das findestu [542]) hie nach alles in disem buoch [543]) geschriben, vnd bass hinden aa).

---

541) (9. März). 542) findt man Tsch. 543) in disem büechli Tsch.

dar in. Dannen zugent si gen wietlispach, von dannen zugend si hain gesund vnd vnuersert. Cod. 657 p. 109. 110. Cod. 631 p. 378. Nicht aus Justinger S. 230.

In den zitten vff mitteryast (9. Jan.) zugent die von bern vnd soloturn mit einander in das fricktal vnd verbranntent das, vnd gewunnen ouch des mals gowenstein die burg, vnd brantent die vnd erstachent xx man, vnd zugent wider heim, vnd eins wegs aber für fryburg vnd machtent da vor die rinckmur ritter vff dem graben, vnd sturmtent an die statt vnd ward ritter herr Ott von buobenberg ynd cuonrat von bürgistein, vnd schluog si ze ritter herr jos der rich. Cod. 629 p. 261.

Anno dni Mccclxxxviiij an dem nächsten tag vor sant hylarien tag (12. Jenn.) do zugent vnser aidg. von lutzern vss vnd brantend in dem ergöw etwa meng dorf, vnd wuostand darzuo was si fundent. Cod. 657 p. 110.

aa) Diss stuond also in kriegen vntz an die alten vasnacht, das was der nünde tag mertzen in den 89. jar, do kament von des richs stetten erber botten (von kostentz, rottwil, überlingen, vnd von räffenspurg 643) vnd rettent vnder

148. Wie tür es in zürich was.

In dem selben krieg gab man ze zürich ainen mütt kernen vmb iij pf. stäbler, vnd ain malter haber vmb vier pfund stäbler, vnd ainen mütt roggen vmb zwai pfund stäbler, vnd ainen mütt gersten vmb xxx *β.*, ain viertail erbs vmb xv *β.*, ain viertail bonen vmb xv *β.*; ain viertel hirss vmb xv *β bb*); alles ässig ding was fast gesüechig vnd tür *cc*).

544) Justinger erwähnt Yfos von Bollingen Loskauf, „der vormals von etlichen welschen herren, so ze friburg lagent, gefangen ward." S. 221.

die sachen so verr das si den krieg zuo ainem frid brachtend, der von baiden tailen gelopt ward war vnd stät ze halten vntz vff den nächsten sant jörgen tag vnd dannen hin siben gantzi jar, mit dem gedinge dass die von Z. vnd ir aidg. den vorgesaiten frid vss ruowenklich söltint innhaben was si der herrschaft guotes in dem krieg hattent jn genomen, es si stett, vestinen, täler, land oder lüt, als die fridbrieff wol wysent, die daruber geben vnd versiglot sind. Vnd ward der frid (offenlich 643) gerüeft (in allen eidg. 548) an dem ersten tag aberellen in dem vorgesaiten jar, vnd ist der herrschafft von Oe. fridbrieff ze wien geben in den oster firtagen mit hertzog albrechts insigel versiglot. Cod. 657 p. 110. Cod. 631 p. 378. 643 p. 158. Justinger S. 282.

Dis kament gen friburg. Der herr von blamont, der herr von werffe (Tschudi darüber „al. Werse") vnd der herr von reyn kament gen fryburg. Also kam ein red gan fryburg, wie die von bern werent gan basel zogen, wan si dozemal nit wol an den von basel warent. Des trostent sich die von fryburg vnd zugent mit den vorgenanten herren uss, wol mit xviijc pfert, gar heimlich für den bremgarten vnd respeten do das vich sesamen, vnd woltent damit wider hain sin. Des zugent die von bern uss vnd woltent mit jnen gestritten han. Do fluhent die herren vnd das volk mit jnen. Also yltent jnen die von B. nach vntz an die sensen, vnd erschluogent iro vff ijl, der ein teyl vergraben wurdent vor dem forst in einer gruoben. Jro ward ouch ein teil geuangen, vnd der von B. ward niemant erschlagen, den yuo von bollingen ward geuangen. Vnd als die herren von weltschen landen sachent, das die von B. so mannlich warent, do hieschend si iren sold ze fryburg, vnd rittent wider hinweg von forcht[544]). Hienach begand man vmb frid reden zwüschent beden teylen, vnd brast ouch den von züriuh spis, vnd also redt der apt von wettingen vnd ander herren darunder vmb frid. Also nament die von B. den friden vff durch dero von zürich willen, wan jnen spis brast; sunst hettent si es nit than, vnd ward also ein frid gemacht vij jar. Diss richtung beschach anno Mccclxxxix iar. Darnach macht man frid xxi jar.

Wie vil landts die von bern an sich zugent. In disem vorgenanten krieg zugent die von B. an sich die statt vnd herschafft bürren, die graffschafft nidow, item das land obersibental, die statt vnderseewen, item die zwo burg vnd herrschafften vspunnen vnd oberhoffen. Vnd die von solotorn zugent an sich die herrschafft buchegg. Cod. 629 p. 261. 262.

bb) ein fiertel erws, j fiertel bonen, ein fiertel hirs jeklichs vmb xv *β* hlr. Cod. 643 p. 153.

144. Der frid ward gelengret vnd ward ain frid nach dem andern gemachet.

E dass diser frid vssgieng, anno dni Mccclxxxxiiij, do ward der frid aber gelengret zwüschent der herrschaft von österrich vnd den aidtgenossen zwainzig jar, von sant jörgen tag bis aber zuo sant jörgen tag, vnd dar zwüschen xx jar; also ward ooh der selb frid offenlich gerüeft in allen aidtgenossen vmb sant margreten tag des vorgenanten jars.

145. Wenn der frid ze zürich gerüeft ward.

Der selb frid ward ze zürich offenlich gerüeft am samstag nach sant margreten tag anno dni Mccclxxxxiiij, dass er xx jar sölt wären von sant jörgen tag hin zwüschent der gnädigen herrschaft von österrich vnd allen vnsern aidtgenossen, vnd 'gebot man den frid also getrüwlichen ze halten.

146. Aber ain lengerer frid.

Darnach ward aber angetragen, e diser frid vssgieng, vmb ainen guoten, stäten, langwirigen [545] frid zwüschen der herrschaft von österrich vnd den aidtgenossen, durch des gemainen landesnutzes willen, vnd ward der selb frid also beredt vnd gemachet zwai vnd fünfzig jar, vnd ward och

---

545) langwerenden Hü. langen ewigen Vad.

cc) Anno dni Mccclxxxxiij was der winter kalt vnd fieng das ze wienächten an, vnd fielent gross snew, vnd werat die kelti vnd ooh die snew vntz in den mertzen, vnd do zergiengent si beide an allen regen, vnd ward die luft für sich als warm, das die reben für sich anfiengend waohsen als vast das der win mer denn acht tag vor sant johanns tag verblüet hatt, vnd ward der sumer vast haiss vad der win vast guot, vnd vff sant johanns tag vnd sant pauls tag in dem brachot ward der zürichse als kalt, als kain brunn, das ain ain mensch an dem rad kum genuog trinken mocht von kelti, vnd was der selb sew vor dem selben tag vnd mornendes warm als er vor der hitz was gesin. Vnd des selben jares was es drizehen wochen an regnen, das es gar lützel regnot, vnd ward das ertrich von hitz als türr, das manig guoter brunn verseig (das vil guot brunnen verschwinend 657), die vor nie versigen warend, sunderlich der brunn vf der müller wyger, vnd ward der zürichse als klain, das in dem sumer lang vntz an den herbst nie wasser ze ainer siten der wasserkilchen abgieng, vnd ward ouch des selben jars vil guots korns vnd lützel schmaltz.

Anno dni Mccclxxxxiiij an der mittwuchen in der osterwuchen, was der zwen vnd zwentzigost tag mertzen (so 657 und 631, in beiden korrigirte Tschudi „aprellen") do kam ain gross erdbidem ze mittem tag vnd kam enkain schad davon in disem land. In dem selben jar an dem drü zeohenden tag nouembris fand man Z. vff der nidern brugg riffi kriesi feil, die desselben tags ab den boumen gewunnen warent. Cod. 657 p. 110. 111. 631 p. 378. 379.

dieselbig ganze jarzal [540]) vss von baiden tailen also versprochen vnd ver-
haissen, getrüwlich vnd redlich ze halten, vnd ward och gar wol versichret
mit brieffen, vnd wär sach dass kain tail mit dem andern stöss gewünnen
wurdi, wie man sich darin halten sölti, vnd wo man recht darüber sprechen
sölt vnd recht erkennen [547]).

Also ward diser frid gar ordenlichen vnd redlichen versichrot vnd ge-
machet vnd von baiden tailen versiglot, von den hertzogen von österrich
vnd von den aidtgenossen, stetten vnd lendern, vnd durch dess willen
dass der frid stät vnd fest belib vnd getrüwlich gehalten wurde, do besiglo-
tant alle des hertzogen stett, besunder die vmb die aidtgenossen la-
gent [548]) dd).

147. Wenn der graff von mailand ward zuo ainem hertzogen gemachet.

Anno dni Mccclxxxv do machet wenzeslaus der römisch künig vnd
künig zuo behem den graffen von mailand zuo ainem hertzogen, der vor-
hin nun ain graff [549]) was vnd vicari des römischen richs in lamparten ee).

148. Ain gross raiss von der cristenhait in die haidenschafft, vnd was der cristen-hait der gröst slag.

Anno dni Mccclxxxxvj do huob sich die aller gröst raiss von der cri-
stenhait, die sider gottes geburt je gewesen ist vff ain mal, vnd zugend
in die haidenschafft, vnd warend das die herlichesten herren, graffen,
ritter vnd knecht, so si die cristenhait haben mocht, vnd wer nach eren
werben wolt oder briss vnd lob beiagen, der zoch mit der ritterlichen ge-
sellschaft. Also zugend si mit enander gen vngern, vnd samloten sich da
me denn zwirend hundert tusend pfärit. It. hertzog hans von burgunien
der hat mit jm vil grosser herren, fürsten, graffen, ritter vnd knecht. It.
der her von gussin mit vil herschafft. It. von bechem, von poland, von
österrich, von payern, von missen, von türingen, von sachsen, von franken,
von hessen, von dem rin, von swaben, von elsäss, der graff von münf-
pelgart, der graff von katzenellenbogen vnd vil grosser herren vss allen

---

546) jarzil vnd zit Tsch. jarzil Hü. 547) vnd wo si recht von ainandern nemen söl-
tint 806. Vad. Hü. 548) die den aidtg. gelegen warend Hü. Vad. 549) ain schlächter gr. Hü.

dd) Anno dni Mccclxxxxiiij do ward vf sant margreten tag Z. ain frid
gerüeft zwüschent der herrschaft von Oe. vnd den aidg., vnd solt weren vf den
nächsten sant jörgen tag vnd dannan hin xx jar, vnd ward frid also gemacht,
das kain frömder herr dar zuo redet, won die die sach an gieng.

It. man gab ain müt kernen in disen kriegen vm iij guldin vnd daruber
nit, vnd do man begund von ainem frid sagen, vnd e der frid gerüeft wurd, gab
man j müt kernen vm j lib iiij ss nüwer müntz. Cod. 657 p. 112.

ee) Bei Tsch. und Hü. als 13. Zeichnung Mailands Wappen, bei ersterm die
Schlange blau, das Kind roth, der Schild weiss, bei Hü. der Schild blau und alles
andere weiss.

landen, dass ze lang wurd als ze nemmen, wenn es was ain vnzalich gross
volk von grosser herrschafft. It. als si nu all zesamen kament vnd sich
gesamlot hatten ze vngern, do zoch küng sigmund von vngern mit inen
mit ainem grossen volk vnd mit vil herschafft, won der selb küng von vn-
gern hat diss raiss angetragen. Also zugend si mit enander in die hai-
denschafft mit grosser macht vnd mit grossem guot, vnd verhergoten vnd
wuosten me den fünfzig mil in die haidenschafft stett, dörfer vnd vestin,
vnd ersluogend vnd erstachend was inen der haiden werden mocht, vnd
kamend verrer in die haidenschafft denn man vor mit gewalt je komen
wär. Also fuogt es sich vmb sant michels tag des vorgenanten jars, dass
der küng von vngern vnd die fürsten vnd herren, die zuo jm gezogen
warend, ain statt belagend, hiess schiltach, lit ver in der haidenschafft vff
der tvonow, vnd wolten die gewunnen han, als si vormals ander stett vnd
vestin gewunnen hatten. Also hatten si die muren vnder graben, vnd wol-
ten die stat gestürmt han vff ain mentag. Nu hatt der türkist*ff*) kaiser
inen me den ainest verschriben vnd enbotten, er welt mit inen fächten;
das wolt aber der küng von vngern noch die andren herren nüt geloben,
wan si mainten, si wärind so mächtig, dass inen nieman möcht wider stan,
vnd an ainem mentag als si die statt schiltach wolten gestürmpt han, do
zoch der türkest kaiser gegen inen vnd hatt dri huffen gemachet, vnd
sante zuo dem ersten ain gross harst gen den cristen, die mit inen sölten
stritten. Als nu dem küng von vngern warnung kam, dass die haiden da
her zugind vnd mit inen wolten stritten, do rait er zuo den fürsten vnd
herren, die da lagent, vnd redt 550) mit inen, dass si jm den vorstritt mit
den vngern liessind, won er vorcht wärint si nüt vor an dem stritt, dass
si nüt belibind vnd fluohint. Da sprachent die swaben, es wär ir recht
vnd ir alt herkomen, wo si bi ainem strit wärind da söltin si den vorstrit
han; den weltin si ouch aber haben. Do sprachen die frantzosen, si wärin
von verren landen dar komen vmb ritterschafft; si getruwtin wol man sölt
inen den vorstrit lon. Vnder disen dingen, als die herren mit enander
kypten 551) vmb den vorstritt, da zugend die haiden daher mit ainem gros-
sen huffen vnd mit vil volkes; also wurden die frantzosen die haiden
sichtig, wie si gen inen zugend mit grosser macht, vnd rantend die haiden
an vngeordnot vnd vngemaistrot, vnd stritten mit inen hertenklich vnd fast,
vnd erschluogend ir vil. Also wichend die haiden hinder sich, da jagten
inen die frantzosen vnd ander herren nach vngeordnot vntz in die andren
huot. Do nun die cristen sachent, die inen also nach geilt hatten, dass
der haiden noch me was, do hatten si kain ordnung vnder in selb, vnd
wolt jederman der best sin vnd vil eren beiagen, vnd hett jeglicher gern
gehept dass man vil ritterlicher tät von jm gesait hett, vnd ranten also den

---

550) Hü. verschr. rait. 551) kiben, noch heute zanken (keifen).

ff) Königshofen im Cod. 630 p. 271 und 631 p. 207 nennt den Kaiser
richtig Amorad, die Druckausgabe falsch Armegag.

andern [552]) der haiden an, vnd wolten si ouch also darnider legen als si
dem ersten huffen hatten geton. Aber die türken stritten stärcklich mit inen,
vnd als si hert vnd fast mit enandren stritten, die cristen vnd die haiden,
da warent alle vnger vnd der küng bi inen vnd hielten still mit ir paner,
vnd do si sachent, dass der türkest kaiser so vil macht hatt vnd so her-
tenklich mit den cristen stritt, do floch der küng mit den vngern vnd etwa
manig her mit inen, wol mit xxviij rechter paner, vnd ilten gen der tuo-
now ze schiff. Do die türken sachent, dass die vnger fluchent mit so
grosser macht, da jagten si inen nach zwo mil biss vff die tuonow vnd
ersluogend vnd erstachent alle die inen werden moehten. It. des grossen
graffen sun von vngern fuort die paner, der ward erslagen vnd manig
man mit jm. Etlich vnger kament an die schiff vnd kament dar von, etlich
wurden in die tuonow geiagt, dass si ertrunken. Es ward ouch vil schiff so
voll lütt, dass die schiff vnder giengen vnd die lütt ertrunkend; man sprach
dass die tuonow so vol lütz fluss, die all ertrunken wärind, dass man das
wasser kum gesechen mocht. Also kam küng sigmund von vngern in ain
gallee vnd mit jm etwa manger grosser her, der graff von zily, der burg-
graff von nürenberg vnd vil ander herren, vnd kament gen constantinopel
zuo dem kaiser von kriechen, vnd beliben da so lang bis si wol wider haim
komen mochten ze land. Als nun der küng mit den vngern geflochen
was vnd etwa manger her mit inen, vnd inen die türken nach ilten an die
tuonow, als das vor geschriben stat, da fachten die cristen vnd die andren
türken alwenzuo hert vnd fast mit enander. Do nun die cristen fürsten
vnd herren, frantzosen vnd ander sachent, dass der küng mit den vnge-
trüwen vngern vnd mit vil herren vnd grosser macht geflochen was vnd
er si so in grossen nöten liess, der doch disse raiss ze guoter mass an-
getragen hatt, vnd jm ouch vil herren ze dienst dar komen warent, da
hielten si sich alle zesammen, die fromen cristen, vnd ruofften all enander
an frantzosen, engelschen, bechem, pollant, österrich, payger, swaben
vnd vil ander herren, die dienen durch ritterschaft dar komen waren, vnd
hettind erst gern ordnung gemachet; do ward es inen ze spat, wan als si
hinder sich tratten vnd ordnung machen wolten, do waren die türken fro
vnd ilten inen nach vnd wanden, si welten ouch an das wasser fliechen.
Also mochten si nüt wil haben, kain ordnung ze machen, won die türken
warend mit gantzem huffen stät vff inen mit hertem strit vnd mit strengem
fächten. Do nun die cristen sachent dass si nüt wil haben mochten, vnd
nüt anders daran was, da kerten si sich wider gen den haiden, vnd werten
sich ritterlich vnd manlich, vnd sluogend ir ouch vil zetod, vnd wurden
die cristen also mit werender hand darnider gelait, dass wenig jeman dar
von kam. Also ward da erslagen manig manlich hertz vnd redlich man,
die von ir fromkait vnd ir ritterliche wegen da hin komen waren vnd er
vnd briss beiagen wolten von gott vnd von der welt. Vnd schuoff die gross

---

552) (huffen?).

niderlegi nüt anders denn dass si kain ordnung hatten. Es was der cristenhait der grösst slag, der je sider gottes geburt vff ain mal je beschach, won als man für war sait die da bi warend gesin, so verlurent die cristen zwirent hundert tusend man, si wurdin erschlagen oder si ertrunkind, die niemer me hain ze land kament. It. es ward ouch do ze mal gefangen hertzog johans von borgonien vnd vil ander grosser herren, ritter vnd knecht. Da hiess der turkest kaiser ir vil enthopten vor siner angesicht; es wurden ouch ir ain tail verkofft vnd in frömdi land geftiert, dass si niemer mer hain zeland kament; doch ward der hertzog von borgonien dar nach selb sechzechend gelöst mit grossem guot, der doch anlain me denn mit tusig spiessen hin in fuor.

It. diss was die grösst niderlegi die der cristenhait vff ain mal je beschach von anfang der welt biss vff diss zit anno dni Mccclxxxxvj, won es kam wenig jeman dar von, die bi dem strit warent gg).

Anno dni Mccchh) do sach man den sternen an dem himel, der was geschaffen als ain pfawen swantz, vnd hiess man jn cometa, vnd er wert lang ii).

149. Vom küng wenzeslaus wegen kk).

Anno dni Mccclxxxxvij. In disen tagen was küng wenzlaus der küng von bechem römscher küng vnd hatten die curfürsten vnd ander fürsten, herren vnd stett ettwa manig gespräch, wie si den selben küng von dem römschen rich entsatzti (sic) von siner grossen bosshait vnd schamlichen vntät wegen, dauon vil ze sagen wer, er och darnauch entsest ward. Vnd also in den ziten do wass der grösste tag ze frankfurt von fürsten vnd herren von erwellung wegen ainss römschen küngs. Es was der grösste tag vnd dass grösste gespräch dass in vil jaren ye gesechen ward. It. es warent vff dem selben tag vff ain zit ze frankenfurt xxviiij fürsten, jt. dryzeehenthalbhundert graffen, herren vnd ritter, jt. vier tusend vnd fünf hundert vnd zechen die all waffes genoss warend, jt. cccccl farender lütt, jt. viijc hofffrowen, jt. xxxx löffer, die büchsen truogent, vnd darzuo vil ander volk, dass vnzallich wass. It. vnder disen fürsten vnd herren allen wass

---

gg) Nicht aus Königshofen p. 146—148, aber aus derselben Quelle.

Anno dni Mccclxxxxvj fuor der hertzog von burgunn, vnd vil herren, ritter vnd knecht mit jm von vil landen, zuo dem küng v. vngern. Dieselben vnd der küng mit aller siner macht vnd ouch die vorgenanten herren zugent an die haiden, vnd verlor die cristenhait gross vnzallich volk, vnd ward der hertzog von B. vnd vil herren vnd ander cristan gefangen. Darnach uber etwie vil zites, wurdent si vssgetädingot. Cod. 657 p. 111. 112. Cod. 631 p. 379. Just. S. 239.

hh) Die Jahrzahl unvollständig.

ii) Alles von 148 an bloss bei Hü. p. 74. 75.

kk) Bei Hü. mit der Ueberschrift duo clippey der schwarze gekrönte Adler im gelben und ein weisser Löwe im rothen Felde.

herzog lüpolt von österrich der mächtigest vnd der kostlichest der ze
frankfurt wass. It. diss herren vnd volk zalt vnd ergieng michsenland
der herolten küng *kkk*).

150. Wie sich die appenzeller widerten wider den herren von sant gallen.

In disen tagen erhuob sich' zuo dem ersten der appenzeller louff,
dass si sich satztent wider den abbt ze sant gallen vnd wider das
gotshus, vnd woltent dem weder stür, zins noch fäll geben noch nüts me
tuon noch pflichtig sin, das si von altem har dem abbt vnd dem gotshus ze
sant gallen getuon hattent vnd von recht schuldig warent. Si erklegtent
sich vor dem vorgenanten abbt, wie er inen grossen übertrang tät mit vil
sachen, er vnd sine amptlüt, vnd gewalt vnd muotwillen mit inen tribent
wider recht. Also satztent si sich ganzlich wider den abbt vnd wider die
sinen, vnd zerbrachent jm sin sloss ze appenzell, vnd erstachent jm die
sinen. Also verband sich der selb abbt zuo den siben stetten, die do ze-
mal ainen pundt mit ainandern hattent, das ist costentz, überlingen, buoch-
horn, lindow, ravenspurg, wangen vnd sant gallen *sss*), vmb dess willen,
dass si jm hulfint die von appenzell vnd die sinen wider gehorsam machen,
vnd dass si jm tätint das si jm vnd dem gotshus sant gallen von recht
pflichtig vnd schuldig wärint *ll*).

151. Künig ruopprecht ward erwellt.

Anno dni Mcccc, an dem xxj tag in dem ougsten ward hertzog ruopp-
recht von payer vnd pfalenzgraff am rin erwelt von den curfürsten zuo
ainem römischen künig *mm*).

152. Der von toggenburg ward burger in zürich *nn*).

Anno dni Mcccc ward graf fridrich von toggenburg ingesessner

---

sss) Die Städte nennt Hü. nicht.

kkk) Blos bei Hü. p. 75. Anno dni Mccclxxxxviij ward das alt rathus Z.
abgebrochen nach wienacht, vnd fieng man an ein anders ze buwen, das kostet
by siben tusent guldin an (ohne) ertagwan vnd buossen der gar vil was, vnd
gar vil holz das vergeben darzuo gefüert vnd geben ward, vnd das selb nüw
rathus was aller dingen vss berait vf sant jörgen tag anno Mcccc. Cod. 657 p.
112. Vgl. Justinger S. 240.

ll) Beinahe wörtlich so in Schodoler Bd. 1. Abth. 2. p. 1. Vrgl. Justinger
S. 247.

mm) Anno dni Mcccc in dem ersten jar an dem vj tag ougsten wurdent die
juden zürich geuangen, vnd darnach bald wurdent die juden ze schafhusen
verbrennt.

Anno dni Mcccc primo am nächsten tag nach sant johans tag ze sungicht
darnach über v. wochen brant man ze wintertur xviiij juden, die andren
wurdent cristan. Cod. 657 p. 112. 113.

nn) Bei Tsch. 14. Zeichnung Toggenburgs Schild, die schwarze Dogge auf-
recht in Gelb.

burger ze zürich vff sant jörgen, vnd darnach xviij jar, vnd tät das hertzog lütpolden von österrich ze laid. Darnach machet der selb von toggenburg vnd sin lüt vnd land burgrecht ze zürich nach sinem tod fünf jar; dessglichen hat er ain landtsrecht mit den von switz.

153. Wie die siben stett verlurent mit den appenzellern oo).

Anno dni Mccccviij jar an dem fünfzechenden tag des maien verlurent die siben stett, wan si zuhent also vss vnd woltent die von appenzell darzuo halten, das si dem abbt von sant gallen gehorsam wärint vnd jm tätint das si jm von gottlichem rechte schuldig wärint. Vnd zuchent also vff den obgenanten tag vss die siben vorgemelten stett [554]), vnd woltent über die von appenzell vnd woltent si schadgen vnd dem abbt von sant gallen helfen. Vnd do si an den spicher kament, do lagent die von appenzell vff dem berg, vnd luffent gegen den stetten mit stainen vnd mit ainem grossen heftigen [555]) geschrai. Also nament die stett die flucht vnd wurdent ir me denn dritthalb hundert man erslagen. Die von switz vnd die von glaris lagent ze loch, zwüschent sant gallen vnd dem spicher, vnd hulfent och denen von appenzell. Darnach bald hieltent sich die von sant gallen zuo denen von appenzell pp).

---

[554]) Hier nennt Hü. die Städte. [555]) gr. h. fehlt Hü.

oo) Bei Tsch. 15. Zeichnung die Appenzeller Fahne, der schwarze Bär in Weiss, bei Hü. 3 Städtefahnen.

pp) So Schodoler I B. p. 4.

Anno dni Mccccviij am xv tag mayen verlurent die von costentz ccl man vor appenzell, vnd tatend das etwa vil von schwitz vnd die von appenzell. Cod. 657 p. 114. Justinger S. 248.

Darnach als man von der gepurt cristi zalt tusend drühundert nüntzig vnd vier jar, an dem ayliften tag des maygen was do zinstag pp[1]), zugend die süben stett zu sant gallen vss über das brait feld hin zuo ainer letzin, vnd schicktend wol vff sechs hundert schützen für in die letzin, vnd dar vff die zymerlüt vff zway hundert mit holtzaxten. Vnd als si nun ain tail gehüend in die letzin vnd die schützen verschussend, do luffen die appenzeller vnd von schwitz besitz jn pp[2]) mit iren hellenbarten vnd lantzen, vnd schluogend an das volk, vnd ee si da gewar wurdend ob es fründ oder vigend wärind, do hettent si gar vil volks erschlagen. Also drang nun ettlich rosuolk zuo in hin in, dero wurdend nun och vil erschlagen, vnd wurdend iro ross so wild das iro vil ir nit mochtend gewalt haben, vnd wüestend sich selber vnd vil lüt mit inen. Nun hatten sich die süben banier der stett mit allem volk gestelt her vss vff die wytin vor der letzin, vnd pfiffotend mit ir pfiffern herlich vnd schon, vnd da das getön vmb hilff vnd niemant den andern erkennen vnd wyssen wolt, ob er fründ oder vigend

---

pp[1]) War ain Montag, 1400 ein Dinstag. Die Jahrzahl ist falsch.
pp[2]) (sic oder besitz).

154. Wie der hertzog von österrich wider die appenzeller vnd sant galler in den krieg kam.

Als nun die von **appenzell** die stett da nider gelait hattent, als vor
stat, do wurdend si erst mannlich vnd fraidig, vnd griffent allenthalb vm
sich, vnd machtent ainen punt mit denen von **switz** vnd **glaris**, vnd
griffent edel vnd vnedel an, ir vmbsessen, vnd nament jederman an ze
landtlüten. Si nament den edeln ir aigen lüt wider iren willen, vnd hulfent
denen, dass si iren herren weder stür, zins noch anders gabent, vnd mach-

---

wäre, oder wie das ain ding was, do stuondend ir ettlich ab von den rossen, die
hie vsnan beliben waren, da och dannocht der recht huff was, derselben och vil
erschlagen ward: blankenstain vnd ander, lütfrid im turn vnd ettlich, blaurer
vnd muntpraten, och maister arnolt den zymerman, der das koffhuss buwt. Do
nun die verwysnust so gar vnder das volk kam, vnd niemant mer den andern
bekennen wolt, do ward ain flucht vnder allem volk, vnd lieff ain tail da hin-
vss, der ander dört hin vss, vnd sunderlich die ze ross verrittend sich gar vast,
vnd ward och menger von inen nider geritten, vnd wa si kamend in die enginen
vnd holweg, da wüestend si ain ander gar sere, vnd vielend vff ainander, vnd
sumbtend ain ander. So warend dann die vigend hie vnd schluogend iro gar vil
ze tod. Das jagen vnd jöchen tribend si biss sant gallen in die stat, vnd vor
der stat branten si die mülin ab, vnd was iro kum by hunderten ze schätzend.
Do es inen aber so wol gieng, do luffend si allenthalben von den höfen vnd
alben, das iro villicht uff drü oder vier hundert wurdend. Also ward dero von
costentz by nüntzig mannen vnd dero von vberlingen sübenzig man erschlagen.
Do wurdend och ettlich herren vnd edlen lüten erschlagen, vnd von sant gallen
wurden och vil erschlagen, vnd ouch von den andren dry stetten, dero selen
ruowend in dem fryd. Es wurdend och vil banier verloren von den stetten,
zünfften vnd gesellschafften, aber dero von costentz banier kam da von, das es
den vigenden nit ward, vnd was doch das silbrin banier alda. Gebhard Dachers
Chronik bis 1470, Cod. 646. p. 137. 138.

Anno dni Mcccciiij do wolten die ab **zuger perg** die paner vss der statt
zug herus han. Do woltent die vss der statt die darinn han, vnd ward also ein
zweiung. Da leitent sich die von switz jn vnd gestuonden den ab dem perg,
vnd wolten die von zug ubervallen han. Des kamen die von switz vmb xvj
hundert guldin, vnd muostent darzuo jeglichem land ein brieff uber sich selbs
geben. Do zugent die von zürich, von lutzern vnd die andern eidg. mit offenen
panern uss z hilffe denen von zug gen par (Baar) in den boden, vnd lagent da
vntz an aller hailigen abent. Do zugent die eidg. wider heim.

Anno dni Mcccciiij jar galt ein fiertel fench ein lib. d. vnd ein fiertel öpfel
viiij ss ze mittem mertzen, vnd gabent die grempler ein öpfel vm ij heller, vnd
gab man ein fiertel ärwsen vm xiiij ss hlr. j f. waissen vm xxiiij ss, vnd ein
müt kernen vmb iij lib. hlr., ein malter haber vmb iij lib hlr. Cod. 631. p.
380. 657 p. 115.

tent si vngehorsam. Also luoget ain jedlicher dem andern zuo, vnd liess für gan bis es inem zum letsten [556]) alls überlegen was vnd ward, vnd dass si sich von not weren muostent, oder die appenzeller hettint si all vertriben, das si doch bi zit wol hettint verkomen, wöltint si ainandern trüw geholfen han. Also ruoftent die lantsherren in dem turgöw vnd anderschwa den hertzogen von österrich fast an, vmb hilf, wan si warent all den mertail der herrschaft von österrich diener, dass er den adel nit also liess vertriben, wan er doch des adels vnd des landes ain houpt wäri, vnd alle sin vorderen des lands [557]) beschirmer wärint. Si rittent och täglich graff herman von sultz nach, vnd graff hansen von lupfen, die des hertzogen landtvögt warent, dass si mit dem hertzogen schuoffent, dass er sich des kriegs an nem, vnd inen ze hilf kämi. Der vorgenampt abbt was och deren von wintertur burger; dieselben woltent och irem burger helfen, vnd hattent och im sinn den nit ze verlan. Also wäri der hertzog allweg gern des kriegs müessig gangen; do ward das geschrai also gross, von dem adel vnd von den stetten, dass er sich des kriegs vnderzoch vnd och den heftenklich vnder die hand nam. Vnd alsbald sich der hertzog des kriegs vnderstuond [558]) vnd er darin kam, do woltent die edlen im turgöw och all sold von jm han, söltint si jm hilflich sin, die jn doch darhinder den mertail bracht hattent, wan der hertzog wolt sich lang des kriegs nüts an nemen, bis dass jm herren vnd stett zuo swuörint. Also als nun der hertzog vff die von appenzell vnd vff die von sant gallen vnd vff die iren zoch, vnd jm misslang, als hienach geschriben stat, vnd die edlen im turgöw vnd anderschwa guot woltent von jm han, vnd jm niemand dienen wolt, er hetti denn sinen sold, denen er ze lieb [559]) in den krieg komen was vnd inen ze hilf vnd durch iren willen, do ward er vnwillig vnd ruw ja ain grosser schad, den er on dank empfangen hatt, vnd die vntrüw von den edlen. Also ward so gemach zuo dem krieg getan, dass deren von appenzell löuff vnd macht je lenger je grösser ward, das schier [560]) das ganz land vmb si zuo inen swuor, vnd dass si dem hertzogen vil lüt vnd land vnd den andern abbrachent, als es ain tail och hienach sagen wirt qq).

155. Der hertzog von österrich lag vor sant gallen.

Anno dni Mccccv, in vigilia corporis cristi, das was die nächst mitwuch nach sant pangratientag, do lag der jung hertzog fridrich von österrich vor sant gallen, vnd wolt da vmb die statt wuosten vnd verderben. Vnd als si vfbrachent vnd ab woltent ziechen, do hieltent si sich gar vnordenlich, vnd do das die von sant gallen vnd die bi inen waren sachent, do iltent si den herren nach vnd erstachent da etwa mangen der redlichosten ritter vnd knecht, so vnder den herren warent, edel vnd vnedel, dass

---

556) uns das es inen zum letzten Hü. 557) des adels Hü. 558) vnderwand Hü. 559) ze dienst Hü. 560) binach Hü.

qq) Der ganze Artikel übergegangen in die Chronik Schodolers LB. p. 6—8.

der herren wol xxxvj man verlurent. Vnd do die herren sachent, dass die von sant gallen vnd ir helfer inen als not tatent, do ordnotent si sich zuo dem strit vnd hettint gern mit inen geslagen; aber die von sant gallen vnd die bi inen warent, woltent nit mit den herren fechten, vnd woltent sich och nit zuo inen in die ebni lan, sunder si warent vff den bergen [561]), wan der hertzog hatt ainen grossen züg von herren, rittern vnd knechten vnd stetten. Also zugent si vngefochten gen arbon. Es verlurent an diser statt [562]) bi xxxvj mannen, edel vnd vnedel, vnd wandent die herren, die puren wöltint mit inen gefochten han, vnd sluogent etlich ze rittern; vnd do si nit fechten woltent, do wurfent etlich edel die ritterschaft wider hin, vnd woltent nit ritter sin, etlich behuobent die ritterschaft.

Deren namen die erstochen wurdent: graf hanns [563]) von tierstain, her hanns von klingenberg ritter, her herman von landenberg, den man nampt schudi, ritter, ainer von hallwil, ainer von wolffurt, peter von abensperg rr).

156. Die slacht an dem stoss ss).

Vff den selben tag hat och der vorgenant hertzog von österrich geordnot bi zwölf hundert mannen, ritter vnd knecht, vnd och von den stetten, die soltent gen appenzell ziechen. Vnd also zugent si von altstetten vss dem rintal den stoss vf gen appenzell, vnd do si an die letzi kament, do huwent si die letzi uf, wan da was nieman der inen das warti. Also zugent si durch die letzi den berg uf, vnd do si villicht ainen armbrost schutz tt) von der letzi den berg uf kament, do lagent der appenzeller bi vier hundert obnen vff dem berg, vnd hattent ir schuoch vssgezogen, wan es regnet vnd was fast nass vnd wild wetter, vnd luffent also den berg herab mit ainem grossen geschrai gegen den herren vnd wurfent mit stainen vnder si, vnd liessent och stain vnd anders vnder si herab [564]) louffen. Also warent inen die armbrost vnnütz worden von nessi vnd kelti, vnd kund niemand geschiessen, vnd nament also die flucht den berg wider herab. Vnd do si wider durch die letzi soltent, do was inen vor ze not hinin gesin, dass si die letzi nit wit gnuog ufgehowen hattent, vnd ward das getreng also gross, dass ir vil da vmb kament [565]) in dem loch. Also fluchent si wider vnz gen

---

561) sunder — bergen f. Hü. 562) tat 806. Hü. 563) herman Hü. 564) aben Tsch. 565) verlor 806. Vad. Hü.

rr) So zu sagen wörtlich in Schod. cit. p. 2. Die Handschr. Tsch. dann Cod. 869, Schodoler, die gleichzeitigen Quellen in der Stadt St. Gallen (die Chronik K. 4. und das Kirchenbuch von St. Laurenzen) wie Tschudi, Vadian und Brüllisauer, nennen ausdrücklich den Fronleichnams-Abend, 17. Juni, hingegen Cod. 657 p. 115 und wörtlich gleich 631 p. 330, Justinger, Bullinger und Johann Müller unrichtig den Fronleichnams-Tag, 18. Juni.

ss) Bei Tsch. 16. Zeichnung ein Appenzeller mit der Landesfahne. s. Facsimile.

tt) d. h. Schuss, noch heute mit der alten Schärfung, wie in Wats, wetzen, netzen, etzen, grüezen, büezen (büssen, corrigere), schleizen, heizen, flotz, flötzen.

Die Schlacht an dem
T. cccc. vi. am ... Breß zu Appenzell beschach anno
dnñ tusent vierhundert vñ sechß/Octobers tag hat
och der vorgenant her...
zog von österrich geordnet Bi zwölff
hundert nidern Ritter vnd knecht
vnd och von den ... Botten, die Botten
gen appenzell zu gen, vnd ...
zu Gelt ... biß den kinnie von
... Botten den Roß ... gen appen ...
frei, vnd do Bi Jnd ... lezi ...
do kûmend Bi die lezi vff, wann
Ja was niemant dir Jnn, daß wann
Alß zühent Bi durch die lezi den
Berg vff, vnd do Bi villicht
... armbrost schütz von der lezi
den Berg vff kumen, do ... der Appenz
Bi vier Hunder ... oben vff den Berg

Klingenberger Chronik   Tschudi's Co

altstetten, vnd ward der herren vnd der stetten, die bi inen warent [566]), in der selben flucht erstochen vnd erslagen bi vierthalb hundert mannen.

Mit disen puren hatt es graff r u o d o l f v o n w e r d e n b e r g, den hatt der hertzog vertriben, vnd er was bi den appenzellern, vnd luff och also mit inen ze fuoss als ain andrer pur, wan si woltent nit, dass er kainen wappenrock oder üts anders trüege denn als ir ainer, wan si getruwtent jm nit aller ding wol. Der selb graff ruodolf starkte die appenzeller fast.

157. Deren namen, die da verlurent an des hertzogen siten.

Es verlurent von w i n t e r t u r erber redlich lüt, die iren harnasch truogent, lxxxv manen. Die selb statt verlur aller swarlichost [567]).

Von f e l t k i l c h verlurent wol [568]) lxxx manen.

It. herr sigmund von slandensperg ab der etsch, was vogt ze feltkilch. Gosswig von emps. Volrich von rosenberg von bernang vss dem rintal. Hanns von sechen. Walther von gachnang. Richertshofer von bernang. Laurenz von sal, was schulthaiss ze wintertur. Oswald von sant johann uu).

158. Die aidgenossen hattent frid mit denen von österrich; doch santents hilf vnd lüt.

In disen tagen hattent die aidgenossen ainen besigloten geswornen f r i d mit der herrschaft von österrich, vnd tatent dennoch denen von a p ~ p e n z e l l vil zuoschubs [569]) mit lüt vnd hilf; doch si maintent, es luffint nu muotwiller [570]), denen si es nit geweren köndint. Si nament och der herrschaft lüt vnd land, das die von appenzell gewunnent vnd inen das gabent, vnd maintent, der frid wäri darumb nit gebrochen.

---

556) lagent Tsch. 557) allermaist Tsch. 568) kament vm Tsch. 569) zuoschüben Tsch. 570) muotwilliger lüt Tsch.

uu) Anno Mccccv jar do samnot hertzog fridrich ain gross volk vnd zoch da mit gen s a n t g a l l e n vnd gen a p p e n z e l l. Vnd des volkes kam ain tail für sant gallen, vnd do si von der statt zugent, do luffent der von sant gallen ettlich herus vnd erschluogend der vyenden by drissigen. Das geschach am xviij tag brachot. Vnd an dem selben tag zoch der herrschafft volk ain tail gen appenzell, an ain letzi, haisset am stoss, vnd brachent die letzi uff. Des hattent die appenzeller vff die letzi gehüetet, vnd do des hertzogen volk mit cc schützen vnd mit vil volkes uber die letzi jn kament, do luffent die von appenzell ir vyent an vnd machtent si flüchtig vnd erschluogent ir by fünfthalb hunderten (cccl Cod. 656). Cod. 656 p. 115. 631 p. 380. Vrgl. Justinger S. 248. 249. Schod. cit. p. 3. 4. Cod. 806 „bi iiij hundert". Von einer dritten Schlacht diese Tage wissen die genannten Quellen kein Wort; blos die ziemlich fehlerhafte Chronik 869 im Stiftsarchive versetzt eine solche, erst hier Rudolfen von W. nennend, ebenfalls an den Stoss, und nach ihr Stumpf, Walser und Brüllisauer, welcher 1630 schrieb, letzterer jedoch als zu W o l f h a l d e n geschehen, was Joh. Müller und der wenig kritische Zellweger nachschrieben. Die Namen ihrer hier Gefallenen sind jedoch nur die bei St. Gallen und am Stoss.

159. Die von appenzell nament die march in.

Anno dni Mccccv, vor wienächten zugent die von appenzell in die march, das selb land was der herrschaft von österrich, vnd nament die march in, vnd muostent inen sweren. Vnd do si inen erst geswuorent, do schanktent si die selben march denen von switz, wan die von switz hattent och etwa mangen man in der march, die sich vor in den alten kriegen ab der herrschaft von österrich geworfen [571]) hattent. Also was diss sach angetragen mit denen von appenzell, oder si wärint nit in die march komen. Doch was es in der march nit jederman ze wissent, vnd was och nit jederman lieb. Also kament die vss der mittlern march ab der herrschaft von österrich vnd wurdent switzer, die doch vor allwegen fest vnd redlich an ir herrschaft warent, vnd von altem her der herrschaft zuo gehortent. Si lagent och in den alten kriegen vff ainen tag wider die von switz vnd glaris, vnd woltent sich och ir weren, vnd warent allweg fest, from vnd mannlich an der herrschaft, vnd wurdent also on wer gewunnen, als vor stat vv).

160. Von der obren march.

Anno dni Mccccxxxvj do swuorent die vss der obren march zuo denen von switz, wan die selb march was des von toggenburg, vnd gab si denen von switz vor sinem tod.

161. Der von toggenburg füert den krieg mit denen von appenzell ww).

In disen tagen, anno dni Mccccv, lag graff friderich von toggenburg ze sangans, vnd kriegt vff die von appenzell, vnd nam sold von der herrschaft von österrich. Es lagent och sunst vil ander soldner da, denen die herrschaft von österrich sold gab; doch füert der von toggenburg den krieg vff die von appenzell von der herrschaft wegen. Aber er liess si durch sin land ziechen vnd der herrschafft von österrich das ir nemen, wan die von appenzell zugent durch das turtal vf vnd für vtznach vnd ze grinow über in die march mit klainer macht, dass inen das dennocht niemant was weren [572]). It. vnd do si die march ingenament, do zugent si den selben weg widerumb hin über die lad, dass niemant desglichen tät, als ob man inen dess wölt weren, vnd was der appenzeller bi vierhundert mannen xx).

162. Der vogt ze rappreswil, der gessler, ward burger ze sürich.

Anno dni Mccccvj do was herr herman gessler vogt ze rappreswil von der herrschaft wegen von österrich, der gesworner diener er was, vnd

---

571) gebrochen 806. Vad. Hü.   572) wart 806. Hü.

vv) Eben so Schod. cit. p. 9.

ww) Bei Tsch. die 17. Zeichnung des Toggenburgers Schild, die schwarze Dogge schreitend in Gelb.

xx) So bei Schod. p. 8.

hatt och die selben vesti inn. Also gieng er haimlich zuo vnd ward burger ze zürich, vnd sprach, die herrschaft wäre jm vil schuldig vnd sölt jm gross guot gelten, vnd maint man, er wölt denen von zürich die burg vnd die statt ze rappreswil in geben han, denn dass es die herrschaft von österrich innen ward[573]) vnd dass man jn mit grosser arbait von der vesti tädinget[574]).

163. Der gessler gab grüeningen denen von zürich in.

Er gab och des selben mals gr üeningen, die guoten herrschaft vnd das ampt denen von zürich, vnd verpfandt inen die selben herrschaft vmb acht tusent guldin, das doch nu sin pfand was von der herrschaft von österrich.

164. Der bischoff von losann ward ermürdt.

Anno dni Mccccvj, an dem nächsten dornstag yy) nach sant volrichs tag, in der burg ze lobsingen, ward ermürdt der erwirdig selig herr, her wilhelm von mentenay, bischoff ze losan, von sinem kamermaister genempt merlet; der was sin aigen man vnd hat jn darzuo erzogen von jugent vff, vnd ermürdt jn fruo an sinem Bett mit des herren waidmesser, do sich der herr wolt anlegen[575]) Vnd der bischoff lebte dennocht noch bis mornendes vff mittag, vnd beschickt vnd schuof alle sine sachen redlichen vnd starb mit grosser vernunft. Der selb mörder ward gefangen vnd ward jm sin lib mit glüegenden zangen zerrissen[576]) vnd darnach erst gefiertailt.

165. Vmb dise zit richsnotent die appenzeller fast, vnd was ir übermuet gross.

Anno dni Mccccvij, vmb diss zit vnd darvor richsnotent die appenzeller allenthalben in dem land vnd warent wider alle herrschaften, vnd besunder wider die die inen gelegen warent, vnd zuo denen si zuo komen mochtent. In dem turgöw vnd daselbs vmb brantent si die burge vnd brachent si nider.

It es was in den selben tagen ain louf in die puren komen, dass si alle appenzeller woltent sin, vnd wolt sich nieman gegen inen weren. Die von feltkilch vnd das ganz land hatt zuo denen von appenzell gesworen; si brachent och daselbs montfort, tosters vnd vil vestinen daselbs vmb.

It. si zugent über den arlenberg vnd für landegg hinin, dass inen das nieman wert, wan die puren woltent all gern appenzeller sin, vnd was gar ain wunderlicher louff, doch wärt er nit lang. It. altstetten, rinegg

---

573) Das kam die herrschaft für Tsch. fürkam Hü. 574) vnd also tädinget man inn mit gr. a. Tsch. 575) fehlt Hü. 576) zerzert Hü.

yy) War der 8. Juli. Er starb am 9. Justinger, dessen Artikel ungenauer ist, nennt den 7. Ausführlicher, aber eben so wenig aus dem gedruckten Justinger, Cod. 630 p. 401. Lobsingen ist Lucens.

vnd das ganz rintal hatt alles gen appenzell gesworen [577]) vnd wil im thur-
göw. It. die von landenberg vnd die edlen in dem turgöw wurdent all
burger ze zürich, vnd gabent dem hertzogen von österrich sinen dienst uf,
der doch durch irentwillen in den krieg komen was, als vor stat, vnd ge-
truwet ir kainer jm selbs noch siner vestin sowol, dass er sich darinn liesse
finden [578]) oder nöten. Vnd hattent sich doch alle versorget vnd als wer-
lich vnd als manlich gestellt, als wöltint si dem römischen rich widerstan.

It. die von wintertur wurdent burger ze zürich, doch ward es falsch-
lich [579]) vnd haimlichen angetragen, wan es was ze wintertur nit jederman
lieb, vnd besunder der gemaind. Es ward och der gewaltigost ze win-
tertur darumb offenlich ertrenkt, hiess götz schulthaiss, vnd tät das graff
herman von sulz, des hertzogen landtvogt. Doch maint man do zemal, dass
ir me wär die daran schuldig wärint; denen nüts geschach zz).

In disen ziten nament die von switz die grafschaft vnd die vestin ze ky-
burg in, aber si behieltent si nit lang, wan si muostent bald darvon fliechen aaa).

166. Die von appenzell laitent sich für stätt vnd sloss ze bregenz.

In disen ziten vnd tagen do laitent [580]) sich die von appenzell für
die burg vnd statt ze bregenz, vnd lagent da mit gewalt, vnd wurfent
vnd schussent in die burg vnd statt, als si inne hatt graff wilhelm von mont-
fort, der och daruf was. Also hattent die von appenzell für sich gesetzt,
wäre sach dass inen gelunge, so wöltint si kainen herren in allem swaben-
land lassen beliben, wan die stett guntent inen alle guots.

167. Wie von appenzell verlurent ze bregenz bbb).

Do nun also ward in dem jar do man zalt Mcccc jar vnd darnach in
dem achtenden jar, vff sant hilarien tag nach wienächten, do es fast kalt
was, do samlote der bischoff von costenz, graff ruodolf von der scher von
montfort vnd die ritterschaft von sant jörgen schilt, als dann ire wappen hie
nach stand gemafet, mit den namen ccc), ainen zug, vnd zugent also ze ross

577) gehört Tsch. 578) beligen Vad. Tsch. besitzen Hü. belägeren Schod. 579) mit
falsch Tsch. 580) sluogent 806. Hü.

zz) Anno dni Mccccvij am andren tag des ersten herbst manots wurdent
die von wintertur burger zürich. Am ersten tag des andern herbst manots
wurdent burger die von bülach. Vf den selben tag nam man regensperg jn.

In dem selben jar ward emptz gewunnen ze vss gendem höwmanot. Es
was ain roub hus über pfaffen vnd layen, kouflüten, herren vnd jederman, vnd
ward verbrant vnd darnach die muren nider graben, der zwai burgen die da
haissent emptz, von den von sant gallen, von appenzell vnd von schwytz. Vf
diser burg vand man vil roub guot, sunderlich c. fiertal vnd j. fiertel pfeffers.
Cod. 657 p. 115. 116.

aaa) Alles in Schod. cit. p. 11. 13.

bbb) Bei Hü. die Fahne mit dem rothen Kreuz in Weiss aufrecht, die appen-
zellische gesenkt.

ccc) Die Stelle der Wappen hat 806, hingegen Tsch. und Hü. nicht.

vnd ze fuoss gen b r e g e n z in der grossen kelti, vnd sluogent also die a p -
p e n z e l l e r vnd ire helfer mit gewalt dannen. Die von costenz warent
och vss ze schiff, vnd von der grossen kelti wegen muost man ze costenz
belz, vilzschuoch, kürsinen vnd was man guots mocht gehaben, den bur-
gern vnd soldnern in die schiff lichen, vnd do si gen bregenz kament, do
was das ys so wit in den see gefroren, dass si nit ze land mochtent komen[581]).
Vnd also nament die appenzeller die flucht, vnd liessent ire antwerch vnd
iren züg stan, vnd ward ir houptmann vnd deren von appenzell bi xl oder
l mannen erstochen *ddd*). Vnd hettint inen die herren nachgeilt, so wärint si
all erstochen worden[582]), wan si fluchent on hindersich sechen; do woltent
aber die herren die ordnung nit brechen[583]), wan es was inen vor dick
übel geraten, dass si kain ordnung hieltent *eee*).

Man sol och wissen, dass es als ain seltsamer wunderlicher louff was
vmb die a p p e n z e l l e r, als es in disen landen je gehört ist worden, wan
darvor gar vor kurzen ziten wisst man nüts von inen ze sagen, vnd wur-
dent so mächtig in kurzen tagen, dass si sich vnderstuondent, allen adel ze
vertriben, vnd tatent och dem adel vnd den iren fast we, die si erlangen
mochtent, doch mit hilf deren von switz vnd ander aidtgenossen, die inen
fast hulfent[584]). Doch misslang inen och vnd nam bald gar ain stumpf
end. Vnd von den appenzellern stat me nach vnd nach in dem buoch[585]).

Diss sind die gesellschaft, die hiebi sind gewesen, vnd deren schilt
hie stand.

Oesterrich. Ruodolf. Bischoff. Von wirtenberg. Von deck. Von
fürstenberg. Von werdenberg. Von montfort. Von nellenburg. Von
rossnegg. Von clingen. Von lupfen. Von waltpurg. Vom stain. Von
michelburg. Von mansperg. Von randenburg. Von höwdorf. Von ysen-
burg. Von wiler. Von husen. Von münchwil. Von bodmen. Von
küngseck. Von schellenberg. Von hörnlingen. Von fryberg. Von knö-
ringen. Von stadian. Von jungingen. Truchsess von diessenhofen. Die
wielin von frydingen *fff*).

---

581) Die Stelle „die von costenz — komen" fehlt in Tsch. Hü. und Schod. und ist
ebenfalls blos in der älteren Hdschr. 806. 582) wärint noch vil vmb kon Tsch. 583) ordnung
halten 806. Vad. Hü. 584) die hulfent inen des fast 806. Vad. 585) Diese Stelle f. Hü.

ddd) Anno dni Mcccviij ze mittem genner vff sant hylarien tag do beschach
ain schlacht vor bregentz, vnd verlurent die von appenzell iren houptman vnd
xxx man. Cod. 657 p. 116. 631 p. 381.

eee) So auch Schod. p. 13. 14. Also auch in dieser, einer der ältesten Quellen,
nichts von der Ereguota-Epona. Vrgl. Bergmann im Junihefte 1852 der Sitzungs-
berichte der philos. histor. Klasse d. kais. Akademie der Wissensch.

fff) Fehlt alles bei Hü.

Des selben jares was der w i n t e r als kalt, das der zürichsee uberfror, vnd
erfrurent die reben. Cod. 657 p. 116. 631 p. 38.

Desselben jars ze herbst beschach ain grosser strit ze l ü t k vnd von der

168. Graf herman von sulz, des hertzogen landtvogt, zoch für rinegg.

Anno dni Mccccx, vmb die pfingsten, zoch aber graf herman von sulz, der do zemal des hertzogen von österrich landtvogt was, mit der herrschaft von österrich dienern vnd mit iren stetten für rinegg. Das hattent do zemal die appenzeller ingenommen, vnd woltent das wider gewünnen. Vnd do si also dri oder vier tag vor dem stättlin gelagent, do sprachent die appenzeller, si wöltint mit inen fechten, vnd also wondent die herren, es wäre war, vnd rüstent[586]) sich, dass si mit inen wöltint gefochten han. Do zuntent die appenzeller das stättlin an, vnd verbrantent es vnd zugent haimlich den berg uf, vnd fluchent darvon.

169. Dass aber die appenzeller belait wurdent ze altstetten ggg).

Also wurdent die herren ze rat vnd zugent och in das rintal gen altstetten. Do hattent sich die von appenzell vnd ir soldner in die statt geslagen. Also belagent der herrschaft lüt die statt ze altstetten, vnd lagent also dri wochen vor der statt, dass die appenzeller alwenzuo nüts dess minder vss vnd in wandlotent, dass inen das nieman weren mocht It. si hattent och ainen büchel vor der statt in mit gewalt, dass inen das nieman wart. Also enbot nun hertzog fridrich von österrich vmermeder[587]) den sinen vor der statt, dass si die von appenzell nit ze fast notint, er wölti selb zuo inen komen, als er och tät mit ainem schönen zug, vnd sluog sich och zuo den sinen für die statt. Als nun die appenzeller sachent, dass sich das volk alwenzuo[588]) also vast samlot vnd der hertzog selb komen was, do fluchent si aber haimlich vss der statt den berg vf gen appenzell, vnd liessent die statt öd stan. Also wondent die herren, die von appenzell verburgint sich in der statt, vnd wisstent nit, dass si daruss geflochen warent, vnd zugent also hinzuo vnd maintent, si wöltint si also in der statt behaben[589]). Also ward inen kund getan, dass die appenzeller vnd die iren geflochen wärint, vnd die statt öd stüend; do zugent die herren in die statt, vnd lagent also zwen oder dri tag in der statt, vnd wäre ain tail gern inen nach gezogen gesin gen appenzell. Also wurdent si doch ze rat, vnd zuntent die statt an vnd verbrantent si vnd zugent wider haim.

It. der hertzog hatt in disem her zwölf tusent man, es wärint herren, edel oder stett, vnd vil guoter, wol bezügter[590]) lüt, vnd zoch man jm den-

---

586) richtent 806. Vad. Hü. 587) alwenzuo Hü. 588) vmermeder Tsch. 589) beheben Hü. 590) wolgerüster Tsch.

mastriel, vnd gelagen die von lütk da nider vf xxxj M vnd besatztand die vyent die statt vnd namend ir guot vnd wib vnd kint. Das beschach von ir byschofs wegen. 657 p. 116.

ggg) Die Rubrik hat Schodoler.

nocht alwen zuo. Es warent in disem volk vnd zug hundert vnd zwainzig prasuner vnd pfiffer vnd spillüt, vnd me denn hundert hübsher fröwlin *hhh*)·

170. Die von aidtgenossen suchent gen lamparten.

Anno dni Mcccox, vmb des hailgen crützes tag ze herpst zugent·die von vre, vnderwalden vnd die von lucern mit zwai tusent mannen gen eschental.

Anno dni Mccccxj do zugent die von zürich, von lucern, von vre, von switz, von vnderwalden an dem maientag gen lamparten vnd in eschental, vnd verbrantent da ain thurn vnd vil lüt darin, vnd nament· thum [591) in, vnd do si wider haim kament, do warf sich thum wider ab den aidtgenossen *ii*).

---

591) *Domodossola.*

hhh) Schodoler p. 15—17.

Anno dni Mcccox ze ingendem mertzen do zugend die von zürich gen turtal (turtental 631, Turbenthal) zuo dem kloster gen vischingen, vnd brantand da vnd nament ain grossen roub. Das beschach mim herren von costentz ze laid. Cod. 657 p. 116. 631 p. 381.

ii) In dem selben jar an vnser herren (an sant regulen 631) abend do schiktand die von zürich cc schützen gewafnoter über den gothart vnd über den valdos gen bomat, das tal nider gen tnm der statt vnd vesti, vnd gewunnend si baide vnd das tal. Vnd geschach das den lendren ze dienst. Cod. 657 p. 116. 631 p. 381.

Anno dni Mccccxj an dem mayen abend do sant man der statt (zürich 631) paner gen bomat zuo den aidgnossen vnd cccc gewafnoter mannen zuo denen von lutzern, von vre, von vnderwalden ob dem wald vnd nid dem wald, von zug, von glaris, jede statt vnd land mit siner paner, vnd zugent alle mit enander über das wasser. Do zugent die von lutzern für ain turn vnd gruobend dar in vnd stiessent in an vnd brantand den. Dar vss fielend vnd verbrunnend vil walhen, die hatt der facikan dar geben ze goumen, vnd warend erber lüt, vnd zugend morndes an den berg gen truntan. Do gab man den von zürich vnd von zug den vorzug, vnd faltend ain turn vnd brantend die burg vnd die hüser vf dem berg, vnd morndes zoch man ab dem berg für den wissen turn, da was vil volkes vf vnd da vor ze ross vnd ze fuoss, vnd schalmutztand da mit ain ander vnd schussent ab dem turn mit büchsen, vnd zugent wider vf den tag über das wasser vff der fründen lant, vnd verlurant die von zürich vf baiden ferten nieman; das tett die gehorsami, die si hattend, aber die aidgnossen verlurend by xx mannen, das tett vast vngehorsami. Cod. 657 p. 116. 117. 631 p. 381. Sehr ähnlich Justinger S. 270. Schod. 38.

In dem selben jar viengend die von zürich graf wilhelm von bregentz vnd xiij von wintertur vnd von schafhusen, dar vm das herman von hunwile was geuangen vnd ander vnser burger, die kouflüt warend, wan in der herschaft land nieman sicher was ze wandlen. Cod. 657 p. 117. 631 p. 381. Sehr ähnlich Justinger S. 271.

Vnd also darnach tatent die aidtgenossen mangen zug gen lamparten, vnd schadgotent den herren von mailan, der gern frid mit inen gehept hett, wan er hat in disen ziten gross krieg an andern enden. Si nament jm etwa manig sloss in, vnd wenn si wider haim kament, so hieltent si sich wider zuo dem herren von mailan. Also wurdent die armen lüt vff dem land bärlich dadurch geschadgot vnd verbrent.

Die aidtgenossen hattent dem herren ingenomen das guot sloss bellenz, vnd hattent das etwa lang zit inn, vnd besatztent das nach irem willen. Vnd zum letzten was es dem herren von mailan verdriesslich [592]), vnd do si das minst darumb wüsstent, do nam er bellenz wider in, vnd vertraib die aidtgenossen darus [593]).

171. Wie die aidtgenossen verlurent se bellenz.

Also mügt [594]) nun die aidtgnossen die smach vnd maintent je, si wöltint es rechen an dem herren von mailan vnd an denen von bellenz. Vnd do es ward anno dni Mccccxxij, vmb sant volrichs tag, do zugent die von luzern, von zug, von vre vnd von vnderwalden vss mit aller ir macht gen bellenz, vnd mantent alle aidtgenossen zuo inen, vnd laitent sich zwüschent die maiss [595]) das wasser vnd die statt ze bellenz, vnd lagent da etwa mangen tag. Also hat nun der hertzog von mailan geschickt [596]) gen bellenz ainen capiten, hiess contagernol [597]), vnd mit jm vil raissiger pferrt, vnd hieltent sich so still in der statt, dass die aidtgenossen maintent, si wärint von forcht vss der statt gewichen. Als nun ward an ainem morgen frue, rait der houptman vnd des herren von mailand volk vss der statt, vnd woltent besechen, wie sich die aidtgenossen hieltint in dem feld. Vnd do er si sichtig ward, dunkt jn, si hieltint sich vnd lägint so vnordenlich vnd vnwerlich, dass er si glich angraiff. Also hettent nun die walhen die tütschen gern gefangen, als denn ir gewonhait ist. Also woltent sich die aidtgenossen nit gefangen geben, also verlurent die aidtgenossen des selben tages bi ainlif hundert mannen kkk).

---

[592]) begond es den h. v. m. verdriessen Hü. [593]) Tschudi fügt bei am karfritag 1422. [594]) bemühte. Hü. muot. [595]) Moesa. [596]) gesant Hü. [597]) Carmagnola.

kkk) Als der herr von meiland das schloss bellentz hatt wider zuo sinem handen genomen, vnd sprach es wär sin vätterlich erb gesin, das woltent die von vren nit vertragen, vnd manten all eidgnossen. Do zugent die von vre, von lutzern, von zug vnd von vnderwalden durch das gebirg vnd woltent nit warten der andern eidg. Doch kamen die von switz nach jnen, vnd do si kamen für das schloss belletz do wurden die eidg. all ir söimer vnd spiss genomen vnd vff gehaben, das si kain spiss by jnen hatten, won si die sömer vorhin hatten geschickt. Do kamen die von vren, von lutzern, von zug vnd die von vnderwalden vff die wite vor belletz. Do kamen die walhen vnd griffen die eidg. an, vnd stritten vnd vachten mit enander von dem das die sunn uf gieng vntz vff die vesper. Doch behuobent die vnsern ir paner vnd verlurent by fler hundert

maunen vnd nit minder. Disser strit vnd schlacht geschach do man zalt v. g. g.
Mccccxxij jar morendes nach sant peter. vnd sant pauls tag an einem zinstag.
Vnd war der vnsern wol zwentzig gevangen, din den walhen vil guotes muosten
geben. Cod. 631 p. 384.

Do man zalt n. g. g. xiiij hundert vnd xxv jar, am herpst vmb sant gallen
tag, als die eidg. mit dem herren von meilen krieg hatten vnd enander ze beden
teilen vast schadigetten, vnd die eidg. dem hern von meilan gross land· vnd lüt
gewüest hatten, vnd sunder mit brand, das bestuond an frid ettwa lang vnd er-
huob sich ze switz ein geselschafft mit guoten redlichen gesellen. Dero warent
von switz vnd von andern eidg. by fünf hunderten, vnd zugen hin jn gan tum
mit einem vennli, vnd kamen nachts in die statt, vnd namen die mit gwalt jn,
vnd machten sak man, vnd fluchen die walhen zuo eim tor vs do si zuo dem
andern jn zugen, vnd ward ein gross stürmen durch nider in des herrn von meilen
land, vnd kamen des herren diener mit grossem volk her vff für thum für die
statt, vnd beritten die, als ob si sich dar für legern wöltin. Vnd do der eidg.
knecht die statt nit wolten vff geben vmb ir gross getröw, do zoch der kapitöny
für vff von der statt vnd zugen an all letzinen vnd strassen, die her vs gegen
disen landen gand, vnd besatzt das mit grosser macht vnd mit vil volks, das
nieman von jnen noch zuo jnen gen thum nit komen mocht, vnd ranten des
herren soldner alle mol für thum vnd schalmutzten mit den vnsern, vnd verhiess
der kapitöny vnsern gesellen, wöltin si die statt vff geben, so wölt er si trösten
an allen schaden dannen ze beleiten an ir gewarsame. Do antwurt jm peter
risse von switz, der was der gesellen houptman, vnd danket dem capitony ernst-
lichen vnd sprach, si werind des noch nit ze rat worden, das si die statt vff
geben wöltin. Do viengen des herrn soldner an tröwen, vnd machten vil galgen
für die statt, vnd sprachen, si müesten alle hangen. Des wurden die von switz
innen wie die jren vnd ander eidg. knecht hert belegen werind, vnd wie der herr
von meilan so mit grossem volk vff dem veld were, vnd wurden gar schnell ze
rat ynd zugen mit ir macht ynd mit ir paner vs, vnd zugen hin nach vnd manten
all eidg. an (ohne) die von bern, die baten si, vnd zugen die von vre mit jnen,
vnd zugen die andern eidg. nach, vnd besamneten sich ze grat enend dem fal-
dösch, vnd beiteten da enander, vnd seit jnen ir kuntschafft, das des herren volk
gar stark legi, vnd sunder án der steinin stegen. Do wurden die eidg. ze rat,
das si je zuo den gesellen wöltin, die ze thum lagen, es täti wol oder we, oder
aber dar vm alle sterben. Do seit jnen ir kuntschafft, das si anders niena kön-
dint gen tum komen denn durch ein rik der da heist zuo der steinin stegen,
oder si wöltind denn einen grossen ab weg ziechen über einen hochen berg; da
lege aber gar vil volkes vff. Do wurden aber die eidg. ze rat, vnd namen vss
von allen eidg. die denn zemal da warend, xvj hundert man der ringsten, vnd
die allerbest ze fuos mochten, vnd liessen die paner, die da warent, ze grat
ligen. Die von lucern, vre, switz, vnderwalden, zug vnd glarus hatten ir paner
nit by jnen da; doch so hatten si endlich (redlich?) knecht, vnd zugen die selben
xvj hundert man mit einem vennli vnd·mit fryem muot an den berg, haisset

der gräffischperg. Da sachent si die fyent vff dem berg, dero was by xj hundert. Der achtoden si nit, won si schruwen gar vast vnd zertaten sich. Do gaben der eidg. knecht nit vil vmb vnd zugen frischlich hin vff gen jnen mit gots hilff vnd liessent die fyend vast vnder sich schiessen vnd werffen. Si liessent ouch gross fuodrig stain gen den vnsern louffen. Des achteten si nit vnd halff jn got der almechtig das si hin vf kamen vnd den fyenden obgelagen überhoupt, vnd ward ir vil erstochen. Die andern fluchen, vnd gewunnen die eidg. vil armbrusten, harnesch vnd setzschilten vnd ander werinen, vnd funden ouch win vnd kost. Also muosten die vnsern noch durch vil ein herter letze denn der berg was. Die selben letz gewunnen si ouch den walhen an überhoupt, vnd zugen morndes der fyenden halb gegen thum an die stainin stegen. Do wanden si den capitöny finden mit grossem volk, so er da gelegen was; vnd do si dar komen warent, do warent die fyent die nacht all mit faklen dannen geflochen, vnd do die paner des gewar wurden, das die xvj hundert die steinin stegen hatten jngenomen, do zugen si mit enander hin durch vnd besamneten sich do ze thum vff dem veld, vnd funden si alle frisch vnd gesund, vnd leitten sich do die selben paner mit gewalt her vs für die statt vff offen wit feld, vnd kamen zuo jnen die fromen eidg. von bern mit vj tusent mannen von bette wegen dero von switz, vnd kamen die von zürich mit einem schönen zug ze ross vnd ze fuos by xvj hundert mannen, vnd leitten sich ouch da ze veld, vnd lagen die obgenanten paner alle da offenlich gegen dem herrn von meilan v tag vnd v necht, vnd warteten sin offenlich vnd enbutten jm, wölt er mit jn vechten so wöltind si sin da noch lenger warten. Also kam er nit vnd kamen erber lüt vnd retten dar zwüschent, der bischoff von wallis [598]) vnd dero von fryburg bottschafft, vnd machten ain frid vnd ward verricht. Darvmb das die eidg. ab dem veld zugin, darvm sölt er den eidg. geben xxxij tusent tuggaten. Die wurden ouch also bar bezalt vnd vsgericht. Darzuo sond alle eidg. zolfry mit ir guot vnd kouffmanschafft zechen jar in allen des herrn von meilan stetten vnd landen fry wandlen vnd varen. Cod. 643 p. 153—156.

Anno dni an dem vij tag ougsten, an dem zinstag im Mccccxxv jar, zugent die eidg. von allen orten an (ohne) von bern wol mit iiij M vber das gebirg den gothart vnd latiffer für bellentz da uormals der stritt was geschehen, vnd wartoten da ob jeman wölt komen, der sinen schaden wölt rechen. Do nieman kam, do zugent ein teil hin gen den gebirgen von hinderwert vnd gen tisantis, vnd das wert iij wochen, e man heim käme.

Aber koment der von switz botten zuo den eidg. vnd sprachen, ir knäbli wärent aber gelouffen gen tum, vnd wolten si die walhen vbervallen, vnd müest man jnen ze hilff komen, oder si wärent ermürt worden in dem stetli. Do zugent wir eidg. gemeinlich von allen orten uber das gebirg jn wol mit xlv tusent mannen, do wir zesamen kament. Das wert wol iij wochen. Hier vnderritten gross herren, vnd ward gestelt. Diser vorgenant krieg, aller samet ward verricht

---

[598]) Wilhelm V von Raron 1402—1431.

172. Hertzog fridrich schraib sinen stetten *lll*).

Disen brieff schickt hertzog friderich von österrich sinen stetten do er den frid lij jar mit den aidtgenossen gemachet hatt, vnd forcht, dass si vnwillig wärint, denselben frid ze halten. Wir friderich von gottes gnaden hertzog zuo österrich, ze stir, ze kernten vnd ze krain, graff zuo tirol, enbietten den erbern, wisen, vnsern lieben getrüwen, den burgermaistern, schulthaissen vnd räten ze schaffhusen, rinfelden, louffenberg, seckingen, waltzhuot, diessenhofen, baden, rappreswil, brugg, bremgarten, zofingen, sursee, lentzburg, mellingen, arow vnd frowenfeld vnser genad vnd alles guots. Wir verkundent vch dass wir mit den aydtgenossen ains friden vberkomen sind, als ir an dem fridbrief, den wir vch hiemit sendent, wol werdent vernemen. Begerent wir vnd manent üch all vnd jetlichen besunder vff vwer aid, zu welicher der egenanten stett der vorbenempt fridbrief bracht werd, dass die den selben brief versiglint, damit dass der ain fürgang hab, vnd kain ander vnrat darin fall, wan wir durch nutz vnd notturft vnser landen habent getan, als ir das selb wol mugent merken vnd verstan. Vnd hand och darumb kain fürwort noch widerred bi vnsern hulden, wan wir das ernstlich mainent vnd wellent. Geben ze friburg im brissgöw an sant johanns tag ze sunngichten, anno dni millesimo quadragentesimo duo decimo etc.

173. Nach dem strit ze lüdich *mmm*) beschach diser spruch.

Diss sind die artikel vnd stuk des vsspruchs, so die herren vnd fürsten, der hertzog von burgoni vnd der hertzog von holand gesprochen hand zwischen dem bischoff von lüdich vnd der statt lüdich.

It. des ersten söllent die von lüdich ain cappell buwen vff der waldstatt, da der stritt beschach, vnd sol die selben cappellen der bischoff von lütdich stifften mit iiij capplan vnd ij schuolern, vnd sol zuo der selben cappell zway hundert schiltt ewiges geltz stifften dem capplan vnd den schuolern, vnd die cappell in eren ze halten. It. die selben zway hundert schilt geltz sol der bischoff von lüdich wisen vnd bestellen vff vnd vsser deren güetern vnd gülten, die des mals des strittes verderbt sind vnd ablibe geton sind.

---

zwüschent dem herrn von maylant vnd den eidg. ewenclich, es wär denn das der römsch küng mit jm kriegen wölte. Dorum gab er den eidg. drissig tusent guldin. Diss geschach d. m. x. Mccccxxvj jar ze mitem höwmanot ze belentz in der vesti. Cod. 631 p. 384. 385, womit diese 1473 geschriebene Handschrift schliesst.

lll) Anno dni Mccccxij vf den viij tag höwmanot do ruoft man den frid vss sürich zwüschend der herrschaft von österrich vnd den aidgenossen, vnd solt weren 1 jar von dem sant görgen tag, der da im xiiij jar kumpt. Cod. 657 p. 117. 631 p. 381.

mmm) Sieh Note *fff*. Dort heisst die Stadt Lütk (Lüttich).

It. ouch sol der bischoff von lüdich ain jar zit in der statt ze lüdich stifften durch deren sel hail willen, die da in dem strit erschlagen sind, vnd sol das bestellen vnd bestättigen vss vnd ab deren güeter, nütz vnd gült als da vor geschriben stat.

It. so denn söllent die von lüdich vnd was dar zuo gehört den bischoff haben für iren rechten herren, vnd söllent jm hulden vnd schweren in aller der[599]) wiss vnd mass als ander biderw lütt irem herren tuond. It. es sond ouch die von lüdich all ir frihaiten, die si gehept haind, es sig von herren, kaisern, bischoffen oder bäpsten, oder suss wie sich die haischend, antwurten gen berg im henngöw, in vnser der vorgenanten hand, vff den nächsten sunnentag nach sant martis tag der schierost kompt.

It. ouch söllend si all ir puntbrieff, die si hand, antwurten in die vorgeschribnen statt vff den selben tag, ouch in aller der wiss vnd mass als ze nächst geschriben stat.

It. so söllent die stett in dem land ze lütich, der sind xxxvj aun burg vnd vestinen, kainen burgermaister, kainen zunfftmaister, kainen amptman noch kainerlay lüte, die gewalt habent, fürer me setzen denn mit ainss herren vnd cappittels wissen vnd willen vssgenommen in jeglicher statt vier pfleger; die selben sol der bischoff, das cappitel vnd die gemaind mit enander erwellen vnd setzen.

It. die selben iiij pfleger, so also in jeglicher statt erwelt vnd gesetzt werdent, sol kainer den anderen angehören noch geschaffen gesin in der mass, dass kain sibschafft oder magschafft vnder inen sig, dass ainer dem andren fürer volgi denn billich vnd recht sig.

It. si söllent ouch kainen rat setzen denn mit ainss herren, des cappittels vnd der iiij pfleger, die also erwelt sind als vor geschriben stat, wissen vnd willen. It. so denn söllent si all ir paner so si hand ouch antwurten gen berg im henngew vnd in jeglicher statt nit me denn ain paner[600]) haben, vnd dass die besetzt werde mit des herren, des cappittels vnd mit der gemaind rat.

It. si söllend ouch kaini burger vsswendig iren stetten ze burger nemen, vnd wär dass si dero dehain hettind, die sond si ledig sagen, vnd sond nit mer ir burger sin.

It. wär ouch dehain burger in der statt gesessen, der guot vff dem land oder vff herren hett, die sol man berechtigen vnd richten an den stetten da si gelegen sind.

It. so denn söllend si kain pund mit nieman haben denn mit irem herren, vnd absagen ob si dehain mit jeman anders hettind.

It. ouch sond die von lütich die vesti ze hü[601]), alle die vestinen in dem hertzogtum ze willn vnd in der graffschafft ze loss dem bischoff in geben vnd jn lassen besetzen vnd entsetzen wie jn das guot dunk vnd eben ist.

---

599) allender wiss Hü.   600) Hü. fehlerhaft ze.   601) Hüy, Hoey a. d. Maas, ●

It. sol oder mag der bischoff ain tor machen hinder der vesti ze hü vnd das also besetzen, dass er vss vnd in rüten mag wann es jn lust oder eben ist, an ir wissen, sumen vnd iren.

It. ouch söllend die von dynoy [602]) all ir müren vnd tor ensitt vnd dissit des wassers abbrechen vnd schlissen, vnd die graben füllen, also dass enkain beschliessung me da sy.

It. so denn söllent, die von tüwin vnd die von fosse [603]), all die stett die da ligent zwischent denen zway wassern, genant mass vnd samber [604]), all ir muren abschlissen, vnd die graben füllen, tonschen [605]) noch getüll mer haben.

It. si söllent ouch all vestinen da zwischen gelegen, die der von lütich sint gewesen, brechen vnd abschlissen.

It. so denn söllent die von tumgu [606]) ir tor das wider mastriel [606]) sicht, abbrechen, vnd zuo jetweder siten des tors viertzig schuo wit, vnd die graben füllen, also dass karren vnd wägen darüber vss vnd in gan mugend an schloss (vnd) irrung.

It. si söllent ouch kainen vesten kilchhoff me haben zwischent den zwain wasser vff hin wider henngew.

It. so denn söllent si den graben so si vor mastriel gemachet hand, in irm kosten wider füllen; ouch söllent si vnsern zway herren geben zwirent hundert tusent schilt vnd zwaintzig tusend ann irn kosten.

It. wär ouch dass die von lütich disen spruch oder dehain stuk oder artikel, so dar in gesprochen ist, vber sächind vnd nüt hieltind, also dik si das tätin als dik sind si veruallen hundert tnsend schilt zwirent. Der selben summ sond veruallen vnd werden aim kaiser oder ainem römschen küng fünfzig tusent schilt, vnd ainem hertzogen von holand fünfzig tusig schilt, ainem hertzogen von burggunde fünfzig tusent schilt.

It. ouch ist gesprochen vnd berett, dass si das bezwungen sond sin bi den hochen gaistlichen gerichten des bapstes vnd des ertz bischoffs von köln vnd ainss bischoffs von lütich.

It. der bischoff mag ouch nach nach allen denen suochen, die wider jn sind gesin vnd flüchtig worden sind, vnd ab denen richten wo er ankompt, vno sond jm ouch ir güeter veruallen sin.

It. si sond ouch nimer getuon noch wappen wider ain küng von frankrich, wider ain hertzogen von burguni, wider ain hertzogen von holand noch wider ain graffen von menmür [607]) vsserhalb irem land, noch vff si ziechen, es wer denn mit irem obresten herren dem kaiser oder römschen küng.

So denn söllent si den küng von frankrich vnd die ietz genanten herren lassen ziechen durch ir land vber brug oder in schiff wider aller menklichen ann wider den kaiser, doch also dass man inen kain schaden tuon sol ann geuärd.

---

[602]) Dinant. [603]) Thuin und Fosses. [604]) Hü. verschr. samlur. [605]) *dongeon.* [606]) Tongern? Maestricht. [607]) Namur.

It. si söllent ouch kost geben vmb ir gelt ze gemainem k offvnd nüt türer denn der gemain loff ist denn zemal ann geuerd.

It. diss spruchs sind die ingegangen vnd hand ouch sicherhait, brieff vnd insigel geben, alle stuk vnd vorgeschribnen artikel stät ze haben vnd ze halten an geuart*nnn*).

174. Der römisch künig sigmund vertraib hertzog fridrichen von österrich vom swabenland.

Anno dni Mccccxv was als ain selzner louff ze swaben. Es gewunnent stöss mit ainandern der römisch künig sigmund vnd hertzog friderich von österrich, vnd beschach das von des bapstes wegen, als das gross concilium ze costenz lag von ernsthaftiger sachen wegen, die der hailigen kirchen [608] anlag, vnd och do zemal dri bäpst warent, johannes, gregorius vnd benedictus, die alle versprochen hattent, zuo dem concilium gen costenz ze komen. Doch so .was bapst johannes der mächtigost, won er hatt rom vnd den mertail stett vnd land, das dem stuol zuo gehort. So hielt jn och der mertail der cristenhait für ainen bapst. Also hat er dem römischen künig versprochen, mit sin selbs lib gen costenz zuo dem concilium ze komen, doch mit dem geding, dass jn der hertzog von österrich durch sin land bis gen costenz getrüwlich belaiten sölti vnd in sinem schirm vnd gelait bis dar haben sölt. Er solt och ze costenz in fryem gelait sin, vnd was denn das hailig concilium vnd die ganz cristenhait mit recht erkante, dem versprach der bapst genuog ze thuond vnd das getrüwlich ze halten.

Im ward och versprochen, wäre sach, dass er ze costenz nit beliben möcht, wär es von des luftes oder ander sachen wegen, so sölti jn der künig in anderen des richs stetten daselbs vm in fryem gelait halten. Vnd wär es dass es jm gelegner oder lieber wäre in des hertzogen von österrich slossen oder stetten, so sölti jn aber der vorgenant hertzog in sinem schirm vnd gelait haben, doch mit dem geding, dass der bapst nit von dem land wichen sölti, vnz er dem concilium gnuog täti vnd es ain end hette. Also ward es och dem bapst versprochen ze haltent, oder er wär nie zuo dem concilium komen in tütsche land. Also kam der selb bapst johannes der xxiij des namens gen costenz in dem jar als man zalt nach gottes gepurt Mccccxiv jar, an sant simon vnd judas tag, vnd fuor vff des bischoffs pfallenz ze herberg, vnd belait jn der vorgenannt hertzog von österrich mit sin selbs lib gen costenz. Also belaib nun der bapst ze costenz bis vff den zwainzigosten tag des merzen, anno dni Mccccxv.

In disem zit kam vil herren gen costenz zuo dem concilium, gaistlich vnd weltliche, vnd vil grosser fürsten vnd herren, davon vil ze sagen vnd ze schriben wäre, das ich durch der kürze willen vnderwegen lan.

---

608) cristenhait Hü. Vad.

nnn) Alles allein bei Hü. p. 84—86.

Es lag och ze costenz künig sigmund, der römisch künig vnd künig ze vngern, der das concilium zuo guoter mass angetragen hatt, vnd hatt bi jm vil herrschaft vnd lech da des richs lechen, vnd tät ander sachen, als denn ain römischer künig tuon sol vnd jm zuo gehort[609]). Also was nun diser künig alweg nötig vnd gebrast jm gelts, wie ers anfieng. Nun wusst er wol dass der bapst gross guot vnd gelt mit jm in das tütsch land[610]) gefüert hatt, wan er maint je, wäre sach, dass er nit bapst belibe, so wäre er doch der richesten priester[611]) ainer, die die cristenhait hett. Also muotet[612]) nun der künig den bapst naisswa[613]) dick an, dass er jm gelt liche, wan er das der ganzen cristenhait ze dienst verzarte, das och der bapst tät; doch verdross den bapst des lichens, vnd dunkt jn der muotung zuo vil, dass er es nit liden wolt, vnd fordret an dem künig, ob er jm halten wölti sin frihait vnd gelait, vnd das er jm versprochen hette, so wölt er nun zemal lieber in anderen slossen sin denn ze costenz, vnd erzalt jm warum vnd was jm anleg, vnd was er ze wort hatt. Also sluog der künig dem bapst das alles ab, vnd maint, er sölti ze costenz des conciliums warten vnd in kainen andren stetten, wan er hett sin kainen gewalt, vnd wolt jm och anders nit erloben. Also fordret nun der bapst an dem hertzogen von österrich, ob er jm halten wölti das er jm versprochen hette, wan er jm och dess wol getruwet hette vnd och fast wol zuo jm getröst wäri, vnd vff sin wol vertruwen zuo guoter mass er haruss gen tütschen landen komen wäri. Also antwurt jm der hertzog von österrich, er verstüende wol an dem römischen künig, dass es nit (anders) sin mainung wäre denn dass der bapst ze costenz beliben sölt vnd nit anders wa; doch wär der bapst in sinen slossen oder stetten, was er jm denn versprochen hetti, als verr er möchti mit lib vnd guot, vnd er von billichen rechten jm pflichtig ze tuond wäri, das wölt er gern tuon. Also erbot sich der hertzog von österrich fast gegen dem bapst, was er tuon wölt, wiewol er wusst vnd verstuond, dass es wider den römischen künig was vnd das hailig concilium. Da minnet[614]) der hertzog das gross guot vnd die barschaft, die der bapst hatt, me denn den bapst, vnd maint, jm sölti och sin tail darvon werden, als och geschach; doch kam er sin vmb lüt vnd land. Also truogent nun der bapst vnd der hertzog mit ainandern haimlich an, vnd machet sich der bapst vf mit ainem tail sines hofgesindes, so er allerhaimlichost[615]) kund, vnd sass in ain schiff vnd fuor gen schaffhusen. Also rait jm der hertzog von österrich des selben abends nach och gen schaffhusen, das geschach an sant benedicten abend, vmb bruoder complet zit, anno dni Mccccxv jar. Als nun der künig vnd das concilium innen wurdent vnd vernament, dass der bapst mit dem hertzogen enweg was, do ward ain grosser vflouff[616]) ze costenz in allen gassen, vnd schrai jederman über den bapst vnd über den hertzogen von österrich, wie er ain zerstörer wäre des hailigen conci-

---

609) ainem rö. kü. zuo gehört Tsch. Hü. 610) gen tütschen landen Hü. Vad. 611) pfaffen Hü. Vad. 612) kam 806. Vad. 613) etwa 806. Vad. 614) liebet Tsch. 615) als haimlich er Tsch. 616) ain gross gelöff 806. Vad. Hü.

liums vnd der ganzen cristenhait, vnd ward das geschrai so gross, dass
sich jederman trucken muost, der inen guots gunt[617]). Also luff man dem
bapst durch die pfalenz, vnd nam jederman was jm werden mocht. Also
zooh des bapstes gesind vnd die zuo jm gehortent, jederman hin nach, als
er denn mocht. Also vernam nun der hertzog, wie ze costenz so hert[618])
uber jn gieng vnd jederman über jn schrüw, vnd schicktent der bapst vnd
der hertzog ire brieff vnd erbre bottschaft zuo dem römischen künig vnd zuo
dem concilium gen costenz, dass der bapst von dem land nit wichen wölt, er
wölti dem concilium vnd der cristenhait gnuog tuon, darumb er och herus
in das tütsch land[619]) komen wäre, das wölti er bi sinen eren vnd wirdig-
kaiten getrüwlich halten, vnd wess sich die hailig cristenhait erkante, dem
wölt er allweg gehorsam sin. Dess glichen verschraib och der hertzog,
dass er darbi den bapst wölti schirmen vnd halten, vnd nit anders, vnd
dass er jn von dem land nit lassen wölti. Diss bottschaft noch brieff wolt
weder der künig noch nieman hören, vnd wolt nieman des hertzogen
gelimpf hören, anderst dass mengklich über jn schrai als über ainen vncri-
stenlichen fürsten, der die cristenhait gern zerstören wölte als ain wüeterich
vnd ain schädlich man; wan es warent vil landtsherren, die dem hertzogen
vigent warent, vnd vorhin haimlich mit dem künig hattent angetragen, wie
si den hertzogen von dem land vnd vmb das sin brächtint vnd in vertri-
bint. Die warent fro des vngelimpfes, den der hertzog wider den künig
vnd das hailig concilium hatt behellt[620]), vnd stürtent och fast zuo wo
si kundent.

Also manet nun der römisch künig alle die er ze manen hatt, herren
vnd stett über den hertzogen von österrich, vnd gebott inen och als hoch
er[621]) kond oder mocht, vnd erzalt vnd schraib sinen vngelimpf, wie er
ain vncristenlicher fürst wäre, schädlich der ganzen cristenhait; wer den
hulfe demmen vnd vertriben, der empfieng lon von gott, ablass vnd gnad
von dem hailigen concilium, lob vnd eer von dem römischen rich vnd von
der ganzen cristenhait. Also ward nun semliche bottschaft an vil end ge-
tan, dass des hertzogen vnglimpf in allen landen gross was vnd ward.

Als nun der hertzog sach, dass jm der künig also vngnädig was, vnd nit
wolt, dass sich der hertzog verspräche[622]) weder mit bottschaften noch mit
brieffen, vnd dass er weder jn noch die sinen nüt hören wolt, do schickt
er den bapst gen friburg in das brissgöw, vnd maint, die sach sölti also
gestillt werden, bis etwer darunder redti, wan er maint, der künig möchti
in disen landen wider jn nüts getuon; och wärint jm die herren vnd stett
nit gehorsam wider jn, dass es jm oder[623]) den sinen kainen schaden brin-
gen möcht. Also rait der hertzog och dem bapst nach gen friburg, vnd

---

617) alle die trucken muosten — Hü. 618) so vil red 806. Vad. 619) gen tütschen landen
806. Vad. Hü. 620) beholt Hü. u. Tschudi im Chron. wo er, neben anderen, diese Quelle
immerfort, und oft wörtlich, benutzt, wie früher und wie Schodoler t. I. B. S. 151 ff.
621) so er höchest Hü. 622) sach, das jm — versprüch bei Hü. übergangen. 623) we-
der jm noch den sinen Tsch.

empfalch denen von schaffhusen vnd anderen sinen stetten, dass si
from, fest vnd biderb an jm wärint, als er inen dess wol getruwti, so
möcht inen der künig nüt geschaden. So hette er och ainen guoten frid
mit den aidtgenossen, der ze baiden siten bishar getrüwlich gehalten wäri.
Er wisste och wol, dass si den nit brächint, wan er wölte jn och an inen
trülich halten [624]). Also schied der hertzog von den stetten, vnd gab inen
guoten trost mit worten; aber er gab inen klaine hilf mit volk, vnd wolt
och selb nit bi inen beliben, als si gern gesechen hettint, vnd maint, er
wölti die sach also hindurch [625]) bringen on krieg vnd on kosten. Darmit
betrog er sich selber.

175. Künig sigmund zoch mit anderen fürsten vss.

Vnder disen dingen truog alwenzuo [626 a]) der künig an mit fürsten, her-
ren vnd stetten, vnd wo er das angetragen kund oder mocht, vnd verunglim-
pfet den hertzog von österrich. Och etlich landtsherren die giengent nit
müessig, in wen si es getragen kundent, das sparten si nit, es wärint
herren oder stett, vnd machtent des hertzogen vnglimpf fast gross, als er
och was. Also warent nun die richstett von swaben zuo guoter mass dem
künig gehorsam wider den hertzogen von österrich, vnd zugent mit dem
künig vff jn: ougspurg, vlm, memmingen, kempten, biberach, ravenspurg,
costenz, lindow, vberlingen [626 b]).

Als nun der künig mit den richstetten zoch vnd sich wolt slahen [627])
für schaffhusen, do woltent inen die von schaffhusen nit vor ir statt
lassen wüesten vnd verderben, vnd gabent die statt vf vnd swuorent dem
künig zo des richs handen, vnd gabent och darnach dem römischen künig
ain erber guot, dass er si bi dem hailigen römischen rich ewengklich sölti
lassen beliben, vnd darvon niemer me sölt verendern. Also zoch darnach
der künig in das turgöw mit den stetten, vnd belag die statt ze frowen-
feld, vnd lag da bi viij tagen. Do gabent si och die statt vf.

Also hatt der künig och muot vnd im sinn, er wölti für die statt ze
wintertur. Do bedunkt [628]) jn, dass si sich ze werlich staltint, dass er
mit den sinen da schaden nemen möcht, vnd ward jm och widerraten, er
käme doch wol da man sin fro vnd willig wäre, als och beschach.

It. der kunig hatt och vil fürsten vnd herren gemant über den hertzogen von
österrich, als vor geschriben stat. Der was jm ain tail gehorsam, ain tail wol-
tent och wider die herren von österrich nit sin noch tuon in kainen weg.

Hertzog ludwig von payern vnd pfallenzgraf bi dem rin, der zoch
och vff den hertzogen von österrich, der siner swester man was gesin›
in das elsäss, vnd gewann das stättlin zuo dem hailigen crütz vnd anders.
Die statt ze strassburg zoch och vff den hertzogen von österrich, doch
tät si jm nit grossen schaden. Och die von basel, colmar vnd slett-
statt vnd ander stett im elsäss.

---

624) nit brechen 806. Vad. trülich f. Hü. 625) düren Tsch. schweizerisch. 626 a) on
vnderlass Tsch. 626 b) Vad fügt sinnlos Bischofzell bei. 627) legen Tsch. 628) duoht Hü.

176. Der adel lait sich wider hertzogen von österrich vnbillich.

Man sol och wissen, dass der mertail aller adel in disen landen sich wider die herrschaft von österrich satzt, graffen, herren, ritter vnd knecht, vnd was doch der mertail vnder inen die von derselben herrschaft begabet warent, vnd ze guoter mass was si hattent, das hattent si von der selben, vnd si vnd ir altvordren je vnd je mit der herrschaft von österrich lieb vnd laid gehept hattent, vnd von alter her von inen belechnot vnd begabet warent, die vnderstuondent sich, die selb herrschaft von österrich von dem land ze vertribent, als och beschach, vnd hattent übersiagen, wenn die herrschaft vertriben wurde, so wöltint si denn des landts herren sin. Das mocht aber nit ain fürgang haben, wan ir gewalt ward darnach minder denn vor, wan die stett vnd die lender woltent do herren sin.

Also saitent si dem hertzogen ir trüw vnd dienst ab, vnd wurdent all des künigs diener wider die vorgenannte herrschaft.

177. Das sind der vorgenannten herren namen.

Des ersten graff eberhart von nellenburg [629]). Graff hanns von tengen. Graff wilhelm von montfort von tettnang. Graff hug von werdenberg. Graff hanns von lupfen. Graff friderich von toggenburg. Herr hanns der truchsess von waltburg. Der bischoff von chur. Der bischoff von costenz.

178. Wie der künig warb an die aidtgenossen, das was dem adel schad.

Wie vil der künig nun des adels vnd der swebschen stett an jm hett, do dunkt jn doch dass er dem hertzogen nüt künde gnuog ze laid getuon nach dem vnd er jm vigent was vnd er begangen hat, denn mit der hilf der aidtgenossen, an die ers och ernstlich suocht[630]), dass si jm hulfint den hertzogen vertriben. Dess gieng der von toggenburg vnd der von lupfen vnd ander herren nit müessig, vnd erzaltent den aidtgenossen, wie vil guots vnd nutzes inen darus gieng, vnd vil sachen, die hie nit geschriben sind[631]).

Also manet och der künig die aidtgenossen als höchst er si gemanen kund[632]), vnd was si ainem römischen künig von recht vnd billich pflichtig wärint, dass si jm hulfint den hertzogen von österrich strafen vnd vertriben vmb die swarlichen misstat, die er begangen hett wider die ganze cristenhait, wider das hailig concilium vnd och wider das hailig römisch rich, dess sich aber die aidtgenossen etwa dick verantwurtent, si hettint erst nüwlich ainen guoten, stäten vnd getrüwlichen friden mit dem selben hertzogen von österrich gemachet vnd mit allen sinen stetten zwai vnd fünfzig jar, der selb frid wäre och ze baiden siten also getrüwlich gehalten; den wöltint si och fürbass halten. Dass si den selben frid brechen köndint

---

629) wirtenberg 806. 630) truog Tsch. Vad. Hü. 631) stand Tsch. 632) ze ermanen hat Tsch.

oder wöltint, das wöltint si doch nit tuon, wan si wisstint nit, dass si das
mit kainen eren verantwurten oder getuon köndint oder möchtint.

Also liess der künig dennocht nit ab, ermanete die aidtgenossen wider
als hoch er si ze ermanen hett vnd kunt, vnd hatt sin botten gar erhslich bi
inen, die inen erzalten, wie sich das hailig concilium erkant hett, dass si
damit den frid nit hettint gebrochen, noch wider ir eer noch aid nit wäre,
denn dass si wol daran tätint, dass si den hertzogen hulfint vertriben, der
doch ain zerstörer wäre der ganzen cristenhait vnd des hailigen conciliums,
vnd och ain vncristenlicher fürst wäre, vnd wärint si jm willig vnd gehor-
sam in der sach, das wölte er gnädengklich gegen inen erkennen vnd ge-
trüwlich vmb si verdienen, vnd wölti inen helfen temmen vnd vertriben
die herrschaft, die inen lange zit überlegen wäre gesin, vnd inen vil tranges
vnd kumbers hett angetan. Och versprach der künig den aidtgenossen,
dass er mit dem vorgenanten hertzogen von österrich kainen frid welti vf-
nemen, er satzte si denn wider in den selben frid, den si vor mit dem her-
tzogen hettint gemachet die zwai vnd fünfzig jar. Also versprach der kü-
nig den aidtgenossen etwa vil vnd etwa manges, das hie nit geschriben
stat, ob si jm wöltint helfen über den hertzogen ziechen. Also saitent si
im hilf zuo, vnd was inen doch mit allensamen lieb, wider den hertzogen
vnd wider den frid ze tuon[633]).

179. Die aidtgenossen saitent dem künig hilf zuo wider hertzog fridrichen von österrich.

Als nun die aidtgenossen ains wurdent, dass si dem künig helfen wöl-
tint wider den hertzogen, do warent die von bern die ersten, die mit
macht vsszugent, vnd zugent in das ärgöw für zofingen; also gewunnent
si zofingen vnd arow, vnd brugg vnd lenzburg on alle not[634]), wan
si gabent glich vf, dass si sich nie liessent nöten[635]). Also zugent och die
anderen aidtgenossen vss[ooo]).

---

633) vnd wider — f. Hü. 634) Vad. und Hü. am richtigsten. ooo) ongnöt Tsch.

ooo) In dem fuogt es sich das der edel fürst fridrich hertzog ze österrich
den hochgelopten bapst johannes, den man in den tagen hielt für vnsern hailgen
vatter den bapst, als er ze costentz was, von costentz entfuort, vnwissender
dingen des egenanten küng sigmunds vnd des hailgen concilium, die doch darzuo
geordnot warent, ain bapst ze erwellen, wenn die selben dry bäpst wärind ab
getan vnd abgetretten. Mit dem der selb fürst von österrich berüeft ward, den
selben bapst johannes wider gen costentz, ze füeren, das er doch dem gehaiss,
des er sich begeben vnd als er abgetretten was, gnuog täti, das aber der hertzog
nit tätt, vnd ward also dem küng vngehorsam, je das er in aller der cristenhait
verrüeft ward mit briefen, mit worten, als das der küng schuof, er wäre ain vn-
geloubiger vnd ain zerstörer der hailgen cristenhait. Vnd von der vngnaden
wegen, so küng sigmund an jn lait von des übels wegen das er an der hailgen
cristenhait hatt begangen, ets. warb kung sigmund an die grossen fürsten, herren,

12*

180. Si tailtent das land.

Als nun die aidtgenossen baden vnd alles ärgöw gewunnen hattent vnd haim ziechen woltent, do wurdent si ze rat, wie si das land tai-

richstett vnd ander die dem rich von billichem recht sollend zuo gehören, vnd ruoft si an vmb hilff wider den hertzogen, das jn menklich sölt schadgen vnd angriffen, vnd gebot och der küng den von zürich vnd iren aidgnossen, das si hertzog fridrichen angriffend. Do zugend die von zürich vss am donstag nach mittem abrellen (18. Apr.), vnd zugend für mellingen, vnd lagend da dry tag. Do gabend si (21. Apr.) die statt vf, als die brief wol wysend. Do fuorent die von Z. vnd och die von' lutzern für bremgarten, vnd lagend da iiij tag. Och kamend zuo vns dar vnser aidgnossen von switz vnd von zug.

Vnd do wir also wol iiij tag da warend gelegen, do gabend si (25. Apr.) die statt vf dem hailgen rich vnd alle die rechtung, die der hertzog da hatt gehebt; die solt der aidgnossen warten vnd sin.

Do fuorend wir für baden, vnd kamend dar all aidgnossen vnd vmlaitend die burg vnd die statt jetwederhalb der lintmag, das nieman daruss noch in nit mocht komen, vnd tätend inen gar we mit büchsen vnd geschütz. Vnd do die not gewert dry wochen, do gabend si die statt vf, also: möchte si ir herr entschätten das si ledig wärind. Der was im lant, vnd mocht es nit getuon. Hie by was alwegen des küngs paner mit dem adler, die wyl man vor den stetten lag. Dar vnder fuor hertzog fridrich für den küng sigmund vnd ergab sich an jn, vnd viel jm ze fuoss vnd gab dem küng vf alles sin land. Do wolt der küng sigmund, das wir die veste vf dem stain ob der statt baden hettend gantz gelassen, das woltend wir nit tuon, vnd sturmtand an die veste vnd gewunnend die, vnd gab man si vff am fritag vor pfingsten (17. Mai) im xv jar, vnd ward vnder graben vnd nider geworffen vf den herd, won darab vil übels dem land vnd den lüten was beschehen, vnd ward das ergöw vor vnd nach alles gewunnen von den aidgnossen. Cod. 657 p. 118—120. 631 p. 382. 383.

Königshofen sagt: Als nun bapst johans dunkt, das sich die sach nit wölt machen nach sinem sinn, do manet er hertzog fr. v. Oe. als er jm versprochen hatt, das er jn wider vss dem land füerti; also was der h. willig vnd fuort jn von costentz, als er jm gelopt hat. Also ward er vmbhalmet vnd wurdent baid geuangen, vnd manet der küng alle welt über jnn vnd sine land vnd lüt. Also verlor er alles sin land was er in schwabenland hatt. Wer bas mocht, es werint herren stett, schwitzer, zugend, vnd hatt nienen hilff. Die herren nament das land im elses jn zuo des küngs handen, vnd die andren stett, friburg, prisach, nüwenburg hultent dem küng. Do gewunnent die schwitzer baden (vnd) ergöw. Schafhusen, diessenhoffen hultent dem küng. Ouch belangent die richstett frowenfeld, vnd kam der küng selber dohin. Also wartent si sich redlich, doch zum letsten also huldent si ouch zum küng, doch mit des h. fr. v. Oe. gunst vnd willen. Darnach verpfantent die von costentz die grafschafft frowenfeld vnd

len vnd besetzen wöltint, denn ain jetlich ort gern vil gehept hett, do tu-
tent die von vre ganz ir hand darvon, vnd woltent kainen tail an dem
ärgöw han, vnd sprachent, si hettint krieget von des hailigen richs wegen
vnd ves gebott des römischen richs oder künigs, der möcht mit schaffen
nach sinem gefallen 636); si hettint ainen frid mit dem hertzogen von öster-
rich lij jar, der hette villicht iij oder vier jar gewäret, darumb wöltint si
sin guot jez zemal nit haben. Also ward ir fast gespottet von denen von
switz vnd von andren aidtgenossen, vnd sprachent: luog jederman, wie sind
die kröpf von vre aber so witzig vnd so göttlich! si wellent nit varecht-
fertig guot han, si müessent ain besunders han.

181. Die von zürich sluogent vff das land.

Man sol och wissen, dass die von zürich des selben mals erwurbent
an künig sigmund, dass er inen vff das ärgöw vnd vff die stett da selbs
sluog sechsthalb tusent guldin; wär sach, dass ain römischer künig oder
jemant anders, der denn recht darzue hetti, die selben stett vnd das ärgöw
lösen wölti, der sölt inen geben sechsthalb tusent guldin. In disz gemain-
schaft liessent die von zürich die anderen aidtgenossen och komen.

182. Der bapst vnd hertzog fridrich von österrich lagent ze friberg ppp).

In disen dingen lag nun der bapst vnd der hertzog still ze fri-
burg, vnd hattent wenig volk bi inen, denn allein ir hofgesinde, vnd trost
sich der hertzog von österrich, dass er so vil stett, lüt vnd land, fründ,
herren vnd diener hetti, dass ime der künig in disen landen nit geschaden
möcht. Also trost er sich siner macht vnd getruwet och den sinen wol.
Von stund an 637) kament jm mär, wie die aidtgenossen über jn zugint
vnd jm sine stett in nämint, mit denen er in besunderm guoten friden wonte
sin. Im kament och alle tag vnd alle stund märe, wie sich die sinen ab jm
brächint vnd von jm fielint on alle not. Stett vnd herren, vnd denen er
aller wolest 638) getruwet hett, die brachent ab jm bi den ersten, vnd wolt

---

636) als in duakti guot sin 806. Vad. 637) zehand 806. Hü. 638) allerbest 806.
zugent es suo handen vnd gewalt. Also wartent sich die von wintertur vnd
rappeschwil; Also mant si ir (herr) von Oe. mit brieffen, das woltent si nit
tuon, vnd schicktent gen oe. für jn selber. Da erliss er si der aiden, also
schwuorent si dem küng, wan si sich gerüst hattent suo waren. In dem als die
schwitzer vor baden lagent vnd der küng das selb schloss selber gern gehept
het, vnd mant si, das si sölten dannen ziehen, das woltent si nit tuon bis es
gewunnen wurd. Do mant der küng die von wintertur, das si über si zugent;
also zugent die von W. vs über die schwitzer gen griffensee in der von zürich
gebiet, vnd brantent da vnd nament ainen grossen roub, vnd tribent den frölich
haim. Darnach gewunnent die aydgnossen baden, da verlor die herschaff vast ir
brieff daselb, daran jn übel geschach. Cod. 630 p. 277. 278.

ppp) Bei Tsch. und Hü. 18. Zeichnung des Papstes und Oesterreichs Schild

niemän an jm halten, weder stett noch herren. Als nun der hertzog von
österrich hort vnd nach vnd täglichen vernam, wie sich die einen so laster-
lichen an alle not ab jm brachent, vnd aller eren vnd trüw, als from lüt
irem natürlichen herren vnd aignen fürsten pflichtig vnd schuldig warent
vnd sind, alles gegen jm vergassent, vnd weder fründ noch mag, herren
noch nieman jm wor dem[639], was, noch niemän sich in eine sachen mit
kainen trüwen legen wolt, do hatt er erst gern darnach gedacht, wie er
sich des küniges vnd der andern erwert hetti, wan der bapst hatt vor etwa
dick mit jm lassen reden, dass er sich werlich vnd mannlich wider den
künig satzte, sittemal[640] doch kain gnad an jm nit wäre, vnd er kain recht
von inen nit wölt vffnen[641]), dass er denn dem künig starklichen wider-
stüend, wan den kosten vnd das guot wölte der bapst alles geben. Diss
wolt der hertzog nie getuon, bis es mit böser werden mooht: Do stalt er
erst nach volk in burgundi vnd ze latringen, vnd bestalt ainen grossen
zug raissiges volkes, vnd empfalch jm der bapst, dass er es an kainem gelt
zerlaschen liess[642], wan geltes hette er genuog, das wölti er och redlich wagen.

Vnder disen dingen kam hertzog ludwig von payern, des hertzo-
gen von österrich rechter vetter, vnd ander herren mit jm gen friburg,
vnd redtent ernstlichen mit dem hertzogen von österrich, dass er inen in
disen sachen volgen wölti, so wöltint si bi iren eren vnd trüwen jm alle
sine sachen zuo guotem bringen, vnd nach sinem willen richten on allen
krieg vnd kosten, vnd bedörft och nach kainem volk stellen.

Der vorgenant hertzog ludwig von payern redt och mit sinem vettern
von österrich, er sähe doch wol dass sich die sinen so schantlich on alle
not ab jm brechint, vnd denen er allweg wol getruwet hetti, dass jm die
übel tätint, vnd nieman nünts an jm hielt noch halten wölti; dass das jm
vnd mangem fürsten vnd herren laid wär, vnd mangem fromen man, ritter
vnd knecht we tät vnd laid wäri, die jm das gern wöltint helfen rechen,
vnd ir lib vnd guot mit jm wöltint dar legen. Im wär och laid, dass die
sinen vnd ander an jm getan hettint; nun möcht sich der hertzog von
österrich kum gerechen denn mit hilf vnd rat des römischen künigs, der och
dar zuo willig wölti sin. Desglichen vnd vil me redte hertzog ludwig von
payern vnd vil ander herren mit hertzog fridrichen, vnd versprachent jm,
wölti er mit inen gen costenz zuo dem künig riten, vnd sich an jn ergeben
mit lüt vnd land, dem künig ze eren vnd dass die ganz cristenhait säch,
dass er sich wölti demüetigen vnd dem römischen künig vnd dem hailigen
rich vnd dem boncilium vnd der ganzen cristenhait gehorsam sin wölti,
so wölt jm der künig[643] mit lib vnd mit guot helfen rechen alles das jm
ze laid vnd ze smach beschehen wäre, vnd was dem hertzogen von öster-
rich laid wäre, das wölt och dem künig laid sin vnd allen den fürsten vnd
herren, vnd andern, denen er von des römischen riches wegen vnd sunst:

639) des vor 806. Vad. Hü. 640) sider das 806. Vad. Hü. 641) vnd er kain recht
nüt welt Hü. 642) vmb gelt liess zerschlagen werden Tech. 643) Hü. sünlos: so welt
er dem küng.

ze gebieten⁶⁴⁴) hette, wan er vnd ander fürsten aechint doch wol, dass die stett vnd die puren den adel gern vertribint, vnd das ooh vil jar ze grob hettint vnderstanden⁶⁴⁵), dess er gebunden wäri, als ain houpt des adels vnd des rechten, mit andren fürsten ze verkomen, das er och getrüwlich tuon wölti. Also ward mit dem hertzogen so vil geredt vnd versprochen, dass jm gen costenz zuo dem künig so not ward, dass er sich nieman darab wolt lassen wisen. Also rait er gen costenz mit hertzog ludwigen von payern vnd mit andern herren, die jn dess überkament anno dni Mccccxv, an dem siben vnd zwainzigosten tag im aprellen, vnd ergab sich an den künig mit lüt vnd land. Also was es bi fünf wuchen, dass der hertzog in des künigs vngenaden was gewesen, vnd hattent sich der mertail der sinen, edel vnd stett ze swaben, ab jm gebrochen, die doch allweg ainen fürderling ⁶⁴⁶) für ander lüt haben woltent ⁶⁴⁷). Also schraib nun der vorgenant hertzog von österrich allen sinen stetten, slossen, lüten vnd landen, dass si dem künig swüerint zuo des richs handen, vnd erliess si och ir aiden, die si jm getan hattent. Also warent nun ettlich stett, die es vor getan hattent, e ob si der hertzog mante, oder ee er si ir aiden erliess, mit fröden, die woltent jn vil schribens vnd bottschaft überheben.

Es warent och etlich stett die gar willig warent dem künig ze sweren, vnd jm ooh darnach guot gabent, dass er si bi dem rich ewengklich liess beliben, das inen och versprochen vnd verbrieet ward.

Es warent och etlich stett, die sich gern darwider gesetzt hettint, hettints können oder mugen. Es warent och etlich stett, die sich starklich dar wider satztent, vnd weder dem künig noch dem rich nit sweren woltent, vnd och also erlich bestuondent⁶⁴⁸).

Also lag nun der hertzog von österrich ze costenz, vnd was des künigs gefangen, vnd hatt jm och das sin ingegeben, vnd wond, er hett es gar wol geschaffet. Er hat och den bapst vnd die sinen widerumb gebracht zuo dem concilium, als si denn dess mit ainandern überkomen warent.

Also schickt nun aber der selb hertzog von österrich sin erber bottschaft in das etschland, vnd wolt das och dem künig vnd dem rich ingeben han, vnd schraib den herren vnd dem land, dass si dem künig swüerint, als sin land ze swaben getan hett. Das wäri ganzlich sin mainung, wan jm wurde dardurch vil guots vnd nutes komen, das jn lang zit fürdren müeste.

Also kament nun dise märe für den hertzog ernsten von österrich, des genanten hertzog fridrichs bruoder. Der selb ilt behend ⁶⁴⁹) vnd nam das land in zuo sin selbs handen, vnd schickt die botten vngesegnot von dannen ⁶⁵⁰), vnd enbot dem künig, er wölti das land jm selbs behalten, sin

---

644) bütten Tsch. 645) och vor vil jaren das gröblich gebrucht hettint vnd vnder standen 806. Vad. 646) ain fürdrung Tsch. 647) wellent 806. Hü. 648) Tschudi fügt bei „an ir herrschaft, als Raperswil, Winterthur vnd etlich mer. 649) schnell vnd behend Tsch. 650) enweg Tsch.

bruoder friderich hette dem künig ain erliche [651]) schenki getan mit dem
ganzen swabenland, jn dunkti, er sölti sich wol lassen benüegen, wan hette
er das bi zit gewisst, er wölltis verkomen [652]) han vnd wölti den künig mit
minderm vsgericht han. Hette ain bruoder etwas übersechen [653]), dass man
denn den strafti mit recht als ainen gebornen fürsten, vnd dass man dem
hus von österrich liess das es mit recht vnd mit altem herkomen gewalt-
engklich vnd erlich vil jar besessen hette. Also müngt [654]) nun den künig,
dass jm das etschland nit och mocht werden on swertslag, vnd vnderstuond
sich das etschland vnd das inntal mit gewalt ze gewinnen, wan es warent [655])
vil herren an der etsch, die es haimlich mit jm hattent, die och dornach
vertriben wurdent von dem vorgenanten hertzog fridrichen von österrich.
Also maint der künig, die richstett vnd die herren söltint jm helfen, do
saitent [656]) jm etlich stett vnd herren hilf zuo, etlich woltent im och nit
willig sin, wan si spurtent ainen widersatz. Also belaib es vnderwegen [657]),
vnd hatt hertzog ernst das land inn.

183. Hertzog friedrich lag ze costenz gefangen.

Also lag hertzog friderich ze costenz vnd was künig sigmunds ge-
fangen, vnd was ein hertzog on land, wan er hatt weder stett, sloss, lüt
noch land, vnd wartet fast des künigs gnaden, wenn jm gehalten [658]) wurd
das jm versprochen vnd verhaissen was, wan er maint, er hette och alles
das getan, das er versprochen vnd verhaissen hett oder das jm angemuo-
tet [659]) wäre, das er echt [660]) getuon kund oder mocht. Also begund der
hertzog von österrich die fast manen, die jn darhinder bracht hattent [661]),
vnd jm och darzuo vil versprochen hattent. Die gabent jm alwenzuo
guoten trost vnd laitent vnd zugent es als vff den künig. Der künig gab
im [662]) guote wort vnd früntlich antwurt, bis dass jm sin stett, lüt vnd land
geswuor vnd er alles zuo sinen vnd des richs handen bracht, do liess er
es also anstan, vnd was hertzog fridrich von österrich torlich vnd spottlich
vmb das sin [663]) komen, wan vil was jm versprochen [664]), vnd lützel ward
jm gehalten [665]).

Also wolt [666]) in nun dunken, wie er betrogen wäre von dem künig,
von hertzog ludwig von payern vnd von den andren, die jn darhinder
bracht hattent, denen er wol getruwet hatt, vnd redt och denselben groblich
vnd übel zuo mit vil worten, die ich also lass bliben. Er redt och dem
künig selbs dess glichen, wie er jn in sin gnad vnd schirm genomen hett
vnd er jm deren kains hielt; wan wem er je vnglichs getan hett, oder wer
minder oder mer an jn ze sprechen hett, die woltent all recht von jm ha-

651) herrlich 806. 652) versechen 806. Vad. Hü. 653) übergangen Tsch. überfaren
Vad. Hü. 654) muot Tsch. Hü. 655) was 806. Hü. 656) manet d. k. die richstett vnd die herren.
Also saitent — 806. 657) anston Tsch. 658) gelaist 806. 659) an jn gemuotet Tsch.
660) doch Tsch. 661) hettint darzuo bracht Tsch. 662) alwenzuo — gab jm bei Hü.
übersprungen. 663) sin land Tsch. 664) zuo gsait Tsch. 665) wenig w. i. gelaist 806.
Hü. 666) begund Hü.

ben, vnd was jm der künig dess nit vor, wie wol er sin gefangner was.
Also bannet jn och der bischoff jörg von trient mit grossen, sweren
vngewonlichen vnd herten bennen, dass nieman weder mit jm noch mit
den sinen gewandlen torst noch ichts [667] ze kouffen geben; vnd alle sma-
chait, so ainem fürsten begegnen kund, muost er alltäglich ansechen vnd
liden, also dass man jn dick offenlich in dem münster verrüeft, verschoss,
verlütt, vnd man jm process vnd brieff offenlich an sin hus vnd an andere
end sluog, so man si schamlichost vnd hertost [668] mit den rechten erlangen
mocht, vnd jederman mit dem hertzogen von österrich ze schaffen hat, vnd
er etwa dick gewarnet ward von denen, die jm guotes guntent, dass er in
sinem hus nit sicher was. Also tät er dem künig aber ze wissen, dass er
nit gerüst [669] wäri, jetzmal mit jeman ze rechten; er wär ain gefangner
fürst, der sin lib vnd guot, lüt vnd land in des künges gnad ergeben hette,
der jn och in sinen schirm vnd gnad empfangen hette, dass er jm och das
aigenlich zuo wissen täti, ob er das also an jm wölt halten, wan er säche
wol, dass er lasterlich vnd schantlichen von denen betrogen wäre, die jn
darhinder bracht hettint, wan hettint si jm gesait [670], dass er ze costens
jederman ains rechten [671] sölt worden sin, vnd jm nieman ains rechten
wölt werden, so hette ers vsegeslagen, bis es bass sin fuog wäre gesin, vnd
dass er sich bas darnach gerüst hett. Also antwurt der künig, er wäre ain
houpt in der cristenhait vnd ain römischer künig, von dem alle recht
söltint fliessen, er könn vnd wöll jn vor recht nit schirmen, wan er sich an
vil lüt groblich übergangen [672]; er sölt jederman ains rechten sin [673], dar-
nach hett er an jeman üts ze sprechen, die selben wölt er jm och zuo dem
rechten stellen. Also sach nun der hertzog von österrich wol, dass er al-
lenthalb [674] betrogen was, vnd dass er von dem künig kainen schirm hat,
vnd dass als nüts was das man jm versprachen hatt. Also rait nun der künig
von ernstlichen sachen wegen von dem land, vnd was [675] der hertzog von öster-
rich ze costenz vnd was sin gefangner, vnd klagt vil herren vnd ander über jn,
als vorstat. Die herren von dem concilium warent jm ain tail gar gram vnd
gehass von des bapstes wegen, so warent jm och die landtsherren vigent
vnd och ain tail stett, vnd schamtent sich dass si von jm gefallen warent [676]
vnd forchtent, keme er ze gnaden [677] mit dem künig, dass si dess fast
müestint entgelten. Vnd wie si das wenden köndint, das tatent si ernstlich.
Als was dennocht vil die dem hertzogen guots guntent, vnd inen laid was
die smach die er laid, vnd ward also etwa dick gewarnot, vnd jm och ge-
raten, er sölti ze costenz nit me bliben, er wäri nit sicher. Dar zuo so hetti
er von nieman kain schirm, vnd dass man jm nüt hielte noch halten wölti,
das jm versprochen was, darzuo dass man och ernstlich vff jn satzt.
    Vnder disen dingen kament dem hertzogen mär, welte er nit selbs vn-

---

667) nünts Tsch. 668) zum aller schandtlichosten vnd hertosten als man es Tsch.
669) vngericht 806. Vad. Hü. 670) hett er gewüsst Tsch. 671) gerecht 806. Vad. Hü.
672) überfaren Vad. Hü. 673) gerecht werden Vad. Hü. 674) vmendum Hü. vmb vnd vmb
Vad. 675) lag Vad. Hü. 676) an jm gebrochen hatten Hü. Vad. 677) zuo guotem Hü. Vad.

versogenlieb zuo˙dem etschland luogen, so wär ain anslag, dasselb wurde˙ in der herrschaft von österrich hand niemer komen; vnd wölt er das wenden, so sölt er sich nit sumen, wan es wäre vff der zit, wan die mechtigosten im land hetten es haimlich mit dem künig. Och graiffent die venediger heftig darnach vnd ander.

Also sass hertzog fridrich von österrich vff ain pfärit vnd rait von costenz so er haimlichost kond vnd mocht, anno dni Mccccxv ⁶⁷⁸), vnd rait also über den arliberg, vnd hatt all ain land verloren an not vnd on all swertslag mit vffsatz vnd mit listen, vnd tät das künig sigmund vnd die jm dess gehulfent. Also ward die herrschaft von österrich von swaben land vertriben, die doch die mechtigosten fürsten warent ze swaben, an dem rin vnd in elsas, die in tütschen landen warent an lüt vnd an land, an stetten vnd an slossen, aber nit an gült noch an münz, wan es was armen lüten ain gnedige herrschaft ⁶⁷⁹a). It. es ist och hie vil vnderwegen gelassen, das aller notturftigest ze schriben vnd ze sagen wäre, wie sich jederman in den selben sachen vnd in dem selben krieg hielt, es wär mit herren, stett oder edel, vnd wer sich erlich, fromklich oder redlich hielt, oder was eren jederman bejaget, das es alles nit aigenlich hie sait, wan es aigint herren, stett oder edel, so hörent si nit allweg gern die warhait sagen; darumb bestand es nun zemal also. Gott weisst es alles wol, vnd die welt ain guot tail qqq).

184. Aber von hertzog fridrich von österrich.

Als nun der vorgenant hertzog fridrich von österrich ganzlich von disen landen vertriben ward, als vor geschriben stat, vnd er in das etschland kam, vnd hertzog ernst das och ingenomen hatt, dennocht warent etlich in dem land, edel vnd puren, die es mit jm hieltent. Also truog er och an mit sinem bruoder, dass jm das land wider ward, stett vnd sloss,

---

⁶⁷⁸) an sant — (nicht weiter) Hü. ⁶⁷⁹a) Vgl. Schod. I. B. S. 151 ff. Tschudi Chron. II. 6—56.

qqq) Als vnser gnädigoster herr, der römisch küng sigmund vnd das concilium ze oostentz über ain warend komen, das man hertzog fridrich von österrich von sinen stetten vnd landen trengen solt vmb den fräuel den er vormals getan hatt wider den küng vnd das concilium, do versetzt er dem grafen von toggenburg, der vnser burger zürich ist, die grafschaft, burg vnd statt ze veldkirch. Darüber besatzt hertzog fridrich die vesti mit werlicher hand vnd mit soldnern, das vnser herr der küng die von zürich batt vnd an kam, das wir für die vesti veldkirch zugind, das die vesti erobret vnd gewunnen wurde. Vnd do man zalt Mccccxvij jar, am ersten tag brachot zugend die von zürich vs mit cc mannen vnd mit der grossen büchs für die vesti veldkirch. Die von oostentz schiktend dar ir schupfer (schürpfer Cod. 631), der warf ainen stain wol x zentner schwer. Diss wert vntz an den xv tag, do ward die vesti erobret vnd gewunnen. Cod. 657 p. 120. 121. 631 p. 383. 384.

sine mit lieb, das ander mit laid, wan die zwen brüeder kriegtent mit ainanden, vnd wolt hertzog ernst das land kum wider von handen lassen [870b]).
Also ward doch dar inn geredt, vnd wurdent si bed mit ainandern verricht, vnd belaib hertzog friderich bi dem land, vnd muost sich och der
venediger starklich weren.

185. **Hie ward künig sigmund vnd hertzog friderich von österrich wider ains.**

It. diss bestuond also etwa lang zit, dass der künig vnd hertzog friderich von österrich ainander vigent warent. Also ward zwüschen inen baiden
ain richtung angetragen, vnd wurdent die zwen herren luter vnd ganz mit
ainandern verricht vmb alle stöss vnd vmb all vergangen sachen, vnd söltent alle stett dem hertzog wider sweren, vnd was er jm in disem krieg
genomen hett, sölt er jm alles bekeren, vnd sölt der vorgenant hertzog friderich von österrich dem künig drissig tusent guldin geben, damit sölt er
gezüchtiget vnd gestrafet sin. Es soltent och alle die dem künig wider
den hertzogen gehulfen hetten, in diser richtung sin, es wärint herren, edel
oder stett. It. es solt och bi dem alten frid bestan, den der hertzog vnd
die aidtgenossen mit ainandern, zwai vnd fünfzig jar gemachet hattent.
Dess tät man sicherhait mit ainem grossen swaren vffsatz, den man on
alle gnad verfallen sölt. Also bracht graf wilhelm von montfort den hertzogen gen tettnang, darnach kam er och gen costenz zuo dem künig.

It. als nun dise richtung beschechen was zwäschent dem künig vnd
dem hertzogen, do warent si guot fründ, aber kainer getruwet dem andern
nünts guetes; doch muost der hertzog dem künig die drissig tusent guldin
geben, vnd der hertzog wond er söllt sin stett, lüt vnd land wider haben;
do begund es sich aber stossen, vnd maint der künig, er hett dem hertzogen
nüt anders versprochen denn das noch vorhanden wär, vnd die es gern vnd
willigklich tuon wöltint; er wölt nieman darzuo zwingen. Er wölt si gern ir aiden
vnd ir glüpt erlassen vnd si haissen vnd bitten, dem hertzogen von österrich wider ze sweren. It. es warent etlich herrschaften, stett vnd sloss, die er vergeben
vnd versetzt vnd verkümbert hatt, als feldkilch, frowenveld, den hailigen berg vnd die stett im ärgöw vnd anders etc. It. So warent och
etlich herrschaften, die er gefrygt hat, dass er si ewengklich bi dem hailigen rich welt lassen bliben, als schaffhusen, rinfelden, diessenhofen, zell vnd ander stett; doch so welt er gern sin bestes darinn tuon.
It. also schraib nun der künig den stetten, dass si dem hertzogen wider
swüerint, vnd erliess si da ir gelüpten vnd aiden, so si jm vnd dem hailigen rich getan hettint, vnd mant si darin früntlich vnd güetlich. Aber man
sprach, er schickte den stetten haimlich brieff, dass si bi jm vnd an dem
hailgen rich belibint, vnd sich an sin schriben noch an nieman kartint.

It. also schickt nun der hertzog von österrich sin erber bottschaft
mit des küniges brieffen zuo den stetten, graff eberharten von kirchberg,

---

[870b) Hier bricht Vad. oben im Blatte ab.

graff wilhelmen von tettnang vnd ander sin rät, vnd erforderten da die stett: ernstlich, dass si dem hertzogen gehorsam wärint vnd wider swüerint von des künigs gebott vnd haisses wegen, vnd von ir herren vnd ir pitt wegen, dass si doch wider an ir alten stammen kämint. Also swuorent die von friburg, brisach, nüwenburg, seckingen, loffenberg, waltshuot[680]).

186. Hertzog friderich von österrich starb.

Anno dni Mccccxxxviiij, in die johannis baptiste, obiit illustrissimus princeps et gratiosus dominus fridericus dux austrie etc. qui sepultus est in monasterio stains. Diser hertzog friderich selig liess ain jungen fürsten nach sinem tod, hiess hertzog sigmund. Den selben hatt er bi der lieben seligen frowen, frow annen von prunswig, sinem gemahel. It. er liess dem selben kind so vil guots an kleinot vnd an barschaft, an silber vnd an gold, dass davon vil ze sagen wär. It. man schatzte dass es ob zechen malen hundert tusent tuggaten wär.

It. er hat dem selben jungen fürsten gemechelt des künigs tochter von frankrich.

It. der selbig hertzog friderich von österrich hat den schatz vnd gelt geordnet vnd jegklichs zesamen gelait, damit man alle land lösen sölt, die er oder sine vorderen je versetzt hatten ze swaben, zuo elsas vnd anderswa.

Also nach sinem tod vnderstuond sich och hertzog friderich, sines bruoders ernsten sun von österrich, des selben jungen herren[681] vnd och des schatzes vogt vnd gerhab ze sin, vnd füerte den jungen herren vnd den schatz mit jm gen österrich vnd vff die stirmark[682]).

---

680) Tschudi Chron. II. 95—98. 681) dess. j. h. hat Tsch. übersprongen. 682) Tschudi II. 284. aus dieser Quelle. Aehnlich Königsh. Cod. 630 p. 289. Stellen wie die von „der lieben seligen frow" oben, und S. 186 vom Benehmen des Adels gegen Friedrich, sind sprechende Belege der Gleichzeitigkeit.

Dritte Abtheilung,

bis zum Jahre 1443[a].

Item bechem was ain herzogtum, vnd ward ain küngrich nach gottes geburt xij° jar.

It. bibly vnd den salter macht sant ieronimus ze latin, do man zalt ccc jar.

---

a) Obwohl linkisch und Einzelnes wiederholend, folgt hier bei Hüpli p. 86, sogleich auf Fridrichs Brief und die Lütticherartikel, und abermals eingeleitet durch die Zeile „Hans Erhart von Rinach, Ritter", roth eingefasst, eine dritte Abtheilung unserer Chronik. Hierauf eben daselbst Sigismunds Verfahren gegen Fridrichen, die Einnahme des Aargaues durch die Eidgenossen und bereits p. 92, und zwar den Namen dessen von Rinach wieder voran, die im Texte unmittelbar angereihten 9 Christenverfolgungen. Zum Ueberflusse kömmt p. 98, nach Fridrichs Tode 1439, und aufs neue mit dem ominösen Rinacher, wie aus den Wolken, Elsass und Frankreich in den Jahren 500 und 680, Englands Bekehrung 603, hierauf, ohne allen Sinn, die 2 Verse: *Rex comes in habspurg kyburg simul alsaciensis Lantgrauiuss tress sunt quos vno corpore censes.* Dann *duo clippey* und die 3 Schilde: 2 gelbe Löwen, mitten der gelbe Balken, alles schräg, im rothen Felde; die 2 gelben Fische im rothen Felde, und der rothe Löwe in Gelb. Hierauf unten am Blatte:

> Lucas in ewangelio *„Omne regnum in se diuisum desolabitur."*
> *Dic superbia quomodo in lucifero regnasses, si diuisionem auxiliatricem non habuisses?*
> *Dic sathan inuidie quomodo adam de paradiso eiecisses, nisi eum de obediencia diuisses (sic)?*
> *Dic ira quomodo romanam rem publicam destruxisses, nisi in diuisione pompeyum et iulium sementibus gladys ad intestina prelia excitasses?*
> *Dic luxuria quomodo troyanos destruxisses, nisi helenam a uiro suo diuisses?*

Vergl. den Eingang der goldenen Bulle. Auf der Rückseite ist der päbst-

It. es regnet bluot iij tag, da man zalt Dccclxxx jar.

It. babenberg das bistum stifft kaiser hainrich, do man zalt tusend vnd v jar.

It. bowezenss [1]) der gross maister vnd dietrich von bern wurden ertöttet nach gottes geburt Dcxxv jar.

It. bredier orden erhuob sich von sant dominicus gottes geburt xij xj jar [2]).

It. Carduser orden erhuob sich do man zalt ꝑ tusig lxxxviij jar.

It. die hailgen dry küng wurden von mailand gen köln gefüert, do man zalt xj lxij [3]) jar.

It. dietrich von bern, von dem die puren singen, der erschluog den künig otakker ze rom vnd zwen ander küng, vnd ward er küng vber alless wälsche land, do man zalt vc jar.

It. durächtung der cristenhait ist dik beschehen.

It. die erst von dem kaiser nero lxiiij jar.

„ die ander von dem kaiser domiciano lxxxxiiij jar.

„ die dritt von dem kaiser croano (sic) [4]) jc iiij jar.

„ die vierd von vnd vnder dem küng marcho anthonio jclxviiij jar.

„ der v geschach cciiij jar.

„ der sechst ccxxxviiij jar.

„ der vij cclxxxviij jar.

„ der viij, die grösst, vnder dem kaiser juliano ccclxv jar.

„ die viiij vnder dem kaiser konstantino Dccl jar [5]).

l. Hienach sait es etwas von dem concilium ze costentz.

Anno dni Mccccxiiij do huob das concilium ze costentz an vnd wäret vier ganze jar vnd etwas me. Hie zwüschent kam vil herren, gaistlich vnd weltlich, gen costenz vnd vil ander lüt, wan es was das grösst

---

1) Boethius. 2) d. h. 1211. 3) d. h. 1162. 4) Trajan. 5) Konstantin der Ikonoklaste. Alles blos Hü.

liche Schild mit der Krone obenauf und drunter das schwarze Kreuz im weissen. Erst dann beginnt „Hie nach sait es" etc.

Da hier des Papstes Flucht aus Konstanz zweimal vorkömmt, so schien es dem Herausgeber anfangs natürlicher, mit Cod. 806 und Vad. den Artikel „Hienach sait es" zuerst zu setzen; da jedoch diese Codd. manches ohne Ordnung untereinander werfen, Hüpli aber die neue Abtheilung nicht erfunden haben kann, Tsch. das Konzil ebenfalls frisch und ausführlicher beginnt, ferner die welthistorischen data p. 86 nur 16 Zeilen enthalten, die der Christenverfolgungen p. 92 blos 11, hingegen die auf Fridrichs Tod folgenden Zwischensachen p. 98 zwei und eine halbe Seite, fand er sich verbunden, die dritte Abtheilung hier anzunehmen, und die §§ bis dahin noch als Fortsetzung von Abth. II., wo dann die Wiederholungen sich natürlich als die des dritten Bearbeiters (vom J. 1420) ergeben.

concilium, das man in vil jaren in tütschen oder in wälschen landen je ge-
sechen hat, vnd kam och in dem selben zit mengerlai lüt gen costenz, vnd
gieng och vil dinges da für, das man in ain aigen buoch geschriben [6]
hat, wan es warent lüt ze costenz, die sölichs ergiengent vnd sölichem
nachgiengent, vnd das och aigenlich beschribent, es wärint gross oder klain
sachen, sessiones oder ander ernsthaft sachen, vnd sunst vil ander torecht [7]
sachen, der och ain tail hienach geschriben sind.

It. man sol och wissen, dass in den selben ziten dri bäpst in der
cristenhait warent, johannes, gregorius vnd benedictus, durch der willen
och ze guoter mass das concilium gemachet ward, vnd sunst och vmb vil
ander sachen, so denn der hailigen kilchen vnd dem stuol ze rom an lag.

It. anno dni Mccccxiiij, an sant simonis vnd jude abent, der hailigen
zwölffbotten [8] das was an ainem samstag, do kam bapst johannes der
dri vnd zwainzigost gen crützlingen, vnd morndes an dem sunnentag nach
imbis rait er ze costenz in, vnd mit jm viij cardinäl, vnd empfieng man
jn erlich als ainen bapst mit grosser wirdikait, vnd darnach bis vff den
zwölften tag kament xvj cardinäl gen costenz, die och jm zuo gehortent
vnd in siner gehorsami warent.

2. Hertzog friderich.

Disen bapst hat belait hertzog friderich von österrich von wälschen
landen bis gen costenz in die statt mit sin selbs lib, als denn das
vornan [9] von jm geschriben stat.

Es kament och gen costenz in das concilium fünf patriarchen, die
dem selben bapst johannes zuo gehortent vnd in siner gehorsami warent.

3. Von gregorio dem bapst.

Also kam bapst gregorius nit mit sin selbs lib gen costenz zuo dem
concilium, aber er schickt dahin sin treffenliche bottschaft, der warent siben
cardinäl vnd ain patriarch.

It. also kam och bapst benedictus nit gen costenz mit sin selbs
lib zuo dem concilium, aber er schickt ainen cardinal dahin an siner statt.

4. Künig sigmund kam och dar.

It. darnach an dem hailigen abent ze wichnächten in der nacht, vor
mitternacht des vorgenanten jars, kam gen costenz künig sigmund, rö-
mischer künig vnd künig ze vngern. Es kam och mit jm ain elich wib,
frow barbara, geborn von zili, vnd zwo küniginnen von wossen, vnd ain
gräffin von wirtenberg, geborne burggräffin von nüremberg.

It. es kament och mit jm dri fürsten, hertzog ludwig von payern,

---

6) gemachet Hü. 7) Hü. verschriben „torhait sachen." 8) in vigilia symonis et
jude apostolorum Tsch. Hü. 9) Tsch. „da vornen", und Hü. „da uor", Cod: 806 und
Vad. aber „hernach". Auch ein Beweis für die Abtheilung.

.hertzog ludwig von brig [10]), hertzog hanns von lindwaoh vss vngern, vnd
darzuo vil graffen, herren, ritter vnd knecht.

5. Wie vil erzbischoff.

It. alle die erzbischoff, die von allen landen vnd von ganzer cri-
stenhait gen costenz zuo dem concilium je kament, der warent nit me
denn lxxiij.

6. Wie vil rechter bischoff.

It. aller andren bischoff, die da warent ze costenz in dem conci-
lium, der warent dri hundert acht vnd sibenzig rechter bischoff.

7. Wie vil wichbischöff.

It. der wichbischoff warent ze costenz in dem concilium lxxxv
vnd nit me.

8. Von den hochen schuolen.

Es lagent och ze costenz von xxxix hochen schuolen vss aller
cristenhait vff ccccl studenten oder dabi, das warent die besten vnd die
gelertosten maister, so si in denselben hochen schuolen haben mochtent [11]).

9. Wie vil äbbt da warent.

It. alle die äbbt die infflen truogent, die och gefürst äbbt warent, vss
aller cristenhait, der warent ze costenz in dem concilium clxij.

Sunst aller andren äbbt, die nit inflen truogent, der warent wol
cccclxxxiiij [12]).

10. Frömd priester.

Es warent och ze costenz frömd priester, curtisan, cursores vnd sö-
lich lüt, die dem concilium zuogehortent, vnd den mertail gaistlich warent,
MMcccccxxx vnd nit me, die man aigenlichen finden kund.

Es warent och sunst ander priester von kriechen, von ybernia, vnd
vss andren frömbden landen, das nit als aigenlich hie geschriben stat.

Es kam och zuo dem concilium der hochmaister von rodis sant
johanns ordens [13]) vnd mit jm acht gross comptur, on alle ander brüeder
des selben ordens.

Es kament och gen costenz von dem tütschen orden xiij comen-
thur on ander brüeder des selben ordens.

Es kament och gen costenz zuo dem concilium dri general, ainer von
den predigern, der hat mit jm bracht nün gelert maister in theologia;
it. ainer von den augustinern, der bracht mit jm siben maister in theo-
logia; it. ainer von den barfuossen, der hat mit jm xxij maister in theo-
logia bracht, vnd sunst vil ander münch von dem selben orden.

---

10) Hü. briger, Tsch. brier und 806 und Vad. „vnd aber ein hertzog ludwig vss
bayern". 11) so in den selben h. sch. jens warent 806. Vad. 12) So 806. Vad. ccclxxxiiij
Tsch. 13) sant joh. ord. fehlt Hü.

11. Wie vil fürsten.

It. es kament och gen costenz, diewil das concilium wärt, je nach vnd nach vss allen landen vnd von der ganzen cristenhait hertzogen, die recht erboren fürsten warent, mit ir selbs lib xlvij, der namen man och alle ·aigenlich verschriben hat.

Es kament och gen costenz in das concilium sunst geborn fürsten, marggraffen, burggraffen, vnd och sunst ander gefürst graffen, wol xxv.

12. Graffen, fryen, ritter vnd knecht.

Es kament och rechter graffen, die nüt gefürst warent, wol hundert vnd drizechen.

It. friherren, ritter vnd knecht, die von frömbden landen warent, vnd mit ir selbs lib ze costenz warent, der was MMxxv, der namen map aller gar aigenlich verschriben hat, vnd wie si gewapnet [14]) sind. Man hat die bi zechen milen vmb costenz sind, hie nit gezellt.

13. Wie vil sprachen.

Es kament och gen costenz, diewil das concilium wäret, xxvij sprachen, da kainer den andern verstuond noch markt [15]) nach der sprach.

It. es was ze costentz vil grosser botschafften von vil künigen vnd herren vsser der cristenhait, vnd vil ander sachen vnd wunderbarlichs dings, davon es als hie nüts sait.

14. Wie vil farender frowen.

Es warent och ze costentz im concilio offner frowen [16]) siben hundert vnd dabi, on die haimlichen; der selben zal lass ich also beliben.

15. Wie vil herolten.

It. es warent och ze costentz herolten xxxij.

It. spillüt, prasuner, trummeter, pfiffer, singer, giger vnd allerhand spillüt, der warent fünf hundert vnd dar bi.

16. Wie vil hantwerk.

Es warent och im concilio apentegger vnd ir knecht wol bi lxx. It. koufflüt, goldsmid, auentürer, kramer, schuomacher, snider, kürsiner, huobsmid, brotbecken, wirt, wechsler, scherer, vnd andre hantwerk, vnd sunst ander volk, der was on zal, die alle burgrecht ze costentz hattent als wol als ander burger.

Man sol och für war wissen, dass ze costentz belibent zwüschent wichnacht vnd der vffart anno d. Mcccxv jar hundert tusent vnd drü vnd drissig tusent man frömbder, on das volk ze costentz, vnd on stettvolk bi zechen mil vmb costentz, wan diss ward also aigenlich angeschriben, gezelt vnd ergangen.

---

14) genempt Hü. 15) noch m. blos Hü. 16) huoren Tsch. offner frowen huoren Vad.

17. Der bapst floch von costentz, vnd floch jm hertzog friderich nach.

· Anno d. Mcccxv, an sant benedicten abent [17a]) vmb bruoder complet zit fuor bapst johannes haimlich von costentz von dem concilium gen schaffhusen, vnd darnach gen friburg in das brisgöw, vnd rait jm hertzog friderich von österrich noch des selben abents nach, als si denn das mit ain-andern angelait hattent, vnd ward ain gross geschrai vnd ain gelöff ze costentz, vnd luff man dem bapst durch die pfallenz, vnd nam jm was man fand, vnd rittent etlich cardinäl von des bapsts gesind hin nach, jederman als er denn mocht, ainer rait, der ander gieng, vnd was ain gross geschrai ze costentz durch alle gassen über den pabst vnd über den hertzogen von österrich [17b]).

It. also darnach, an dem xxij tag im aprellen, ward der selb hertzog von österreich überredt vnd erbetten von sinem vettern, hertzog ludwigen von payern, vnd von andren herren, vnd ward so vil versprochen, dass er mit inen von friburg gen costenz rait, vnd sich da an künig ergab mit lib vnd guot, mit lüt vnd land, mit allen sinen stetten, slossen, vnd was er hat, vnd schuoff och den bapst wider gen costenz zuo dem concilium. Also gabent si den bapst hertzog ludwigen, pfallenzgraffen bi rin im sin gefängknuss, der füert jn gen haidelberg, vnd lait im vff sin [18]) sloss in dem rin, haisst manhaim, da lag der bapst etwa lang gefangen.

18. Der huss ward verbrennt ze costentz.

It. es gieng och ze costanz in den selben tagen vil dinges vnd vil wunderbarlich [19]) sachen für, die hie nit geschriben sind.

It. des künigs von behem bottschaft ward verbrennt, her hanns huss, der gelert priester, vnd der hochgelert maister jeronimus och verbrennt, da von vil ze schriben vnd ze sagen wär. Vnd vil ander sachen, die da geschachent, da es als hie nüt von sait b).

19. Bapst martinus ward erwelt.

Anno dni Mccccxvij, an sant martis tag, der was an ainem dornstag,

---

17a) in vigilia sancti benedicti Tsch. Hü. War der 20. März. 17b) Erst hier hat Vad. den Art. 174 der II. Abth. u. w. 18) ain Hü. 19) wunderlicher Hü.

b) Es kam ouch ainer dahin vss behemer land, der was gar ain gelert man, hies der huss, der also ain nüwen namen vnd glouben gemacht zuo praug vnd in dem küngkrich zuo behem, vnd bracht me denn ain wagen vol büecher mit jm gen costentz. Er hatt ouch ainen gesellen, der hies jeronimus, der kam ouch nach jm dar, vnd disputiertent etwas zuo vast mit den prelaten vnd wider si, das si ze vil hettint, daran si nit gar vnrecht hattent, won man hetti si villicht wol ab jrem glouben broucht, hett man jnn ouch geuolget an denen stucken, da si denn ouch recht hatten. Nun war es küng sigmunden nit übel im sinn ge-sin, man hetti die sach sunst verendret; es was aber den geistlichen prelaten nit im sinn. Königsh. 639 p. 277.

do ward zuo ainem bapst erwelt otto de columna, der was von edlem ge-
slecht, vnd was ain römer, vnd nampt sich martinus der fünft.

Anno dni Mccccxviij, an dem xvj tag im maien, vnd zoch der selb
bapst martinus von costenz, vnd fuor gen rom.

It. darnach an dem fünfzechenden tag fuor der römisch künig sig-
mund och von costenz enweg. Vnd also sergieng das concilium *c d e*).

20. Die von zürich losten die graffschafft ze kyburg.

Anno dni Mccccxxiiij vergunt künig sigmund, der römisch künig, der
statt zürich die herlichen grafschaft ze kyburg mit aller zuo gehörd zu
lössen von der gräffinen von montfort von bregenz. Die muost es inen ze
lössen geben, wan der künig das also verschaffet hat, och die von zürich
mit guoten brieffen darumb versorgt. It. die selb landtgrafschaft was der
hertzogen von österrich vnd stuond der gräffinen, vnd ward gelöst on der
herrschaft von österrich willen vnd gunst.

21. Item die grösst sach ward das, dass sich die von behem wider die ganzen cristenhait laiten mit gewalt.

It. als nun das concilium ze costenz lag, do hatten die von prag vnd

---

c) Anno dni Mccccvij am fünften tag höwmanot, morendes nach sant andres
tag vnd sant volrichs, an ainem mentag verbrann zuo basel ob iije hüsern.
Cod. 631 p. 384.

d) Anno dni Mccccxviij, an dem hindrosten tag ougsten kam in diss land
vil schwartzer lüten, baide frowen vnd man vnd kind. Vnd so si komend
gen baden, do tailtand si sich von ain ander, vnd fuor ain tail über den berg,
vnd kamend ir etwa vil her gen zürich, vnd kamend mit inen ij hertzogen vnd
ij ritter, vnd laitend sich die selben lüt für das tor an dem platz zuo des bam-
sers wisen, vnd sait man das selb volk wer von dem klainen egypten land. Cod.
657 p. 121. Vrgl. Tschudi II. 116.

Anno dni Mccccxx was als ain früe jar, das man kriesi vant vnd erdber
ze jngendem mayen, vnd rot truben zitig an sant marien magdalenen tag, vnd
hat man gewimnat vor sant gallen tag, vnd ward als ops früe vnd vnwirig.

In dem xxj jar in der vasten gab man j fiertel öpfel vnd j f. k. glich tür
vmb iij β. Cod. 657 p. 121.

e) Do man zalt von gotts geburt Mccccxxij iar, do zugent alle eydtgnossen
gan bellentz vber den herren von meyland, vnd schluogent sich da nider ze
feld. Also am andren tag kam des herren capitoniye vnd schluog si dannen, vnd
erschluog ir vil, der zal ich nit weis, vnd geschach in *Conmemoracione* pauli
(30. Juni).

Do man zalt Mccccxxiiij jar, do nam der von toggenburg vnd der von lu-
pfen pregentz jnn mit verretteryg. Das tett ein wyb. Cod. 629 p. 262.
Vrgl. Bergmann, die Belagerung und der Entsatz d. Stadt Bregenz 1408. Juni-
heft des Jahrg. 1852 der Sitz. Berichte der philos. histor. Klasse der kais. Akad.
d. Wissensch. (IX. Bd. S. 4 am Schlusse).

13*

anderswa in behemer land etlich artikel, die wider cristenlichen glouben
warent, vnd hattent die och also.etwa lang gehalten, da vil ze sagen wär,
wie er vfferstuond, das ich als lass bliben durch der kürzi willen. Also
schickten die von bechem och ir bottschaft zuo dem concilium gen costenz,
doch in glait des hailigen conciliums, vnd des römischen künigs, mit namen
her hannsen hussen, den priester. Der maint och vor dem concilium
vnd vor den gelerten ze bewyssen vnd bewären, dass alle artikel, die si in
behemer land hieltin, guot vnd gerecht wärint, vnd nit ketzerlich noch wi-
der cristen globen [20]), vnd vnderzoch sich also zuo bewyssen, das er doch
nit getuon kond noch mocht, wan er ward bewysst von den gelerten in
concilio mit der hailgen geschrift, dass alle sin artikel ketzerlich vnd wider
cristen glouben warent, vnd dass er die hailgen gschrift nit verstanden
hat nach dem als es die euangelisten vnd die hailgen lerer geschriben hand.
Also bekant der selb her hanns huss je bi der wil, dass er geirret hatt,
vnd begab sich och dess, dass er ain vnrechten weg vor jm gehept hett,
vnd alle die es mit jm hieltent, vnd begab sich och dass er alle sin artikel
widerrüeffen wolt, wann si falsch vnd vnrecht wärint. Wenn er aber wider
für das concilium kam, so hatt er sich selbs wider bekert, vnd lag aber
vff sinem alten weg, vnd schampt sich dass er so lang gelert vnd gepre-
diget hett, dass er das sölt widerrüeffen. Do man das nun etwa lang mit
jm getraib, vnd man vil mit jm versuocht, je zuo letst do das concilium
sach, dass nünts an jm wolt helfen, vnd er so vnstetigs gemüets vnd
worten was, do beroubet man jn sins priesterlichen amptes, vnd fuort man
jn ze costenz vss als ainen ketzer, vnd verbrant man jn vor der statt.

22. Jeronimus ward och verbrant.

It. man brant och darnach ze costenz in concilio der hohen maister
ainen von prag, hiess jeronimus, davon och vil ze schriben wär, das
ich alles lass beliben, durch der kürze willen, nun dass man mark die
grössten sach, warum sich das erwirdig küngkrich zuo behem wider alle
cristenhait satzt vnd sich vss sloss von der hailgen cristenhait [21]) vnd ainen
ketzerlichen vncristen gelouben hieltent, die doch vor ziten vnd von alter
har die besten cristen warent, so dem hailgen stuol ze rom mochten vn-
dertenig sin.

23. Die von behem muot die smach.

It. also muot nun die von behem die smach, die inen ze costenz be-
schechen was, vnd wurdent so hert vnd verruocht, dass si sich gern ge-
rochen hettint an der cristenhait, es wär recht oder nit. Vnd zuhent also
an sich vil bösser lüt, vnd meret sich ir vngloub von tag zuo tag, vnd
ward die buobery vnd der vngloub so gross ze prag vnd in allem bechemer
land, dass sich die fromen vnd die gerechten nit ze erkennen torsten.ge-

---

20) vnd nit — globen bei Tsch. übersprungen. 21) satzt — cristenhait bei Tsch.
übersprungen.

ben, vnd muost manig from man tuon wider sin vernunft, vnd anders denn
jm am hertzen wär vnd er gern getan hett. Also fuorten si ain vnorden-
lich vncristlich leben [22]). Si brachent die schönen gezierd, so ir altvordern
in cristenlicher ordnung loblich gemachet hatten. It. si brachent gottes
marter bild, marien bild vnd sunst all ander hailgen bild, vnd täten vil soli-
cher vncristenlicher sachen, die grülich sind ze sagen.

It. si martrotent priester vnd vil cristen lüt, die si todten.

It. si täten och vil ander gross sachen, davon vil ze sagen wär, wan
alle die bössen lüt, die gewonet hatten sich vnerlich ze betragen mit rouben
vnd mit andern snöden sachen vnd dingen, vnd von ir bosshait wegen in
iren landen nit torsten beliben, die zugent sich all gen behem, nit von
des glouben wegen, denn von ir bosshait wegen, vnd ward ir grobkait vnd
ir übermuot als gross vnd als mechtig, dass si alle herren vnd stett schad-
goten, die an si stiessent, als sachsen, myssen, payern, österrich, slesien,
brandenburg, vnd vil ander herren vnd stett, dass die cristenhait vil tranges
von inen laid, also dass grosse clegt von der cristenhait für den bapst vnd
für den römischen künig kam, von herren vnd stetten. Darnach gab bapst
martinus der fünft das crütz über die bechem vnd über alle die inen bi ge-
stuondent, vnd gebott dem römischen künig sigmunden, och künig ze vn-
gern, als ainem houpt der cristenhait *f*).

24. Die erst raiss über die von bechem.

Er gebott och aller cristen fürsten, gaistlichen vnd weltlichen, vnd
darzuo allen herren vnd stetten über die behem, den grossen vnglouben [23])
zuo temmen vnd ze vertriben. Der selb bapst schickt och sin cardinäl zuo
den herren, vm si ze manen über die ketzer gen behem, vnd gab och
denen sin bäpstlichen gewalt, die lüte ze absoluieren von schuld vnd pin,
vnd gab och grossen ablass allen denen, die den vngelouben hulfint ver-
triben, es wär mit dem lib oder mit guot, also dass vil lüt genaigt ward
über die behem, durch des ablass willen, vnd och von gehorsami wegen,
dess si schuldig warent, vnd och von gebottes wegen des römischen kün-
ges, also dass der künig, die fürsten, herren vnd stett an sluogent ainen
grossen zug gen bechem. Vnd zugent also mit gewalt vnd mit macht gen
behem in das land, vnd was das grösste volk vnd der grösst zug, dass
man in disen landen in vil zites je gesechen hat von grossen fürsten,
herren vnd stetten. Als si nun zuo behem in dem land mit gewalt vnd.

---

22) Hü. verschrieben „globen". 23) vngelobigen Hü.

f) Anno dni Mccccxxj jer am ersten sonntag im aberellen do bredigot man
das crütz uber die vngelöibigen kätzer ze bechem. Die zerstorten gotzhüsser vnd
martroten die saligen cristen menschen, die an cristem glouben vest vnd stät
wolten sin. Darzuo macht man mit hers craft sechs kurfürsten. Ouch schicktent
die von zürich dar ir erber hilff uff sant laurenzen tag. Vnd wert das zechen
wuchen vnd dry tag e das si wider kament. Cod. 631 p. 384.

mit grosser macht lagent, do wolt künig sigmund nit dass man die stett oder sloss wüesti, vnd sprach, das küngkrich ze behem wär sin väterlich erb, das solt man jm nit wüesten; er getruwte es suss wol ze erobern. Also wurdent nun die fürsten vnder ainandern stössig, vnd ward das volk vnwillig, davon vil ze schriben wär, also dass der grossmechtig zug vffbrach vnd vngeschaffet wider dannen zoch, das doch den herren vnd der ganzen cristenhait ain schand was, vnd der herren vnd der land, so an si stiessent, grosser schad, wan die bechemer wurdent vil werlicher vnd mechtiger denn vor, vnd griffent allenthalb vmb sich, vnd tatent grossen schaden allen den, die an si stiessent vnd inen gesessen warent, mit rouben, brennen vnd erstechen, vnd tribent och das etwa vil zit.

It. als nun die bechem die land allenthalb vmb sich verhertgoten vnd wuosten, vnd etwa menger zug vff si geschach, vnd vil cristenlüt erslagen ward vnd si och verlurent, vnd der römische künig sigmund gar gemach zuo den sachen tät, als wär es jm laid, dass si jetz vertriben wärint, vnd doch die cardinäl vnd des bapstes botten täglich jn manten, als ain houpt der cristenhait, vnd och all ander fürsten, den vngelouben ze vertriben, do maint als der künig, das künigrich behem wär sin väterlich erb, won er schraib sich och küng ze behem, wiewol er es nit inn hat, das welt er noch künd er nit wüesten noch verhertgen. Also redt man gemainlich dem künig übel zuo, vnd maint man, er starkte si haimlich vnd hett es mit inen. Das mag sin oder nit, es was wol offenlich vnd lag am tag, hett der künig gewöllen, der buobery ze bechem vnd ir macht wär nie als gross worden vnd si och wol getempt. Also taten och vil ander fürsten gemach, die behem ze vertriben; denn allein die an si stiessent vnd inen gelegen warent, die muosten sich weren oder aber ir lüt vnd land verlieren. Die andren sachent zuo. Also wurdent nun die behem als stark vnd als mechtig, vnd ward ir übermuot als gross, dass man si allenthalben forcht, vnd alle frome lüte entsassen, dass die buobery vnd das vngefert in andern landen och vffstüend, vnd die fromen vnd die gerechten vnd die riehen trucktint, wan es was recht ain louff für arm üppig lüt, die nit werchen mochten, vnd doch hoffertig, üppig vnd öd warent, wan man fand vil lüt in allen landen, die als grob vnd snöd warent, vnd den bechem ir ketzery vnd vngeloubens gestuonden, so si gelimpflichest kundent, vnd wo si das nit offenlich getuon torsten, da täten si es haimlich, wan si muosten die fromen vnd die gerechten fast daran schüchen. Also hatten die behem vil grober lüt, die ir haimliche günner warent, doch in ainem land me denn in dem andern, die inen gern gestanden hettint, hettint si können oder getörst, die allweg pfaffen ze wort hatten, wie es von ir wegen komen wär, wan man in den selben ziten fast genaigt was wider die pfaffen, vnd es das gemain volk dester gerner horti, hatten si die pfaffen ze wort, vnd wie jederman mit den andern tailen sölt sin guot, das och vil snöder lüt wol gefallen hett vnd och wol komen wär. Also regte sich der alt hass, den die puren vnd die pfaffen zuo ainandern hand.

It. also warent die bechem allen iren nachpuren, herren vnd stetten, swarlich überlegen, vnd forcht ainer ir macht, ainer suss den bössen louff, wan si hatten die land vmb sich fast verhertgot vnd bekriegt vnd och vil lüt erslagen Si hatten och etlich herren ganz vertriben. Also do nun die herren sachen, die an si stiessent, dass si kain hilf hatten von dem römischen künig, noch von andern fürsten vnd herren, do satzt sich ain herr mit inen, der ander machet frid mit inen, also dass die behem zuoletzt nieman hatten, der vff si kriegti, denn allain hertzog albrecht von österrich mit siner vetter hilf.

Also kriegt nun der vorgenant hertzog albrecht von österrich täglich vnd swarlich vff die behem, vnd nam weder frid noch satz mit inen vf, vnd machet die österricher werlich vnd raissig, die vor je für zag vnd vnwerlich gezelt wurdent, vnd man in kriegen klainen [24] gelouben an si hatt, die wurdent so redlich vnd mannlich, dass si für ander lüt tatent, wan der hertzog den krieg stets mannlich vnd ritterlich traib mit den sinen vff die bechem, vnd schuof och ze guoter mass. Das land ze märchen das hat jm der römisch künig sigmund zuo siner tochter geben. In dem selben land och die buobery vnd der vngloub richsnot, wan es wärent vil landtsherren vnd stett ze märchen, die es och mit den bechem hatten. Also tat nun der selb hertzog albrecht etwa mengen grossen zug vff die bechem, davon er grossen schaden empfieng; doch gewann er gewonlich den sig vnd tät den bechem me ze laid mit strengem krieg denn alle andern fürsten, die vnredlich von inen geflochen wärent, wan si sprachent, er trib ritterlichen krieg mit inen. Also traib der vorgenant hertzog albrecht den krieg mit den bechem etwa menig jar on aller fürsten vnd herren hilf, on allain der von österrich, vnd dampte vnd lait den vnglouben vnd die buobery ze bechem me nider denn all ander cristen fürsten. Hiemit er wol bewist, dass er ain fromer, türer cristen was *g*).

25. Dem bapst kam gross klegt, wie die bechem die cristenhait schadgotint.

It. als nun diser vorgenant hertzog albrecht von österrich allain on aller ander fürsten hilf etwa manig jar vff die bechem kriegt, vnd dem bapst die gross klegt kam, wie der römisch künig vnd alle ander cristenfürsten den ketzerlichen vngelouben also liessent richsnen, vnd darzuo gar nüts tätint, dadurch er gross betrübtnuss hat, vnd schickt ainen cardinal

---

24) Tsch. nicht so richtig „kainen". Hü. hat es.

g) Hüpli hat hier (doch die letzten 2 Zeilen richtiger, aber ganz isolirt, Cod. San gall. 531, p. 370 unten, als Ausfüllsel leeren Raumes):

O gloriosum regnum Bohemie quare
A catholica fide appostitasti et solemne
Studium pragense desolasti?
P bodischemo jam non est fides in bohemo.
Machmet paganos a fide fecit profanos,
Talmut (Hü. Clamat) iudeos, sed huss decepit bohemos. p. 108.

gen tütschen landen, vnd gab dem sin bäpstlichen gewalt ze absoluieren
von schuld vnd pin, vnd zuo manen den römischen künig als ain houpt
der cristenhait, vnd alle ander cristenfürsten, herren vnd stett.

Diss beschach anno dni Mccccxxvij. Also rait nun der selbe cardinal
von engelland zuo dem ersten zuo dem römischen künig sigmund, künig
ze vngern vnd ze behem, vnd mante den so hoch vnd so tief als es dem
bapst wol zuo gehort, vnd sait jm och vnder ougen, wie dass ander rö-
misch künig vnd kaiser, sin vorfaren von cristenliches geloubens wegen
über mer zuo dem hailgen grab vnd in die haidenschaft gezogen sind vnd
ander cristen fürsten vnd herren mit inen, vnd ir lib vnd guot gewaget
hand gott ze lob vnd der cristenhait ze nutz vnd ze eren, dardurch si nutz,
er, lob vnd hochen priss empfiengent von gott vnd allem himelschen her,
vnd och von der ganzen welt, vnd nun dieser römische künig vnd alle
ander cristenfürsten den grossen ketzerlichen vngelouben mitten in der
kristenhait lassen richsnen, die doch alle gesetzt vnd cristenliche ordnung
schendent, das doch dem römischen künig, den curfürsten vnd aller cris-
tenhait schand ist, wan si smachent zuo dem ersten den allmechtigen gott
vnd sin liebi muoter vnd alle gerechtigkait. Vnd also sait der cardinal
dem römischen künig vil sines gebrestens vnder ougen, wie er in der gan-
zen cristenhait den smachen lümbden hett, dass er die bechem me enthielt
denn dass er si dampte, vnd er ir guoter günner was. Also rait der vor-
genant cardinal zuo den curfürsten vnd zuo andren fürsten, vnd mante
die so er si höchist gemanen kond, dass si darzuo kertin, den vngelouben
ze vertriben, vnd sait och denen was ze sagen was.

It. er mante och ander cristen, herren vnd stett über die bechem, vnd
wer sich cristen nampte, dass si das och erzögtint mit den werchen, vnd
mante also die cristenhait vnd ander fürsten vnd herren gen franckfurt, vnd
dass si sich da mit ainander welten ainbären vnd überkomen, wie si den
grossen schaden vnd das übel gewenden köndint, das der ganzen cristen-
hait anleg, von der vngeloubigen bechem wegen, vnd wie si die ketzery
gedemmen köndint. Vnd laiten aber also ain grossen zug an über die
bechem, von herren vnd stetten von tütschen landen, vnd laiten also jet-
lichen fürsten an, wie vil er volkes vnd züges haben sölt. Vnd desglichen
och andern herren vnd stetten, jederman nach siner macht, wie vil büchsen,
wie vil züges, wie vil pfil, vnd wisst jederman was jm zugehort. Also
hatten si och geordnet dri gross mechtig hüffen, da jetlicher den bechem
gnuog stark wär, vnd solten die herren von österrich ain huffen haben,
vnd die curfürsten vnd ander fürsten, herren vnd stett die andren zwen
huffen han. Also was es alles gar wol geordnet vnd angesechen; aber es
ward übel gehalten vnd vnordenlich, wan da die fürsten von dem rin, von
brandenburg, von missen, von payern [25]), von swaben, der graff von wirten-
berg vnd vil ander herren vnd stett vff die bechem zugent, do schiedent

25) von dem rin — payern fehlt Hü.

si vnritterlich von dannen, davon vil ze schriben vnd ze sagen wär, das
ich also lass bliben, wan mich hört nit an, fürsten vnd herren ze strafen,
wan es ist sunst offenlich [26]) vnd waisst man es in allen landen ze guo-
ter mass.

It. der vorgenant cardinal was mit inen vff die bechem gezogen, vnd
do er sach, dass si so vnerlich wichen wolten, so hatt er ain panner, das
warf er vff, do stuond gottes marter bild an, vnd ruofte offenlich in dem
feld, vnd mante si, dass si nit wichint, vnd bi dem panner belibint, alle
die cristen wärint vnd an sechint, dass gott selb bluot vnd schwaiss durch
si vergossen hett, vnd den bittern tod durch si gelitten hett, vnd dass si
hüt belibint vnd durch gottes willen, gott ze lob vnd eer vnd der armen
cristenhait ze nutz vnd ze trost mit den ketzeren stritint, so welt er si
aller ir sünd als ledig sagen, als do si von des priesters hand vss dem
touff kament, vnd dass si on alles mittel für gottes angesicht kämint.
Vnd mante si also fast vnd vil als höchist er si gemanen kond. Aber nie-
man wolt sich daran keren, denn dass der selb cardinal och mit inen
wichen muost, davon vil ze sagen wär.

It. der selb cardinal was von engelland vnd was von küniglichem ge-
slecht, vnd was ain mannlich man.

It. also zoch aber jederman vngeschaffet von bechem, vnd liessent aber
hertzog albrechten im krieg stecken.

It. die fürsten vnd herren wurdent ainandern vigent, vnd gab jetlicher
dem andern die schuld, vnd redten och ainandern übel zuo. Das lass ich
also beliben, gott waisst wol wer schuldig was, vnd och die welt ze guo-
ter mass.

Hie wil ich nun also beliben lassen den bechem krieg, wan da wär
gar vil davon ze sagen vnd ze schriben. Da ist ain aigen gross buoch
von gemacht.

26. Aber von den appenzellern.

It. als nun die curfürsten vnd ander fürsten vnd herren von der cri-
stenhait ze franckfurt lagent, als vor stat, von gebrestens wegen der haili-
gen cristenhait, wi si den gewenden köndint, des selben mals sandtent
och die ritterschaft von sant jörgen schilt von swaben gen franckfurt zuo
den fürsten vnd herren, vnd klagtent swarlich ab denen von appenzell, wie
die selben appenzeller alle recht vss slüegint, vnd cristenliche gesatzt vnd
ordnung nit hieltint, vnd den spruch, so der römisch künig, küng ruopp-
recht, getan hette, überfüerint, vnd kain gesatzt, weder gaistlich noch welt-
lich, hieltint. Vnd vil grosser clegt brachtent si da für die fürsten, also
dass die fürsten, gaistlich vnd weltlich, dardurch bekümbert wurdent vnd
schribent denen von zürich, von bern vnd andren stetten ernstlich, als
es hie nach geschriben stat.

---

26) offenbar Hü.

27. Diss ist der brief.

Von gottes gnaden cuonrat zuo mentz, otto zuo triere, vnd dietrich zuo kölne, erzbischoffe, ludwig pfallenzgraffe bi rin vnd hertzog in payern, fridrich hertzog zuo sachsen vnd marggraffe zuo missen, vnd fridrich marggraff zuo brandenburg vnd burggraff zuo nürenberg [27]), alle des hailgen römischen richs curfürsten.

Vnsern gruoss zuovor, ersamen, wisen, guoten fründe, vns hat die gemain ritterschaft der gesellschaft von sant jörgen schilt jetzunt hie zuo franckfurt fürbracht, inen hab der erwirdig, vnser besunder fründ, herr otto, bischoff ve costenz, der mit inen in ainung sye, in klags wisse fürbracht vnd gesagt, wie dass die appenzeller vnd die mit inen verbunden sind, vnd zuo inen gehörent, siner priesterschaft vnd vndertanen vnd andren den sinen iren zechenden, zinse, gült vnd güeter nemint vnd si der entwerint, vnd dass si och, das bösser vnd claglicher ist, die priesterschaft vnd vndertanen sins bistumbs als übeltätige lüt misshandlint, si jemerlich erstechint vnd ermürdint, wider gott, eer vnd recht vnd on erfordert' vnd on erfolget alles rechten mit frevenlichem gewalte vnd muotwillen, über das der vorgenant bischoff zuo costenz, sin pfaffhait vnd vndertanen vnd die sinen mit den vorgenanten appenzellern zuomal nichts zuo schaffen wissent ze han, vnd das si och dem abbt vnd dem gotshus zuo sant gallen zinse vnd gülte nement vnd inen der nit bezalen wellint, als doch von alter her komen ist, vnd ir alt vordern vnd si je vnd je getan habent, vnd dass si och söliche sprüch vnd vrtail, vnd och süne vnd richtungen, so zwüschent dem vorbenampten abbte vnd gotshuse zuo sant gallen vnd inen geschehen sind, mit frevenlichem gewalte überfarn vnd der nit halten wellint, vnd dass och die vorgenanten appenzeller vnd die zuo inen gehörent, mit irem muotwillen, frevel vnd vnrechtem gewalte sich vnderziechent [28]) deren die den herren vnd der ritterschaft angehörent lüte zuo schirment wider iren rechten herren, denen ir stüre, zinse vnd gülte zuo gebent als angehörige lüte iren herren gehorsam zuo sind vnd zuo dienen, das alles erschrockenlich ist zuo hören. Wan nun söliche vorgerüerte geschichten vnd handlungen wider gott zuo vordrost vnd och vnsern hailigen vatter den bapst vnd die hailigen kilchen, vnsern gnedigen herren, den römischen künig vnd das hailig römisch rich vnd och alle ordnunge vnd gesatzte baide der hailigen kilchen vnd des hailigen römischen richs, swärlich, grösslich vnd och vnlidenlich sind, darumb vns curfürsten vnd andren fürsten, graffen, fryen, herren, rittern vnd knechten, stetten vnd allen den die der hailigen kilchen vnd dem hailigen römischen rich gehorsam sin wellent, billich darzuo gebüret ze tuon, vnd bevolhen vnd beraten zuo sind, dass sölichem muotwillen vnd vnrechten vnd frevenlichem gewalte in zit widerstanden werde, vff dass der hailigen kilchen, dem hailigen römischen riche vnd der gemainen cristenhait nit bössers darvon vfferstande noch komen werde. Hie-'

---

[27]) missen — burggraff zuo (Nürnberg) bei Hü. übersprungen. [28]) widerziechent 806. Vad.

rumb so begerent, ermanent vnd bittent wir üch als curfürsten des hailigen
römischen riches als hoch vnd verre wir üch darumb ermanen könnent,
sollent vnd mugent, dass ir der vorgenanten ritterschaft von sant jörgen
schilte getrüwlichen, fürderlichen vnd ernstlichen bigestendig, beraten vnd
beholfen[22]) sin wellint, dass sölichem vnrechten vnd frevenlichen gewalte
vnd muotwillen in zit widerstanden werde, damit ir zuo vordrost dank nä-
mint vnd lon von dem allmechtigen gotte, vnd och lob vnd ere von vn-
serm hailigen vatter dem bapst, vnd vnserm gnedigen herren dem römi-
schen künige vnd allen cristenlichen fürsten empfachint, vnd wir wellent
das och insunderhait gern gen üch erkennen. Geben zuo franckfurt vnder
vnsren insigeln, vff den sampstag vor sant katherinen tag der hailigen
junckfrowen. Anno dni Mccccxxvij.

28. Aber ain brief von den curfürsten dem bischoff ze costentz.

Die curfürsten schribent dem bischoff ze costenz von der appenzeller
wegen als hienach geschriben stat.

Vnser früntlich dienst zuevor, erwirdiger, lieber besunder fründ. Wir
habent von fürbringung wegen der gemainen ritterschaft sant jörgen schilt
zuo swaben denen von berne, den von zürich vnd allen iren aidgenossen in
ainem briefe, denen von costenz vnd den andren stetten, die mit inen in
ainunge sind, in ainem briefe, denen von vlm vnd den andren stetten, die
mit inen in ainunge sind, och in ainem briefe geschriben, als wir üch
abgeschriften hie inne verlassen senden. Hierumb so begerent wir mit
ernste vnd bittent üch dass ir von üwer selbs wegen darzuo tuon vnd och
mit üwren prälaten vnd ander pfaffhait üwern vndertanen, den wir och
darumb geschriben habent, ernstlichen reden vnd bestellen wellint, dass si
darzuo behulfen vnd beraten sin wellint, ze tuonde, dass sölichem vnrech-
ten vnd frevenlichem gewalte vnd muotwillen in zit widerstanden müge
werden, als üch der erwirdig her peter bischoff zuo ougspurg müntlichen
davon sagen vnd erzellen wirdet etc. Geben etc.

It. also kertent sich nun die stett wenig an der curfürsten schriben, wan
die ritterschaft vnd die pfaffhait hattent gar wenig hilf von den stetten gegen
den appenzellern, wan dass man si liess richsnen vnd grossen muotwillen
triben mit armen pfaffen, die si fiengent, erstachent vnd inen das ir na-
ment, vnd si jämerlichen misshandlotent, si wärint frömbd oder haimsch,
wo si die pfaffen ankamment, das galt inen als gelich, die doch mit inen
nüts ze schaffen hattent, als dass grosse clegt von inen kam, als vor stat.

29. Der abbt von sant gallen hatt die appenzeller in grossem bann.

In disen tagen[30]) hat der abbt von sant gallen[31]) die appenzel-
ler gar in grossen swären bännen, dass man dri tag nach ir hinfart muost

---

29) beuolhen Hü. Vad.   30) In diesem zit Tsch. Hü.   31) Heinrich von Mansdorf
1418 bis 1426.

vngesungen sin, vnd tät man inen kain gotsrecht. Darumb so hassotent[32]) si die priesterschaft. Also warent si nun in disen bännen etwa vil zites von ir vngehorsamkait wegen, dass si dem abbt vnd dem gotshus ze sant gallen nit tuon woltent das si jm von alter vnd von recht pflichtig vnd schuldig warent ze tuond, vnd weder zins, gülte, noch stür geben woltent, noch dess alles zuo kainem rechten komen woltent, noch die sprüch vnd richtungen nit halten woltent, die zwüschent dem gotshus ze sant gallen vnd den appenzellern gemachet warent *h*).

It. si griffent och allenthalben vmb sich vnd nament der edlen ir aigen lüte, vnd schirmtent die vor iren rechten herren, dass si inen weder stüre noch zinse gabent noch dienste tatent. Also truogent die ritterschaft mit dem von toggenburg an, der stiess allenthalb an die appenzeller, vnd hatt och spenn vnd stöss mit inen, dass sich der selb graff von toggenburg des kriegs vnderzuge, so wöltint jm die ritterschaft och sold darumb geben vnd helfen als verr si möchtint. Also vnderzoch sich der vorgenant von toggenburg des kriegs, vnd zoch also vff die von appenzell mit fünfzechen hundert mannen. Er hatt och an dem stoss die sinen geordnet, da man die von appenzell sölti angriffen[34]); aber den selben misslang vnd ward ir etwa vil erslagen.

30. Die appenzeller wurden ze Gossow erstochen von dem von toggenburg.

It. also lag nun graff fridrich von toggenburg mit den sinen in dem closter ze maggenow, vnd zoch also vff die von appenzell an aller selen tag anno dni Mccccxxviij, vnd brant das dorf ze gossow. Also zugent die von appenzell herfür[35]) vff ainen berg mit ir panner, vnd zoch der von toggenburg mit den sinen gegen den appenzellern. Also luffent die von appenzell den berg ab gegen dem von toggenburg mit ainem grossen geschrei, als si gewonet hattent, die lüte ze erschrecken, vnd inen och vor dick vnd vil gelungen was. Vnd do si sachent, dass der von toggenburg mit den sinen nit wichen wolt, vnd si sich ritterlich zuo wer staltent, do kartent sich die appenzeller glich vmb, vnd fluchent den berg

---

32) sassentend Hü. 33) Eglolf 1426—1442. 34) nöten 806. Hü. 35) haruff Tsch.

h) Des jars als man von d. g. cr. zalt tusend vierhundert zwaintzig vnd fünf jare, do tett ain abbte von sant gallen die von appenzelle in des baupstes bann, das man an allen enden, was inen zuo gehört, muost vngesungen sin, vnd stuonden von münsterlingen biss zuo sant gallen die kilchen öd an pfaffen. Das stuond lang, das die appenzeller nichtes dar vmb gabend, vnd och darzuo wa si pfaffen an kamen oder das ir wysstend da si es erlangen mochtend, namend vnd suo iren handen zugend, vnd den priestern gros laid an tettend. Vnd das werot bis das der selb abbt starb in das ander jar, do ward ain blaurer von costentz abbt[33]), der erlaid sich och gar vil mit inen, biss das sich die herren dar vmb annamend. Das bestuond biss vff annuntiationis marie. Dacher p. 215.

wider vf, vnd durch die wäld vnd berg [36]) gen appenzell, vnd wurdent dero von appenzell also an der flucht bi lxxx mannen erstochen [37]), vnd an disem tail [38]), enkainer, wan si wartent sich nünt, vnd wär man inen nacher zogen, so hett man das land ze appenzell on alle not gewunnen.

Also liessent sich die von appenzell wisen vnd ward der krieg verricht [39]a) vnd gabent dem abbt ij M pf. d. an sinen kosten vnd für die verfallnen zins, vnd och dass er inen vss dem bann hulfe.

Dis nach geschriben verlurent an der tatt: Hans grunder ab der wiss, voli des wirts son von hundtwil, jäcklin schnacken, voli zygerer, voli torster von gunten, gerwiss jöslis son, jäckli büeler vnd voli sin son, voli lemli von haslow, herman fenck, hans marpacher im moss, voli entz der alt aman, voli brander, welti im erla, hans mülli tobler, entz hoptli, voli brenner vnd jäckli sin son, jäckli bücheler vff der staig, voli tobler im hag, hans pur der jung, voli lieb von gunten, voli knushart, volrich kernen enderli nussbomer, herman bücheler vff der staig, jacob fessler ab der staig, hans opprecht, entz schlippfer, haini albrecht ab dem büel, herman schwendiner, jörg gedemler, jäckli braitenower, hans kurtz am weg, othmar am brand, hans buman, herman dietzin, haini clain vnd hans egli hächen son, hans schwitzer, hai. geschwend [39]b).

It. die aidtgenossen tatent dem abbt von sant gallen ainen spruch gen den von appenzell, vnd sprachent dem gotshus ze sant gallen stür, zins vnd väll ab, vnd das selb das si dennocht dem gottshus sprachent, das hielteut dennocht die von appenzell als si mochtent *i*).

---

36) vnd berg fehlt Hü. 37) erslagen 806. 38) nämlich des Grafen. 39 a) gericht Tach. Hü. Diese Stelle ist die späteste in der Handschr. 806, von der wir leider blos ein Bruchstück besitzen. 39 b) Die Namen der Erschlagenen hat blos Vad.

i) Do man zalt v. g. g. xiiij hundert vnd xxxij jar, do erfror der win vnd das obs vnd ward am zürichsew kain win, denn ettwa seltzenlich an x jucherten kum ain eimer, vnd ward toub korn an vil stetten, vnd ward des jars als tür das man ein wil ein müt kern gab vm dritth. lib. vnd ein fiertel haber vmb iiij β, vnd j fiertel erwis vm xvij β, ein fiertel bonen vmb xi β, ein fiertel hirs vm xviij β, vnd lag der sne ze jugendem mertzen als gross das er eim man bis an sine knie gieng. Vnd ward do im xxxij jar der win wol fail, des vormals ein mass galt ein β, der galt darnach iiij dn. vnd iij dn. vnd ein müt kern vmb ij lib. oder türer vngeuarlich. Cod. 643 p. 156.

Do man zalt nach cristus gepurt xiiij hundert vnd xxxij jar, ward küng sigmund ze rom gekrönt ze kaiser von dem bapst eugenio. Das beschach am helgen tag ze pfingsten, vnd der selb kaiser schraib her vss in die aidg. gen zürich vnd gen switz vnd den richstetten, wölt jeman ze sinen eren komen vff das zitt, der möcht komen. Also hatten die von switz ir bottschafft jar vnd tag vor mals in des küngs hoff gehept, der siner eren wartete, dem ward ouch die erst bottschafft gen switz mit sinem keiserlichen insigel, das er kaiser worden were, vnd ward dem selben botten ze switz vnd zürich vnd anderswa gar erber.

21. Küng sigmund ward kaiser.

Anno dni millesimo ccccxxxiij° an dem hailgen tag ze pfingsten ward küng sigmund ze rom ze kaiser gekrönt, der römsche küng vnd ze vngern vnd ze bechem küng, vnd krönte ihn eugenius, der vierde bapst an dem nammen.

It. diser küng zoch nüt mit gewalt gen rom als ainem römschen küng vnd künftigen kaiser zuo gehört vnd von recht vnd alter gewonhait tuon solt, denn er zoch als ain bilgry, won er hatt kain macht vnd klain volk, won jm dienet kain namhaffter her gen rom, denn allain sin hoffgesind vnd etwa manger vnger. Im diente och weder des richs fürsten, stett noch lender gen rom. It. er zoch des ersten für cur jn gen lamparten in der herren von mailan land; dem hatt er vor lang versprochen zuo hilffe komen wider die von venedie, die in disen ziten grossen krieg mit dem herren von maylan hatten; er hatt och dem herren von mailan vor lang etwa mangen herren vss vnger vnd grosser herren kind vss vngerland geschikt, die da in pfandes wise sin solten, vnd zuo ainem wortzaichen das der römsche küng selb komen welt, als er versprochen hatt. Als nu der küng in des herren von mailan land kam, da wonde man, jm sölt gross macht nach komen von fürsten, herren vnd stetten, als er die och hoch vnd tieff gemanet hatt; aber es kam nieman. It. der küng lag also etwa lang zit in des herren von maylan land, dass der her von maylan zuo jm kam, noch jn nie gesach denn allain sin rät. It. der herr von maylan verlait och den küng ganz in sin land mit allem sim volk. It. der küng entsass och den herren von maylan vast vbel vnd er dacht was er kond haimlich dass er vss sinem gewalt käm, vnd rukt also von ainer statt in

---

botten brot geschankt, do er die bottschafft bracht, vnd schickten die von zürich ir erber botten gen rom mit xij pferid, das was ains her ruodolff stüssy burgermeister, her hans vnd her heinrich swend, her götz äscher. Die vier man macht vnser herr der kaiser ze ritter. Es was ouch der statt schriber von Z. mit jnen ouch in dienst dero von Z. vnd empfieng der obg. vnser h. d. kaiser dero von Z. bottschafft gar wirdenklich, do er si sach. Als si dar komen sind, do sass er vff dem kaiser stuol vff dem platz do er lechen lech grossen herren. Do stuend er vff gen den vergenanten rittern, vnd faort den burgermeister by siner hand vff das gerüst vnd sprachet me denn zwo stund heimlich mit jm, vnd liess fürsten vnd hertzogen, gross herren, fryen vnd graffen, ritter vnd knecht da stan vnd zuo luogen. Vnd do er vs gesprachet, do nam er den burgermeister von zürich by siner hant vnd faort jnen vnd sin gesellen für den bapst, vnd empfalch si jm in sin helikait. Der obgenant vnser her der kaiser eret ouch dero von Z. bottschafft aller der bette, die si jnn batten, vnd liess si früntlich, vnd tet jnen gnad, das man es wol verguot hatten. Also kamen die vorgenanten vier ritter vnd ir gesellen wider gen Z. vff sant maria magdalena tag. Do wurden si gar erlich enpfangen mit grossen fröiden. Ced. 643, p. 156. 157, womit diese Handschrift schliesst.

die andren, vnd muost leben als der her von maylan wolt, won er hatt nüt die macht dass er mit gewalt ziechen mocht, als er gern geton hett. Also gab er nu dem herren von maylan vnd den sinen guot red vnd früntlichi wort, der er vil kond, vnd wass si sölicher sachen begerten, der gewert er si guotlich vnd was willig. Also giget sich der küng mit listen vnd mit worten hindurch, dass er vss des herren von maylan land kam, nit aller ding mit sinem willen, vnd kam also in der hochen siener land[40]), vnd also erzoigte sich aber nu der küng früntlich gen den von hochen sienen, vnd vergass aller der schmacht, so si sinem vatter sälgen vor zitten geton hatten, als er och gen rom zoch vnd kaiser wolt werden, vnd was inen gnädig, güetlich vnd früntlich, vnd wess si von jm begerten, gnaden vnd frihait, dess was er willig. Also do nu der künig etwa lang ze senis gelag, do truog er an mit dem bapst, dass er jn durch sin land gen rom liess ziechen vnd jn da ze kaiser kronte. Dess was der bapst des ersten nüt willig, aber er zwang jn mit dem concilium das in disen zitten ze basel lag, won der bapst vnd das concilium nüt ains warent, vnd täglich wider den bapst taten, vnd jn in das concilium gen basel luoden. Also versprach der küng dem bapst so vil mit dem concilium ze tuon vnd ze schaffen, dass jn der bapst gen rom liess, vnd jn do ze kaiser kronte, als vor stat. It. also lech der kaiser lechen zuo rom vnd tät do etwa manges das denn ainem kaiser zuo gehört. Er machet och da selbs vil ritter, vnd do er wider von rom zoch, do fuor er durch des bapstes land, vnd do er in der venediger land kam, do rette er dem herren von maylan als hoch vnd trowte dem herren von maylan als vest als er den venedier nie geton hatt, vnd rett vnd tät alles das si gern horten oder wolten, vnd mante och darnach do er gan tütschen landen kam, vil herren vnd stett vnd och die aidgenossen vber den herren von maylan. Aber dem kaiser wolt in disem gebot nieman gehorsam sin; also versprach er den venediern vil vnd tät inen och vil mit fryhait vnd genaden; suss hatt er inen nüt gelt ze geben., aber si hatten jm wol ze geben, vnd was ir guoter fründ, vnd vergass des grossen schaden, den si jm geton hatten, vnd dass si jm lütt vnd land abgebrochen hatten, vnd das mit gewalt vil jar inn gehept hatten. Also kam er darnach in der herren land von österrich, vnd jlte schnell gen basel zuo dem concilium vnd wolte da enden das er dem bapst versprochen hatt.

32. Von kaiser sigmund.

It. diser kaiser zoch also gen rom vnd ward kaiser vnd kam also wider gen tütschen landen, dass jm zwaier ding gebrast, die man gewonlichen zuo sölichen sachen haben muost. It. jm gebrast gewalt vnd macht, dass

---

40) Diese Stelle „Also giget — land" steht auch noch in der s. g. Sprenger'schen Chronik, aber isolirt und gleich auf das Abbrechen vor der Sempacher Schlacht. Mittheilungen der antiquarischen Gesellschaft in Zürich II S. 96.

er in sachen nüt mit gewalt vnd macht mocht vss bringen; jt. so gebrast jm geltes vnd barschafft, dass er die lütte gemietten konde, herren vnd stett. Da er die macht nüt hatt noch haben'mocht, also vberkam er alle sine sachen mit guotten worten vnd vil verhaissen, vnd mit listen, won er hatt selten souil gelts dass er mornendess den wirt möcht bezalt han, denn dass jm täglich zu viel, wie wenig er volkes hatt.

33. Von kaiser sigmund.

It. diser kaiser was ain vil kennender wiser her vnd mocht wol vbersechen, vnd liess vil red für oren gan, vnd kond wol gelichsnen vnd reden was man gern hort, vnd reden dass jm wenig an dem herzen was. Er hatt ain adeliche küngliche herliche gestalt vnd ain vngetrüw herz, vnd was all sin tag ain bodenloser her, won gelt halff jm nüt wie vil jm dess ward; er mocht bi gelt kain ruowe han, vnd was allweg nötig vnd arm an barschaft, vnd stalt doch vast darnach, won er zoch vmendum vnd nam schenkinen vnd schatzung, vnd wo jm gelt werden mocht, vnd behuob doch kaines. It. er vergab och das sin an dank, won er gab denen er nüts schuldig was, vnd denen er schuldig was vnd vmb das ir jm nach verritten, denen gab er nüts, vnd verdarb ain manig her, ritter vnd knecht. Also ward er des sinen vnnutzlichen an [41]). It. er was ain adeliche gestalt, aber er tät vil vnadelicher taten, won er hatt puren, stett vnd die pünd lieb, damit er vnderstuond den adel ze uertriben. It. er gab menklichem frihaiten, als durch geltes willen; lueg nu jederman dass er si behopten möcht, denn wer si nüt behopten mocht, den schirmpt er wenig daby. Sine wort warent süess, milt vnd guot, die werk kurz, schmal vnd klain; er machet nüt wie vbel man jm zuo rett, won er mocht wol vbersechen. It. wo diser küng wandlet, da was jm der mertail lüt hold. Also was och diser küng vast edel von geschlächt, won er was kaiser karolus des vierden sun. Vnder disem kaiser wurden vil puren edel in allen landen, diewile er römscher küng was, vnd och da er kaiser ward; er gab jn allen wappen wele, dass von jm begerten, er fragte nüt ir geschlächte nach oder wie sie sich gehalten hettind, oder von alter herkomen würind, hatten si nu dem kantzler die brieff ze bezalen, die man inen vmb den adel gab. It. diser kaiser machte och das land vol ritter, won er schluog jederman ze ritter wer dess begeret, vnd bat och etlich dass si sich ze ritter schlachen liessint; also machte er vil ritter vnd ward vil ritter vnder jm on gross-nout vnd stritten. It. er schluog och vil puren ze ritter, die sich vor kaines adels nie angenament. Also meret er den adel vast, aber die von alter edel vnd wol geboren warent, die lopten jn nüt ser, won ir gieng vil vnder jm ab, die an lib vnd an guot verdurwent disem küng ze dienst.

---

41) Also wurde er des Seinen unnütz ohne (ledig).

34. Von küng sigmunds glissnen.

It. diser küng was ain her von guoten worten, er kond reden was jederman gern hort; er gehiess, er gab, er rett vnd versprach vil vnd menges der er kains hielt, vnd schampt sich dess nüt, ob es jm joch vnder ougen geschlagen ward. Wie wol nun das mänklich von jm wol wist, so bracht er dooh all sin sachen zuo guoter mass mit geschwätz hindurch; er was vast gelükhafftig den lütten; wo er wandlet, da warend jm arm vnd rich hold, won er hatt ain guot gestalt, vnd was jm niemand ze arm, er gab jm guote wort vnd bütt jm sin hand früntlich.

It. er was aber ain vngelükhaffter man ze stritten, vnd was er sölicher sachen an wolt fachen, won er hatt sin tag vil cristen lüt verfüert. It. diser kaiser was ainer starken guoten natur, won er hielt sich vnordenlich mit trinken vnd vil andren sachen, die wüest vnd vnnatürlich warent, vnd ward dennoch daby alt vnd mocht sich wol arbaiten biss an sin tod.

35. Kaiser sigmund starb.

Anno dni Mccccxxxvij nona die decembriss que erat crastina concepcioniss marie virginiss obijt senerissimus (sic) et illustrissimus princeps et generosus dnns sigissmundus romanorum jmperator et vngarie et bohemie rex.

Diss liess kaiser sigmund vff sin grab schriben.

> *Cesar et imperium tuus en ego roma sacratum*
> *Rexi non ense, sed pietatis ope.*
> *Pontificem summum feci, spretis tribus, unum,*
> *Lustraui mundum, scisma necando malum.*
> *Teucros (?) [42a) oppressi et barbaros gentes excussi,*
> *Ampla dominia contulit manus mea*
> *Et sunt hungaria mea regna bohemia plura.*
> *Pace sigismundus hic requiesce pius.*
> *At ita snoyma michi mors preclusit amara,*
> *Cum grege catholico transeo sine bono*
> *Anno milleno, quater C. ter decem adde*
> *Ac septem, mensis decembris dieque nona [42b).*

36. Hertzog albrecht der from fürst ward erwelt zue ainem römschen küng.

Anno dni Mccccxxxviij[0] an dem achtzechenden tag des merzen ward ze franckfurt ainhelliklich von den curfürsten erwelt zuo ainem römschen küng vnd künftigen kaiser der hochgeborn fürst hertzog albrecht von österrich, kaiser sigmunds tochterman. Diser küng ward erwelt von siner redliche vnd fromkait wegen, vnd warent sin och alle frome lütte in der gantzen cristenhait herren vnd stett frow.

It. also was nu diser küng albrecht römscher küng vnd küng ze vn-

---

42 a) in der Handschrift *Teutros, ceutros* oder so was. 42 b) Bei Königshofen p. 148 schlecht ins Teutsche übersetzt. Alles nur bei Hü. p. 118.

gren, in dalmacien vnd croacien vnd ze bechem küng, hertz og ze öster-
rich, ze stir, ze kerendern vnd ze krain, vnd marggraff ze mercheren.

It. als hertzog albrecht von österrich zuo ainem römschen küng er-
welt ward in dem merzen als da vor geschriben stat, do was er küng ze
vngern vnd ze bechem. Die küngrich vnd das römsch rich wurden jm an als
sin [43] zuotuon, wan er was gar ain fromer cristen fürst, das er och dik
bewist. Also zoch es gen bechem vnd nam prag vnd ander stett jn mit
gewalt, doch was es der von prag will ain guot tail.

It. also satzten sich nu die bechem ain tail wider jn vnd ruoftend den
küng von poland an vmb hilff, vnd sprachent, er sölt ir rechter her sin;
das aber nüt was, wan si vorchten den vor genanten küng albrechten von
österrich von siner fromkait wegen, vnd dass er si nüt vngestrafft liess vmb
ir grossen buoberi vnd bosshait.

**37. It. diss nüwen mer schribent der kosfüt knecht von prag iren herren gen
egspurg vnd anderswa hin in augusto anno dni Mccccxxxviij°.**

Ir sond wissen dass die polender ze feld ligent den vngeloubigen
bechem ze hilff vnder dem taber mit x tusing mannen ze ross vnd ze
fuoss, vnd halz der taber mit inen, won die bechem hand in jnn.

It. vnser her der küng lit mit den sinen den figenden als nach,
dass er si beschüsset mit büchsen, vnd' hat bi jm xxvjM guoter fächtbarer
man, vnd wartet man all tag des jungen hertzogs albrechts von österrich [44a)]
vnd der vngerschen herren mit xvj tusing vächtbarer man.

It. die vigent hant sich vast begraben in die wagenburg, vnd maint
man si da uss ze hungren, vnd mugent dem taber zuo vnd von ritten.

It. der von thatzo vnd sternenberg vnd her klenowe wolten sich selb
vnd den thaber gern dem küng ergeben, also dass er si liess bi ir frihait
so inen der kaiser geben hatt; das wil aber der küng nüt tuon.

It. der jung margraff vnd her caspar sint zuo dem küng geritten mit
tusing pfärden an vnser lieben frowen tag ze ogsten.

It. die kayserin wolt dem küng von pollant zuo hilff gezogen sin;
diss hat her kuntinsche vnderstanden vnd hat ir als ir volk darnider gelait,
vnd ist si vff ainem pfärt entrunnen vff ain schloss. Da hant si die vn-
ger belait [44b)] vnd ir genomen xij malen hundert tusing vngerscher guldin
wert an gelt, an klainott vnd an berlen, vnd hand das behalten zuo des
küngs handen.

It. vnser her der küng hat och angelait ain grossen züg gen polant.

It. die fürsten vnd herren vss der schlessi, die von pressla vnd ander
stett, jt. die herren von prüssan, hertzog sigmund von littow vnd der swi-
dergal sind all geordnet zuo der kron ze vngern zuo ziechen in das küng-
rich ze polant.

It. vnser her der küng hat gefangen sigmunden von thascho vnd sinen
uns vnd als sin volk, vnd sind die von prag vss gezogen für ain schloss,

---

43) ohne all sein. 44 a) Steierscher Linie, Ernsts Sohn. 44 b) belagert.

lit iij mil von prag, haist sostunwiz, ist dess von tuscho, vnd wend es jn
nemen von enpfelhens wegen vnsers herren des küngs. It. dieselben von
tuscho wolten das ganz her verradten han, wenn die schiltwacht an si
komen wär. It. er hett den herren von missen lx pfärit genommen in der
fuotri vnd in der tränki, als ob es die figint geton hettind.

It. wissend och dass vnser her der küng in der wuchen nach vnser
lieben frowen tag ze ogsten den pollendern gefangen hadt bi cc mannen vnd
souil ross, vnd hat inen verbrent anderhalb hundert wägen, vnd gat jm
wol, won er ist ain gelükhafftig manlich her, dem alle die die er sprechent die jn sechent oder bi jm wandlent. Geben ze vssgendem ougsten
anno dni Mccccxxxviij.

It. wie aber diser fromer göttlicher küng von diser welt schied, das
stat nüt geschriben; aber an sinem tod da geschach der ganzen cristenhait ain grosser schlag, wan er was gantz ain gerechter göttlicher mannlicher her. . . . —

38. Hertzog fridrich v. österrich ward zue ainem römschen küng erwelt.

S. [45]) subiit mortem, capit illinc austria sortem,
A. [46]) dans magnificum, perdit mox vngarus illum.
F. [47]) que hinc eligitur non poscens, valde rogatur.
Tunc electores praestare iuuamina jurant
In contumaces, sed post minime dare curant.
F. [47]) sua vult iura, venit hinc dissensio dura.
Namque negant switi vim dantes illico liti.
F. [47]) tunc magnates implorat et imperiales,
Ut subdant gentes switorum valde rebelles.
Tunc hii quid iurant, non praesidium dare curant;
Linquitur hinc iustus, et adhaerent imperiales
Clam switis vrbes armorum munera dantes.
Non curant regem, non curant frangere legem.
His quid continget, euentus post bene pinget:
Justus saluus erit, iniustus turpe peribit. . . . .

Anno dni Mccccxl an vnser lieben frowen tag ze liechtmess in der
ailfften stund des selben tages ward ze franckfurt von den curfürsten ainhellenklich erwelt der hochgeboren fürst hertzog fridrich von österrich, der jung her, zuo ainem römschen küng vnd künftigen kaiser. Diser her was xxv jar alt, do er küng erwelt ward, vnd hatt dennocht kain
wib. Er was hertzog ernstes sun von österrich, dem sin vatter ze sempach erschlagen ward von denen von schwitz, von vre, vnderwalden vnd lucern.

It. man sol wissen dass diser her nit zegegni was do er ze küng erwelt ward, vnd beschach och on sin wissen vnd zuotuon, won es was
gross sorg an jn geuallen. Er was der eltest fürst von österrich vnd was

---

45) *Sigismundus.* 46) *Alberchtum.* 47) *Fridericus.* Hü. hat alle vier Namen aus Missverstand ausgeschrieben. Er hat diese Verse allein, aber, wie die folgenden, oft unentwirrbar.

ain vetter küng albrecht von österrich tod, vnd hatt ain küng geladssen, was ain küng ze vngern vnd ze bechem, das er alles versorgen muost. Darzuo was sin vetter hertzog fridrich von österrich tod, der hatt ain jungen herren geladssen, dess land vnd lütt er och versorgen muost. So was sin bruoder hertzog albrecht von österrich jung verton vnd wild, mit dem er och komber, krieg vnd stöss hatt. Also diser junger her ir aller vogt vnd gerhab wesen muost, vnd gross land vnd lüt ze uersorgen hatt, vnd och gross sorg an jn vnd vff jn geuallen was. Also kam disem herren von den curfürsten gross träffenlich bottschafft zuo der nüwen statt in österrich, die jm saiten, dass er zuo ainem römschen küng erwelt wär ainhellenklich von den curfürsten, vnd enpfalhent jm das hailig römisch rich als denn das gewonlich ist. Also nam sich diser fürst ze bedenken, ob er sich des römschen riches welt vnderziechen oder nüt, won jm suss so vil lüt vnd land vnd grosser sorg enpfolhet was, vnd danket also den fürsten erlich, früntlich vnd getrülich ir wellung, ir eren vnd wirdikait, so si an jn gelait hatten, vnd nam sich also ze bedenken biss vff den nächsten sant jergen tag des hailgen ritters, so welt er den curfürsten ain luter antwurt geben.

Also ward vff sant jergen tag des vorgenanten jars, do antwurt hertzog fridrich von österrich, der erwelte küng, den fürsten, die ir treffenlich bottschafft bi jm hatten, er welte sich also vnderziechen des hailgen römschen riches; gott zuo lob vnd zuo eren der hailgen kilchen vnd der gantzen cristenhait ze nutz vnd ze trost vnd den fürsten ze willen vnd jm selb ze hail welt er die kron vnd künklich wirdikait empfachen vnd die schweren burdin vff sinen ruggen nemen vmb gemaines nutzes willen, doch mit hilff vnd rat der curfürsten vnd ander cristner fürsten vnd herren, won er bekante, dass er ainem sölichen regimen vnd gewalt ze jung wär vnd jm wisshait vnd vernunft gebräst. Sider er aber ainhelliklich von den curfürsten erwelt wär gantz on sin zuotuon, so welt er sich willeklich vnd durch gottes willen darin geben.

It. er huob och sin selb uor wie dem huss von österrich vnd sinen vordren grosser schwarlicher schad zuo gezogen wär vnd inen das ir abgebrochen wär wider gott vnd recht, vnd wie küng sigmund der römsche küng vnd ze vngern küng sinem vetter hertzog fridrichen von österrich vnd dem hüse österrich vil stett, schloss, lütt vnd land abgebrochen hett, ain tail hin geben hett, ain tail dem rich zuo gezogen hett, vnd etlich stett och daby gefrygt hett, das er doch nüt maint also lassen beliben; sölt da jeman sprechen, es wärent fürsten, herren oder ander, dass er dem rich von zug vnd jm selb vnd dem hus österrich zuo, das wär jm laid, vnd wölt och solichs vor komen, won er welt je das sin vnd das dem huse ze österrich zuo hett gehört, niemer lassen faren. Also ward jm das gantz gewilgot von den fürsten, vnd gabent jm och dess gelimpf vnd versprachent och dem küng mit lib vnd guot darzuo ze helffen.

It. diser küng was vast ain ernsthaffter göttlicher her, dem nit wol

was mit vil schimpfes vnd schalles; wie wol er jung was, so traib er doch
kain muotwillen, denn gar selten mit tanzen vnd mit sölichen sachen. Jm
lag vast der ernst an. Er stuond des morgens fruow vff vnd bätet vnd
hort sin mess mit ernst andächtklich an sinen knüwen. Er hat dik rat
vnd verdross jn dess nüt.

It. er was wäch vnd vast kostlich mit allen sinen dingen mit gewand,
klainott vnd was zuo sinem lib hort. Er hat gelt vnd guot vast lieb. Er
vastet gewonlich all wuchen zway oder dry tag. Er trank gar wenig win.

**39. Versus, in quibus hortatur romanorum regem noniter electum ad conqui-
sitionem bone conscientie per bonas operaciones.**

> *Rex friderice pium cor habe sine labe proterui.*
> *Rex bone consilium* [48]) *sanum ne despice* [49]) *serui.*
> *Sis accessibilis, tractabilis et pietosus,*
> *Sis clemens, facilis, omnisque boni studiosus,*
> *Strenuus ecclesie tutor, papam reuerere,*
> *Pressis pauperiem releua* [50]), *miseris* [51]) *miserere.*
> *Semper ubique caue strepitus nimios que tumultus* [52]).
> *Toto posse faue legi, vanos fuge cultus,*
> *Toxica, si sapias, et amicos fraudis* [53]) *inique,*
> *Solerter fugias, et in hoc sis cautus ubique.*
> *Rectores habeat tua curia more bonorum,*
> *Ne virtus habeat propulsa malo viciorum.*
> *Omne nocens reprime bene prospiciendo saluti*
> *Corporis ac anime studeasque salubrius uti.*
> *Infingas menti quam vitrea* [54] a) *gloria mundi,*
> *Ac ipsam senti sub puncto posse retundi.*
> *Jussa dei sequere, sis dux fautor quoque legum,*
> *Ut possis vere sic regi dicere regum:*
> *Xpe tuis equor* [54] b) *mundi placans* [54] c) *ope multa,*
> *Rex sum, recta sequor, rego subdita, reprobo stulta,*
> *Sperans celeste regnum per te michi dandum,*
> *Nam colo te teste vis* [54] d) *detestorque nephandum.*

40. De prepolencia pape et regis romanorum.

> *Sol et luna duo prestancia sidera lucent,*
> *Et tempus variant, ducunt semper quoque ducent,*
> *Sol est papa dies dans, hoc est spirituales;*
> *Luna regit noctes, quia rex ducit laïcales.*
> *Lune sol dat lumen, et hic potes ipse videre,*
> *Quod rex a papa doctrinam debet habere.*
> *Si rex res agerc bene vis, papam reuerere,*

---

48) Hü. verschr. *concilium.* 49) Hü. v. *respice.* 50) Hü. v. *reuela.* 51) Hü. v *mis-
sis.* 52) Hü. v. *tumulatus.* 53) Hü. v. *frades.* 54 a) Hü. v. *qua octria.* 54 b) (sic)
54 c) (sic). 54 d) (sic). Nur eine bessere Handschrift kann hier helfen.

Sic que potes regere subjectos tu que regere.
Rex nisi subiectos recte regat atque se ipsum,
Nomen deperdit, laterem credens dare gipsum.
Litus arat [55a]*), calcare parat flammas pede nudo,*
Imbres atque niues fieri putat aere sudo.
Ecce duo gladii sunt hic, velut asseruisti,
Petre videns furere iudeos in nece Xpi.
Hi duo se gladii coadaptent ecclesie que
Feruentes pace studeant mala pellere queque.
Petrus erat petra Xps super hanc sibi petram
— — — — (fehlt) — — — —
Ut si filius est ibi perditionis et ire,
Possit cum gladio verbi teloque ferire.
Si minus, inuocet auxilium brachii laicalis,
Ut uel sic gladius necet hostem materialis,
Hunc gladium F. patenter habeatque potenter
Assis et papae subsis indeficienter.
Eius consilio sicut auxilio tuearis
Ecclesiam, nec abhoc vmquam puncto retraharis.
Territus hoc gladio fur, latro, predo quiescat
Bellorum strepitus cesset, pax vndique crescat.
Detque deus tales gladii [55b]*) virtute retundi*
Hostes ecclesie per singula climata mundi.
Vaginam gladius post ponat donec inique
Perfidie per eum scelus excidatur ubique.
Flammeus, versatilis est gladius paradisum
Seruans, per quem vis fugat in contraria nisum.
Fridrici gladius simili perimat [55c]*) racione*
Hostiles acies ebantes [55d]*) iura corone.*
Cunctis longa manus est regibus, et manifeste
Romano regi longissima, canone teste.
Omnia sic debent augusto regna subesse,
Huic omnes laicos caput inclinasse necesse.
Namque dei quae sunt ipsi reddenda deo sunt,
Et regis quae sunt regi, nam talia prosunt.

41. Wie der junge fürst hertzog fridrich von österrich zue ache jn rait, vnd liess sich da ze küng krönen.

Anno dni Mccccxlij an dem fünfzechenden tag im brachot vff ain fritag in die viti et modesti do rait ze ach jn der aller durlüchtigest fürst vnd her hertzog fridrich von österrich vnd römscher küng, vnd wolt sich da lassen crönen nach loblicher gesatzt vnd ordnung der hailigen cristenhait vnd des hailgen römschen riches, vnd ritten also mit jm diss nach-

---

55 a) *aurat* Hü. 55 b) *gaudii* Hü. 55 c) *periunt* Hü. 55 d) *ebcantes ?* i. e. *privantes ?* kaum.

geschribnen fürsten vnd herren, vnd hatt jetlicher sin volk geziert vnd be-
zügt nach dem herrlichosten vnd kostlichosten so man erdenken kond.

42. Der hertzog von sachsen.

It. des ersten rait des hertzogen volk von saxen, der was hertzog zuo
saxen vnd marggraff zuo missen, vnd hatt des küngs schwester zuo der e,
hertzog ernsts dochter von österrich. Des ersten trumeter vnd pfiffer, dar
nach xiij paner, darnach iij verdakte ross, darnach xiiij renner vff herlichen
rossen, wol geziert mit schönen veder böschen, darnach der gantze huff
herren, grafen, fryen, ritter vnd knecht, jederman vff das kostlichest geziert
nach sinem stat, die ritter guldin, die knecht silbrin, vnd all bezügt von
fuoss vff vntz ze obrist, vnd dar zuo vil herlicher schützen. Diss volkes
warent fünfhundert pfärit.

43. Der pfallents graff by rin.

It. disem volk nach rait hertzog ludwig von payern vnd pfallentz-
graff by rin, och trumeter vnd pfiffer vnd iiij paner, dar nach vil knaben
mit schönen herlichen rossen, wol geziert mit vederböschen. Darnach der
aller herrlichest züg so man erdenken kan, graffen, fryen, ritter vnd knecht,
jederman in gantzem züg, baingewand vnd alles das man haben sol, vnd
hat sich jederman vff gemacht, so er erlichest vnd herlichest kond, mit
gold vnd silber, als inn den gezam. Diss volkes warent tusent pfärit.

44. Der bischoff von lüdich.

It. dar nach rait der bischoff von lüdich mit ainem herlichen vserwel-
ten züg vnd mit jm vil graffen, herren, ritter vnd knecht, vnd vast hüpsch,
herlich vnd redlich lüt, vnd ritten all in ainem klaid. Diss was cccc pfärt.

45. Der hertzog von berg.

It. darnach rait der hertzog von berg mit ainem herlichen volk, all
wol erzügt von fuoss vff vntz ze obrist, vil graffen, herren, ritter vnd
knecht, all kostlich vnd vff das herlichost geziert vnd wol geordnot. Man
schatzt disen huffen für acht hundert pfärit.

46. Die procession gieng dem küng engegen.

It. dar nach gieng die procession mit dem crütz vnd mit dem hail-
tum als man dem küng engegen gangen was, alle schuoler vnd pfaffen
vnd alle die orden vnd priesterschafft so ze ach waren, mit grosser wirdikait.

47. Dar nach rait der küng mit sim her.

It. der procession nach kam des künges her. Des ersten trumeter vnd
pfiffer, darnach sin volk vnd sine paner, herren, graffen, fryen, ritter vnd
knecht, jederman wol bezügt vnd vff das kostlichest vnd herlichest so man
erdenken kond, vnd rait der küng enmitten vnder ainem volk in ainem
blossen panzer, vnd dar ob ain kostlichen guldin gürtel, vnd rait jm der
hertzog von sachsen vor nächst, der fuort jm das schwert vor, vnd rait

neben dem.küng zuo der ainen siten der bischoff ze köln, vnd zuo der
andren siten der bischoff von mentz vnd der bischoff von trier, vnd dar
nach ander gross mächtig herren vnd ritter vnd knecht.

48. Des bischoffs volk von köln.

It. dar nach rait des bischoffs volk von kölln, vil edler graffen, her-
ren, fryen vnd knecht, all wol erzügt vnd vff das kostlichest geziert so
man erdenken kond. Diss was der grösst huff, vnd wurden ouch für den
hüpschesten [56]) wäpner geschetzt.

49. Des bischoffs von ments vnd des von trier volk.

It. dar nach ritten des bischoffs volk von mentz vnd des bischoffs
volk von trier nebent ainander in ainem huffen, das was gar ain hüpsch
herlich volk von graffen, herren, ritter vnd knechten, vnd kostlich vnd
vast wol bezügt, vnd was ouch vil der grösst huff, won er was zwayer
herren. Von diser herlikait vnd von disem inritten vnd von den herren
allen wär vil ze sagen, das man nüt alles geschriben kan.

50. Margraff von brandenburg.

It. morndes an dem samstag kam der margraff von brandenburg ouch
gen auch mit ainem herlichen schönen züg vnd mit vil volkes, herren, rit-
ter vnd knechten, kostlich erzügt, vnd alle wol gewapnot, ouch mit paner
vnd ander herlikait.

51. Wie man den küng krönte, vnd wer da zegegin was.

Aber morndes an dem sunnentag, das was der siben zächent tag in
dem brachot, do enpfieng küng fridrich von österrich die künglichen kron
in vnser lieben frowen münster zuo ache vor vnser frowen altar, do man
den das von alter her loblichen pfligt ze tuon, vnd warent die cyrfürsten
alle da zegegin; mit grossen eren vnd hocher wirdikait ward das alles da
verbracht. Der bischoff von cölh sang die mess vnd hat das ampt, vnd
satzte dem küng sin künglich kron vff mit den andren fürsten, die da zuo
gehorten, der bischoff von mentz vnd der von trier. . . .

It. der bischoff von cöln crismiert den küng vnd tät jm sölich vnd
ander künglich wirdikait, als man ainem römschen küng tuon sol, so man
jm die künglichen kronen vff setzet, won da ist grosser ernst, andacht,
wirdikait vnd grosse herlikait by. It. er enpfieng das hailig sacrament.
It. er schwuor ouch vnder dem ampt, e ob er krönt ward, vff dem ewan-
gelium den aid, den ain römscher küng tuon sol. Also dienten jm die welt-
lichen curfürsten da, jeglicher in sinem ampte. Ainer truog jm das schwert,
der ander den öpfel, der drit das zäpter, also dass jm alles das erlich vnd wir-
denklich beschach, das man ainem römschen küng tuon sol. By diser krö-

---

56) Hü. versehr. büpschen.

nung warent vil fürsten, bischoff, hertzogen, graffen, fryen, herren, ritter
vnd knecht, gaistlich vnd weltlich, stett vnd ander, dass also gross volk
da was. Man hatt vil geharschner lüt vor dem münster, die da huotten,
dass kum der zechend mensch in das münster kam, denn die in dem getreng mit den herren hin kament, es wärint denn die darzuo gehorten. It.
er schluog ouch nach dem ampte in der kilchen vff dem stuol, da er krönt
ward, xxiij ritter edel die jm wol genoss warent; er macht nüt puren ze
ritter als küng sigmund sin vor far geton hatt. It. da beschach och etwa
mangs das nüt alles hie geschriben stat.

52. Wie der küng ze tische gieng, da er sin künglich kron enpfangen hatt.

It. do nu das ampte geschechen was vnd der küng die kron enpfan-
gen hatt, da bliessent trumeter vnd pfiffer vff vnd ouch herhorn, vnd fuort
man den küng vss dem münster vff das rat huss in ainen herlichen gros-
sen gewelbten [57]) sal, vnd giengent da mit jm alle fürsten vnd herren, ritter
vnd knecht, stett vnd ander, die denn da zuo gehorten oder da zuo ge-
latt [58])' warent. Also hatt man berait ain herlich kostlich mal, dem man
spricht das hochmal oder das fronmal. Also satzte man den küng vber
ainen tisch, der was etwas höcher denn die andren tisch, vnd was obnen,
hinen vnd vff der erd behenkt mit guldinen tuochen vnd vff die erd ge-
sprait. Sin tisch was geziert loblich mit aller herlikait als aim römschen
küng wol gezam vnd zuo gehort. Gen jm vber was ain tisch berait, da
sass der bischoff von trier; näbent jm warent zwen tisch berait, da sass
an dem ainen der bischoff von mentz, vnd an dem andren tische der bi-
schoff von cölln. Da zwischent warent dry tische berait, da sass an dem
ainen tische der pfallenzgraff by rin, an dem andren der hertzog von
sachsen, an dem dritten der margraff von brandenburg. Also warent ouch
die tische alle geziert, als es den curfürsten wol gezam. Darnach sassen
hertzogen, fürsten, bischoff, graffen, herren, ritter vnd knecht, jederman
nach dem vnd er was, stett vnd lender, die dann zuo dem mal gelatt wa-
rent. It. fürsten, herren sassen besunder dar nach je dry, iiij oder fünff
an ainem tisch, won es warent als klain vnd viereggat tisch, vnd zuo jeg-
lichem tisch was geordnet ainer von des küngs hoff. Also do man nu
das essen bracht, da stuonden drissig oder vierzig trumeter vnd herhorn,
die all vff bliessen in dem sal, als ob der sal vm welt fallen, vnd gien-
gent also dem essen vor biss zuo des küngs tische. Dar nach gieng ouch
das trinken mit grosser herlikait. Dar nach bracht man in ainer silbrin
stangen ain gantz gehüss von silber vnd gold, was formiert nach ainer
herlichen veste mit vil türnen vnd ergern; das tät man vff vnd nam man
das confegt vnd andri herlikait, so denn zuo des küngs tische gehort. Der
küng hatt ouch solich kostlich herlikait von silber vnd gold vnd von ge-
stain, so zuo dem tische gehort, dauon vil ze sagen wär. Da stuonden

---

57) gewelten Hü.   58) geladen.

ouch an der schow in dem sal vil grosser kanten vnd köpf von vinem
geschlagnem gold vnd von silber, kostlicher klainott manger hand von gold
vnd von edlem gestain, becher vnd anders so man si kostlich erdenken
kond, die man nüt zuo dem tische brucht, vnd warent dennocht alle tisch
geziert vnd berait mit aller herlikait von gold vnd silber jederman als jm
denn gezam vnd zuo gehort. Es stuonden ouch vor dem tisch iij gross
silbrin körb mit guldin raiffen gebunden. Es was ouch menger lay herli-
kait da das man nit alles geschriben kan, denn es was alles so kostlich
vnd herlich vnd so gross richtum als es siner künglichen wirdikait wol gezam.

53. It. von dem ochsen, den man gantz briet.

It. man hatt ouch an der strausse ain grossen (ochsen) [59]) gantz ge-
bratten mit hopt, mit hornen, mit füessen, als er was, denn dass jm die
hut ab gezogen was. Man hatt dar in gestossen ain schwin, ain wider
vnd ain gans, da mit was der ochs gefült. Also briet man jn an der
strausse, vnd warent an jetwedern spiss haspel gemachet, damit jn die
knecht vm tribent. Es mocht jederman, wer wolt, ab dem ochsen schni-
den vnd essen, es wärint buobinen oder buoben. Es gieng ouch da by
ain brunn von win, da mocht ouch jederman trinken, wen das lust oder
der wolt. Diss wert als lang als das mal da der küng auss [60]).

54. Der küng lech den fürsten ir lechen, des ersten dem pfallentz grafen.

It. dar nach an dem mentag sass der küng in siner künglichen ma-
iestat, und die fürsten nebent jm, do rait hertzog ludwig von der pfallentz
mit allen sinen herren vnd dienern, vnd so er kostlichest kond, für den
küng, vnd enpfieng da sin lechen mit iiij panern vor dem küng.

55. Der hertzog von sachsen.

It. aber des selben tages nach hertzog ludwigen rait der hertzog von
sachsen mit allen sinen dienern vnd mit dem aller hüpschesten züg ouch
für den küng vnd mit iiij paneren, vnd enpfieng ouch also sine lechen
mit grosser herlikait.

56. Der margraff von brandenburg.

It. aber darnach an dem zinstag sass der küng aber in siner maje-
stat mit den fürsten. Do enpfieng der margraff von brandenburg sine
lechen. Er kam ouch mit grosser herlikait für den küng geritten mit allen
sinen herren vnd dienern, mit iiij paneren.

It. darnach aber dess selben tages rait der hertzog von berg mit sinem
volk, mit herren, ritter vnd knechten für den küng, vnd enpfieng sine
lechen mit iiij paneren.

---

[59] ochsen fehlt Hü. [60] d. h. aus.

57. Man liess den küng das hailtum sechen.

It. aber dar nach an der mittwochen liess man den küng das hailtum sechen, vnd ouch menklichem dem küng zuo eren das hailtum. Des ersten das hemd, das vnser frow an hatt do si gott gebar, die windlen, die tuoch, da gott vff lag, vnd dar in er gewunden ward, als er geboren ward Das hailig tuoch, das gott an dem crütz vmb hatt, do er 'durch alle sünder vnschuldeklich starb. Das tuoch, do sant johansen baptist sin hopt vff abgeschlagen ward. Vnd vil ander stuk, die man ze ache sechen laut zu der engel wichy, vnd stuond der küng obnen dar by, da man es sechen laut, vnd ander gross herren.

58. Der küng schied von auch.

It. dar nach an dem donstag schied der küng von ache, vnd rait gen cöln.

59. Der küng rait ze köln in.

It. aber dar nach an dem fritag rait der küng ze köln in. Also ritten vnd giengen jm die von cöln engegen, so si kostlichest mochten, vnd enpfiengen jn mit grossen eren vnd wirdikait als ainen römschen küng, vnd füerten den küng vnder ainer kostlichen himelzen bis an die herberg. It. die von cöln schankten dem küng des ersten x fuoder win vnd dar zuo vil visch vnd xij ochsen vnd hundert malter haber. It. si schankten jm ouch dar nach ain grossen silbrin kopf, vergült, ouch vol guldin, vnd ain silbrin küelgelten mit vergulten raiffen. Vnd dar nach schankten si dem küng an die herberg alle tag, als lang er ze cöln was, all tag zwierent als vil win als xxvij statt knecht getragen mochten, jeglicher ij krüeg an den henden.

60. Der bischoff von cöln enpfieng lechen.

It. dar nach vff den nächsten sunnentag, da was ouch sant johans tag des töuffers, sass der küng ze köln aber in siner majestat vnd die fürsten by jm. Also kam der bischoff von cöln geritten mit grosser herlikait vnd mit vil herren vnd schönem züg mit iiij paneren, für den küng, vnd enpfieng da sine lechen von dem küng mit wirdikait, als das denn gewonlich ist.

61. Der bischoff von lüdich enpfieng lechen.

It. aber dar nach vff den selben tag enpfieng der bischoff von lüdich sine lechen mit grosser herlikait von dem küng.

62. Der hertzog von mächelburg enpfieng lechen.

It. ouch des selben sunnentages enpfieng ain hertzog von mechelburg sine lechen von dem küng. Der rait mit iij paneren für den küng, vnd mit ccc pfärden hüpscher wol bezügter lüt.

63. Die von köln schwueren dem küng.

It morendes an dem mentag, das was der nächst tag nach sant johans tag, do schwuorent die von köln dem römschen küng offenlich, dass es menklich hort, vnd gab jn der burgermaister von köln selb den aid, vnd retten jm die andren burger von cöln alle nach vnd schwuoren.

64. Der aid in forma.

Wir fry burger von cöln, frowen vnd man, geloben vnd schweren vnsrem gnädigen herren hertzog fridrichen von österrich, römscher küng, trüw vnd hold ze sin, so bitten wir vns gott zuo helffen vnd die hailgen.

65. Der küng zoch von köln.

It. also darnach zoch der küng von cöln wider den rin vff gen mentz, vnd dar nach gen frankenfurt, won zuo frankenfurt wartetend vil herren vnd stett des künges zuokunfft

It. des selben mals warent ze frankenfurt me denn achtzig stett boten, die da ir bestättung vnd fryhait von dem küng begerten vnd nemen wolten, an fürsten, graffen, herren, ritter vnd knecht.

It. also ward nu allen stetten ir fryhait vnd genade bestettigot, so si von küngen vnd kaisern vor gehept hatten, an allain den aidgenossen; die wolt er nüt hörden *k*).

66. Ain kalter winter.

Anno dni Mccccxxxv do was der winter als kalt, dass der rin vberfror von basel bis gen durtrecht.

It. der bodensew gefror, dass man von der langen argen bis gen arbon über den sew gieng, vnd man ze costentz in die statt vff dem see rait vnd gieng [61]).

It. es was och der zürichsee mit ainander vberfroren bis gen zürich in die statt, dass man zuo den schwirn jn raitt vnd gieng.

It. es flugenf die wilden enten vnd ander wild vögel ze zürich in die statt von grossem hunger, als ob si zam wärint, vnd gebott man ze zürich an ain buoss, dass inen nieman enkain laid tät, vnd kofft inen vil lüt brot vnd warf inen das für; das assent si recht als ob si zam wärint.

It. die enten vnd die belchenen [62]) ze rappreswil in der rüni wurdent von kelti vnd von hunger, dass si die rappen vnd ander vogel assent, vnd dass si die lüt in die hand fiengent, vnd warent als mager, dass si nit me ze essen warent [63]), vnd dass man ir vil in den hürden tod fand.

It. diss kelti was fast streng vnd wärt och lang.

---

61) Tschudi fügt bei: vnd man mit schlitten vnd rossen von fusssach gen lindow fuor, vnd von lindow den nächsten an den Rorspitz über den witen See. Chron. II. 212. 62) belchen Hü. 63) nit me ze essen solten Tsch. Hü.

k) Die §§ 31 bis 65 allein bei Hü. p. 114—130. überall „maul, nauch, grauffen, laussen" etc.

67. Die statt zug gieng vnder.

It. in disem vorgenanten jar, an dem dritten tag im merzen, gieng z u g
vnder, die statt; die ringmur vnd türn vielent in den see vnd xxvj hüsser
vnd vil spicher vnd ander ding.

It es warent ertrunken bi fünfzig mentschen, es wärint man, frowen
oder kind, vnd floch jederman vss der statt, vnd wond man, si wölt mit
ainandern vndergan, wan es was ain erschrockenlich ding [64]).

68. Der win was fast tür.

Anno dni Mccccxxxvj was der win fast tür, man gab ze zürich vnd
an dem zürich see ain aimer win vmb fünf pfund, das was gewonlich der
louff zwüschent pfingsten vnd sant michels tag.

It man gab och gewonlich des selben jares den zürich win vmb vj
lb. haller.

It. also bracht man och des selben jars [65]) win von kläffen vnd von
fältlin, vnd gab man ain aimer des selben wälschen wins vmb v lb. vnd
vmb vj lb. als den landtwin.

It. do der nüw win ward, do gab man ain aimer win vmb ij lb. vnd
dabi, vnd darnach bald ward er aber türer, wan es ward wenig win Das
nechst jar darnach ward aber kain win von winter frost.

69. Es kament tonder vnd blitzen vor wienecht.

Anno dni Mccccxxxvij, an dem dritten tag vor wienecht kam t o n d e r
vnd b l i t z e n als in dem sumer, vnd was och warm; des selben jars ward
ze w i n t e r t u r an allen reben, so vm die statt ligent, nit me denn xviij
mass wins, darnach kam es ain hert jar von grosser türe an allen dingen.

70. Ain hert jar.

Anno dni Mccccxxxviij was es das hertost jar von grosser türe
in allen landen, als es vor in vil jaren je gehört was, vnd lebt och kain
mentsch das sölicher türe gedenken möcht oder davon je gehört hett, ge-
mainlich an allen dingen vnd vberall. Vnd sölicher grosser gebrest was
an vil enden, dass davon vil ze sagen vnd ze schriben wär. It. das korn
sluog vff in dem maien ze zürich vnd daselbs vm, das man ain müt ker-
nen gab vmb iiij lb. haller, vnd vmb fünf pfund, vnd in etlichen stetten
vmb iiij guldin, vnd ain malter haber noch türer. Also bestuond es bi
guoter türe bis man abgesnaid, vnd maint jederman, es sölt wolfail werden
nach der ern, wan es stuond hüpsch korn vff dem feld; aber es beschach
nit, wan ee man die gersten ab geschnaid [66]), do hatt man si gessen, vnd
was jederman des nüwen korns fro, vnd sluog wenig ab.

It. man gab ain müt gersten vmb ij lib vnd vmb iij vnd [67]) dabi.

---

[64]) Ganz so in Tschudi's Chron. II. 213. erschrocken ding Hü. [65]) den zürichwin
— desselben jares (win von Cläven) in Hü. übersprungen. [66]) abgeschnitt Hü. [67]) vnd
vmb iij — bei Tsch. übersprungen.

It. als nun das korn so tür gieng, da hatt jederman an dem andern verzagt. Die stett all welche korn hatten, die woltent nieman kain korn vss den stetten lassen denn mit grosser bitt vnd von besunder früntschaft wegen.

It. es warent och vil stett in dem elsass vnd anderswa, die ain ordnung gemacht hattent, dass man kainen frömbden noch niemand vss ir statt liess nit me nemen denn brot für ain blapphart. Also gieng dennocht vil armer lüt ab dem land in die stett, dem koff nach, ain mil oder zwo, wan es was grosser mangel vnd gebrest allenthalb.

It. es warent och desselben jares alle ding tür, korn, win, vnd alles das man essen solt, vnd was doch nit an ainem end tür, sonder im land allenthalb [68]); doch was grösser gebrest vnd türe in ainem land denn in dem andern.

It. es was och grosser hunger vnd gebrest in den stetten, man hatt ze costenz vnd in vil andern stetten knecht vnd jungkfrowen gnuog funden vmb die kost [69]). Es warent och vil starker knecht in den stetten, die sich wundent vor hunger, vnd inen niemand nünts ze werchen geben wolt vmb die kost, vnd gieng och vbel mit vil andern dingen, davon vil ze schriben vnd ze sagen wär.

It. es gieng och vff dem land so vbel vnd so hert von der türe, dass vil lüt was, die in ainem halben jar nie kain brot hatten, denn das si krut, reben [70]) vnd sölich ding sutten vnd assent; vnd wer kü hatt, der lebt wol, das si ducht, die assent milch vnd ziger, vnd sutten krut in der milch, vnd zugent sich also hin, vnd muost vil lüten jamer vnd grossen hunger vnd mangel an ir kinden sechen vnd gebresten an jn selb han.

It. es was och dabi vil lüt, die vmb kain türe wissten jin jr hüser, vnd och weder gebresten noch mangel hatten, weder mit essen noch mit trinken, vnd was doch jederman an dem andern verzagt. Man sach och nit dass sich niemand ab diser grossen türe bessroti, weder arm noch rich *l*).

71. Die von basel verbundent sich zuo denen von bern.

Anno dni Mccccxlj verbundent sich die von basel zuo denen von bern vnd von soloturn xx jar, vnd behuobent die von basel inen selb

---

68) vmendum Hü. 69) vmb die kost bei Tsch. übersprungen. 70) Schweizerausdruck für Rüben (*raves*).

l) Anno dni Mcccc vnd xxxviij jar do kam ain grose türung, die gieng durch alles tütsch vnd weltsch land, vnd weret zway jar, vnd was groser brest durch alle land, vnd galt ain müt kern in disem land v lib hlr vnd ain fiertel haber vij β hlr.

Anno dni Mcccc vnd xxxix jar do was ain grosser sterbet in disem land in allen stetten vnd dörffern, vnd mit namen durch alles tütsch land, vnd weret wol ij jar in tütschen landen, vnd vieng ze costentz an sterben vmb die vasnacht, vnd weret vntz sant andres tag, zu zürich, wintertur, schafhusen vnd frowenfeld vieng es an in der vasten, vnd weret in disem land vntz zuo sant andres tag, do hort es vff. Cod. 630 p. 403.

vor den römischen küng vnd den bischoff von basel. So behuobent die
von bern inen selb vor den küng vnd die pündt, so si mit den aidtge-
nossen hand von zürich, switz, vnderwalden, vre etc. Also swuorent die
von basel gemainlich, arm vnd rich, offenlich an dem kornmarkt den pund
also getrüwlich ze halten, vff den nechsten sonnentag nach der alten fast-
nacht, das was der zwölft tag im merzen des vorgenanten jars.

72. Ain grosser sne.

Anno d. Mccccxlij, an der pfaffen fastnacht abent was der aller grosst
sne gefallen, den man vor in vilen jaren nie [71a] gesechen hett. Es konnd
nieman gewandlen, vnd muost man die techer schorren, vnd brach och vil
hüsser in von dem sne, vnd forcht man, dass er niemer mer abgieng denn
mit grossen schaden. Also gieng er bald vnd hüpschlich ab on regen,
vnd dass er kain schaden tät, weder dem korn noch den reben, vnd zer-
gieng also onschädlich.

73. Ain guoter sumer.

In disem jar was es ain gar guoter sumer. Es was haiss vnd truk-
ken, vnd ward korn vnd aller frucht ain notturft. Es ward fast ain guoter
sayet, vnd was dennocht wenig regens. Es was den gantzen sumer vnd
den herpst haiss, vnd kam dennocht kain wetter, weder hagel noch tonder,
als gewonlich in haissen ziten kompt. Es ward och der aller best win
vnd dess gnuog, als es vor in funfzig jaren je ward, wan der win hatt
wetter nach wunsch.

74. Küng fridrich krönt.

In disem jar ward küng fridrich von österrich ze ach mit grossen
eren krönt, als dauor geschriben staut. Vnd wa er was, da was es wol-
fail, vnd hielt vil lüt, man hett das guot wetter vnd das guot jar von jm,
won er in dem land was. Er was ouch ain fromer göttlicher her [71b].

75. Ain kalter herter winter.

Anno d. Mccccxliij was ain kalt hert winter. Der zürichsee über-
fror, vnd erfrurent die reben an dem zürichsee gantz, dass kain win ward.
Die reben erfrurent och an dem bodensee vnd an andren enden, dass
der win des selben jars tür ward.

76. Ain gross sne in dem mayen.

It. des selben jars an des hailgen crützes tag in dem mayen schnigt
es den ganzen tag, vnd was auch darzuo kalt. Es viel ain grosser sne,
dass es ainem man über sinen fuoss gieng ze tal, vnd vff den bergen
gieng der sne ainem man biss an sine knie.

Anno d. Mccccxlvj an dem balmtag [71c], huob es an ze schnigen, vnd

---

[71a] je Hü.   [71b] Blos bei Hü. p. 133.   [71c] 10. April.

mornendess an dem mentag den ganzen tag, vnd viel ain gross sne, vnd was ouch vast kalt. Es waren lang isselen [71d]) an den tächeren als ze mittem winter, vnd viel ain gross riff, vnd erfruren die reben an dem bodensew vnd an dem necker vnd anderswa, wan die kelti vnd der sne giengen durch das ganz land vnd den rin ab, vnd beschach grosser schad an allen dingen von der kelti.

It. es was vast ain guoter trukner mertz geein, vnd was vil bluostes erfrurent, besunder die kriesi blüegten in all macht, vnd kam die keltin an dem zächenden vnd ailften tag des aberellen. Vnde Versus:

Denus et vndenus est mortis vulnere plenus.

In dem selben jar ward der win in allem land tür; den rin ab, an dem necker, in dem elsas, im brissgew, in tütschen vnd welheschen landen erfruren die reben [71d]).

---

71 d) Eiszapfen. 71 e) Hüpli p. 133. 134.

Vierte Abtheilung,

bis zum Jahre 1460[a].

It. fryburg die statt im brissgöw ward gebuwen von dem hertzogen von zeringen nach gottes geburt xjc vnd lxxxxj jar[b].

It. fryburg die burg ward darnach gemacht lxxx jar[c], vnd ward wider zerbrochen do man zalt xiijc vnd lxvj jar[d].

It. die cristenhait ist vast vffkomen von dem kaiser constantino vnd von dem bapst silvester, do man zalt ccc vnd xxviij jar.

It. sant jörg der hailig ritter erstach den wurm do man zalt cclxxv jar.

It. machmet, der heiden abgott, starb do man zalt sechshundert vnd drissig jar [1] [e].

It. karle der gross ward küng über tütsche land vnd in franckrich, do man zalt vijc vnd lxviiij jar[f].

---

1) Tsch. verschriben 530

a) Hier folgt Tsch. p. 286 abermal eine Abtheilung, die des letzten Ueberarbeiters, bei Hü. p. 134 wieder mit seinem „Hans Erhart von Rinach Ritter."

b) Do man zalte 1091, do vienge her berhtolt v. zeringen, ein hertzoge von swoben, die stat zu friburg an zu buwende. Do noch wart der selbe berhtolt erschlagen zu mollesheim, do man zalte 1122 jor. Closener p. 109. Vrgl. Cod. 632 (Königshofen) p. 366. 629 p. 240. Druck p. 316. Tschudi fand die Jahrzahl falsch, und schrieb ob das Wort Breisgau „Vechtland". Es ist Berchtold III. † 1122.

c) Ist, von 1191 an gerechnet, richtig, nämlich 1270, wie Königsh. und Cod. 629 auch sagen.

d) Codd. citt. eben so.

e) It. jacob der patriarch vnd esaw sin bruoder lepten vor gottes geburt tusend cccc jar. Hü. p. 134.

f) It. die lamparter wurden all vss lamparten vertriben von her dietrichen von bern, vnd fluchen in vngerland 800 jar. Dar nauch über 40 jar kamen si wider in lamparten, vnd lamparten was ain küngrich 200 jar; das zoch kaiser karolo an das römisch rich, da man zalt 770 jar.

1. Der von toggenburg starb, darnach wurdent wunderbarlich louff in dem land g).

Anno d. Mccccxxxvj, an dem mai abent starb graff fridrich der hindrost von toggenburg, mit dem ward schilt vnd helm begraben, vnd was der mechtigost von toggenburg an lüt vnd land, der vnder sinem geschlecht je was gesin g).

It. derselb von toggenburg hatt sich fast gesetzt wider die herrschafft von österrich, vnd hat doch der mertail, was er hat, von derselben herrschafft.

It. er was burger ze zürich xxxvj jar gesin, do er starb, vnd hat mit

It. maria gottes muoter was xij jar alt, do si christum gebar, vnd lepte mit christo 33 jar, vnd nach sinem tod lept si xij jar.

It. moyses fuort die juden vss egipten land v. g. g. 1500 jar.

It. küng nabodokonosor ward zehowen von sim sun in 300 stuk vor g. g. 500 jar.

It. ninive die gross statt, die da was dryg tagwaid wit, die buwt ninus vor gottes geburt vff 2 tusend jar. Die selb statt gieng vnder v. g. g. 800 jar.

It. noe was 600 jar alt do er in die arch gieng, vnd lept nach der sündflut 400 jar. Vnd da er sterben wolt, kam für jn sini kind vnd sini kintz kind, der waren 24 tusent man aun frowen vnd kind, v. g. g. 1700 jar.

It. sant peter was 15 jar bapst ze rom, vnd ward gemartret mit sant paulo, do man zalt 70 jar.

It. rom was vff 800 jar vor gottes geburt.

It. salomon der wiss vff sibenthalb hundert wip. v. g. g. vff tusent jar.

It. maria magdalena starb do man zalt lxvj jar.

It. trier ist die eltest vnd die wirdigest statt ze tüschen landen, wan si ist die ersti statt hie dissem mer gemacht ist, vor gotz geburt vff tusend jar.

It. trier ward hin geben vnd alles. tüsche land bezwungen von den römern von gotz geburt vff 50 jar.

It. do moyses empfieng die 10 gebott, vor g. g. vff 1500 jar. Hü. p. 134. 135.

Hierauf folgt Hü. p. 136—163 eine lateinische Beschreibung des Basler Konzils, mit dem päpstlichen und dem Basler Wappen. Dann p. 163 der Zug nach Reinfelden, p. 164 achtzehn Verse auf die Herzoge Alemanniens, und das vorne erwähnte Instrument von 1166 über St. Gallens Vogtei, p. 165 eine verschriebene Angabe (anno 473, unter Papst St. Gregor) von St. Gallens Stiftung und *allotria*, und erst p. 174 des Toggenburgers Tod.

g) Das Pfäverser Nekrolog sagt zu jenem Tage: der hindrost vnd lest zuo velkirch vff dem schloss — gott tröst sin lieben sel, vnd ist der mechtigost, türost vnd namhaftigost her gewesen in tütschen vnd welschen landen, vnd sunder in curwalhen, von dem man me eren vnd redlicher taten gesait hat, won von kaim herrn, der in curwalhen je gelebt hab; von dem wüss ze sagen von vil wisshait vnd fromkait, dem gott gnedig sin wöll.

der von zürich hilff dem hertzogen vil lüt vnd land abgebrochen, das er mit gewalt inn hatt.

It. er was burger ze zürich vnd landtman ze schwitz nach sinem tod fünf jar, mit sinen lüten vnd mit sinem land, es wär sin pfand oder sin aigen.

It. er was ain vnfridlich man vnd sinen armen lüten ain herter herr, wan er straft si an lib vnd an guot, si wärint sin pfand oder aigen, vnd hatt kain erbermd über sine armen lüt, was guot antraf, wan er was daruf genaigt. Wo er guot wisst, da was kain erbermd, vnd half och kain bitt. Also tät er den sinen grossen trang an, vnd hat si och in grosser maisterschafft, als sich das nach sinem tod bewisst; doch (hatt) er die sinen sunst in guotem frid vnd schirm vor andren lüten *h*).

2. Die schloss vnd herrschafften, die der von toggenburg inne gehept hat.

It. der selb von toggenburg hatt in pfandswisse inne, das alles der herrschafft von österrich was, diss nach geschribnen herrschafften: die graffschafft mit aller zuogehörd, veldkilch, ranggwil, walgöw, bregenzerwald, montfort, torrenbüren, fuossaich.

It die herrschaft ze rinegg mit aller zuo gehörd, altstetten vnd das rintal.

It. die graffschaft ze sangans mit aller zuo gehörd.

It. die herrschafft ze frödenberg.

It. die herrschafft ze nidberg.

It. die herrschafft ze windegg, walenstatt, wesen, vff ammon, den gastern vnd was ze windegg gehört.

It. diss nachgeschriben was als sin aigen: tafas, brättigöw, maienfeld, marschlintz, vtznach, grynow vnd die obermarch, liechtenstaig vnd das turtal, starchenstain, sant johannertal, lütenspurg, batzenhait vnd das neckertal. Diss alles hatt er inn für sin aigen guot.

3. Der graff von toggenburg hatt sin wib bi sinem leben zue ainem erben gemacht.

It. als nun, diser von toggenburg gestarb, da hatt er sin wib, die was ain geborne gräffinn von mätsch, zuo ainem erben gemacht über als sin guot vnd über land vnd lüt, wan er nit näher erben hatt, vnd hat das getan bi sinem lebendigen lib vnd etwa menig jar vor ee er gestarb, vnd hatt och dess vrlob vnd bestätung von dem römischen kaiser. Aber do er gestarb, do sprachent die herren darin, vnd mainten si söltint dess von toggenburg erben sin, wan si jm zuo gehortint von sibschaft wegen, dess sich aber die von toggenburg wart ²), vnd ward also etwa menig tag darunder gelaist.

---

²) wehrte, wie kart kehrte, zart zerrte, markt merkte, starkt stärkte.

h) Vrgl. Tschudi Chron. II. 215. It. in dem obgenanten jar als graff fridrich der hindrest grauff v. T. starb, do was ain bapst ze rom, hiess eugenius der vierd. It. ain römscher kaiser, hiess sigmund. Hü. p. 175. Bei Hü. des von Toggenburg schreitende Dogge in Gelb wiederholt.

15*

It. die von zürich brachtent den von toggenburg darhinder, dass er sin wib zuo ainem erben nam, wan die von zürich wolten ain wissen von jm han, wer nach sinem tod ir burger war, vnd hatten das etwa lang mit jm getriben. Also gab er inen sin wib zuo ainem erben.

4. It. die lüt bünden sich zesamen, vnd satzten rät vnd hoptlüt.

Vnder disen dingen als die von toggenburg vnd die herren mit ainander tagoten vnd vmb das erb hadroten vnd zankoten, do versprachent sich die lender vnd die lüte zesamen, ainander ze helfen, wär dass si jeman vberziehen welt in ir land, oder si welt schadgen, dass si da ainandern wöltint helfen lib vnd guot retten.

Also versprachent sich die von walenstatt vnd vss sanganser land zuo denen von wesen vnd vss dem gastel, die och des hertzogen von österrich warent.

It. die von vtznach vnd was darzuo gehört, versprachent sich zuo denen von liechtenstaig vnd zuo dem turtal, die och des von toggenburg gesin warent.

Also band sich jederman nach dem vnd jm gelegen was, vnd satzten och vnder inen hoptlüt vnd rät, vnd schwuoren denen och also gehorsam ze sin.

5. It. die selben puren mochtent nit ruow haben vnd still sitzen.

It. in disen dingen als sie nun sassen vnd ir hoptlüt vnd ir rät geordnet hatten als si wolten, vnd inen darzuo niemant nüt darin sprach, vnd inen och nieman kain laid tät, do mochtent si nit fryd noch ruowe haben, vnd wolt ainer hin, der ander her, ainer wolt gen schwitz, der ander gen glaris, ainer gen zürich, dass jederman ain besunders wars, also dass die von zürich etwa dick ir bottschaft in dem gastern vnd in sanganser land hatten, vnd mit inen antruogen, ob si zuo inen schweren weltin, das och ain tail gern gesechen vnd getan hett; doch so wolt der mertail allweg nit schweren, si wolten an der herrschaft von österrich beliben, der si och von recht warent vnd sin soltent*i*).

6. Si wurbent etwa mangs, vnd wärint selbs gern herren gesin.

Also ward in disen dingen etwa manigs geworben vnd angetragen, das nit als aigenlich hie geschriben stat; doch so markt vnd verstuond man wol, was sie joch wurben oder taten gegen den hertzogen oder anderschwa, dass ir mainung vnd all ir fürsatz was, dass si gern herren für sich selb wärint gesin vnd kainem herren nüt pflichtig noch gebunden wolten sin, wie si das zewegen kunden han bracht, vnd burgent es dannocht fast wo si kunden oder mochten. Es warent och vil vnder inen,

---

i) Auch hier Tschudi Chron. II. 216.

die gern an ir alten stammen der herrschaft von österrich gesin wärint vnd es darbi hettint lassen beliben *k*).

7. Si schikten ir bottschaft zuo hertzog fridrich von österrich.

Also wurdent die lüt ob dem wallensee vnd darunder mit ainander ze rat, dass si ir bottschaft zuo dem hertzogen gen ynssprugg schikten vnd an den wurben, dass er si von der von toggenburg lossöte, dass si wider zuo sinen handen kämint, so welten si jm hulden vnd gehorsam sin, als from lüt irem natürlichen herren von recht vnd billich pflichtig sin söllent, wan si doch von alter her vnd von recht dem hus ze österrich zuo gehortint. Also hatten die vss dem gastal vnd vss sanganser land etwa dick ir bottschaft bi dem hertzogen von österrich ze ynssprugg.

8. Die im sanganser land vnd gastren baten den hertzogen etwa dik, dass er si zuo sinen handen losste.

It. als nun diss lüte so ernstlichen wurbent an den hertzogen von österrich, vnd och ir bottschaft etwa dik bi jm ze ynssbrugg hatten, vnd jn ermanten, dass si von alter vnd recht dem hus zuo österrich zuo gehortint, darbi si och gern beliben wöltint, vnd sterben vnd genesen als all ir altvordren je vnd je getan hettint, vnd och kaines herren anders begerten denn sin, wär och sach, dass sich die von veldkilch oder ander wider jn wöltin setzen oder helfen vngehorsam sin, so wöltint si jm mit lib vnd guot helfen vnd dieselben gehorsam machen.

It. si hatten och dem hertzogen für, wie die von zürich hettind erworben, als si maintint, von dem römischen küng sigmund, dass si die selben pfand möchtint zuo ir statt handen lössen, windegg mit aller zuo gehörd vnd sanganser land, vnd hättint sölich frihaiten bi dess von toggenburg ziten erworben, vnd baten den hertzogen trülich, dass er ain solichs fürkäm, vnd dass er si nit von sinen handen liess, als si jm das wol getruwtind, so wöltint si lib vnd guot mit jm vnd durch sinen willen wagen, wan si forchtint, hämint si in der von zürich hand, dass si niemer mer in der herrschaft hand von österrich kämint.

9. Der hertzog schikt sin bottschaft heruss gen veltkilch.

It. als nun der hertzog sach, dass si sich so früntlich gegen jm erzoigten, vnd die sachen so ernstlichen an jn wurbent, die er billichen an si geworben hett, do ward er mit den sinen ze rat, vnd schikt sin erber bottschaft heruss gen veldkilch, den sachen nach ze gan, vnd och ze erfaren wie vil die herrschaften vnd die lender stüendint *l*).

10. Die von zürich hatten och etwa dik ir bottschafft bi den lendern.

Vnder disen dingen hatten die von zürich gar dik ir bottschafft bi

---

k) Tschudi Chron. II. S. 218, wo er aber beifügt „iro was aber der minder Theil."
l) in Pfandwerthe stehen.

denen im sanganser land vnd vss dem gastren, dass si all zesamen kament vff die hohen wisen *m*), was vnder dem wallensew vnd darob was, dass si allweg an si truogent, ob si zuo inen weltint schweren, das och ain tail nit vbel ze sinn wäre gesin; doch wolt der mertail nit zuo inen schweren, si weltint bi ir herrschaft von österrich beliben *n*).

11. Der hertzog losst veldkilch von der von toggenburg, vnd ander land.

Also ward nun der hertzog ze rat, dass er sin land vnd lüt lössen wölt, vnd alle herrschafften die da stuondent, vnd muotet denen von veldkilch an, ob si jm schweren weltint, so welt er si zuo sinen handen lössen. Da sich aber die von veldkilch wider satzten vnd mainten, si wölten nit dass si der hertzog aber des nechsten tages versatzte, si hettint jetz ze hindrost an dem von toggenburg ain herren gehan, der si an lib vnd an guot geschadgot hett vnd si gestraft hett wider gott vnd das recht, darzuo so hett er inen abbrochen ir frihaiten vnd recht vnd alle ir guoten gewonhaiten, die si von den hertzogen von österrich vnd von anderen herren gehept habint, vnd hab inen der kains gehalten; also hatten si etwa mengen artikel, das si je vorkomen wolten, oder si wolten dem hertzogen aber nit schweren.

It. also nach vil täding vberkam je der hertzog von österrich mit denen von veldkilch, dass si jm schwuorent anno dni Mccccxxxvj, vmb sant michels tag, vnd gab inen vil frihait, vnd bestätiget inen och ir alten recht vnd guoten gewonhaiten, die si von sinen vordren gehept, vnd losst also die graffschaft ze veldkilch vnd was darzuo gehort, vmb sin bar gelt. Also schwuor jm die statt vnd das land *n*).

12. Der hertzog losst all herrschafften, die dem von toggenburg versetzt warent.

Also lasst nun der hertzog von österrich alle die herrschaften, die vorgeschriben stand, vnd all sin lüt vnd land, was dem von toggenburg je versetzt was, vmb sin bar gelt, vnd nam och die schloss in, vnd schikt sin erber botten in die lender zuo den lüten, dass si jm schwüerint vnd hultint, wan er si erlösst hett. Die von toggenburg erliess si och ir gelüpt vnd aiden, die si ir getan hettint, vnd was si ir pflichtig waren *n*).

13. Der herrschafft botten.

It. dis botten warent: graf volrich von mätsch, hoptman an der etsch, issenhoffer, vogt ze veldkilch, der spiess, vogt ze frödenberg vnd ander der herrschaft rät *n*).

14. Si wolten dem hertzogen nit schweren.

It. Also warent si in sanganser land all bi ainandern, vnd antwurten dem hoptman vnd den andren botten, dass si dem hertzogen nit schweren

---

m) Ort unter Sargans an der Strasse nach Wallenstad.
n) Fast wörtlich bei Tschudi Chron. II. 218. 219.

weltint, es wäre denn dass er inen schirm geb vnd inen och sölichs gunti, dass si sich zuo den aidtgenossen bundin vnd zuo denen ain schirm suochtint, doch der herrschaft von österrich rechten on schaden; och dass inen der hertzog kain vogt geb denn mit irem willen vnd vss ir land, vnd dass er bestätigoti alle ire frihaiten, recht vnd guoten gewonhaiten, so si von alter har gehept hettint, vnd inen och die wider vffrichte, wan inen der von toggenburg die all abgebrochen vnd nit gehalten hab. Vnd noch etwa mengen artikel hatten si, dess si vberkomen wären, dass si dem hertzogen nit hulden wölten, er gönte vnd versprech inen das ze tuon. Also mainten die botten, sölichs wider an iren herren ze bringen, wan si dess kain gewalt hatten, vnd jm och sölichs nit künden geraten, wan vergunsti inen der hertzog solichs, als si begert[3]) hettint, so wärint si herren vnd ir herr der hertzog nit; doch weltint si es gern an jn bringen.

15. Die rät brachtent dem hertzogen die mär für, dass si nit schweren weltint.

Als nun dem hertzogen die mär für kament, dass si sölich vngewon-lich muotung an jn tätin, vnd so vnwillig waren, jm ze hulden, vnd si aber vor so ernstlich an jn geworben vnd getragen hatten, vnd jn ze guoter mass hinder die lossung bracht hatten, vnd er ain besunder getruwen[4]) zu inen hatt, do ward er vast vnwillig vnd zornig vnd row jn sin gelt, das er so bar vmb si vssgeben hatt, wan er wond[5]) besonder, die in s a n - g a n s e r l a n d vnd in dem g a s t r e n söltin sölicher lossung willig sin. Dennocht bestätiget er inen alle ir frihaiten vnd recht, so si von alter har gehept hatten von der herrschaft von österrich, vnd besseret inen och die, vnd lopt och die getrüwlich ze halten; er hat och nach ir muotung alle vögt entsetzt ze s a n g a n s, ze f r ö d e n b e r g vnd ze n i d p e r g[6]), vnd an-der vögt, die bi des von toggenburgs ziten den gewalt gehept hatten, vnd von denen si sich klagten. Also schikt er aber die vorgenante bottschaft mit sölicher frihait besigelt zuo denen in sanganser land vnd vss dem gastren, ob si jm noch schweren vnd hulden weltint o).

16. Des hertzogen bottschafft muotet aber denen in sanganser land an, dass si schwüerint.

It. als nun die bottschafft aber von dem hertzogen in s a n g a n s e r - l a n d kam, vnd inen aber anmuotet, ob si dem hertzogen wöltint schwe-ren, vnd zeigten inen die frihaiten, die er inen bestät vnd besiglet vnd gebesseret hatt, vnd wie er ir gnediger herr sin wölt, vnd si in sinen gna-den getrüwlich haben wölt, doch so wölt er besonder nüt, dass si kain

---

3) So Tschudi II. 219. Die Handschrift und Hü. verschrieben „gethan". 4) Zu-trauen. 5) Hü. verschr. ward. 6) ob Mels.

o) Tschudi hat mit lauterer Wahrheitsliebe auch diesen Artikel so zu sagen wörtlich, und die auffallendsten Stellen am Rande noch markirt. Sein „Hass gegen Oesterreich" existirt nirgends als in Hrn. Kopps Schriften.

schirm oder püntnuss suochten denn jn, wan er zuo der zit kain widersatz
noch krieg hette, der inen üts geschaden möcht; so hett er ain guoten frid
mit den aidtgenossen, der noch mer denn zwainzig jar wärti, vnd getruwte
si wol in frid vnd gnaden zuo haben, dass si kains andern schirms be-
dörftint. Also woltent si dennocht nit schweren, vnd mainten je ain schirm
von den aidtgenossen p) ze suochen vnd zuo inen ze haben, wan si sunst
nit beliben möchtint. Vnd zugent also etwa manig sachen darin, dass si
dem hertzogen nit schweren wolten q).

17. Der hertzog was karg vnd wolt nit kriegen.

It. also was nun der selb hertzog fridrich von österrich ain lamer
herr vnd ain vnkrieghafter karger herr, dess sinn vnd gedenk nun
vff bar gelt stuond, dess er och vil hatt, vnd hat nit als gross not nach
lüt vnd land als er hatt nach gold vnd silber vnd nach grossem guot, vnd
stalt sich och vnwerlich, wan er hatt herren, ritter vnd knecht nit nach
dem lieb als er sin wol statt vnd macht gehept hett, wan er mocht guot nit
vssgeben. Also row jn das gelt, das er vssgeben hatt vnd jm do die lüt nit
gehorsam sin noch schweren wolten; do forcht er och den kosten vnd wolt
nit kriegen, vnd gont also denen in sanganser land vnd vss gastren,
dass si ain landtsrecht ze schwitz vnd ze glaris nament drissig jar
vnd nit lenger, doch jm vnd der herrschaft von österrich an allen rechten,
nützen, stüren vnd zinsen on schaden. Doch so hatt man das haimlich,
ob si sunst ain sölich landtrecht vnd schirm schweren woltint r).

18. Die von zürich schluogent denen vss dem gastren den kouff ab.

Vnder disen dingen hatten die von zürich etwa dik ir bottschaft bi
denen vss sanganser land vnd in dem gastren, vnd truogen mit ain-
andern an, dass die von zürich gern gesechen hettint, dass si zuo inen
hettint geschworen, das doch allweg etwa mit 7) gewendt ward, dass es der
mertail nit tuon wolt, vnd wantent, dass der mertail die vnderm wallen-
sew warent 8), wan denen in sanganser land von wallenstatt vnd von mailis s)
stuond ir hertz vnd sinn fast gen zürich. Do nun die von zürich sa-
chent, dass si si mit guoten worten vnd mit güeti nit darhinder kondent
bringen, da wurfen si denen vss dem gastren kouff ab, vnd wolten inen
kain korn, win noch anders vss ir statt zürich lassen noch vss allem irem
gebiet. Vnd darnach wurfent si denen von wesen vnd vss sanganser
land och kouff ab.

---

7) Iselin's Tschudi hat „nit". 8) warent f. Hü.

p) d. h. im Sinne des einen Theiles des Landvolkes von den Zürchern, denn
Sargans selbst, Wesen, Ammon und Gaster waren österreichisch.

q) Tschudi fügt bei „doch schwuorend die von Sangans, vnd meintend, die
herrschaft hette jetz irer anmuotung gnuog gethan." So auch Chron. II. 219.

r) Tschudi Chron. II. 220.

s) Mels. Tschudi nennt noch Flums, Ragaz und Wartow.

It. diss bestuond nun also ain kurze zit, do kam aber denen vss dem gastren warnung, wie sich die von zürich rüstin vnd mit gewalt in den gastren wöltin ziechen, vnd si da weltind wüesten vnd darzuo zwingen, dass si zuo inen müestint schweren. Also manten die in dem gastren die in snganser land, die och zuo inen kament, vnd zugent mit ainander gen kaltbrunnen, vnd wolten da der von zürich warten vnd ir land behüeten. Also lagent si me denn acht tag mit zwölf hundert mannen da, vnd do niemant kam, do zugent si wider haim.

It. die von sangans vss dem stettlin hatten inen och bi xxx wol bezügter mannen ze hilf geschikt; der wolten die vss sanganser land nit vnd schikten si wider haim, wan die vss dem land warent denen von sangans vigent, dass si es nit mit inen hielten, was si anfiengent, wan si wolten kain besonder püntnuss mit dem land han, denn was die herrschaft mit inen schuof, dess wolten si gehorsam sin; darumb hatt das land vil stöss mit inen, vnd zugent och etwa dik inen für die statt, vnd wolten si darzuo zwingen.

In disen dingen ritten des hertzogen diener vnd rät, junkher wolf von brandis, der yssenhoffer, der spiess, die von veltkilch zuo denen von zürich, vnd manten si des fridens, so si mit der herrschaft von österrich hatten, dass si den an jm hielten, als er inen das wol getruwte, vnd si jm die sinen vngeschadgot liessint, wan er die selben land wider zuo sinen handen gelösst hett, windegg vnd das selb ampt, sanganser land vnd das ander; wiewol si jm dennocht nit geschworen hettint, so maint er doch, si wärint die sinen. Also mocht den selben botten kain vol antwurt werden, doch liessint si die sachen also anston, dass si nit über si zugent t).

19. Der hertzog gab graff hainrichen von sangans die graffschafft wider.

It. aber vnder disen dingen gab der hertzog von österrich graff hainrichen von sangans die graffschaft ze sangans wider vmb zuo lössen, wan es sin väterlich erb was vnd vor ziten der herrschaft von österrich versetzt was. Darzuo was er och des hertzogen diener. Also nam graf hainrich die vesti vnd die statt ze sangans jn; aber die lüt vssrent 9), die och darzuo gehörtent, woltent im nit schweren noch gehorsam sin, wan si den mertail zuo dem land geschworen u).

20. Die in sanganser land hettint graff hainrichen gern gewert, dass jm die graffschafft nit wider wäre werden.

It. die von mails, von flums, von walenstatt vnd das land wolten dem selben graff hainrichen weren, dass er sin veterlich erb nit jnnäm, das er doch erlösst hett von der herrschaft von österrich, der will

---

9) vsserthalb Hü.

t) Tschudi Chron. II. 220. 221.

u) Tschudi cit. 221.

vnd gunst es was, er welt es denn mit dem land halten vnd schweren, vnd tuon als si mit ainandern vberkomen waren, das doch graff hainrich nit tuon wolt, vnd kam mit not vnd on ir wissen, dass jm die herrschaft inn ward, wan si hettint es gern gewendt *u*).

21. Sangasser land schwuor ain ewig burgrecht gen zürich.

It. diss gestuond nun also, dass si fast stössig vnder ainander warent, vnd ainer hin wolt, der ander her, vnd graff volrich von mätsch inen etwa dik anmuotet, dass si dem hertzogen schwüerint, vnd si ermant was er si kond oder mocht, das si doch allweg verzugent vnd abschluogent mit worten von ainem tag zuo dem andern, also dass er allwen zuo wond, si weltint dem hertzogen schweren. In disen dingen truogent si aber an mit denen von z ü r i c h, dass si ir erber bottschaft zuo inen hinuff schiktint, so woltent si ain burgrecht vnd ain püntnuss mit inen machen. Also schikten die von zürich ir burgermaister, herr ruodolf stüssin vnd ander botten hinuff zuo inen, wan der stüssi och die sachen zuo guoter mass vor geworben vnd angetragen hatt. Also schwuorent die von wallenstatt, von mails vnd ander in sanganser land zuo denen von zürich, ewengklich ir burger ze sin, vnd beschach das on wissen vnd willen der herrschaft von österrich; doch so behuobent si dem hertzogen *v*) alle sin recht vss vnd jm on schaden. Also schwuorent si dennocht nit all des selben mals, aber ir schwuor der mertail vnd die richsten vnd gewaltigen. Diss beschach in der nächsten wuchen vor wienecht, anno dni Mccccxxxvj *w*).

22. Diss artikel machtent si inen selb.

It. die von w a l e n s t a t t, von m a i l s, von r a g a t z, von f l u m s vnd ander in dem selben land *x*) schwuoren ain burgrecht gen zürich ewenklich, doch on ires herren wissen vnd willen, vnd behuobent dennocht irem herren, dem hertzogen von österrich vor vss alle herrlichait, frihait, stür, zins vnd gült, doch mit solichem geding, wölte si der hertzog bekriegen vnd nit rüewig bi dem burgrecht ze zürich lassen beliben, manten si denn die von zürich vber den hertzogen, so söllt das alles ab sin, vnd sölten der von zürich bürger ewengklich sin wider den hertzogen vnd jederman, vnd söltind dem hertzogen nüt me pflichtig noch gebunden sin. Also machtent si es wie es inen wol kam vnd si es gern hatten.

23. Die in sangasser land wolten graff hainrichen zwingen, dass er es och mit inen hielt.

It. als nun die in sanganserland ewengklich zuo denen von zürich geschworen hatten, do wolten si je graff h a i n r i c h e n von sangans darzuo

v) welchem Wallenstad, Nidberg und Freudenberg gehörten.

w) Tschudi Chron. II. 221.

x) Die Bundesurkunde bei Tschudi nennt noch das wartauische G r ä t s c h i n s und erwähnt „Hoptman, Rät gross vnd klain" des Landes.

zwingen vnd halten, dass er zuo dem land schwüer vnd mit inen hielt die ordnung, die si vnder ainandern gemacht hatten, oder si wöltin jn nit in dem land wüssen, vnd weltin jn vertriben, das doch graff hainrich nit tuon wolt. Do zugent si jm für sangans vnd vnderstuonden jn von sinem veterlichen erb zuo vertriben. Also bott inen graff hainrich vil recht, die si alle vss schluogent vnd ir kains wolten ingan. Also ward doch ain frid daran gemacht bis vff sant jörgen tag anno dni Mccccxxxvij.

24. Graff hainrich schwuor ain ewig landtrecht gen schwitz vnd glaris.

In disen dingen ward graff hainrich von sangans landtman ze schwitz vnd ze glaris ewenklich mit der graffschaft ze sangans, mit ortenstain vnd mit andern sinen schlossen in churwalhen; doch behuob er jm selbs vss die herrschaft von österrich, der diener er was, vnd die herrschaft ze sunnenberg vnd was darzuo gehort *y*).

It. er truog diss landtrecht an ee ob der frid vssgieng, den er mit sanganser land gemacht hatt vff sant jörgen tag, als vorstat.

25. Die von vtznach vnd liechtenstaig schwueren ain ewig landtrecht gen schwitz vnd glaris, item die vss dem gastren ab ammon.

It. als nun die von zürich ir bottschaft ab dem walense hatten vnd die von walenstatt vnd in sanganser land zuo inen schwuoren vnd si die aid innament, als vorstat, do hatten die von schwitz vnd von glaris angetragen mit dem gastren, mit vtznach, mit liechtenstaig vnd mit dem turtal, dass si ain landtrecht mit inen wöltint han. Also schikten die von schwitz vnd von glaris ir bottschaft gen vtznach, gen liechtenstaig vnd in das turtal, die schwuoren *z*) ir ewigen landtlüt ze sin, doch iren rechten herren [10]) an allen rechten vnd berlikait on schaden. Si wissten och dennocht nit war ir rechter herr was, oder wem si mit recht zuo gesprochen wurden, wan des von toggenburg erb lag dennocht in spennen, vnd was nit getailt.

It. also schwuoren och die in dem gastren vnd vff ammon ain landtrecht gen schwitz vnd gen glaris drissig jar, vnd mainten, der hertzog von österrich hette inen das gunnen, doch der selben herrschaft on schaden. Also nament si och grinow jn am sonnentag vor wienecht. Diss beschach als in der nechsten wuchen vor wienecht des vorgenannten jars, anno dni Mccccxxxvj.

Als nun aber der von zürich bottschaft wider vber den wallense herab kamen, do hatten die von schwitz vnd von glaris ingenomen was vnder dem wallense was, es wär des von toggenburgs aigen oder pfand

---

10) rechten herren f. Tsch.

y) Die Urkunde, Mittwoch vor Lichtmesse 1437 Tschudi II. 228 ff.

z) in der Woche vor Weihnacht. s. Chron. II. 224.

gesin. Die hatten all denen von schwitz vnd glaris geschworn, on wesen vnd schmerikon, derselben sinn wär bas gen zürich gestanden.

Als nun die von zürich sachent, dass die von schwitz vnd glaris das alles zuo iren handen hatten genomen, do wurden si fast zornig, vnd mainten, die von toggenburg hett inen vtznach mit aller zuo gehört geben vmb ir dienst, die si dem von toggenburg bi sinem leben vnd darnach gethan hettint, darumb si och brieff von der von toggenburg hatten, dess si nit gelognen möcht. Also mainten die von zürich, je si wöltint vtznach wider han, vnd sölt es lib vnd guot kosten, vnd redtent denen von schwitz vnd glaris übel zuo, vnd sprachen, si wärint ir geschwornen aidtgenossen, vnd hettint all ainander geschworen, lib vnd guot helfen zuo retten vnd zuo behalten [11]; das hettint si inen selb entwert wider recht.

It. die von zürich mainten och dass inen der römische künig frihait geben hett vnd vergunst, dass si windegg, den gastren vnd das selb ampt, was zuo windegg gehört, lössen söltint zuo ir statt handen ze zürich, das si och haben weltint.

Also warent si zuo baiden siten fast stössig vnder ainander. Die von zürich wolten vtznach vnd das land haben, do wolten inen es die von schwitz vnd glaris nit lassen. Als wurd in dem hochzit ze wienächt vnd darnach, da schikten die von zürich ir volk gen pfäffikon, gen rüti in das closter, vnd gen wald in vischental. Also zugent die von schwitz heruss in die march, vnd lagent zuo lachen. Also lagent si zuo baiden siten fast vnd stark wider ainandern; aber niemant tät dem andren nüt. Also redtent die von bern vnd ander aidtgenossen ernstlich darunder, vnd machtent ain frid xiiij tag, vnd söltint zuo baiden tailen hain ziehen, als och beschach aa).

It. also machten die aidgenossen in disem frid ain tag gen baden, dass die baid tail söltin für gemain aidgenossen komen, das ouch also beschach. Aber si konden die sach nüt gerichten, vnd machten den frid lenger iij wochen biss vff der pfaffen vassnacht, vnd machten aber ain ander tag gen lucern für gemain aidgenossen.

It. vnder disen dingen verbunden sich die in sanganser land zuo denen von cur vnd zuo dem grawen pund, vnd vnderstuonden sich den hertzogen ze vertriben vnd ze nemen was er hie disent dem arlenberg hatt, welt er inen nüt gunnen sölichs burgrecht haben, das si gen zürich ewenk-

---

11) beheben Hü.

aa) Anno dni Mccccxxxvj do was graf fridrich von toggenburg der hindrost gestorben vf den may abend, vnd darnach vf den hailgen abend ze wihennächten do kamend die von schwitz vnd von glaris vnd namend vtznang jn wider die von zürich, vnd do was der winter so kalt, das nieman vf dem land nüts kond geschaffen, vnd woltend die von zürich für das stettlin sin gezogen; also ward es wendig durch die kelti, vnd hie mit huob sich der krieg an. Cod. 657 p. 121. 122. Tschudi II. 225.

lich geschworn hatten. Also ward ain frid dar an gemacht biss vff den nächsten sant mathiss tag des xij botten anno xxxvij mo *bb*).

26. Die vss dem gastren vnd ab amman hielten die von wesen darzuo, dass si och muosten schweren, als si geschworen hatten.

It. in disen löffen vnd in disen dingen schikt graf volrich von mätsch vnd ander der herrschaft rät zuo denen vss dem ga stren vnd vff amman, dass si die von wesen och darzuo hielten, dass si schwüerind als si och geschworen hatten, vnd kain besunders machtint. Also an dem nächsten donstag nach dem zwölften tag ward, do erst der tag hergieng, do warent die vss dem gastren vnd ab amman ze wesen, vnd nament die von wesen vff vnd hielten si darzuo, dass si och schwuoren sölich landtrecht vnd anders, das si geschworen hatten *cc*).

27. Tag zuo lucern.

In disen dingen, als der frid vssgieng mit dem hertzogen von österrich vnd mit sanganser land, aff sant mathis tag, do manten si aber den grawen pund, vnd wen si gemanen mochten, vnd wolten aber vber den hertzogen ziehen. Also ward aber ain fri d gemachet bis ze wienächt vnd darnach ain ganz jar, vnd sölten da zwüschent die in sanganser land zuo den rechten komen, ob der hertzog recht zuo inen hett, oder ob si der von zürich burger söltin beliben oder nit.

It. also ward aber ain anderer tag gen lucern gemachet zwüschent denen von zürich vnd denen von schwitz vnd glaris, vnd ward die sach also zuo dem rechten gesetzt vff gemain aidtgenossen, vnd sölt jederman an der herberg sin vff den nächsten fritag nach der alten fassnacht, als och beschach, vnd wurden nünzechen [12]) man vss allen aidtgenossen zuo der sach geben, die recht darumb sölten sprechen, die och ain aid [13]) zuo allen gottes hailigen darumb schweren muosten, ain gemain gelich recht darumb ze sprechen, wess si sich verstüenden. Also wärt diser tag bis vff mittfasten.

It. do nun der tag also zuo dem rechten gen lucern gesetzt ward, vnd alle tail dar kament, die die sach anrüert, do sassen zuo dem rechten: des ersten die von bern, herr ruodolf hoffmaister, ritter, vnd schulthaiss ze bern, zum andern franz von scharnachtal, zum dritten [14]) ruodolf von ringoltingen genant zigerli, zum vierten [15]) hanns von muoleren. Item von lucern zum ersten paulus von büren schulthaiss, zum andern volrich von hertenstain, zum dritten anthoni russ, zum vierten peterman goldschmid. It. von solotorn zum ersten hemman [16]) von spiegelberg schulthaiss, zum

---

12) Tschudi's richtige Korrektur. Die Handschr. sagt achtzechen. Hü. auch 19.
13) ain aid f. Hü. 14) zum dritten f. Hü. 15) zum vierten eben so, und so später.
16) Herman Hü.

bb) Diese 2 Passus allein bei Hü. p. 184.
cc) Tschudi II. 227.

andern heinzman gruober. It. von vre zum ersten hainrich beroldinger, hainrich arnold amman, vnd hanns kämpf schriber. It. von vnderwalden, ob vnd vnder dem wald, zum ersten clauss von einwill amman, zum andern voli am büel, zum dritten arnolt am stain, zum vierten hanns müller. It. von zug zum ersten hans Hug [17]) vnd jost spiller.

It. vff diss vorgenanten xviiij baid tail sich des rechten verfangen, das veranlasset vnd bi ir aiden sölich recht so von inen vssgesprochen wurd, ewenklich ze halten, also klagten die von zürich des ersten zuo denen von schwitz vnd von glaris gemain vnd besunder von frow elssbethen wegen von toggenburg, geborn von mätsch, von der si gewalt hatten, wie die von schwitz vnd von glaris vtznach, liechtenstaig, das turtal, nekertal vnd sant johannertal die lüte daselbs zuo ewigen landtlüten genomen vnd ir die vngehorsam vnd abtrünnig gemachet hettint wider iren willen, vnd begerten bekerung, vnd mainten si sölt si wider [18]) insetzen in gewalt vnd in gewer, vnd sölten die von schwitz vnd von glaris die selben lüte ir aiden vnd aller ding ledig sagen. Das was die erst klag.

Darwider redten nun aber die von schwitz vnd von glaris, graff friderich von toggenburg selig hette si vnd die sinen begabet vnd begnadet mit sölichem, dass die von schwitz die sinen zuo ewigen landtlüten nemen sölltint, vnd die sinen och ewig landtlüt da werden sölltint; darzuo so hette inen das och die vorgenant von toggenburg verwillgot vnd vergunst, dess selben glich graff wilhelm von tettnang, türing von arburg, der von brandis, von ir frowen wegen, die och zuo dem erb recht mainten haben, denn der von toggenburg vnd der selben frowen geschwüstergit kind warent. Vff sölich verwillgung vnd gnad hetten si die selben lüt vnd land zuo ewigen landtlüten genomen vnd jederman sin recht vnd herlikait vorbehaben, vnd nit me denn sölicher verwillgung vnd gnaden nach griffen als inen denn vergunst was. Darzuo so hette die von toggenburg dehain gewär besessen, denn sölich guot allweg vnd noch hüt bi tag ansprächig wär vnd zuo dem rechten stüend vff dem schulthaiss von bern. Nun hatten die von schwitz von früntschaft wegen die von glaris in gemainschaft zuo sölichem landtrechten genomen. Vnd vff sölich antwurt vnd mass verantwurtent sich die von glaris och.

It. die von schwitz buten och kuntschaft vff sölich verwillgen, vnd ward daruff erkennt im rechten, dass die von schwitz bi den landtrechten beliben sölten, machtent si kundtlich, dass die benüegte, die zum rechten sassen, dass inen sölichs verwillget wär. Vnd ward die kuntschaft zuo laiten vnd zuo hören baiden tailen tag gesetzt vff frytag vor jeoryen gen lucern, vnd von der von glaris wegen, wann die kain verwillgen ze worten brachtent, denn dass si die von schwitz also zuo inen gemain hettint lassen

---

17) Tschudi korrigirt richtig Hüssler, wie auch Hü. hat. 18) vnd begerten — si wider f. Hü.

komen, ward inen erkennt, dass si die lüt ledig sagen sölteńt, es wäre denn. wer erb wurd, dass inen der sölicher landtrechten gunnen welte.

It. darnach klagten aber die von zürich zuo denen von schwitz vmb vtznach, das hett inen die von toggenburg gen in dem satz des rechten, ee das vssgetragen wär. So hetten si sich dess selben entwert mit gewalt, on recht, vngewarneter, vngesaiter vnd vnwissender sachen, vnd vber sölich pünd, so si ewengklich zuo samen geschworen hetten, die doch wistent, dass si ainandern zuo baiden tailen bi dem iren handthaben sölten mit lib vnd guot. Begerten och bekerung.

Darzuo antwurten die von schwitz in aller wiss vnd mass, als si zuo der von toggenburg antwurtent, vnd sovil mer: vtznach wär den von zürich nit gen in der mass, dass es kraft oder macht habe, denn die von toggenburg in dem satz des rechten versprochen hett, alle sachen vnverrukt vnd onverendert zuo lassen; darzuo hetten die von zürich och sölichs nie inn gehept, noch kein gewär besessen; maintent, si hettent nit darumb zuo antwurten. Besonder von der bünden wegen redtent si ainander vbel zuo, vnd vergiengent sich vil schalkhafter worten, vnd schenzleten ainander fast, vnd als fast dass die aidtgenossen die sachen vnd vngeschriften bi inen behuoben, denn die sachen in geschrift fürbracht wurden. Daruff ward erkennt, dass die von schwitz den von zürich nüts vmb vtznach zuo antwurten hetten, inen och dehain bekerung darumb pflichtig wären; denn möch.ent si kuntlich machen, als vorstat, dass inen sölich landtrecht verwillget wäre, dass si darbi beliben sölten.

It. die von zürich klagtent och zuo inen von des gastels wegen vnd des pfands windegg wegen, zuo dem si mainten recht haben, denn inen kaiser sigmund das pfand zuo lössen gunnen hett. Begerten och bekerung vnd grossen schaden. Daruff die von schwitz antwurten: windegg vnd das gastel mit siner zuogehörd wäre der herrschaft von österrich, die hette inen gunnen sölicher landtrechten drissig jar, vnd hette och ain herrschaft dasselb pfand gelösst, vnd wäre der herrschaft; mainten och den von zürich nüt darumb ze antwurten haben.

Daruff ward erkennt im rechten: sider windegg, das gastel, wesen vnd was darzuo gehört, der herrschaft wäre, vnd ain herrschaft das selb pfand von der von toggenburg gelösst hette, vnd das den von zürich zuo wissen vnd vnverholen gewesen wär vnd das nit gesumpt hetten, dass die von schwitz bi sölichen landtrechten beliben vnd den von zürich darumb nüt antwurten sölten, es wäre denn dass die von zürich der herrschaft das mit recht anbehüebint, so sölten denn die von schwitz die von zürich vnbekümbert daran lassen.

Ze glicher wiss klagten die von zürich och zuo den von glaris vmb vtznang vnd vmb das gastel. Die verantwurtent sich von vtznang wegen als vor, vnd vmb das gastel vnd windegg wegen [19]) hett inen ain herrschaft

---

19) als vor — windegg wegen f. Tsch..

gunnen sölicher landtrechten och drissig jar. Vnd ward erkennt voń vtz-
nang wegen als vor von der von toggenburg klag wegen; doch sölten si
den von zürich nüt darumb zuo antwurten han. Vnd von des gastels we-
gen ward inen erkennt in aller wiss vnd mass als denen von schwitz.

Nun redten die von zürich den von glaris vbel zuo von der pün-
den wegen, mainten si hettint die nit gehalten; mainten och die von zü-
rich, die von glaris sölten nit mer ir aidtgenossen sin, vnd zugent den
alten pund für, der wisst, als sich die von glaris zuo denen von vre,
schwitz, vnderwalden [20]) verbunden hatten, si sölten sich nit sterken noch
füro verbünden on der selben aller wissen vnd willen, — maintent si darmit von sölichen landtrechten zuo trengen. Nun hatten aber die von zü-
rich vnd glaris ain sunder pund mit ainander, der wisst, dass sich baid
tail wol füro besorgen vnd verbinden möchten. Damit behulfen sich die
von glaris fast, besonder nit daran was die von glaris fürgenomen hatten,
si hetten das mit baider rat getuon. Doch ward das nit offenlich fürbracht,
vnd ward das villicht darumb gelassen, dass nit vigentschaft darvon vfferstüende, vnd wurdent den von glaris ir landtlüt vnd was zuo windegg
gehört, zuo erkennt, sider der sondere pund zwüschent inen vnd den von
zürich wisset, dass sie sich füro möchten verbinden, doch den von vre,
schwitz, vnderwalden [20]) an ir bünden vnschädlich.

It. von deren von schwitz vnd zürich wegen, als die och ain andern von der pünden wegen zuo redten, ward erkennt, dass si die zuo
baidersiten redlich gehalten hetten, vnd behuobent die rechtsprecher inen
selber den schaden vnz zuo vollem vsspruch des rechten, vnd vnz dass
si sächent wer recht oder vnrecht hatte. It. es klagtent och baid tail ab
ainandern, dass si den frid nit gehalten hettint, so die aidtgenossen zwü-
schent inen gemacht hettint, dass sich aber die vorgenannten rechtsprecher
erkantent, dass es nüt anders wäre denn wort vnd sölich sachen, darumb
der frid nit gebrochen wär.

Die von zürich hatten och vil stett zuo disem tag gebetten, vmb dess
willen dass man ir glimpf vnd vnglimpf horte, wan si mainten gross recht
haben. Also kament der von costenz botten, vnd von vberlingen, vnd von
sant gallen vnd von rapperschwil vnd von wintertur vnd von schaffhusen,
vnd von rinfelden etc. dd).

Also wärt diser tag bis vff mitfasten. Do schieden si von tagen, vnd
ward da baiden tailen brieff diss spruchs geben. Also warent die von zü-
rich hön [21]), vnd ducht si nit dass inen ain gelich vnd gemain recht ge-
sprochen wär, vnd redten den aidtgenossen, die das recht gesprochen hat-
ten, vbel darumb zuo, vnd mainten, inn wär ain sölichs nit versprochen.

---

20) Tsch. Hü. verschrieben „vnd zug", was Tschudi in der Handschrift strich.
21) erzürnt.

dd) Die Verhandlung, Klage, Antwort und Rechtspruch bei Tschudi Chron.
II. 231—246.

It. also bestuond das etwa lang dass die von zürich allweg zuo fast zornig warent, vnd mainten, inen wär fast vngüetlich vnd vnrecht in dem spruch geschechen, vnd redten och das offenlich vnd vnhelbarlich, vnd liessen och denen von schwitz vnd von glaris, vnd was zuo inen gehört, nit me denn zwai stuck[22] vss ir statt zürich vnd vss allem irem gebiet, vnd muost och jetlicher, der den kouff haben wolt, selb darumb gen zürich gan vnd zuo den hailgen schweren, die selben zwai stuck selb in sinem hus ze bruchen, vnd nieman davon nüt ze lichen noch ze geben.

It. denen von vtznach, dem gastren, wesen, vnd was zuo denen von schwitz vnd glaris nüwlich geschworn hatt, woltent si kain kouff lassen, weder lützel noch vil.

Aber die von zürich schickten denen von wallenstatt vnd meils vnd denen vss sanganser land, die zuo inen geschworn hatten, korn vnd züg gnuog, büchsen vnd anders, vnd wert inen das niemant.

Vnder disen dingen hatt aber der hertzog von österrich die veste ze frödenberg wol gespist mit kost vnd spiss vnd züg, vnd hat volrich (spiess ze) vogt wider daruff gesetzt. Er hatt och den amman kalbrer wider vff die vesti ze nidberg gesetzt, das aber den in sanganser land laid was, vnd mainten, si wölten den selben amman in ir land nit wissen, vnd sprachent jm fast zuo sinen eren, dess er sich aber maint ze antwurten, vnd bot inen recht wo es billich vnd gelich wär. Also ward es aber ain zit gestillet vnd gefridet[23]); doch hattent die von zürich in disen dingen denen von sanganser land hundert wol bezügter man ze hilf geschickt, die och allwen zuo bi inen lagent ee).

28. Die aidtgenossen kament gen lucern.

It. also kament aber nun die aidtgenossen ze tagen, als es vor verlassen was, vff den nechsten fritag vor sant jörgen tag[24]) gen lucern, die von schwitz ir kuntschaft ze laiten, vnd die von zürich ze hören vnd ze lesen. Also warent der von schwitz zügen junckher wolffart von brandis, peterman von gryffensew, cuonrat von wattenwil, venr von bern, ruodolf nussbom, wilunt schulthaiss ze wallenstatt, wilhelm fröwis von feltkilch, vnd caspar lechler, dess von toggenburg sälgen schriber. Also ee ob man die kuntschaft horte, do redten der stett botten ernstlich darunder, vnd hettint die sachen gern in früntlichaft vbertragen; also wolten sich die von schwitz kainer früntlichait vberkomen lassen, noch darin nüts reden lassen. It. der stett boten warent von strassburg, von basel, von rinfelden, von baden, von bern, von friburg vss vechtland, von arow, von costenz, von schaffhusen, von wintertur, von rapperswil, von sant gallen, von solotorn vnd ander stett, vnd von allen aidtgenossen. Also klagten die von

---

22) Tschudi II. 246 sagt „Kouffs". 23) gefrygt Hü. 24) 19. des April.
ee) Tschudi II. 246.

s c h w i t z och gemainen aidgenossen [25]) vber die von zürich, wie si graff
hainrichen von sangans, irem landtman die sinen in sanganser land hettint
zuo ewigen burgern angenomen wider sinen willen, vnd jm die vngehorsam
gemachet; darzuo so vnderstuondent die von zürich, die och do zemal hun-
dert knecht in das oberland gesendt hatten, mit sampt iren burgern, die
si der herrschaft von österrich wider iren willen zuo ewigen burgern ge-
nomen haben, vnd och graff hainrichs aigen lüt graff hainrichen ze bekrie-
gen vnd jn ze vertriben, vber das dass er denen von zürich, den sinen vnd
andren in sanganser land recht bott, vnd och die von schwitz von sinen
wegen recht butten vff den selben tag, item vff den kaiser, vff sin landt-
vögt, vff hertzog fridrichen von österrich oder vff sin rät, vff gemainer
aidtgenossen botten, vsgenomen von zürich, vff die von schwitz vnd glaris,
oder an welich end die selben botten beducht dass er der sach zuo dem
rechten sölti komen, oder vff die nünzechen, die do zemal zuo dem rech-
ten sassen, oder nach der geschwornen buntbrieff sag. Fürer bott er recht
vff den ammaister vnd rat ze strassburg, ze basel, ze costenz, ze ravens-
purg, ze lindow, ze rapperswil vnd vil ander gemainer recht, sölicher rech-
ten die von zürich kains woltèn ansagen noch vffnemen. Also nach vil
wort vnd ze letst wurdent die aidtgenossen vnwillig vnd ainten sich mit
ainander vnd besanten baid tail für sich, die von zürich vnd die von schwitz,
vnd saiten denen, dass si ainhellengklich vberkomen wärint, hettint die von
zürich burger, desglich die von schwitz landtlüt, dass si die darzuo wiss-
tint vnd hieltint, dass si sich von ainander rechtens liessint benüegen nach
der geschwornen pundtbrieffen sag, vnd fürer ainander vnbekümbert lies-
sint. Welcher tail aber dess nit gehorsam sin welt vnd sich von dem an-
dern nit rechtens welt lassen benüegen, so sölt dem andern tail jetz hilf
angesait sin von gemainen aidtgenossen, den vngehorsamen gehorsam ze
machen. Da bi stuond das.

Nun hatten die von z ü r i c h dem schulthaissen von b e r n vnd den an-
dern, die zuo dem rechten sassen, gar vbel zuo geredt, vnd ward inen das
fürgehept. Dess lognotent die von zürich vnd sprachent, hett jeman der
iro sölichs geredt, das hett jm nieman empfollen, vnd wär inen nit lieb.
Besonder warent die von bern fast zornig. Also redten der vorgenannten
stett botten ernstlich dar in, vnd hettint es gern gericht. Also liessent es
die von bern anston, vnd saiten daran weder vff noch ab.

It. also nach allen sachen vnd nach vil täding verhorten die recht-
sprecher die kuntschaft, so die von schwitz hatten. Also redten die von
zürich darin mit vil worten, die nit aigenlich hie zu erzellen sind; doch
vnder andern dingen, do baid tail vstreten solten, do sprach der burger-
maister von zürich, herr ruodolf stüssi, zuo amman rading von schwitz:
„herr amman, ich wais wie jm ist, ich gedenk wol, dass ir dem ermsten [26])
züricher hölder warent denn dem hertzogen; nun sind ir jetz dem hertzo-

25) Also klagten — vber die f. Tsch. 26) ermsten bei Hü. irrig hinter hertzogen versetzt.

gen hölder denn allen von zürich, vnd wolt jn damit gegen den aidtgenossen verunglimpfen. Also antwurt der amman schalklich darzuo vnd sprach: „redtint ir das war wär, so künd ich darzuo antwurten", vnd schenzeleten also ain ander mit vil wort, vnd beschach das in der ratstuben ze lucern.

Vnd als nun die kuntschaft verhort ward, wiewol die von zürich von der von toggenburg wegen klagt hatten, wie si darhinder bracht wär, das bestuond. Do was si doch in dem selben zuo gfaren vnd gab graf ruodolfen[27]) von mätsch vnd irem bruoder dem ` alten von mätsch alles das si hatt, vssgenomen ir haimstür vnd morgengab, vnd beschach das vor gericht ze veltkilch, vnd bekant ouch die von toggenburg desselben males, vor gericht, dass diss nachgeschriben herren, von ir wiben vnd muotren wegen, dess von toggenburg nechste erben wärint. Vnd warent das: graf volrich von mätsch, von siner muoter, graf wilhelm von montfort von tettnang von siner frowen, graf hainrich von musax von siner muoter, wolffart von brandis fry von siner frowen, türing von arburg fry von siner frowen, die von raren, fryen, non ir muoter, der von rezüns fry von jm selbs. Diss vorgeschriben all warent die nächsten erben von sibschaft wegen vnd warent och ewig landtlüt ze schwitz worden, mit allen schlossen, stetten, lüten vnd landen, so des von toggenburg aigen gewesen warent, vnd beschach das alles zuo feltkilch vff misericordia domini Mccccxxxvij[28]), vnd was darumb ain brief gemachet, den zoigten die von schwitz vor gemainen aidtgenossen. Also gefiel denen von zürich die sach nüt. •

Also ze letst ward vmb die sach recht gesprochen vnd geurtailet, die von schwitz hettin ir sachen gnuog kuntlich gemachet, vnd söltin die von schwitz bi sölichem landtrechten beliben, doch den erben an allen iren rechten vnd herlikait on schaden. Also schied man do zemal von dem tag. Der stett botten hatten och allwenzuo gern ain gemainschaft vnd ain früntlich richtung zwüschent baiden gesuocht vnd gemachet; aber die von schwitz woltent nüts darzuo lassen reden.

It. als nun die aidtgnossen also vom tag geschieden, da warent die von zürich fast zornig, wan inen der kaines gelanget noch gesprochen was, das si angesprochen hatten, vnd darzuo si och mainten recht zuo haben, vnd ducht die von zürich, dass die von schwitz bass wurdin gehandhabet denn si von den aidtgenossen, vnd dass es nit gelich zuogieng, vnd si sich aber als wol mit lib vnd guot vermöchtent als die von schwitz vnd glaris, vnd gemainen aidtgenossen als wol kämint vnd gedienen möchtind, vnd liessent och den von schwitz vngern also den vortail vnd den bitz*ff*).

Vnder disen dingen hatten allwen zuo die von zürich hundert knecht bi ir burger in sanganser land, die inen da hulfent hüeten, wan es hatt dennocht nit jederman in sanganser land gen zürich geschworen. Darzuo hatt der hertzog die vesti zuo frödenberg wol gespist vnd mit

---

27) Tschudi korrigirt „Volrichen". 28) Tschudi am Rande „14. Aprilis."
ff) Tschudi II. 250. 251.

vil knechten besatzt; och hatt er ze nidperg den amman, das dem land fast wider vnd vnlidenlichen was, als vorstat. Also in disen dingen zwungen die in sanganser land die lüte die zuo frödenberg gehorten, dass si och zuo inen vnd in das burgrecht gen zürich muosten schweren. Also maint nun volrich vogt von frödenberg, si hettint damit den frid gebrochen, der zwüschent inen gemacht was, als vorstat, vnd raiten vnd giengen ab der vesti ze frödenberg, vnd nament denen in dem land ain roub, vnd viengent och etlich. Also wurdent die in sanganser land gelich ze rat, vnd fielent für nidberg, vnd belagent die vesti. Die was nit als werlich vnd als wol bezügt noch gespist als frödenberg, vnd mantent och da die von zürich, die von chur von dem grawen pundt, vnd wen si gemanen kondent. Diss beschach vff den nechsten sunnentag vor dem maitag anno dai Mccccxxxvij.

It. als die in sanganserland nun vor nidberg lagent, also hatten si die vesti ze frödenberg och verhuot, dass si jn kainen schaden darab tätint, vnd manten jederman. als vorstat, vnd schribent wie der frid an inen gebrochen wär, vnd erzalten vast iren glimpf, Also wurdent die von zürich ze rat vnd zugent vss mit ir panner vnd mit macht vff den nächsten dornstag darnach, das was an des hailgen crütz abent ze maien, vnd laitent sich an den zürichsee, gen maylen, vnd gen mänidorf. Vnd morndes fruo an des hailgen crütz tag fuorent si den see vff, me denn mit drissig wol bezügter schiffen vnd mit offner panner, vnd mit ir büchsen vnd mit ir züg. Vnd do si kament gen schmärikon, do kament die vss grüeninger ampt vnd vss kyburger ampt och zuo inen, vnd also schwuorent si da all gemainlich irem hoptman, herr ruodolf stüssin, burgermaister ze zürich, vnd wurdent ir bi fünf tusent gg) mannen, do si all ze samen kament. Also wolten die von zürich den gastren uff gen wesen ziehen, das inen aber die vss dem gastren nit wolten gonnen, vnd mainten, inen das ze weren, wan inen die von zürich in vil zites kain kouff geben wolten, noch hüt bi tag nit liessint. Also redten der von schwitz botten ernstlich mit den von zürich vnd batend si, dass si durch die march vff zugind, dess welten si inen wol gunnen; aber die von zürich wolten es nit tuon, si wolten durch den gastren den nächsten ziehen, als och beschach. Also redten die von schwitz mit denen vss dem gastren, dass si die von zürich durch ir land muostent lassen; doch ward inen versprochen, dass man inen on schaden sölt ziehen. Aber inen beschach grosser schad an zünen vnd an samen vnd an ir wisen, die man inen wuost. Also zugent die von zürich durch den gastren gen wesen vnd lagent ze wesen bis vff den mentag, dass si die schiff nit durch die lint vff mochtent [29]) bringen, vnd wolten inen die vss dem gastren weder ross noch züg lichen. Also muostent die von zürich die schiff von hand durch die lint vffziehen, als si och taten

---

29) kondent Hü.

gg) So Tschudi. Die Hdschr. verschrieben „zwainzig," Hü. ij tusing.

an dem nechsten sunnentag nach des hailgen crütz tag, vnd an dem men-
tag fuorent si gen walenstatt. Da wurdent si erlich empfangen von de-
nen in sanganserland, wann si warent ir fast froh. It. also luffent die von
zürich ruodolf nussbom, der bi dess von toggenburg ziten vil jare schult-
haiss ze walenstatt gesin was, durch sin hus, vnd nament jm was si darin
funden, vnd bütetent das gelich vnd trunken jm sinen win vss, vnd schluo-
gent jm sin ofen nider, vnd wuosten jm was si funden. Der selb ruodolf
nussbom was in derselben zitt ze feltkirch, wann si wolten jn in dem land
nit lassen.

29. Die veste nidberg ward verbrennt.

It. also zugent nun die von zürich och für nidberg. Da was der
vorgenannt amman kalbrer vff selb drizechent. Nun hat man[30]) aber die
selb vesti fast lassen zergan von bulosi, darzuo was si och nit fast wer-
lich. Also taten die vor der vesti denen die in der vesti warent, fast not
mit armbrosten vnd mit handtbüchsen, also dass die in der vesti mit bli-
den würffen vnd schützen sich muosten weren, also dass die an die mu-
ren kament; vnd do erschrackent die in der vesti vnd[31]) nament ain täding
vff vnd gabent die vesti vf vff der von zürich gnad, vnd giengent all
heruss vnd gabent sich denen von zürich gefangen, der amman selb dri-
zechent. Also fuorten si si gen walenstatt in ain turn, vnd zunten die
vesti an vnd branten si. Diss beschach an der vffart abent anno dni
Mccccxxxvij. It. si büteten och was si in der vesti funden, vnd ward jet-
lichem vj haller ze tail hh).

It. also hatten die in sanganser land den grawen pund vnd die von
chur gemant, als vorstat, die hatten inen hilf geschikt, ee ob die von zü-
rich kament. Die selben lagent ze frödenberg vnd verhuoten die vesti,
dass si dem land kain schaden darob tätint. Also vff fritag nach der vf-
fart[32]) zugent die von zürich mit sanganser land och für die selben vesti
ze frödenberg, vnd belagent die.

Vnder disen dingen kam die von schwitz für, wie die von zürich ir
landtlüt in churwalhen[33]) wöltint schadgen, wan si des hertzogen diener[34])
warent. Also zugent die von schwitz gen einsidlen mit ir panner, vnd
mainten, wöltind die von zürich ir landtlüt schadgen, so weltind si die iren
och schädgen, vnd wöltint inen weder kost noch züg lassen hinuff gan,
vnd sölichs nit vertragen.

It. also zugent och die von zürich, die noch dahaim warent, gen pfäf-
fikon zuo dem spicher vnd enbuttend denen von kyburg, von grüeningen,
von regensperg, vnd wem si ze gebieten hatten, also dass ir bi xviijc man-
nen da zesamen kament, vnd wolten luogen vnd warten was die von schwitz

---

30) Nu was Hü. 31) mit bliden — in der vesti vnd f. Tsch. 32) 10. Mai. 33) ze
Ortenstain und Schams Tschudi. 34) Heinrichen von Sangans.

hh) 8. und 9. Mai. Tschudi II. 251. 252.

tuon wöltint, wan die von zürich vnd von schwitz warent ainander nit hold,
vnd wär jewedrer tail gern maister gesin. Also ritten der aidtgenossen
botten ernstlichen darunder, von bern, von lucern, von vnderwalden, von
vre, vnd als si wol acht tag also gen ainander gelagen, do zugent si ze
baiden tailen wider hain, vnd tät niemant dem andren nünts.

30. Der abbt von sant gallen _ii_)´ **ward mit den sinen landtman ze schwitz.**

It. aber in disen tagen, anno dni Mccccxxxvij, vff fritag vor pfing-
sten [35]) kament der von s c h w i t z botten, amman reding vnd ander gen
w i l, vnd truogent da mit dem abbt von s a n t g a l l e n vnd mit denen von
wil an vmb ain landtrecht ze schwitz. Also tribent si die täding bis vff
den nächsten zinstag in deñ pfingsten [36]), vnd vff denselben tag ward der
abbt, die statt wil, vss´vnd inwendig burger, landtlüt ze schwitz die näch-
sten zwainzig jar, vnd schwuorent das och also getrüwlich ze halten, vnd
gabent och denen von schwitz dess brieff; aber die von schwitz gabent
inen kain brief vnd schwuorent och nünts, doch versprachent si inen, si
ze schirmen vnd ze´handthaben als ir landtlüt. It. es was och kurzlich
vor angetragen zwüschent dem selben abbt von sant gallen vnd denen
von z ü r i c h vmb ain burgkrecht ze zürich, dass der abbt vnd die von
wil burger ze zürich sölten sin worden, vnd zerschluog das an ainer stür, wan
die von zürich wolten alle jar hundert gulden von inen han. Also zerschluog
das. Och was sag, dass die vss dem t u r t a l landtlüt ze schwitz wäriut
worden; die truogent an mit etlichen ze wil, dass sich die von wil och
dester ee gen schwitz gehuoben, wan wil dem turtal wol gelegen was. It.
dem abt von sant gallen warent och die sinen vngehorsam worden in dem
turtal, ze jberg vnd daselbs vm, vnd hatten vnerlopt gen schwitz geschworn;
die wurdent dem abbt wider, doch dass sie och landtlüt ze schwitz sölten
sin die xx jar vss, als der abbt vnd die von wil landtlüt warent worden.

It. jberg sol och der von schwitz offen hus sin dieselben jar vss _kk_) _ll_).

----

[35]) 17. Mai. [36]) 21. Mai.

_ii_) Eglolf Blarer 1426—1442.

_kk_) Tschudi II. 253.

_ll_) 1437. Die von wyl swuoren zu inen (swytz) zuo mittem mayen. —
Aber in dem vorgeschriben jar vmb pfingsten (19. Mai) ward ain jung gesell su
wyl vm etwas sach gefangen, vnd als er im turn lag, do hiess er die rät zuo im
komen, vnd den sait er, wie das ainer, der hiess hans von lophain, sesshafft
zuo zürich, vnd von wyl dar was komen von ains todschlags wegen, an in bracht
vnd mit jm geredt hett, ob er jm wölt hülflich wesen, vnd redt darvff, das ir
sechs, von wyl geborn, vnd der rat wölten den von zürich wyl in geben. Da
sölten sich die von wyl warnen, wan dem wäre je also. Mainten aber die von
wyl, die red wäre mit also, das es wäre vnd woltend jm nit globen, vnd hettend
rat dar vmb; also kamen si etwediok zuo jm über den turn, vnd sprachend:
lieber gesell, red nit also, dann es wäre ain gross mord. — Der selb gesell was

81. Die guet vesti frödenberg ward gewunnen vnd verbrennt.

It. also lagent nun die von zürich mit denen in sanganser land
vnd mit dem grawen pund vor der vesti ze frödenberg mit vierzig

37) Der von Lopheim. 37a) geurtheilt, erkannt. 37b) Der Beklagte. 37c) Der Gefangene. 37d) Lopheim.

allweg vff ainer red, vnd sprach, er wölt das vff jn bringen vnd wysen dass
dem also wär; je es kam dahin, dass der selb gesell ze zürich dar vmb für das
lantgericht ward geladt ze costentz von der red wegen, vnd kam so wyt, dass
si baid zuo samen kamend, vnd diser clagt vnd redt die red von jm, wie er sö-
lich red mit jm geredt vnd an jn bracht hett, vnd wölt jm dess wysen wie ain
fromm man ainen böswicht sölte wysen. Diser bott sin vnschuld da für, er hette
es nit geredt, vnd tätte jm dar an vnguotlich, vnd möcht dar vmb vnd da für
wol ton was recht wäre, vnd mit sinem aide bestäten. Also nach vil worten
diser erbot sich dar vmb mit jm ze kämpfend, dann er wölt jn dess wysen mit
sinem lib vff den sinen, vnd jn dess beston in ainem krayss nach swäbschem
recht. Doch diser tail 37) clagt für sich, er hett vff jn geredt dess er vnschuldig
wäre, vnd begert dar vmb gerichts vnd wandel von jm nach erkanntnuss des
rechten, vnd warend die von zürch och da vnd stuonden by jm zuo dem rechten,
vnd hetten disen gesellen gern vmbracht. Nun lag der selb gesell dar vff, dass
er jn der red in ainem kampf wysen wölt. — Diser wolt aber mit jm nit käm-
pfen noch des kampfs ingan. — Vnd ward an dem lantgericht ertailt 37a), sid-
mals vnd diser gesell des kampfs begerte — wa er 37b) jm des nit stat tätte
vnd nur sin vnschuld mit worten butte, das er 37c) dann ledig von jm vnd er 37d)
der wort schuldig sin sölte. Vff das gieng er des kampfs och yn, vnd war ain
kampf versprochen vnd ze stund tag gesetzt sechs wochen, dass si in dem lant-
gericht sölten dar vm kämpfen. Also ward er gen costentz geleit. Der gesel,
der dem von zürch die wort zuo geredet hett, der gieng gen costentz vnd wartet
da, dann si hettend zuo got vnd den hailigen gesworn den kampf ze tuond, vnd
welher wiche, so hett der ander gewonnen. Do nun die zyt begund nahen, do
ordnotend die von costentz den kampf für die stat ennet dem käsbach vff ain
wis gen rickenbach. Da wurden die schranken vnd der craiss gemacht. Also
kam der von zürich och gen costentz — vnd ward inen da gemacht röck, swert,
tegen, schilt vnd was dar zuo gehort, vnd hett man von den zünften geordnet
by sechshundert knechten, die mit in giengen, vnd niemant zuo ross. Als si nun
angelait warend vnd baid an dem obermarkt in den röcken stuondend vnd ir
kämpfer by in hettend vnd man vs hin gan solt, dann es versprochen was zuo
der achtenden stund da usnan in den schranken zuo sind, vnd als man also hin
vss gieng vnd vff die schnetzbrugk zuo stadelhouen kamen, do was min her von
costentz, byschoff hainrich, vorhin da usnan wol mit vier vnd zwaintzig pfärden,
vnd wartet och da. Als si nun baid hin vss kamend, do nam er si baid mit gewalt,
vnd füert man si vff die pfallentz, vnd ward damit der kampf wendig. Der redt
do dar vnder zwüschen den von zürich vnd den von wyl vnd richt die sach.
Das was zuo mal ain guot werk geton, vnd ward damit grosser vnwil vnder-

knechten, vnd was ain guot hus vnd wol gespist mit kost, mit züg vnd mit andren sachen, wan der hertzog von österrich hat es selb in ainem kosten gespist mit büchsen, mit züg vnd wess si notturftig warent. Als si nun da etwa mengen tag vor der burg gelagent vnd denen von .zürich zwo büchsen zerbrachent vnd der burg kain schaden täten, da schickten si aber gen zürich vmb ir grössten büchsen, vnd richten och ain antwerch vff dem berg, das sölt in die vesti werfen, das hatten die von chur da hin bracht, die och vor der selben burg lagent. Also tatent si dennocht der burg klainen schaden mit werfen vnd mit schiessen. Also warent der vogt vnd die gsellen mannlich vff der burg mit red, wan si redten trost-lich; aber si falten [38]) fast mit schiessen vnd mit werfen, wan si letzten wenig lüt, das si doch wol getan hettint. Vnder disen dingen kament aller aidtgenossen botten hinuff zuo denen von zürich, vnd redten mit inen, das inen denn empfollen was. Si redten och mit volrich vogt, dass er die vesti vff geb, wan doch kain hilf noch entschüttung an den hertzogen wär; so wärint si je da mit sölicher macht, dass si das hus haben wöltint, vnd wöltint vor nit dannen. Die von zürich vnd in sanganser land sprachent och, er hett den frid an inen gebrochen, vnd si an jm nit, des sich aber volrich vogt verantwurt, vnd bott recht wo das billich wär, das aber die von zürich nit vffnemen wolten, vnd mainten, si wärint in sölicher mass da, dass die vesti nit mer beharren möcht [39]) vnd wolten anders nüt darin lassen reden. Also ward ain frid darunder beredt an dem hailigen tag ze pfingsten [40]), dass die ab der vesti zuo denen giengent, die vor inen lagent, vnd mit ainander assent vnd trunkent. Also ward da beredt, dass [41]) ir büchsenmaister ob der burg vnd noch zwen bi denen von zürich belibent, vnd ward die burg gewunnen.

It. also machten die von zürich galgen für die burg, vnd redten mit dem vogt vnd mit denen die vff der burg warent: wär kainer [42]) vff der vesti der darab wölt, den wöltin si schirmen mit lib vnd guot ynz an sin gewarsami, vnd wölten jm lassen was er mit jm dar bracht hett; müestint si aber das hus vber hopt gewünnen, so müestint och alle die sterben, die si dar inn begryffent on gnad, vnd vil ander tröwlicher red. Also antwurt der vogt, er getruwte das hus wol ze beheben mit gottes hilf vnd ainer gesellen bis zuo sant martis tag; wölt jm dann der hertzog in dem zit nit ze hilf komen, so entschütt inn aber der lieb sant martin mit ainem schne, wan er maint je das hus der herrschaft von österrich wider in ze

---

[38]) fehlten. [39]) dass si die vesti erobren vnd gewinnen weltin Hü. [40]) 19. Mai. [41]) Also was da gerett wurd vnd angetragen, die vesti was gewunnen. Also belaib. Hü. [42]) irgend einer, ullus.

standen vnd verkomen, der sich da von erhebt hett, wär der von zürich nider gelegen. Also gieng jederman wider haim, vnd was gross welt gen costentz von allen stetten komen, dass man maint, dass by sechs tusend menschen by dem krayss warend. Dachers Konstanzer Chronik p. 316—319.

antwurtend, die jm och die selben vesti enpfollet hat. Also wurden si
mit ainander stössig in der vesti vnd hatten ir me denn drissig zesamen
versprochen, vnd mainten, der vogt hett vil haimlichs gespräcchs mit denen
vor der vesti, da si nüt von wüssten, vnd hatten also etwa menig ding ze
wort, vnd wolten nüt mer in der vesti belïben, vnd giengent also mit ain-
ander xxxvj hnecht ainsmals ab der vesti vff den nechsten fritag nach dem
hailgen pfingstag ⁴³). Also redt inen volrich vogt vbel zuo vnd sprach,
si wärint schandtlich vnd vnerlich von jm gefloben. Also belaib er selb
sechst oder selb sibent vff der vesti, vnd nam och ain täding vff mit denen von
zürich, dass er vnd die bi jm warent, sicher sölten sin über rin bis an ir
gewarsami, vnd alles das volrich vogt in der vesti ze frödenberg hat, das
sin oder siner gesellen was, die bi jm warent, vnd sölt die vesti inn haben
bis vff den sunnentag ze vesper ⁴⁴). Also am sunnentag ze nacht laiten
die von zürich ir knecht vff die vesti, vnd morndes, an mentag ⁴⁵) zunten
si die vesti ze frödenberg an, vnd branten si vnd nament kost, win, züg,
büchsen, vnd was des hertzogen was, vnd was des vogts was, liessent si
ine vngenöt ⁴⁶) dannen flöchen vnd hinweg füeren. Also branten si dem
hertzogen zwai schloss vnd gewunnen die, dass si nit me verluren denn
zwen man, vnd zugent also wider hain, vnd füerten mit inen xiij man, die
si vff nidperg gefangen hatten. It. si hatten och iij knecht gefangen, wa-
rent vss der march, die zygent si, si wöltin vff frödenberg sin ⁴⁷). Also
fuorten die von zürich diss gefangen all mit inen an ainem sail gen zü-
rich. Die vss dem gastren vnd von glaris hettint inen aber ⁴⁸) gern ge-
wert durch den gastren abziehen; aber es ward sovil mit inen geredt von
der aidtgenossen botten, dass man si liess ziehen, vnd fuorten die gefan-
gen durch den gastren vnd für vtznang, die der von schwitz landtlüt wa-
rent, vnd getorst denen von zürich nieman das geweren. Also kament die
von zürich hain an vnsers herrn fronlichnams abent ⁴⁹) anno dni Mccccxxxvij.

It. also beschach nun diser zug von denen von zürich in sanganser
land me denen von schwitz ze laid, denn dem hertzogen, oder denen in
dem land ze lieb, wan der hertzog vnd sin rät hatten guoten gelouben
an die von schwitz, vnd mainten och, si hetten inen versprochen, dem her-
tzogen in dem land nüt lassen ze wüestent, noch die von zürich hinuff
ze lassen; vnd darumb, dass der hertzog vnd die sinen sechint was die
von schwitz dem hertzogen vor möchtint sin wider die von zürich, vnd
och dass er vnd sin rät als guoten glouben hatten an die von schwitz we-
der an die von zürich, maint man, dass es beschach *mm*).

---

⁴³) 24. Mai. ⁴⁴) 26. Mai. ⁴⁵) 27. Mai. ⁴⁶) genot Hü. ⁴⁷) d. h. sie haben auf
den Fr. wollen. ⁴⁸) wieder. ⁴⁹) 29. Mai.

mm) Aber des vorgenanten jaurs (1437) do wurden des von toggenburg sä-
ligen lüt alle landslüt zuo swytz. Die von swytz namend och vil des selben
lands yn, do zugend die von zürich vss vnd woltend des lands och han ingeno-
men. Do warend die von swytz vor da, denn die von swytz tatend es von den

It. also lag in disen ziten ain concilium ze basel. Die schikten ir erber botten darunder ze reden zwüschent dem hertzogen vnd denen von zürich, vnd ritten och ander stett mit inen, strassburg, basel etc. vnd machtent ain frid daran bis vff den nächsten sant martis tag. Da zwüschent solten baid tail gen basel komen vnd lassen hören vnd sechen wer glimpf oder vnglimpf hett, won baid tail mainten vil rechtens ze haben. Also ward der tag beredt vff sant jacobs tag nächst.

It. also hatt nun der hertzog von österrich zuo allen aidtgenossen geschickt, ob si den frid, den er mit inen vnd si mit jm gemachet hatten zwai vnd fünfzig jar, och also halten wöltint. Darumb wolt er gern ain wissen han von inen. Also antwurten all aidtgenossen, von bern, von schwitz, von vnderwalden, von vre, von glaris, si weltint den frid mit dem hertzogen vnd mit den sinen halten, als er gemachet was. Aber die von zug vnd von lucern gabent jm nit vol antwurt, wan si wärint mit denen von zürich in sölicher püntnuss, dass si die kum gelassen köndint; doch was si mit eren tuon köndint etc. Also liessent allwenzuo die von zürich kain kouff vss ir statt, noch vss irem gebiet, allen denen die der von schwitz vnd glaris landtlüt warent worden vnd zuo inen geschworen hatten.

It. als nun der tag zwüschent dem hertzogen vnd denen von zürich vnd vss sanganser land vff sant jacobs tag [50]) gen basel gemachet was, also kam zuo demselben tag von des hertzogen wegen marggraf wilhelm von hochberg, herr ze rötteln vnd ze susenburg, vnd ander des hertzogen diener. Der selb marggraf was des hertzogen landtvogt im elsas vnd vber ander sin stett. It. es kament och die von zürich vnd ander aidtgenossen vnd stett, die si dar gebotten hatten, vnd och die vss sanganser land.

Also bott der marggraf recht vff das concilium, vff den kaiser, vff die curfürsten, vff herren vnd stett, vnd wo das gelich vnd billich wär, vnd wolt och anders nüts darin lassen reden, wan jm nüt anders empfolhet was. Also wolten die von zürich noch vss sanganser land der rechten kains ingan noch vffnemen, vnd also schieden sie von tagen, das nüts an-

---

50) 25. Jul. Donnerst.

hertzogen von österrich willen, dann des selben was das land. Des kamend si vff gemain aidgenossen, vnd ward den von zürch alles abgesprochen. Daran wolten sich die von zürch nit keren vnd zugend wider vss in das land. Füro zuo mittem mayen was ain wilder loff in des von toggenburg land vnd in dem turgöw allenthalb. Hertzog fridrich von österrich veraint sich mit den von swytz, das si im das land hulffend retten — vnd zugend die von swytz vss vnd gewonnen was si mochten innselbs; die von zürch zugend och vss vnd gewonnen och was si mochten. Darzuo tett der hertzog nüt, dann er wysst nit, ob er sich an si gelassen mocht oder nit; also ward das land vast swytz biss gen winfelden. Dachers Chronik p. 316.

ders daruss ward; doch ward ain anderer tag beredt, vff sant gallen tag söllten aber baid tail gen basel komen nn).

It. do das korn zitig ward, dass man schniden sölt, do giengent die vss dem gastren vnd ab dem vtznerberg in grüeninger ampt vnd anderschwa in der von zürich gebiet, vnd wolten da den lüten helfen ir korn abschniden, als si vor anderi jar gewonlich getan hatten. Also verbutten die von zürich an ain buoss, dass inen niemant nüts ze schniden geb noch ze arbaiten, vnd muosten also wider hain, frowen vnd man.

It. dess selben mals, ee das korn voll abgeschnitten ward, kam der aller grösst hagel in grüeninger ampt vnd in kyburger ampt, vnd gieng durch das turtal bis an den arliberg, vnd wo das korn nit geschnitten was, da schluog er es ze grund ab, als ob nie korn da gesait wär.

It. vnder disen dingen schluog das korn vff, dass man ain müt kernen gab vmb ij lb. vnd vmb ij lb. v β., vnd vmb dritthalb lb. vnd ain malter haber vmb dritthalb [51]) vnd vmb iij lb. vnd wurden alle ding türer denn vor, wess man leben solt. Es ward och ze schwaben vnd anderschwa och tür. Also liessent die von zürich dennocht kain kouff gan vss irem gebiet noch vss der statt gen vtznach, noch in den gastren, noch niemant die denen von schwitz vnd glaris geschworn hatten, vnd ir landtlüt nüwlich warent worden nn).

It. aber in disem jar, anno dni Mccccxxxvij, vmb sant michels tag [52]), schickten die vss dem gastren vnd von wesen ir bottschaft oo) zuo dem hertzogen von österrich gen yssbrugg, vnd batten jn vmb die hohen gericht vnd vmb die herrlikait die zuo windegg gehorten, vff ain genant zil oder vff sin widerrüefen, vnd gabent dem hertzogen ze erkennen, wie die selb vesti windegg nit [53]) sovil järlicher gült vnd zins hett, dass si ain vogt ertragen möcht an [54]) schatzung vnd grossen schaden des landes. Also erwurben si ain sölichs von dem hertzogen, doch dass si ir geschworn brieff hinder den hertzogen legen sölltin, wenn er si ermante, dass er ledig wär, das si och versprachen.

Also muot es nun die von schwitz vnd glaris, dass si ain sölichs geworben hatten on ir wissen vnd willen, vnd si doch ir landtlüt warent, vnd muoteten inen zuo, dass si die herrlikait denen von schwitz vnd glaris gebint, wañ si es doch selb nit behopten noch beschirmen möchtint. Das wolten die von wesen vnd vss dem gastren nit tuon, vnd mainten, si wöltin es haben als inen das vergunst was; darzuo hettint si sin kain gewalt von handen ze geben.

Also wurdent die von schwitz vnd glaris ze rat, vnd schikten och ir

---

51) d. h. zwei und ½. 52) 29. Sept. 53) „nit" ist bei Hü. und in Tschudis Chron. 54) d. h. ohne.

nn) Tschudi II. 254. 255.

oo) hinderrucks und one Wüssen dero von Schwytz vnd von Glarus Tschudi II. 256.

bottschaft zuo dem hertzogen, vnd wolten die herrlikait verpfenden, die zuo windegg gehort die jarzal vss, als inen och der hertzog gunnen hat, ir landtlbt ze sin. Das wolt aber der hertzog nit tuon denn mit willen vnd gunst der lüten, die gen windegg gehorten, wan er inen das vor gunnen hat.

Also tribent nun aber die von schwitz vnd glaris .fast an die von wesen vnd vss dem gastren, dass si inen die herrlikait gebint, vnd ain sölichs gegen den hertzogen vergünstint; dess werten si sich allwen zuo fast, vnd wolten es nit tuon. Also brachten es doch die von schwitz vnd glaris darzuo, jetz mit tröw, jetz mit bitt, dass die lüte, die gen windegg gehören, stössig vnder ainander wurden, vnd inen ain tail der herlikait wol gunnen welt, doch was ain tail allweg darwider.

Also tribent es doch die von schwitz vnd glaris als lang mit denen, die zuo windegg gehorten, bis si inen das vergunsten, vnd ir bottschaft och mit denen von schwitz vnd glaris schikten zuo dem hertzogen.

Anno dni Mccccxxxviij, vmb die liechtmess, schikten die von schwitz ir amman, die von glaris ir amman, vnd die vss dem gastren ir hoptman aber zuo dem hertzogen· gen yssbrugg, vnd lagent da also bi dri wuchen, ond vberkament da mit dem hertzogen, dass er inen gab windegg das ampt, mit aller zuo gehört, in pfands wiss. Also lichent och die von schwitz vnd von glaris daruff MMM guldin, vnd solten dem hertzogen das widerumb zuo lössen geben, vnd och wider die herrschaft von österrich niemer sin. Also was das och der vss dem gastren vnd wesen vnd ab amman will, vnd baten och darumb. It. der hertzog von österrich richt inen och ir alten guoten gewonhaiten, frihait vnd recht wider uff, so das selb ampt ze windegg von alter har gehept hatt, vnd versprachent och das die von schwitz vnd glaris also getrülich ze halten *pp*).

It. vnder disen dingen hatten die von zürich in die aidtgenossen getragen, dass gemain aidtgenossen ir bottschaft zuo denen von s c h w i t z schikten vnd samlotent da ain gemaind vnd redten da mit inen, dass si fast vnbillich näm, was die von schwitz vnd glaris mit dem hertzogen ze werben hettint, oder was si jm·antrüegint, vnd besonder in disen tagen vnd in disem zit, so die von zürich, die ir geschwornen ewigen aidtgenossen wärint, mit dem hertzogen ain offnen krieg hettint, vnd begerten da von denen von schwitz vnd glaris, dass si ir botten wantint [55]) vnd si herwiderumb beschiktint. Also antwurten da die von schwitz, si köndint noch enwöltint ir botten nun zemal nüt wenden noch beschicken, si wurbint och an den hertzogen nüt anders denn das irs landes nutz vnd er wäre vnd gemainer aidtgenossen, vnd das' si mit eren vnd mit recht wol tuon vnd werben möchtint. Wär aber dass jemand anders bedücht, es

---

55) d. h. umkehren machten, wendeten.

pp) Tschudi II. 259. 260. mit der Verpfändungsurkunde.

wärint die von zürich oder ander, dem weltint si gern gerecht werden, was da billich wär.

It. als da vor stat, wie der tag gemachet was, vff sant gallen tag [56]) zwüschent dem hertzogen vnd denen von zürich vnd vss sanganser land aber gen basel ze komen, vss dem selben tag ward nüts.

32. Graff bernhart von tierstain verband sich zue sanganser land.

It. darnach vmb sant martis tag, anno dni Mccccxxxvij, schwuor graff bernhart von tierstain och zuo denen in sanganser land vnd zuo dem grawen pund xij jar, vnd verband sich mit der vesti ze wartow also zuo inen. It. er schikt och sin botten gen pfäffingen in das elsas, dieselben vesti denen von bern in ir schirm ze geben. Also ward das vnderstanden, vnd nam graf hanns von tierstain sin bruoder die selben vesti jn, wan die selb herrschaft ir baider gemain was, vnd hatt die inn zuo der herrschaft von österrich vnd och zuo sinen handen. Also wurdent graf bernharts hnecht erstochen vnd gefangen, vnd lognot doch graf bernhart des ersten fast, dass er die burg jemand jn wolt geben han. Aber es ward darnach offen.

It. der selb graff bernhart von tierstain hielt och den pund nit vj wuchen, den er xij jar gemachet vnd geschworn hatt, wan er starb des selben jars vor wienächt ze zürich in der statt; aber die in sanganser land hatten die vesti ze wartow inn [57]).

It. als nun diser frid vss gieng zwüschent denen von zürich vnd dem hertzogen vff sant martis tag anno dni xxxvij, also ward aber ain ander frid daran gemachet vff sant thomas tag vor wienächt des selben jares.

It. in disen dingen warent des von toggenburg wib vnd die herren, die erben mainten sin, genzlich mit ainander verricht, vnd was die von toggenburg genzlich von allen burgen, stetten, schlossen vnd lendren, so der von toggenburg nach tod gelassen hat, vnd gabent ir die erben järlich ain genant guot diewil si lept, vnd liessent ir darzuo alle farende hab, vssgenomen harnäsch, armbrost, büchsen vnd sölichen züg. Also ritten nun die herren vnd die erben zuo den stetten vnd lendern, vnd erfordreten da an die lüt, ob si inen wöltint schweren. Also werten sich dess die von vtznach, von liechtenstaig vnd vss dem turtal, vnd wolten inen nit schweren.

It. die vorgenanten herren hatten och vff vtznach genomen M guldin von den von schwitz vnd glaris, vnd hatten inen die selben graffschaft verpfändt.

Vnder disen dingen ruoften die vss sanganserland allenthalben in ir kilchen, wölt jemand kouffen die güeter, die zuo frödenberg vnd zuo nidberg gehört hettind, das si doch erobert hettint mit dem schwert, der sölt komen zuo dem hoptman vnd zuo den räten gen mails.

---

56) 16. Oct. 1437 Tschudi II. 261. 57) Tschudi II. 259.

It. dis alles was ain erschrockenlicher wunderlicher louff, dass der herr-schaft von österrich aigen lüt ab irem aignen natürlichen herren brachen on alle not wider ires herren willen, der inen doch kain trang noch laid getan hatt, vnd dieselben herrschaft von österrich vnderstuonden ze ver-triben, vnerfordert aller rechten, vnd derselben herrschaft ir aignen schloss vnd vestin brachent, die schlaizten, das iro daruff nament, die iro daruff fiengent vnd vngehorsam machtent, alles das den schlossen vnd der herr-schaft zuogehört, vnd darzuo sich vnderstuonden die güeter, zins vnd nütz, die zuo frödenberg vnd zuo nidberg gehorten, die schloss der herrschaft aigen warent, ze verkoffen, vnd das selb gelt an iren nutz ze legen vnd ze verwenden, vnd diss alles zuo kainem rechten komen wolten.

It. also ward denen von zürich ir guot vffgehept an der etsch, als es von venedig kam, vnd wurdent ir zwen damit gefangen. Also ward aber ain frid gemachet von sant thomas tag bis zuo dem zwölften tag [58]).

33. Die in sanganser land erstachent die von werdenberg.

It. als nun diser frid vssgieng vff den zwölften tag zuo wienacht zwü-schent dem hertzogen von österrich vnd denen von zürich vnd vss san-ganser land, do bestuond´ es also bi acht wuchen an frid, dass doch ent-wedrer tail dem andren grossen schaden tät, denn dass muotwillig knecht von veltkilch in sanganser land luffent, vnd da etwa mangen roub nament, vnd och denen vss dem grawen pund, vnd fiengent ir och etlich. Also warent die vss sanganser land fast zornig an die von werdenberg, vnd maintent, si wurdint durch ir gebiet geschadgot, das si doch wol er-wertint. Also nament aber dieselben muotwiller ain roub zuo wartow, vnd fiengent och etlich, vnd brachtent och das alls vber rin. Also mach-tent sich die vss sanganser land haimlich uff vnd zugent nachts gen wer-denberg, ze ross vnd ze fuoss, ir bi viijc mannen, vnd an sant valentins tag frue [59] anno dni Mccccxxxviij, do wurdent ir die von werdenberg innen vor tag, vnd wondent, die von veltkilch wärint aber da, vnd wöltent denen vss sanganser land aber ain roub nemen vnd die schadgen. Vnd zugent hinaus mit dritthalbhundert mannen, vnd woltent den roub vffgehebt han, vnd mit inen geredt han, dass si sich sölichs vberhüebint vnd durch ir land niemant schadgotin. Also kamen die von werdenberg vnd die in sanganser land an ainandern, vnd fluhent die von werdenberg wider in ir statt, vnd wur-dent ir x man erstochen, vnd etwa menger wund, vnd luffent also vnder ainander, dass niemand wisst wer fründ oder vigint was, wan es was nit wol tag, dass si ainander mit wol bekannten, oder die von werdenberg wärint all erstochen. Also zugent die vss sanganser land wider enweg, vnd nament inen ain grossen roub.

It. die in sanganser land zigent die von werdenberg, si wärint darbi

58) Tschudi II. 259. 260. Auch hier hat Tschudi die Oesterreich so günstige Stelle wörtlich aufgenommen. 59) 14. Febr.

gesin, do si beroubt wurdent, vnd wärent och des selben mals aber darumb vss, dass si ir land schadgen wöltint. Also ward ain frid daran gemacht xiiij tag bis vff die alten fassnacht.

It. graff wilhelm von montfort⁶⁰) hatt ooh vor denen in sanganser land versprochen, si nit lassen ze schadgen durch sin land, es wär denn, das der hertzog mit ainer macht züg, das künd er nit erweren. Also hatten och si jm versprochen, dass si mit früntschaft vnd mit frid mit jm wöltint sin.

It. es bestuond ain frid von dem zwölften tag vnz vff die alte fassnacht zwüschent dem hertzogen vnd denen von zürich vnd vss sanganser land. Also ritten die von basel ernstlich darunder vnd machten ain frid bis vff den Balmtag, ob man dar zwüschent üts guots oder früntlichs dar in gereden (künd), das es zuo guotem käm.

It. es ward och in disem frid beredt, dass die in sanganser land mit denen von werdenberg vnd mit graf wilhelmen von montfort vnd mit den sinen als lang frid haben söltin ⁶¹).

It. also rait bischoff hainrich von hewen, zuo disen ziten bischoff ze costenz, zuo dem hertzogen mit xxxvj pferten, vnd hett gern ain ganz richtung oder ain langen frid zwüschent dem hertzogen von österrich vnd denen von zürich vnd den in sanganser land gemachet, vnd lag also ze ysprugg bi dri wuchen oder me, vnd redt ernstlich darunder. Also bracht er es zuo ainem frid vnd machet den also bis zuo sant katherinen tag anno dai Mcccxxxviij, vnd darnach ain ganz jar, aber vff sant katherinen tag anno dni xxxix. Da zwüschent söltin baid tail früntlich taglaisten vnd ain guot früntlich richtung suochen.

It. also hatten nun die in sanganser land verkofft alle die güeter, win-garten, wisen vnd äcker, vnd was zuo den vestinen gehört hatt zuo fröden-berg vnd nidberg, vnd kofften si das vnder ainandern, vnd laiten si das in ir landes nutz ⁶²).

It. in disen tagen laisten die aidtgenossen etwa mangen tag von der von schwitz vnd glaris bett wegen, die hettint gern vnverdingeten koff von den von zürich gehept; aber die von zürich wolten es vberain nit tuon.

It. si liessint denen von schwitz vnd glaris ainem zwai stuck vnd nit me; das muost er ooh verhaissen selb jn sinem hus ze bruchen, vnd nie-mand darvon nünts lichen noch geben, vnd besonder denen vss dem gast-ren vnd von wesen woltent die von zürich kain kouff lassen zuo gan, weder lützel noch vil, wiewol si der von schwitz vnd glaris landtlüt warent vnd si ooh verpfändt hatten, das mocht si alles nit gehelfen gen denen von zürich; doch muot es die von schwitz vnd glaris übel, wenn si ge-torsten inen selb nüt geben des korns, das si von zürich brachten. Die

<hr />

⁶⁰) „zuo Werdenberg sesshaft" Tschudi's Glosse. ⁶¹) Tschudi II. 261. ⁶²) Tschudi II. 262.

von rapperswil getorsten och kain kouff in den gastren noch gen wesen
lassen. Das schuoffent als die von zürich [63]).

It. darnach bald vmb sant verenen tag anno dni Mccccxxxviij wolten
die von zürich vss ir statt nieman kain korn noch essig ding lassen, denn
den iren, vnd verbutten och allenthalb in ir landen, dass niemant kain korn
noch essig ding lassen sölt vss ir gebiet füeren, denn gen zürich ze markt,
denn allain die vss kyburger ampt möchtint gen wintertur ze markt faren,
vnd die vss grüeninger ampt gen rapperswil, doch mit gedinge, dass man
niemant nünts geben sölt, denn die gen zürich gehortint. Also getorsten
die von rapperswil denen von schwitz noch vss der march vnd was zuo
inen gehort, ainem nit ain halben kopf mel gelassen noch kainerlai essig
ding. Das muot die von schwitz vnd die iren vbel.

It. die vss kyburger ampt getorsten och nit all gen wintertur ze markt
gefaren, denn allain denen es erlopt was, vnd des glich die von grüeninger
ampt gen rapperswil [64]).

Anno dni Mccccxxxviij, vff mentag vor sant laurencen tag [65]) laist
graff wilhelm von tettnang mit denen von zürich ain tag ze walen-
statt, vnd wolt da ain burgkrecht ze zürich an sich genomen han mit
sinem land vnd jm selb, vnd ain püntnuss mit inen getan han. Also zooh
er sachen dar in, dass si des selben mals nit vberain kament, vnd nament
sich für bass ze gedenken.

It. man sprach dass graff wilhelm von montfort dem hertzogen von
österrich dis püntnuss ze laid wolt getan han, wan der hertzog hatt von
jm gelösst bludenz, vnd was darzuo gehört, vnd hat es dem schlanden-
sperger versetzt, der hat jm M guldin me daruff gelihen denn es vor
stuond [66]).

It. also bestuond das nun ain zit, dass die von zürich denen von
schwitz vnd glaris vnd allen denen die zuo inen gehorten, kain kouff ge-
ben wolten, weder klain noch gross, noch kain korn durch ir land lassen
wolten. Das muot die von schwitz vnd glaris vnd die iren vbel, wan es
was in den selben tagen grosser gebrest in dem land. Man gab ain müt
kernen vmb iiij lb vnd dabi, vnd was alles ässig ding tür.

In disen tagen fiengent aber die von zürich ainen puren [67]), der was
in ir hohen gerichten gesessen, vnd hat aber gen schwitz geschworn, vnd
laiten jn ze zürich in wellenberg, vnd wolten jn darus nit lassen, er geb
denn zwai hundert pfund. Also wolten nun die von schwitz nit dass jn
jemant losete, vnd wolten inn das gelt nit lassen geben [68]). Also ward vil
bett von den aidtgenossen an die von zürich gelait, dass si den man vss
liessint durch frides willen; aber die von zürich wolten niemand eren, we-
der gaistlich noch weltlich, er muost die zwai hundert pfund geben, wölt
er vss dem turn. Also schribent die von schwitz heftenklich vnd vast denen

63) Tschudi cit. 64) Tschudi cit. 65) 4. Aug. 66) Tschudi II. 262. 67) „hiess der
Oberholzer" Tschudi's Glosse. 68) jn nit lassen lössen Hü.

von zürich, si welten kouff von inen haben vnd den iren vss dem turn [69]), oder si weltint darzuo tuon, dass man säch dass es inen laid wär. Also wurdent die von zürich ze rat vnd laiten aber bi vier oder fünfhundert mannen gen pfeffikon vnd wolten da luogen vnd warten, was die von schwitz tuon weltint. Diss beschach vmb des hailgen crütz tag ze herpst anno dni Mccccxxxviij. Also ritten die aidtgenossen darunder vnd machtent stallung daran bis vff den tag ze lucern, da kämint gemainer aidtgenossen botten hin, so weltint si besechen, wer recht oder vnrecht hett, vnd ob si die sach früntlich vnd güetlich gerichten köndint.

It. also ward die sach ze lucern nit gericht, vnd ward ain ander tag daran gemacht gen rapperswil vff den nächsten sunnentag vor sant gallen tag [70]) des vorgenannten jares.

It. also butten als die von schwitz vnd die iren recht vff gemain aidtgenossen nach ir puntbrieff sag; dess wolten aber die von zürich nit ingon, vnd butten recht vff den römischen küng, dem si och von recht zuo gehorten, vnd dem hailgen römischen rich, vnd wolten kains rechten noch nüts vff die aidtgenossen komen [71]).

34. Die von schwitz vnd glaris warent och nit verricht.

It. also ward nun die sach vff dem tag ze rapperswil och nit gericht, vnd fuorent die aidtgenossen botten mit baiden tailen haim, vnd hattent da ain ganze gemaind. Also hatt man ze zürich ain gantze gemaind, was ob xij [72]), jaren was, vff den nechsten mentag nach sant gallen tag [73]), vnd saiten da ainer ganzen gemaind luter den handel der sach, vnd wurdent da ain hellenklich ze rat, dass si denen von schwitz vnd den iren kain kouff geben wölten, weder lützel noch vil, wan si selber in disen ziten gross mangel vnd gebresten hettint; wöltint da die von schwitz frid mit inen haben, das wär inen lieb, wöltint si aber nit frid haben, so wär es je ee je besser.

Also ward aber ain frid beredt bis zuo vssgender osterwuchen, vnd söltint die vor zürich den von schwitz vnd den iren in dem zit kain kouff geben, als vorstat. Den frid woltent die von schwitz nit vffnemen lenger denn zuo sant martis tag; so woltent jn die von zürich nit anders denn ze ostren. Also ward der frid beredt viij tag, bis simonis et jude apostolorum [74]), so weltint die aidtgenossen aber bedenken was darzuo ze thuond wär.

It. am dornstag nach galli [75]) gebutten die von zürich allem zürichsee gen mailen, vnd saiten inen och da den handel der sach, vnd liessent verlesen die bottschaft, so inen die von schwitz geschikt hatten, vnd wie

---

69) Also schribend — turn f. bei Tsch. 70) 12. Oct. 71) „Das muot nun die von Switz vnd begertend an die von Z. das si dem Oberholzer die Straf wider gebind oder inen zum Rechten stüendind nach lut der pünden", fügt Tsch. hier ein. Es ist die erste Spur eines beginnenden Umschlagen's in Zürichs Politik, Oesterreich gegenüber. Albrecht war am 30. Mai gekrönt worden. Tschudi II. 262. 263. Albrechts Mahnbrief an Zürich 15. Oct. Tschudi II. 264. 72) Tschudi korrigirt xiiij. 73) 20. Oct. 74) 28. Oct. 75) 23. Oct.

si vmendum [76]) von tagen geschaiden wärint, vnd bi glimpf bestanden warent, vnd erzalten, wie vil si glimpfs vnd rechtens hettend; vmb dess willen, dass die iren dess williger wärint; dess glichen tatent si och in grüeninger ampt, in kyburger ampt vnd andren die zuo inen gehorten. Also warent die iren willig [77]).

Also ward ain frid gemachet von den aidtgenossen zwüschent denen von zürich vnd denen von schwitz vnd den iren bis vff des hailgen crütz tag ze maien, anno dni Mccccxxxix. Also wolten die von zürich denen von schwitz kain kouff lassen weder lützel noch vil, wiewol es frid was.

It. diss bestuond nun aber also ainzit, dass die von zürich vnd die von schwitz vnd glaris allwen zuo gen enandern bolleten, wan die von zürich wolten den von schwitz vnd glaris vnd den iren kain kouff lassen, als vor stat.

Also kament die andern aidtgenossen etwa dik ze tagen, vnd tatent zuo letst ain spruch, vnd brachten den denen von zürich vnd denen von schwitz vnd glaris, vnd batten die, dass si den also hieltin, wan si den selben spruch durch ir baider tail nutz vnd eer gesprochen vnd getan hettin, vnd dass si bi guoten trüwen dücht der von zürich, schwitz, glaris vnd ander aidtgenossen nutz vnd er sin, vnd mantent si da an ains vnd an das ander. Also hettint jn villicht die von schwitz vnd glaris gehalten, aber die von zürich wolten jn nit halten, vnd mainten och bi dem selben spruch nit ze beliben, wan si kains spruchs vff die aidtgenossen komen wärind [78]).

35. Nach vsgang des fridens begund krieg sich erheben [79]).

It. also bestuond dis aber vff des hailgen crütz tag ze maien[80]) anno dni Mccccxxxix, do zugent aber die von zürich uss mit aller macht vnd mit offner panner, vnd laiten sich gen pfäffikon zuo dem spicher an dem sonnentag ze nacht, das was des hailgen crütz tag, vnd morndes an dem mentag lagent si still, vnd zugent inen allwen zuo die iren zuo, vnd samlotent sich also, dass ir bi vier tusent mannen warent vnd schikten also desselben aubents bi M mannen oder me hinuff zuo dem hohen etzell, die da solten ligen vnd hüeten, vnd wolten also die von schwitz in tuon, dass si denen vss der march nit möchtint ze hilf komen. Also wolten die von zürich den hohen etzel ingenomen han. Do hatten die von schwitz den vor ingenomen, vnd lagent daruff mit ir panner. It. also laiten sich die selben von zürich zuo dem etzel bi M mannen, vnd lagent die andern von zürich allwen zuo ze pfäffikon. Vnd do es ward am zinstag fruo, do mainten die von zürich, die bi dem hohen etzel warent, die von schwitz wärint die nacht ab dem etzel gezogen, wan si schwygen still; also schikten die selben von zürich etwa mangen gesellen, bi xl oder l knechten, vnd luff inen ochetwa menger nach, dass ir bi hundert knech-

---

76) d. h. ein mal ums andre. 77) Tschudi II. 265. Der Schwyzer Rechtsbot 263. 78) Der Bernerspruch 3. Jan. 1439 bei Tschudi II. 267—278. 79) Rubrik Tschudi's II. 278. 80) 3. Mai.

ten warent, vnd wolten also luogen, wie sich die von schwitz vff dem hohen etzel hieltint, oder ob si noch da wärint. Also liessent die von schwitz der selben knechten etwa vil durch ir huoten ingan bis zúo dem huffen.

It. vnd als nun die von schwitz sichtig wurden, do schussent si vnder die von schwitz mit handbüchsen vnd mit armbrusten. Also luffent si die von schwitz an, vnd jagten inen nach, vnd erstachent derselben von zürich ainlif guoter manlicher [81]) knecht, vnd zugent si och ganz vss. Der von schwitz ward och etlicher geschossen, aber kainer starb.

It. die von schwitz gewunnent och daselbs ain venli; was der vom zürichsee [82]).

It. als die von schwitz nun also hinnach geluffent bis nach zuo dem huffen, vnd si die von zürich sichtig wurdent, da knüwten die von schwitz nider, vnd taten desglich als wöltin si mit den vor zürich fechten; aber si zugent wider hinder sich, vnd fachten nit mit denen von zürich, vnd zugent wider vff den hohen etzel.

It. desselben morgens, an dem zinstag fruo, warent die von zürich der ganz huff vffgebrochen, vnd wolten in die march ziehen, die da ze pfäffikon lagent, vnd warent och mit ir panner, mit ir büchsen vnd züg durch das aichholz. Also kam inen bottschaft, wie es den iren an dem etzel nit wol gieng, vnd kerten wider umb vnd zugent aber gen pfäffikon, vnd schikten den iren also me hilf vff den berg, vnd enbutten inen och dass si herab zugint gen pfäffikon zuo inen, das si och die selben nacht tatent, vnd lagent also all bi enander ze pfäffikon.

It. es zugent och des selben tages die von glaris mit ir panner, vnd die vss dem gastren mit ir panner zuo denen von schwitz vff den etzel, inen ze hilff, wan si die von schwitz dahin gemant hatten.

It. die vss der march bekament [83]) denen von glaris, vnd saiten inen, wie die von zürich durch das aichholz wärint, bis nach an ir letz, vnd inen da weltin ir land wüesten, vnd baten vnd manten si dass si inen hulffint ir land retten, vnd mit inen an die letz zugent. Das wolten die von glaris vnd vss dem gastren nit tuon, vnd sprachent, die von schwitz hettint si gemant vff den etzel, da wöltint si och hin, vnd was inen als not, dass si nit wolten essen, wan si [84]) hatten inen berait ze morgen, vnd zugent also den berg hinuff.

It. es lagent och vff dem etzel bi dem kilchlin [85]) die von vre mit ir panner, vnd die von vnderwalden. It. es lagent och des selben mals ze wald im vischental die vss kyburger ampt, die vss grüeninger ampt, von regensperg, von gryffensee, vnd ander die gen zürich horten, dass ir bi M mannen warent oder me, vnd huoten da vor denen von glaris, vss dem gastren, vss dem turtal, von liechtenstaig vnd ander, die all do zemal

---

81) manlicher bloss Hü. 82) „Das Zürichsewer Gesellen Vendli" Tschudi II. 280. 281. 83) begegnoten, noch üblich. 84) Die in der March 85) St. Meinrads Kapelle.

17 *

ze vtznach lagent, vnd etwa dik heruss gen inen zugent, dass man wond si wöltint an ainander Aber es beschach nit.

It. als in disen tagen samloten sich die vss dem turtal, von liechtenstaig vnd von wil, vnd zugent in kyburger ampt bis nach gen wintertur, vnd nament ain grossen roub, bi fünf hundert hopten, vnd bütoten es gelicb vnd tribents gen wil.

It. in disen dingen, als si nun gen ainander ze veld lagent, da ritten erber stett darunder, strassburg, basel, rinfelden, bern, vnd machtent also frid daran, von aim tag zuo dem andern, vnd warent also ernsthaft darinn, wie si die sach zuo guotem brechtint, dass nit grösser schad da beschäche.

It. also ward nun ernstlich darunder geredt von den stetten vnd von ˙den aidtgenossen, vnd ward ain frid beredt vnd gemacht zwüschent denen von zürich vnd denen von schwitz vnd glaris bis vff die ostren anno dni Mccccxl, vnd ward von baiden tailen versprochen vnd sovil verhaissen, dass sich baid tail liessent wissen, vnd abzugent.

It. als nun die sach gefridet ward, vnd baiden tailen von aidtgenossen versprochen ward, als vorstat, vnd der frid beredt ward vff vssgende osterwuchen anno dni Mccccxl, do zugent si wider haim an dem vffart aubent vnd am tag[86]).

It. hie zwüschent ist gar manig tag gelaist von den aidtgenossen, vnd och von andren stetten, dass si allweg die von zürich vnd die von schwitz vnd glaris gern gericht hettint vnd in ain bracht hettint, das aber nit sin mocht, wan jetwedrer tail stiess allweg etwas darin, das der ander tail nit wolt, davon vil ze schriben vnd ze sagen wär.

36. Hienach stand die stuck des rechtbietens von denen von zürich.

Hienach sind verzaichnot die stuck des rechtbietens, so die von zürich getan hand vff dem tag ze zug vor gemainen aidtgenossen vnd ander stetten, vff zinstag nach dem zwölften tag anno dni Mccccxl. Diss artikel schikten si allenthalb den stetten, dass man ir glimpf hört vnd säch.

Des ersten.

It. des ersten was die geschwornen brieff wissent vnd sagent, vnd so vero vns die bindent, dem wollen wir getrüwlich nachgon, also dass man vns och vmb die sacben vnd stucken, so wir vns selber in dem geschwornen brieff vor vnd vss behept hand, nit ersuoch; besonder dass man vns on fürwort da bi beliben lass. Des glich sig den von schwitz gen vns och behalten Och vnser aid vnd gelüpt so wir zuo vnsren burger im oberland vnd si zuo vns geton hand, setzent wir herin genzlich vss.

It. welt aber jeman den andren zuo wit manen, darumb haben wir lütrung gebotten für der aidtgenossen botten, stett vnd lender, namlich bern, soloturn, lucern, vre, vnderwalden vnd zug, also dass jegklich ort

---

86) 13. und 14. Mai 1439.

glich vil botten darzuo gab, vnd och dass stett vnd lender glich vil stimmen habint.

It. von den selben botten wöllen wir denen von schwitz vnd glaris vmb ander sachen vnverdinget zuo ere vnd recht ston, also dass si vns desglich hinwiderumb vor den selben botten och tüegint, doch die obgeschriben stuck in dem pundbrieff begriffen vnd vnser burger im oberland aid vssgesetzt.

It. ist inen aber das nit eben, so wöllen wir inen gerecht werden vnverdingt vmb alle stuck, nünts hindan gesetzt, es sigint frihait, ehaftin oder guot gewonhaiten, pünd, gelüpt, aid, es treff vns an lib, ere vnd guot, vor ainem künftigen küng, dass si vns dess glich och tüegint.

It. ist inen das och nit eben, so haben wir inen aber vmb alle stuck gebotten vnverdingt zuo ere vnd recht für nachgeschriben des hailigen richs stett botten, namlich: basel, costenz, vlm, schaffhusen, vberlingen, rafenspurg, lindow, sant gallen, rinfelden, wintertur, raperswil vnd baden, die ir botten vff demselben tag gehept hand.

It. vnd darzuo vff stett vnd lender botten der aidtgnosschaft, namlich fryburg, bern, soloturn, lucern, vre, vnderwalden vnd zug, also dass jegklich des richs vnd der aidtgnossschaft statt vnd land ainen botten darzuo geb. Vor den botten tüege jeder tail dem andern ere vnd recht vmb alle sachen, die sich verloffen hand von dem anfang vnz vff disen tag, vnd züch da jeder tail für wess er getruw ze geniessen:

It. vnd nement die von schwitz diser recht etlich nit uff vff disen tag, so wollen wir botten darin vnverbunden sin, wan wir vns gewalts darumb angenomen haben, der vns von unsern herren von zürich nit geben was. Das haben wir offenlich geredt vor stett vnd lendern, vnd si gebetten, vns diser recht bott angedenk zuo sinde.

It. vnd daruff haben wir och der aidtgenossen botten von stetten vnd lendern gebetten vnd ermant, so uerr wir si ze bitten vnd ze manen hand, das si vns schirment vnd handthaben wöllint bi vnser statt recht, frihait, ehaften, gerichten, satzungen, ordnungen, alten guoten gewonhaiten, als wir das in den pünden vor vnd uss behept hand, vnd wir getruwen inen, dass si denen von schwitz vber sölich recht bieten vff si wider vns kain bistand tüegint, besonder dass si och sölich recht bieten für ir gemainden, stett vnd lender bringent, denn wir getruwent, dass wir inen den ganzen vollen geton habint.

37. Die von Schwits vnd glaris wolten sölicher rechtbieten nit ingon.

It. diser rechtbott wolten die von schwitz vnd glaris ganz kains ingon vnd nünts damit ze schaffen han, denn si wolten bloss nach der pundbrieff sag zuo den ainsidlen zuo dem rechten komen.

38. Die von zürich schluogend aber denen von schwitz vnd glaris den kouff ab, vnd verbutten das an ain schwere buoss.

Anno dni Mccccxl vmb die pfingsten [87]) verbutten aber die von zü-
rich allen den iren an ain schwere buoss, vnd herter denn si vor je hat-
ten getan [88]), dass niemand denen von schwitz vnd glaris, noch allen de-
nen, die zuo inen gehorten, kain kouff geben sölt, weder lützel noch vil,
klain noch gross.

It. si wolten och kain kouff gen wintertur noch gen rapperswil
nit lassen gan, man versprech inen denn, denen von schwitz vnd glaris
nüts ze geben, noch den iren, das och die selben stett taten.

It. die von schwitz verbutten och des gelich allen den iren an lib
vnd an guot, dass niemand denen von zürich noch den iren nüts geben
sölt, weder klain noch gross. Si hatten es zuo baiden siten vor verbotten,
aber si verbutten es noch herter.

It. si verbutten och, dass niemand an den zürichsee torst geben schind-
len noch schigen [89]) noch kainerlai. It. also hielten si diss gebott zuo bai-
den tailen hert vnd fast, vnd wolt jetwedrer tail dem andern nüts zuo las-
sen gan. Wer ze zürich üts kouffen wolt, der muost sin trüw an aides
statt geben, oder aber zuo den hailgen schweren, denen von schwitz vnd
glaris, noch allen denen, die zuo inen gehorten, nüt zegeben, weder klain
noch gross. Si wolten och visch von rapperswil nit zuo den ainsidlen
lassen tragen durch ir gebiet den rechten weg denn dass si ander weg durch
die march muosten suochen.

It. weli och wingarten an dem zürichsee hatten vss der von schwitz
vnd glaris gebiet, oder die inen zuo gehorten, den wolt man den win nit
dannen lassen füeren noch verkouffen; sie muosten jn da lassen ligen, man
liess si wol winman. Also taten si enandern etwa manig ding, das nit
aigenlich hie verschriben stat, denn si hatten grossen hass zuo enander,
vnd redten och baid tail enandern vbel zuo vnd vil hoher wort.

It. als och gewonlich ist, dass vil lüt von vtznach, vss dem gastren
vnd daselbs vm, das do zemal denen von schwitz vnd glaris zuo gehort,
in das ergöw vnd anderschwa giengent schniden in der ernd, vnd antwurt
man denn den selben ir korn, das si verdient hatten, vff sant martis tag
gen zürich, also kament dieselben armen lüt gen zürich, vnd wolten ir korn
da nemen, vnd do si es gefasseten vnd es haim wolten füeren, da verbut-
ten es die von zürich, vnd wolten es niemant zuo lassen, vnd muosten die
armen lüt on ir korn dannen, vnd grossen mangel haben, vnd machtent
also ain gross geschrai vber die von zürich, vnd gewunnen also noch me
hass zuo denen von zürich.

Also laisten nun die aidtgenossen etwan mengen tag zwüschent
denen von zürich vnd von schwitz vnd glaris, dass si entwedern tail dar-

---

87) 15. Mai. 88) denn si das vor verbotten hatten Hü. 89) Pfähle, Scheien.

zuo beruoften, ob si die sach dester früntlicher vnd güetlicher gerichten köndint, vnd mochtent doch an entwederm tail nie kain ganz richtung haben.

It. der aidtgenossen botten brachtent es etwa dik für ain ganz gemaind zürich vnd och ze schwitz, dass si es gern gericht hettint, vnd stiess jetweder tail jn etwas darin, dass si es nit gerichten konden.

It. vnder disen dingen ermanten die von schwitz vnd glaris die aidtgenossen was si si ermanen konden, vmb dess willen, dass si inen bi gestüendint vnd inen hilflich wärint.

It. die von zürich schikten och ir erber bottschaft zuo den aidtgenossen, besonder denen von lucern, zug, vre vnd vnderwalden, vnd ermanten die ernstlich, wie si doch dik vnd vor ziten ir aller vor schilt gesin wärint vnd noch hüt bi tag gern sin weltint, vnd lib vnd guot wagen durch iren willen, vnd dücht aber die von zürich, dass die aidtgenossen denen von schwitz vnd glaris me zuo stüendint denn denen von zürich, vnd inen nit hilflich noch beraten wärint in der mass als si inen gebunden wärint, vnd si den aidtgenossen wol getruwt hettint; vnd möcht es nit anders sin, so müesstint die von zürich hilff suochen zuo herren vnd stetten, das si doch vngern tätint, wan si zuo sölichem getrengt werden [90]).

89. Die von schwitz lagent aber suo feld wider die von zürich.

It. also ward nun aber ain tag gemachet gen lucern vff sonnentag vor sant simon vnd judas tag [91]) anno dni Mccccxl. Vss demselben tag ward ganz nüts, wan die aidtgenossen warent nit ainhellig.

It. vff den nechsten mentag darnach [92]) zugent die von schwitz vss so si haimlichost konden, vnd samloten sich ze wesen, die von schwitz vnd glaris vnd vss dem gastren, vnd ander die denn denen von schwitz vnd glaris zuo gezogen warent, dass ir villicht bi M mannen wurden. Derselben hoptman was der aman von schwitz, vnd also an dem zinstag [93]) fruo vor tag fuorent si vber see gen wallenstatt vnd zuntten da etwa mengen stadel an, vnd sprachent zuo denen von wallenstatt vnd zuo den andren, weltint si nit schweren so weltint si das land wüesten. Also antwurtent die von wallenstatt, was das land tät, dess wöltint si och gern gehorsam sin. Also zugent si gen bärsis vnd lagent da vbernacht, vnd zugent morndes [94]) gen sangans, vnd erbutten das dem land: weltint si schweren jederman dem er von recht vnd alter har zuo gehorte, dass si es mit lieb tätint, wan weltint si es nit tuon, so wärint si je darumb da, das si es tuon müesstint.

It. denen in sanganser land hatten och widersait graff hainrich von sanganser land, der von brandis, der von sax, die och mit ainem grossen zug an dem rin [95]) lagent.

---

90) Vgl. Note 71. Tschudi II. 305. 306.   91) 23. Oct. 1440.   92) 24. Oct.   93) 25. Oct.
94) 26. Oct.   95) zu Balzers Tschudi II. 306. 307. ausführlicher, aber diese Quelle immer zum Grunde.

It. dabi was och graf hainrich von tettnang.

It. also gesatzten sich die in sanganser land nie darwider, vnd gestallten sich och nie ze wer, die doch vor so mannlich vnd hefftig warent, dass si mainten, sich vff ain tag aller welt ze erweren, vnd kam also ain dorf nach dem andern, vnd schwuorent jegklicher da er denn von recht von alter hin gehort hat, vnd schwuorent dass das ewig burgrecht das si gen zürich ewenklich geschworen hatten, ab sin sölt, vnd kain pündtnuss noch burgrecht niemer mer an sich sölten nemen on ir herren willen, vnd alle pündtnuss vnd burgrecht ab sin sölt.

It. vnder disen dingen zugent die von schwitz mit ir panner vnd mit aller ir macht vff den etzel, vnd die von glaris och mit ir paner, vnd lagent also vff dem etzel vff egg vnd daselbs, vnd wartotent da, was die von zürich zuo der sach tuon weltint, dass man inen ir ewigen burger also abbrach. Also zugent die von zürich nie ves ir statt, doch lag der oberhoff ze pfäffikon, vnd die burg hattent si besetzt.

It. die in grüeninger ampt lagent ze rüti vnd buobikon vnd von griffense, dass ir villicht bi sechshundert warent.

It. die in kyburger ampt lagent ze elgöw mit xijc.

It. als nun der aman von schwitz mit den sinen sanganser land ingenomen hat vnd jederman geschworen hat, als vorstat, do hatten die von zürich denselben iren burgern ain grosse büchsen gelihen, die lag ze wallenstatt, die nament die von schwitz mit inen herab, vnd fuorten si mit inen in die march.

It. do es ward vff aller hailgen aubent, vff aller hailgen tag, vnd vff aller selen tag, das was vff mentag, zinstag vnd vff mitwuch [96]), redten aber herren vnd stett darunder.

It. der bapst, der ze basel lag [97]), schikt sin erber bottschaft, ain bischoff vnd zwen ritter.

It. die stett fryburg ze vechtland, basel, bern, soloturn, lucern, vre vnd vnderwalden hettint gern güetlich vnd früntlich die sachen zertragen, vnd die von zürich vnd von schwitz vnd glaris in ainbracht, dass nit grösser schad darvon komen wär, vnd trybent das also dri tag, als vorstat. Also zuo letst vordretent die von schwitz vnd glaris, vnd wolten och nit anders, dass die von zürich geben söltint an ir kosten drissig tusent gulden, wan si zuo grossem vnd bärlichem schaden vnd kosten komen wärint. It. vnd söltint kain ansprach niemer mer gehaben an sanganser land, das si erst ingenomen hatten.

It. an windegg, wesen, gastren vnd was zuo windegg gehört hett.

It. an vtznach vnd was darzuo gehört.

It. vnd solt flums die vesti [98]) ain offen hus sin, bis der bischoff von chur dieselben vesti lösste, dess die aigenschaft ist.

---

96) 31. Oct. 1. 2. Nov.   97) Der Gegenpabst Felix V. (Amadeus v. Savoien).
98) Greplang, später Tschudi's.

It. die büchsen, die si denen von zürich ze walenstatt genomen hatten, sölt och ir sin, vnd mit namen söltint si des richs strass vff tuon; vnd weltint die von zürich der stuck aller ingon, vnd der stett botten, die darunder redten, darumb hafft vnd bürg sin, so weltint die von schwitz vnd glaris dar in lassen reden. Also antwurten die botten, sölichs wär inn nit empfolhet von ir herren, dass si jemants bürg würdint; so hetten si och die von zürich nit darumb gebetten; köndint si aber sunst üts guots darin gereden zuo baiden tailen, darumb wärind si da, dass si das gern tuon weltin. Also wolten die von schwitz nit anders darin lassen reden; also ward es zerschlagen vff aller selen tag, vnd fuoren die botten wider hin [99]).

40. Die von zürich zugent vss mit offner panner.

It. vff denselben tag nament die von s c h w i t z in der von zürich biet küeg vnd andren plunder, dass man ze pfäffikon, ze frygenbach vnd bi dem zürichse vff vnd nider stürmt bis gen zürich in die statt. Also fuorent die von z ü r i c h vss mit ir panner vnd mit aller ir macht, me denn mit vierzig schiffen, vnd kament der selben nacht gen pfäffikon, vnd morndes an dem dornstag [100]) zugent inen die iren zuo vss grüeninger ampt, vss dem fryen ampt, ab dem zürichse, vnd ander, die si dann hatten.

41. Die von schwitz vnd glaris widersaiten den von zürich.

It. vff denselben dornstag [101]) widersaiten die von s c h w i t z vnd g l a - r i s denen von z ü r i c h. It. die von s i b e n t a l, von f r u t i n g e n, von w ä g g i s, von s a n e n vnd ander, die bi denen von schwitz in der march lagent, vnd kament den von zürich dieselben brieff gen pfäffikon.

It. vff denselben dornstag lagent si zuo baiden tailen still. Vff denselben tag zugent die von v r e vnd v n d e r w a l d e n mit ir panner vff den etzel, wan si warent von baiden tailen gemant, vnd warent also vnderenandern stössig; ain tail wär gern denen von zürich zuo gezogen, der ander tail denen von schwitz vnd glaris; ain tail wolt darunder reden, dass si also nit genzlich ains warent.

It. bi den selben zwai pannern warent villicht viiijc man.

It. desselben tags schikten die von zürich grüeninger ampt wider haim dass si ze b u o b i k o n vnd ze rüti hüetint, dass niemand in das ampt zug.

It. als es nun ward an dem fritag das was der nächst fritag nach aller hailgen tag [102]) Mccccxl, do zugent die von schwitz vnd glaris vnd die iren obnen den berg hin, vnd zugent vff·schwendi, vff mos vnd daselbs vm, vnd zuntten da etwa mang hus vnd stadel an, vnd branten vnd wuosten vff moss, an silegg, an der schindellegi vnd daselbs vmb bis in die nacht.

It. des selben tags zugent die von z ü r i c h ob pfäffikon in die wisen ob dem dorf mit ainem grossen wolbezügten volk, das si schatzten für vj tusent redlicher vnd wol bezügter mannen, vnd hatten das alles ge-

---

99) nit darumb — wider hin bei Tsch. übersprungen. 100) 3. Nov. 101) Der Absagebrief bei Tschudi II. 310 ist vom Mittw. 2. Nov. selbst. 102) 4. Nov.

ordnet mit büchsen vnd mit armbrosten, vnd wie man sich weren sol, vnd vordroten also die von schwitz vnd die iren herab zuo inen, so weltint si mit inen fechten.

It. die von schwitz vnd die iren vordroten die von zürich hinuff zuo inen. Also wolt entwedrer tail zuo dem andren.

42. Die von vre vnd vnderwalden widersaiten och denen von zürich.

It. desselben aubents widersaiten die von vre vnd von vnderwalden denen von zürich, an denen si wonden fründe ze han. Dess erschraken die von zürich übel, wan si mainten, ob si inen nit hilfflich sin wolten, so söltint si doch früntlich vnd güetlich in ir sachen reden. It. die von zürich schikten ir brieff vff den berg, vnd manten die von vre vnd vnderwalden, dass si zuo inen zugint vnd inen hulffint. Do saiten si inen ab vnd schikten ir botten mit disem botten, der si gemant hat, zuo denen von zürich [103]).

It. desselben aubents vff die nacht ordnoten die von zürich, die von wolrow, die von richtiswil vnd von wädiswil, die von horgen vnd die vss dem fryen ampt, dass ir aller villicht v hundert oder me warent, die solten bi wolrow vff ainem bergli gen den schwitzeren ligen, vnd wölten die von schwitz zuo den von zürich sin, so sölten die selben hinden an si ziehen. Aber do die von zürich wichen, da wichen si [104]) och, vnd zugent ain tail haim, ain tail wichent och gen wediswil zuo der burg vff den berg, darnach wich ain tail gen zürich, vnd jederman als er denn mocht.

It. in derselben nacht kam ain schreck vnd ain forcht in die von zürich, dass si nit vil ruow hatten, vnd schickten also vor tag ir büchsen vnd züg haimlich enweg gen zürich. Vnd do es ward am sampstag [105]) fruo vor tag, do luffent si ze schiff vngeordnot, vnd wer bass mocht der tät och bass, vnd sait nieman dem andern nüts, vnd wisst och niemand was der mär wäre, wan niemand hat inn nünts geton, vnd wissten och die von schwitz vnd die iren nit, dass die von zürich also vff brachent. Es ist och versechenlich, wärint die von zürich nit gewichen, die von schwitz vnd die iren wärint nit herab zuo inen komen, wan der von zürich was vil me, vnd warent och vil bass bezügt mit allen dingen denn die von schwitz.

It. also wichent nun die von zürich vff den see vnd hielten also vor pfäffikon vff dem see mit vil schiffen, vnd hatten niemand ze pfäffikon gelassen denn die hofflüt, die och gen pfäffikon gehorten, vnd warent also von inen geschaiden, dass si inen kainen trost geben hatten, weder klain noch gross; denn die von zürich hatten zwen in der burg gelassen, hannsen zoller vnd hannsen brunner, bed von zürich, die solten ir hoptlüt sin vnd die vesti inhaben, vnd hiessen also die hofflüt zuo denselben in die burg gan vnd biderb lüt sin.

---

103) Tschudi II. 311. 312. 104) Die Zürichsee-Leute. 105) 5. Nov.

It. da die von zürich also ain wil vff dem see gehielten, als vorstat, da fuorent si mit ainander gen verikon über den see, vnd hatten da rat vnd warent fast vnainhellig; ain tail wär gern beliben vnd schamtent sich der flucht, vnd inen doch niemand nüts geton hatt; ain tail woltent och nit beliben, si wolten gen zürich, als och beschach. Also assent si daselbs ze morgen, vnd hatten muot, si weltint nach dem essen aigenlich ze rat werden, was inen ze tuond wär. Do si erst gassen, da was der schrek in si komen, dass si aber ze schiff luffent, als ob man si jagte, vnd fuorent da hin gen zürich, vnd liessent die iren vngetröst, wan si hatten an inen selber kainen trost. Also zugent die von zürich desselben tags vntrostlich vnd zaglich ab, dess si vmb land vnd lüt kament, wan si wurdent ganz vnwerlich vnd alle die iren mit inen, wan inen was kain laid beschechen, vnd hatten och kain vigent nie gesechen, der zuo inen komen getörst [106]).

It. als nun die von zürich von pfäffikon gewichen warent, als vor stat, do kament die von schwitz dennocht nit herab, vnd forchten, es wär ain gezöch, vnd wolten si herab raizen, do si die schiff vff dem see sachent. Also schikten die hoflüt zuo dem abbt von ainsidlen [107]) gen rapperswil, vnd ruoften jn an für ainen herren, dem si doch vor nit fast gehorsam warent, vnd baten jn dass er käm vnd si schirmte vor denen von schwitz vnd den iren, dass si nit gebrennt wurdint; das och der vorgenant abbt tät, vnd rait vnverzogen von rapperswil gen pfäffikon. Vnd do er in die vesti kam, do fand er dennocht die hoptlüt, die die von zürich da gelassen hattent. Also redt er mit inen, dass si sich behendts von dannen hüebint vnd jm sin hus vnbekümbert liessint; si sechint doch wol, wie es erfarn wär. Dess si och nit fast onwillig warent vnd fuorent och enweg. Also rait der abbt zuo denen von schwitz vnd bat si ernstlich, dass si die sinen vnd die gotshus lüt zuo den ainsidlen vngewüest vnd vngebrent liessint. Also zugent si ab dem berg vnd nament pfäffikon die vesti in, vnd och das dorff. Die vier banner, schwitz, glaris, vnderwalden vnd vre wuosten vnd schadgoten die lüt fast, doch so brantent si da kain hus. Also schwuorent die hofflüt dem abbt vnd dem gotthus zuo den ainsidlen vnd och denen von schwitz, vnd was rechtung die von zürich daselbst gehept hatten, das söllten nun die von schwitz han.

Also zugent die von schwitz vnd glaris derselben nacht dennocht gen richtiswil, vnd lagent den sunnentag vber daselbs, vnd wuostent vnd schadgotent die lüt berlich. Also machten die von richtenswil vnd von wedenswil och ain täding mit den schwitzeren.

It. also an dem mentag [108]) zugent si aber für vnd wuosten also bi dem see ab bis gen kilchberg, vnd namen vnd wuosten was si funden, davon vil ze sagen wär. Si zugent also mit gewalt, dass niemand dess glich tät, als wellt man inen es weren.

106) Tschudi II. 312. 313. 107) Rudolf, Graf von Mosax. 108) 7. Nov.

It. si zugent och des selben mals in das fry ampt, das der von zürich was, vnd nament es jn, vnd schwuor das selb ampt och denen von schwitz.

It. also zugent nun all aidtgenossen denen von schwitz vnd glaris ze hilff mit offner panner, vnd widersaiten all gen zürich, von bern, von lucern, von zug, von vre vnd von vnderwalden.

It. also lagent die von schwitz vnd glaris ze kilchberg vnd daselbs vmb mit ir macht.

It. die von bern lagent ze adleswil bi dem alwis mit MM mannen

It. die von lucern lagent re russlikon vnd daselbs vm villicht mit xij c mannen.

It. die von zug lagent ze tallwil mit iiij c mannen.

It. die von vre vnd vnderwalden lagent och ze tallwil vnd daselbs vm mit viiij c mannen.

It. also wurden nun die lüt daselbs vmb den see gar bärlich geschadgot von aidtgenossen, wan daselbs vm was gar wenig geflöchnot. Es ward och ze horgen vnd daselbs vm etwa menig hus gebrennt, vnd wurdent also fast gewüest. Si nament och die gezierd in den kilchen, kelch vnd anders, das si funden.

Also lagent si daselbs vmb nach bi xiiij tagen vnd schadgoten die lüt fast.

It. die von bern schikten in das fry ampt, dass si inen rintflaisch schikten, oder si weltin es raichen [109]. Also schikten inen die vss dem fryen ampt xx guoter ochsen. Also wurdent die lüt fast vnd schädlich geschadgot in mangen weg, dass es hie nit aigentlich von sait.

Also warent nun die lüt zuo baiden siten ab dem zürichsee in die statt zürich gewichen, besunder was vnder der ow was vnz gen zürich.

It. an der ander siten des sewes was von mänidorf bis gen zürich was, dass si fast vil lüt ze zürich in der statt hatten. Vnd wonet kain man an twedrer siten des sews, der gen zürich hort. Es was jederman gen zürich in die statt geflochen, denn in etlichen dörfern warent frowen vnd kind.

It. was an der sil was, lüt vnd guot, was alles in die statt gewichen, vnd stuonden die hüser daselbs vm öd, vnd schluogent [110] die öfen daselbs vm nider, dass die von zürich forchten, die von schwitz laiten sich da hin.

It. in dem closter an seldnow brachent si [111] och die öfen nider in den stuben, vnd ward inen als not ze flöchnen, dass si ir win vmb den halbtail in die statt gaben ze tragen vnd ze füeren, vnd ward inen nit der drittail, wan es ward inen me denn halb gestollen, win vnd anders das si hatten, dass die selben closterfrowen gar bärlich geschadgot wurden von den fründen, dass man es schatzt bi vij c guldin.

It. es beschach och ze zürich in der statt so grosser schad mit stelen

---

109) holen.   110) nämlich die Züricher selber.   111) Dieselben.

den lüten, die da in die statt geflöcht hatten, dass dauon vil ze sagen wär.

It. es wurden verstoln ganze fass mit win, da iiij oder v aimer win inn warent, bett, pfullwen, küssi, kisten vnd kasten vnd mengerlai, als denn die lüt geflöcht hatten.

It. es was desselben mals nit guot mannzucht noch maisterschaft ze zürich, das bewist sich an mangen sachen, wan man getorst niemant gestrafen qq).

It. die von zürich hettint den iren von dem see vnd andern vil früntschaft vnd eren gern erzöigt vnd erbotten, die zuo inen gewichen warent, vmb deswillen dass si souil trüw zuo denen von zürich hatten, dass si von dem iren wichen vnd das also liessint vndergan, vnd zuo inen in die statt käment, vnd inen da weltint och lib vnd guot retten, vnd mainten, si wöltind den selben das niemer me ze guotem vergessen.

It. die von zürich erlobten och allen denen, die zuo dem iren weltint vnd das also beheben, dass si doch nit ganz darumb kämint, dass si das wol tuon möchtint vnd haim zuo dem iren keren; das weltint si inen ze argem niemer mer zuo gesuochen, wan si möchtint inen laider zuo disem nit gehelffen, vnd dankten den selben ir hilff vnd ir trüw. Also fuorent ir vil von dem see wider haim, vnd taten als si mochten, dass si das ir behüebint; doch was vnder dem lutterberg vnd vnder der ow was, die beliben ze zürich.

It. also gabent nun die von zürich den selben die redlichosten vnd besten herbergen, so si in ir statt zürich hatten, ir trinkstuben zuo dem rüeden, zuo dem schneggen vnd zuo der maisen, vnd liessint si da ganz gewaltig sin.

It. dieselben, die also gen zürich gewichen warent, nament den lüten brot ab dem laden, flaisch in der metzig vnd anders, dess si bedorften, vnd achtetend nit ob si kain gelt hettint.

---

qq) 1440. In dem jar vorgenant do viengend die von zürch ruodolffen maysen, der ir burgermaister was gewesen, vnd leiten yn hert gefangen. Do sin fründ des innen wurden, do giengen si für die rät vnd wolten wissen was er geton hett; denen noch niemant, herren noch stett, wolt man sagen was er geton hett, vnd muostend sine fründ alle sweren aide zuo got vnd den hailigen, darzuo ewenclich nüts ze redend noch ze tuond, noch das schaffen geton werden, an lib vnd an guot. Sie hettend willen, in ze vermuren ewenclich, biss das er in der fangknuss sturbe, vnd kund niemant die sach wissen noch erfaren, war vmb das wäre, vnd wa mit er das verschuldt hette, dann yn mengclich für sin frumen man hielt, vnd das nam mengclich vnbillich vnd mainten herren vnd stett, das si das nit billich hetten getan vnd ym gewalt vnd vnrecht beschäche. Das wissend si wol. Es getorst niemant nüts dar zuo reden noch ton. Darnach laiten sich die aidgenossen für zürich, vnd damit ward er ledig. Dacher p. 343.

It. si nament ooh höw, holz vnd anders vngebetten vnd vnbezalt, vnd redten dennocht darzuo das si lust.

It. man forcht ze zürich in den selben tagen vbel, dass zwaiung in der statt wurd, wan die von zürich warent nit ains, vnd gefiel nit jederman des andern ding wol So redten vnd taten die vssren das si lust, vnd getorst man niemant strafen.

It. man sol wissen dass die von zürich so erschrocken vnd verzagt warent, dass vil lüt mainten, es wär ain plag von gott. Es mainten och etlich, si wärint verzobret, wan si gestallten sich an kainen enden nie ze wer, vnd getaten och nie dessglich als ob si sich weren weltint, vnd hettint doch die macht wol gehept an lüt vnd an an guot, vnd was ir kainem von dehainem vigent nie kain laid beschechen.

It. die von zollikon vnd ander ab dem see gabent ir win, den si dennocht dahaim hetten ligen, vmb die fuor halben in die statt. Also ward vil wins ab dem zürichsee gen zürich in die statt gefüert vmb die halben, vnd etlicher türer, vnd getorst niemant das sin gereichen, vnd was kain vigent da, wan es kam des selben kriegs nie kain vigent an die selb siten des sews.

It. man hatt och geflöcht vss den hüsren bi der statt an der mur, die doch billich sicher gesin wärint, vnd hett alles römische rich mit den von zürich kriegt [112]).

It. do nun die von schwitz vnd die iren sachent, dass sich die von zürich als vnwerlich stallten, vnd nit vss der statt komen toraten, do luffent etlich muotwillig knecht von glaris vnd vss der march vnd ander, vnd nament schiff, die doch nit vil in schiffen konden, vnd fuorent zuo dem zürichsee, vnd luoden win, vnd fuorten den gen glaris, gen weeen, gen vtznach vnd in die march, dass si also grossen schaden taten.

It. vff den selben sampstag, als die von zürich von pfäffikon gewichen warent [113]), vff den aubent zugent die von vtznach ob dem berg vnd vss dem gastren gen wald, vnd wuostent da vnd nament ain roub, bi cx hopt vichs, vnd branten ain hus vnd ain schür vff hüttenberg, vnd zugent derselben nacht wider haim. Es ward och da vnd anderschwa vil geroubet vnd genomen, das nit alles hie geschriben ist.

Also fuorent nun allwen zuo der von schwitz vnd glaris lüt vss der march, von vtznach, vnd wannen si denn warent, vnd wo ir zwaien oder dryen ain schiff mocht werden, in die dörfer an dem zürichsee, vnd zugent den win vss den kellern, vnd luodent den, als ob er ir wär, dass inen das niemant wert, vnd taten och, als ob si darumb niemant förchtint.

Also muot nun die von zürich der muotwill vnd der schad vnd die schmach, vnd fuorent also vss mit mengem schiff vnd errettent da etwa manig schiff mit win, vnd erstachent in den selben schiffen zwen knecht, die andren entrunnent inen.

112) Tschudi II. 312—315 fast alles aus dieser Quelle. 113) 5. Nov.

It. si fuorent ooh desselben mals vff dem see vnd hieltent also gen den aidtgenossen von lucern vnd. schussen also gen inen mit handbüchsen. Also ruofften si zuo denen von zürich, als mengen schutz si tätint, als menig hus weltint si brennen, als si och taten; wenn die von zürich ain schutz zuo inen hinuss taten, als bald zuntten si ain hus an, vnd liessent es brünnen. Also branten si vier hüsser, vnd erwarten [114]) also denen von zürich, dass si nit me zuo inen geschiessen torsten. Och warent die von dem zürich see zornig vnd redten mit denen von zürich, dass si darnach füerint vnd schussint, dass inen ir hüsser nit verbrent wurdent, oder si weltint anders darzuo tuon, vnd redten das si den lust [115]).

It. die von zürich schadgoten das closter an seldnow bi der statt zürich vnd die closterfrowen so bärlich, dass dauon vil ze sagen wär. Si schluogent in dem selben closter xv offen nider, si nament inen ir win vnd anders das si hatten, dass si dem selben closter vnd den frowen bi vij oder viij hundert guldin schaden taten, vnd luffent frowen vnd man zuo, vnd truogent den win mit gelten in die statt, die nit ganze fass mochten behopten, vnd schadgoten si och mit vil andern sachen. Also wurdent die selben frowen von den fründen geschadgot. Von den figend beschach in nie kain laid.

It. also lagent die vss grüeninger ampt vnd von gryffense, vnd was daselbs vm was, das villicht bi vj hundert mannen was, ze buobikon in dem closter, vnd do si horten, dass die von zürich ze pfäffikon vffgebrochen warent, da ritten ir hoptlüt gen verikon zuo denen von zürich, vnd baten si, dass si inen hilfflich wärint oder aber inn rietent, wi si tuon söltint. Also gabent inen die von zürich sölichen trost, dass si ze buobikon och vffbrechen vnd haim züchen sölten [116]) das nu geschach [117]); doch beliben die vss grüeninger ampt den mertail ze grüeningen in dem stettli [118]).

It. aber desselben mals, vff sonnentag darnach [119]), schribent die von zürich volrich von lomis, der lag ze elgöw in dem stettlin mit viij hundert mannen vss kyburger ampt, von andelfingen, von ossingen, vnd da si dann die von zürich hatten, der hoptman er was, dass er also von inen gen zürich rait, vnd gab den sinen kainen trost, vnd hiess jederman haim ziehen vnd sich bewaren so best er mocht. Also zugent die vss kyburger ampt. och wider hain [120]).

It. in disen dingen lag jungker peterman von raren [121]) mit den sinen von liechtenstaig, von turtail, von neckertail vnd daselbs vm, die von wil mit des abts lüten von sant gallen, vnd beringer von landenberg, villicht mit xvj c mannen ze tänikon, ze adorf vnd daselbs vm, vnd schadgoten die vss kyburger ampt schädlich, wan! si hatten inen etwa mengen

114) wehrten. 115) Tschudi II. 315. 116) vfbrachent vnd haim zugent Hü. 117) f. Hü. 118) Tschudi II. 316. 119) 6. Nov. 120) Tschudi cit. 121) der letzte des alten Namens, Sohn der Margareta von Räzüns, der Muhme des letzten Toggenbergers, mit seinem Bruder Hildbrand Erbe Toggenburgs.

roub genomen. Si hatten och an dem nechsten fritag daruor den turn ze lomis verbrent, vnd volrich von lomis genomen was er daruff hat [122]).

It. als si nun vernament dass volrich von lomis' gen zürich was vnd die vss kyburger ampt gewichen warent, do zugent si gen elgöw vnd nament das stättlin jn, vnd tröwten inen das ze brennen, oder si müssten inen die burg och jn geben. Also schikten si hannsen von yssni och gen zürich, der was hoptman vff der burg gesin, vnd gaben inen die burg och jn. Also schwuorent inen die burg vnd das stättlin, vnd besatzten die burg [123]).

43. Der von raren zoch och vff die von zürich.

It. also zugent si nun aber fürbass in kyburger ampt, vnd schadgoten vnd wuosten die lüt bärlich; wan an inen was kain wer, vnd schuoff das och fast dass si kain trost an denen von zürich hatten, vnd wo das volk zoch in kyburger ampt, do luffent inen die lüt engegen, ee ob si die dörfer nit brantint, vnd dass si och dester minder geschadgot würdint. Aber si wurden dennocht fast geschadgot, besonder an essiger spis, vnd was si och sunst züges funden.

It. also zoch nun diss volk vm, junckher peterman von raren, von liechtenstaig, von wil vnd böss beringer von landenberg, dass ir aller bi xvj c mannen warent, als vorstat, vnd schwuor man inen war si kament, vnd nament jn die vorburg ze kyburg, andelfingen, ossingen, vnd was darum gen kyburg gehört, pfäffikon, altdorf, kloten, bülach vnd was daselbs vm was. Also richsnotent si da in dem land vm mit gewalt, dass niemant dess glich tät, als ob man inen das weren welt, vnd schadgoten die lüt fast mit rouben vnd andern sachen, das hie nit aigenlich von sait.

It. si fiengent och ir vil, aber es ward niemand erstochen.

It. die edlen vff dem land, die der von zürich burger warent, satzten [124]) sich och mit inen, als herr albrecht von landenberg mit wetzikon, caspar von bonstetten mit uster, fridrich von hünwil mit gryffenberg, herdägen von hünwil sin bruoder mit werdegg. Also gieng es nieman wirser denn gudenzen von hofstetten mit siner vesti ze kempten. Von dem wolten si kainen satz haben, wan er was besonder wol an denen von zürich, vnd wolten jm die vesti brennen vnd nemen was er hett. Also kam er kum darzuo dass er schweren muost, dass sin burgrecht ze zürich ob wäri vnd er ir burger niemer mer sölt werden, vnd schwuor ain ewig landtrecht gen schwitz, vnd muost inen darzuo geben fünf hundert guldin vnd ij fuoder win, dass si ze trinken hettint, vnd muost dennocht vil schmäher wort vertragen.

It. hainz von hettlingen muost och ain landtrecht gen schwitz schweren, vnd muost dennocht xl guldin geben für wuostung. Der selb hettlinger sass ze wissnang vff dem turn.

---

122) Tschudi II. 316. 123) Tschudi II. 316. 124) verglichen. Satz Verglich (*compositio*).

Vnder disen dingen besatzten die von zürich die vesti ze **kyburg**, vnd nament von jetlicher zunft zwen, ainer mit aim armbrest vnd ainer mit ainer handbüchs, also dass ir xxvj warent, vnd schikten die gen kyburg, dass si da hüeten söltin. Dessgglichen taten si och gen gryffensee von jetlicher zunft ain, dass ir xiij wurden, die zuo gryffense hüeten solten. Grüeningen hatten si vor besetzt.

Also in disen löuffen schikten die vss **grüeninger ampt** gen zürich, vnd ruoften si an vmb hilff vnd trost, vnd dass si inen rietint wie si sich söltin halten, wann si wärint verdorben lüt, die sich nit enthalten möchtint, wöltint inen die von zürich nit ze hilff komen. Do antwurt inen der stattschriber von zürich [125]), der in disen tagen der gewaltigisten ainer was, si [126]) sechint wol, wess si muot [127]) hettint, vnd was ir mainung wär, dass si sich darnach richtint, vnd schwüerint si zuo denen von schwitz, was dann die von schwitz da geleibt [128]) hettint, das weltint die von zürich brennen vnd wuosten. Das was der trost, der inen damals von denen von zürich ward.

It. als nun die von schwitz bi dem zürichsee abzugent, vnd da wuostent, als vorstat, hatten si den reding ab dem sattel ze **pfäffikon** vff der burg zuo ainem hoptman gelassen, vnd etwan mengen knecht bi jm. Si laiten och gen **hurden** zwai hundert knechten von schwitz vnd vss der march. Die selben trybent och grossen muotwillen bi dem see, wan si fuorten etwan menig schiff mit win vnd mit andren dingen ab dem zürichsee, dass inen das nieman wert; si fuorent och vff dem see, vnd wer ab dem zürichsee gen raperswil [129] a) flöchnen welt oder geflöchnet hatt, das si vor dem tor funden, vnd voglotten [129]b) also etwa dik da, dass si es an dem tor nament, vnd inen das niemand wert, vnd täten den lüten grossen schaden.

It. also truogent nun aber etlich vss grüeninger ampt an mit denen von schwitz, die dennocht ze hurden vnd daselbs vm lagent, dass si kämint, so wöltint si inen hulden. Also ward vff dornstag, das was vff sant martis aubent [130]), zugent die selben von schwitz vss der march, von vtznach ab dem berg, von schmärikon, von wesen, vss dem gastren, vnd was si denn zesamen bringen mochten, vnd samloten sich also ze rüti, vnd assent da ze ymbis, vnd kament ir also zesamen villicht viij c mannen, vnd zugent da mit enandern gen grüeningen. Also schwuorent inen die vss grüeninger ampt desselben aubents, das was sant martis aubent, anno dni Mccccxl [131]).

It. also manten die von schwitz graff **hainrichen von sangans**, iren landtman, vnd die von **walenstatt**, die och nüwlich zuo inen geschworen hatten. Also vff den nechsten sunnentag darnach [132]) kam graf

---

125) Michel Graf, ein Schwabe, mit Stüssi ein Hauptsporner, „ain uffrüerischer Mann" Tschudi. 126) in Zürich. 127) im Sinne. 128) laiben übrig lassen (λειπω, linquo). 129 a) dass inen — raperswil f. Tsch. 129 b) foglotten Hü. aucupari, erbeuten erjagen. 130) 10. Nov. 131) Tschudi II. 316. 317. 132) 13. Nov.

18

hainrich mit zwai hundert knechten wol bezügt. Es kament och .die von walenstatt.

It. vff den selben sunnentag beschikten die von schwitz die büchsen vss der march, die si denen von zürich ze wallenstatt genomen hatten, vnd wolten die burg ze grüeningen damit niderschüssen. Die vss grüeninger ampt füerten die selben büchsen mit ir rindern gen grüeningen in das stettli.

It. vff den nechsten sampstag nach sant martis tag, das was crastina martini [133]) verbrannten die von schwitz die burg ze liebenberg. Die selben vesti hat ruodi netstaller von zürich verpfendt von denen von zürich. Er ward och in der selben vesti nie genöt, denn mit worten, vnd gab inen das hüpsch hus vff, vnd liess si es brennen, das doch wol ze beheben wäre gesin.

It. si liessent dem selben netstaller allen sinen blunder heruss.

It. also hatten junkher peterman von raren vnd die mit jm zugend, in kyburger ampt, als vorstat, die vesti ze kyburg belait mit zwai hundert mannen [134]) vss dem ampt. Die lagent in dem vorhoff, dass also niemand von der vesti noch darzuo komen mocht. Si hatten och etlich knecht gefangen, die haimlich ab der vesti wolten sin, ir dry der besten.

Also zoch nun das volk in dem land [135]) vm, als vorstat, vnd schadgoten die lüt bärlich. Also enbutten inen die von schwitz vnd baten si ernstlich, vnd gebutten inen och, was si ze gebieten hatten, dass si zügen zuo den iren gen grüeningen vnd bi den selben da lägint, das si och also taten.

Als nun die von zürich innen wurdent, dass niemant me in kyburger ampt vmb zoch vnd si all ze grüeningen bi enandern lagent, do zugent si hinuss gen kloten, gen bülach vnd daselbs vm, vnd was die geleipt hatten, das nament die von zürich, ochsen, küe vnd anders das si funden, vnd trybent es gen zürich. Es schwuorent och etlich wider zuo inen. Also wurdent die armen lüt von baiden tailen geschadgot. Aber vnder disen dingen schikten die von zürich bi fünf hundert knechten ze fuoss vnd och etlich ze ross gen kyburg, der hoptman was herr hainrich schwend, vnd zugent also nachtes gen kyburg, vnd do es ward vor tag, warent si ze kyburg an dem vorhoff, vnd hatten also kuntschaft. Vnder den zwai hundert knechten, die in dem vorhoff lagent, was ainer, der denen von zürich kuntschaft gab vnd die verriet, die bi jm lagent, vnd schuoff mit der kry [136]), dass si die tor an dem vorhoff vff taten. Also vielent die von zürich jn vnd fiengent ir bi xl knechten; etlich entrunnen inen; vnd füerten si mit inen gen zürich.

Aber vnder disen dingen warent die von zürich heruss bis zuo dem kaltenstain; der wurdent aber die von schwitz vnd die andren innen, die zuo grüeningen lagent, vnd fiengent der wachter vij guoter knecht,

---

133) 12. Nov. 134) knächten Hü. 135) ampt Hü. 136) cri Wortzeichen.

vnd fuortent si gen vtznach in den turn. Also zoch her ruodolf stüssi, burgermaister, mit denen von zürich wider hain. Der was villicht fünf hundert man.

Es was in den selben tagen offen red, was die von schwitz vnd die iren innemint, das tätint si zuo des richs handen, vmb dess willen, dass die lüt inen dester williger wärint zuo schweren vnd ze hulden. Aber do es zuo iren handen kam vnd inen die lüt in grüeninger vnd in kyburger ampt geschworn hatten, da schuoffen si damit das inen dann eben [137]) was on vrlob des römischen küngs vnd des hailgen riches. Das klagten die selben lüt ernstlich vnd treffenlich von inen [138]).

44. Die von schwitz gewunnen grüeningen den von zürich ab.

Anno dni tusent vierhundert vnd in dem vierzigosten jar [139]) ward vffgeben das kaiserlich schloss, die veste grüeningen. Daruff warent jacob murer, vogt daselbs, der alt hanns hagnower, ruotschman vfikon [140]), hanns zäg, zwen studler, gebrüeder, all von zürich, vnd hatten bi⁺inen dass ir bi vierzig redlicher gesellen warent, vnd hatten guots wins vnd aller kost genuog. Si hatten och vil guoter büchsen, grosser vnd klainer, vnd darzuo zügs vnd bulfers gnuog, vnd knecht, die da mit konden [141]), vnd me denn zwainzig armbrost.

It. man sol wüssen dass die veste nie genött ward mit kainem züg, klain noch gross. Es geschach och nie kain schutz mit kainer büchsen gegen der veste, denn dass si mit worten das herrlich schloss gewunnent, wan si behuoben och nit voll vj tag nach dem vnd das ampt denen von schwitz geschwuor.

It. es ward och kain mentsch daruor noch daruff geletzt, denn dem vogt ward ain zan vss geschossen vnd durch ain baggen mit ainer handbüchsen.

Also nament die von schwitz die veste ze grüeningen in, vnd lagent dennocht vier tag daselbs, vnd hettint die vff der burg dennocht nun dry stund gehept, so hett si niemand genött, wan es was beredt, dass niemand den andern schadigen sölt. Die aidtgenossen hatten ain satz daran gemacht, vnd redten och ernstlich daruuder, vnd was der bott vnderwegen, der es denen von schwitz vnd den andren sagen sölt, die zuo grüeningen lagent. In dem gabent si die vesti vff.

It. also liess man alle die vff der burg warent, faren vnd gon war si wolten mit ir züg, vnd was si hatten; aber was der von zürich was, büchsen, armbrost, züg, muostent si da lassen.

It. also was sant othmars tag vff die mitwuchen, darnach an dem sunnentag [142]) brachent si zuo grüeningen vff vnd. zugent dannen. Des

---

137) bequem, gelegen. 138) Tschudi II. 317. 139) 16. Nov. St. Othmar. 140) vaikon Hü. 141) d. h. umgehn. 142) 20. Nov.

ersten die von schwitz, die warent och sächer [143]), vnd fuortent die büchsen mit inen, der [144]) hoptman was aman redings sun von schwitz, der hinkende. Darnach zugent all ir helffer, als vor geschriben, da dannen, die inen ze hilff vnd ze dienst da hin zogen warent.

It. si liessent och vff der selben vesti ze grüeningen kain hoptman noch nieman der iro, denn dass si das selb hus empfolhen denen in grüeninger ampt, dass si es selb inn hettint. Dess erschrakent die in dem ampt vbel, vnd forchten, dass die von schwitz denen von zürich die vesti vnd das ampt wider geben weltint, schikten also ir bottschafft hain mit denen von schwitz, vnd baten vnd ermanten die von schwitz, was si ermanen konden, dass si die vesti vnd das selb ampt nit me von handen liessint; wan sölltint si wider in der von zürich hand komen, so müestint si ewengklich arm vnd ellend lüt sin an lib vnd an guot. Also gehiessent inen die von schwitz wol vnd gabent inen guoten trost.

It. also wurdent nun die selben lüt, die zuo denen von schwitz geschworn hatten, als wol getröst von denen von schwitz vnd den iren, dass si mainten, si sölltin niemer mer in der von zürich hand komen, wiewol es von den aidtgenossen vnd von den richstetten vnd andrén, die darunder geredt vnd getädinget hatten, beredt was, dass es inen wider werden söllt, so wärint si dennocht als vast gesterkt vnd getröst, besonder grüeninger ampt, dass si sich fast wider die von zürich satzten, vnd mainten, si wurden ir herren niemer mer, vnd sölt es lib vnd guot kosten.

It. do es ward vff sant katherinen tag [145]), schikten die von zürich ir erber bottschaft gen grüeningen, herr hainrichen schwenden, ritter, vnd hannsen brunner, vnd erforderten vnd baten da die von grüeningen, dass si inen die vesti ingeben zuo der von zürich handen, vnd ermanten si, wess si si da ermanen konden, wan inen die selb vesti vnd das ampt vnd anders, das si jetz verloren hettint, versprochen vnd verhaissen wär ganz wider ze keren in der täding, als die aidtgenossen abgezogen wärint. Also baten si och die in dem ampt, dass si das also früntlich vnd güetlich tätint, das weltint si inen ze guotem niemer mer vergessen. Si weltint och das ze argem niemer mer zuo gesuochen, dass si gen schwitz geschworn hettint, vnd anders das sich jetz in den sachen verloffen hett. Also wolten inen die vss dem ampt kain antwurt geben, denn dass si inen nit hulden wöltint noch nüts ingeben. Also hielten die von zürich ze grüeningen vor dem stettli, vnd ritten och also hain, dass sie nie in das stettli kament [146]).

It. als nun die aidtgenossen ze kilchberg vnd daselbs vm lagent, als da vor geschriben stat, vnd die von zürich vnd die iren bärlich schadgoten, an denen die von zürich trost vnd guot fründ wonden han, besonder an denen von lucern, von zug vnd von vre, wan die von zürich mainten vnd redten och das offenlich vnd vnhelbarlich [147]), die selben hettind inen hilff angsait, vnd lägint nun da vff ir schaden, vnd wüestint si, vnd

---

143) Veranlasser. 144) deren. 145) 25. Nov. 146) Tschudi II. 320. 147) unverholen.

hatten inen och widersait, also warent die von zürich fast erschrocken vnd bekümbert, vnd begabent sich me denn man inen wol zuo torst muoten, denn dass sich die richstett ernstlich darin laiten, vnd starkten die von zürich fast, dass si sich nit also liessint erschrecken vnd sich ze vil begäbint; si weltint sich trüwlich in ir sach legen vnd inen helffen mit lib vnd˜guot, vnd weltint ir sachen noch all ze guotem bringen. Vnd also stiessend die statt denen von zürich ain hertz in.

It. Dis sind die herren vnd stett die darunder ritten: des ersten graf h u g v o n m o n t f o r t, maister ˙ sant johanns ordens in tütschen landen, junkher h a n n s v o n h e w e n fry, des bischoffs von costenz bruoder; die stett b a s e l, c o s t e n z, v l m, r a u e n s p u r g, l i n d o w, v b e r l i n g e n vnd s a n t g a l l e n.

45. Die richtung zwüschent denen von zürich, von schwitz vnd glaris.

. Also ritten nun die herren vnd stett ernstlich darunder, vnd nament och der aidtgenossen botten zuo inen, wiewel si do zemal deren von zürich vigent warent vnd inen abgesait hatten, vnd brachten es darzuo, dass die sachen ganzlich gericht wurden, vnd ain notel offenlich vorgelesen ward, wie vnd wo es beston söllt, vnd was baid tail ain andern tuon sölltint. Darnach ward die sach gericht vnd die sach ze l u c e r n genzlich beschlossen vnd besigelt mit der von zürich insigel, och mit der von schwitz vnd glaris insigel. Darzuo besigloten aller aidgenossen botten, die och diss richtung vnd täding genzlich beschlussent.

It. vff den selben tag gen lucern kament och die vorgenanten herren vnd aller stett botten, die darunder geredt hatten [148]).

46. Wie sich die aidtgenossen erkennt hatten, vnd was jetwedrer tail dem andren tuon sölt.

It. des ersten so erkanntent sich die a i d t g e n o s s e n, dass die von schwitz vnd glaris ab dem veld ziehen sollten, vnd die von zürich fürbas vngeschadgot söllten lassen an ir lib vnd an ir guot, wan die von zürich bütten sölich gemain gelich recht, der si vor nie kains in welten gon, dass die aidtgenossen vermaintin [149]), die von zürich wärint gewisst vnd gehorsam gemacht, vnd weltint si fürbas hin nit mer schadigen, vnd weltint och nit dass si die von schwitz vnd glaris mer schadgoten. Also vff sampstag nach sant othmars tag [150]) anno dni Mccccxl zugent die aidtgenossen all ab, als si ze kilchberg vnd daselbs vm gelegen warent.

It. die von zürich söllent des richs strass vff tuon vnd denen von schwitz vnd glaris vnd all iren nachkomen kouff lassen, es sige lützel oder vil, welcher lai es sig, vnd dauon ir zöll vnd vngelt nemen, als das von

---

148) Tschudi II. 318—320. Spruch vom 1. Dez. 1440. p. 320—324. 149) beducht Hü. 150) 19. Nov.

alter har komen ist, vnd nüts nüwes daruff setzen. Dess gelich sond die
von schwitz vnd glaris och tuon.

It. wälsch win, brissgöwer, elsasser söllint die von zürich och durch
ir statt lassen gon, das vil jar och nit beschechen ist.

It. alles das och die von schwitz vnd glaris denen von zürich ob dem
wallense ingenomen vnd abgebrochen hand, es sigint ir burger gesin,
landtlüt, herrlikait, es sigint ligents oder varents, nünts vsgenomen, das
sol hin für der von schwitz vnd glaris sin, vnd söllent die von zürich ganz
dauon sin vnd fürbass niemer mer darzuo gesprochen.

It. der hoff ze pfäffikon, der hoff ze wollrow, hurden, vffnow vnd alles
das zuo den selben höffen gehört, alle gewaltsami, herrlikait vnd recht,
stür vnd zins, vnd was die von zürich an denselben höffen gehept hand,
sol nun hinfür jemer ewengklich der von schwitz sin, vnd söllint die von
zürich niemer mer darzuo gesprechen.

It. die lüt ze richtiswil vnd ze wedischwil, vnd alles das ander, so
von alter har zuo der burg ze wediswil gehört hat, sol fürbas vnbeküm-
bert sin von mengklichem, zuo der selben burg gehoren vnd sant johanns
orden sin, vnd niemand anders nüts gebunden sin denn wer je comenthur
da selbs ist, als jetz graf hug von montfort, der maister, vnd sol alle ge-
waltsami ab sin, so die von zürich je daselbs gehept hand, es sig burg-
recht, vogtrecht, stür oder anders. Si söllent allain zuo dem hus gebun-
den sin vnd sunst niemand anders, weder denen von zürich, noch denen
von schwitz, noch niemant[151]).

Als och grüeninger ampt, das fry ampt vnd anders, so der von zürich
gesin was, och denen von schwitz vnd glaris geschworen hat, also solten
die von schwitz vnd glaris die selben all ir aiden erlassen, vnd sölten die
denen von bern schenken; die selben von bern möchtint denn mit den sel-
ben lüten tuon vnd lassen als si denn das best ducht[152]).

It. als der von raren mit den sinen vnd och die von wil vnd ander
denen von schwitz vnd glaris ze hilff gezogen wärint, mit denen si och
ain landtrecht hatten, vnd denen von zürich och vil lüt vnd anders abge-
brochen hatten, kyburger ampt, elgöw, andelfingen vnd anders, also ward
beredt, dass man dieselben ernstlich bitten söllt, dass si die selben lüt wider
von handen liessint, vnd denen von zürich die iren also wider werden,
wan die von schwitz vnd glaris hatten inen versprochen, was si gewunnen,
da der von schwitz vnd glaris panner nit[158]) bi wärint, das söllt ir sin.
Also liessent es die von schwitz vnd glaris beliben, man könd inen es
dann ab erbitten.

It. es ward och in diss richtung aigenlich beredt vnd gemachet, dass
kain tail dem andern fürbas misshandlen söllt weder mit worten noch mit
werken, noch niemand der dem andern tail behulffen oder bigestanden wäre.

It. aber darnach bald vor wienächt ward ain tag gen wil gemachet,

---

151) noch niemant f. Hü.   152) mochten Tsch.   153) nit f. Hü.

kament der aidtgenossen botten, die von bern vnd ander vnd baten da
den von raren vnd die von wil, dass si es tätint durch ir bett vnd dienst
willen, vnd denen von zürich wider gebint das kiburger ampt vnd alles
anders, so si jetz denen von zürich ingenomen hettint. Das wolten aber
der von raren, die von wil vnd die inen gehulfen hatten, nit tuon, vnd
sprachent, si wärint desselben kriegs vnd der raiss zuo grossem bärlichen
schaden vnd kosten komen, vnd wär inen versprochen, was si gewunnint,
das söllt ir sin, vnd söltint si diss also von handen lassen, das wär ganz
ir verderben, vnd könden vnd möchten es nit tuon denn mit recht.

Darnach an dem achtenden tag nach wienächt [154]) ward ain tag zuo
dem rechten gesetzt ze den ein si d l e n zwüschent denen von zürich .vnd
denen von schwitz vnd ir landtlüten, dem von raren vnd denen von wil.
Also ward die sach zuo dem rechten gesetzt vff vier man, zwen von zürich
vnd zwen von schwitz, von zürich jackli von komm schriber, vnd hanns
keller, von schwitz der jung aman ab yberg vnd aman redings sun; der
gemain was von vnderwalden, hennsli müller.

Also vnder disen dingen ducht nun die von schwitz vnd markten och
an den aidtgenossen, dass ir mainung was, dass denen von zürich die iren
wider werden sölten, nach dem als die richtung beschechen was, vnd forch-
ten, dass si die von handen lassen müestin, die si aber gar wol getrost
hatten, si söltint [155]) niemer mer in der von zürich hand komen. Also ward
haimlich ain bott geschikt zuo dem r ö m i s c h e n k ü n g [156]), der was in
österrich zuo der nüwen statt, vnd was dennocht nie in diss land noch an
den rin komen, nach dem vnd er ze küng erwelt ward. Derselb bott hiess
caspar torner vnd was von schwitz, vnd vor och etwa lang an des kaisers
hoff gewesen, da er den aidtgenossen etwa mangs von demselben kaiser
sigmund erworben hat. Also gab der selb bott dem küng die sachen also
für, dass der küng den aidtgenossen ernstlich schraib, denen von bern, von
lucern, von schwitz vnd andren, dass si grüeningen das ampt vnd das ky-
burger ampt vnd alles ander, so jetz denen von zürich abgebrochen vnd
ingenomen wär, nit liessint wider zuo der von zürich handen komen, denn
das si den selben lüten also hilfflich vnd biständig wärint, dass si sich also
enthalten möchtint bis vff des küngs zuokunft, so wölt er selb darzuo ke-
ren vnd beschowen, wer recht oder vnrecht hett.

It. der küng schraib och den selben lüten von grüeningen, von kyburg
vnd den andren, dass si sich also enthieltint vnz vff sin zuokunft. Wär
och dass inen die von zürich in dem trang tuon weltint, oder si wider in
ir gewalt bezwingen weltint, so söltint si anrüeffen die aidtgenossen vnd
ander stett, denen er ernstlich darumb geschriben hett, dass si inen hilff-
lich wärint bis vff sin zuokunft, dass si dess also erwarten vnd beliben
möchtint.

---

154) 2. Januar 1441. 155) weltin Hü. 156) Friedrich III. (IV.), gewählt 2. Februar
1440.

It. der küng hat ooh dess glich geschriben denen von wintertur, von rapperswil vnd von sant gallen, dass si den selben hilfflich wärint, ob si die von zürich oder niemant anders welt trengen[157]).

47. It. diss brieff kament in der wuchen vor liechtmess anno Mccccxlj[158] a).

Hie nach stand geschriben die brieff, die küng fridrich von österrich, der römisch küng, den aidgenossen, den von grüeningen vnd andren stetten gesant hat.

Wir fridrich von gottes gnaden römischer küng, zuo allen zitten merer des richs, hertzog ze österrich, zuo stir, zuo kärnden vnd zuo krayn, graff zuo tirol, enbieten vnsren lieben getrüwen, den burgermaistern, schulthaissen vnd räten gemainlich zuo wintertur, rapperswil vnd zuo sant gallen vnser gnad vnd alles guot. Lieben getrüwen. Als sich gefüegt haut, dass die schloss, stett vnd herschafften grüeningen, elgew, andelfingen, ossingen vnd pfäffikon vss der von zürich gewalt komen sind vnd nu zuo vnser handen gehalten werden, vnd vns warten söllen, vntz vff vnser nächste kunfft hinuff zuo land, also enpfälhen üch allen vnd üwer jeglichem besunder von römisch künglicher macht ernstlich vnd vestlich mit disem brieff, ob jemant die genanten schloss vnd die lüt so dar zuo gehörent, och die so die jetz inhabent, bekümbren vnd die von vns trängen vnd ziehen wölt, dass ir denn denselben lütten hilfflich, biständig vnd fürderlich seyt, vntz wir selbs hin vff komen vnd die sachen nach notturfft für genemen mugent. Vnd lat üch das fleisslich beuolhen sin, als ir vns dess schuldig syt vnd wir üch dess gentzlich getruwen. Das stet vns gnädenklich gen üch zuo erkennen. Geben zuo der nüwenstatt am frytag nach sant erhartz tag anno dni Mccccxlj, vnsers richs im ersten jar.

Den von grüeningen.

Wir fr. v. g. g. r. k. z. a. z. m. d. r. u. w. enbieten vnsren lieben getrüwen den burgern vnd den lewten gemainlich zuo grüeningen vnd in dem ampte daselbs vnser gnade vnd alles guote. Lieben getrüwen, als sich gefüegt hat, dass ir aus der von zürich gewalt komen seit, also schriben wir jetz denen von bern vnd von schwitz, dass si ew niemand vergeben, sunder ew schirmen vnd handthaben, auff vns ze warten vntz auff vnser nägste kunfft hin auff zuo lande, die sich kürtzlichen schikken wirdet, als wir nicht anders wissent. Vnd nach dem ir von alter zuo dem hausse österrich gehört, so enpfelhen wir ew vnd begern, gebietten ew och von römscher künglicher macht ernstlich vnd vestiklich mit disem brieff, dass ir ew auff sölich vnser kunft vnd dar nach als lang vntz wir die sach fürgenemen mugen, zuo vns haltet vnd auff vns wartet, wann dann so wellen wir gedenken weg darinne zuo halten, damit ir wol fürgesechen vnd guotlich von vns gehalten werdet, vnd getruwen ew wol ir tutt dar inne nicht anders als ir vns dess schuldig seit. Das wellen wir gnädeklich gen ew

---

157) Tschudi II. 324. 325.   158 a) Diese Rubrik f. Tsch.

erkennen. Geben zuo der newen statt am freytag nach sant erhartz tag anno dni Mcccc quadragesimo primo, vnsers reychs im Ersten jar. . . .

Ad mandatum dmm Regis Conradus ppt. wiennensis.

It. dar nach in der selben wuchen vor liechtmess ward ain tag gemacht gen bern. Da kament aber baid tail hin vnd der aidgenossen botten, jt die brieff von dem küng, als vor stat. Vff disem tag wurdent die sachen nit vss getragen, vnd ward ain tag gen lucern gemacht [158 b].

48. Die aidtgenossen kament zesamen gen lucern.

Anno dni Mccccxlj kament aber vff den tag gen lucern baid tail vnd aller aidgenossen botten vff mittwuchen vor [159] kathedra petri. Also klagten die vss grüeninger ampt allen aidgenossen fast vnd schwarlich ab denen von zürich, vnd hattent da ain rodel mit vil artikel gemachet wider die von zürich, wie si inen grossen gewalt vnd vbertrang vil jar geton hettint, vnd nüw vffsätz vnd recht gemachet hettint, vnd ir alt herkomen vnd recht abgebrochen hettint, das si inen doch verhaissen vnd versprochen hettint, si da bi lassen ze beliben, do si inen des ersten schwuorent. Vnd baten also die aidtgenossen ernstlich, dass si inen doch hilflich wärint, dass si vor sölichem geschirmt wurdint, wan inen och sölichs versprochen wär. Si manten och die aidtgenossen ernstlich an des küngs schriben, vnd saiten och, wie inen der küng geschriben hett, dass sie sich also enthieltint bis vff sin zuokunft; welt si aber fürbas jemant trengen, dass si denn die aidtgenossen sölltint anrüeffen vmb hilff vnd schirm, wan er inen ernstlich darum geschriben hett.

Also antwurt ainer von vnderwalden da offenlich vor mengklichem: jn nemm wunder, dass si oder jemant als torrecht wär, dass er wonde, dass die aidtgenossen ir pünd brechint durch des küngs schribens willen, vnd dass inen der römisch küng noch ainest schrib vnd der bapst darzuo, so weltint si es dennocht nit tuon.

Also hielten die aidtgenossen nit vil vff des küngs schriben, vnd giengent och dem nit nach in der mass als er inen geschriben hatt, vnd wolten och das nit genzlich, vnd was ir mainung, dass die von schwitz grüeningen das ampt vnd das fryg ampt vnd das ander gantz von handen liessint, als es in dem veld getädingot vnd versprochen was. Also ward da ain täding von den aidtgenossen gemacht, dass grüeningen das ampt vnd das fryg ampt denen von bern söllt schweren, vnd solten die von schwitz si ir aiden ledig lassen, so si inen geton hatten. Da sachent die armen lüt vss grüeninger ampt, das der trost vss was, den inen die von schwitz geben hatten; doch ward da beredt, dass die vss grüeninger ampt denen von bern ir artikel in geschrift geben söltint, so weltint si darüber sitzen vnd besechen was si billich dücht, wie die von zürich das selb

---

158 b) Die Briefe und dieser Passus allein bei Hüpli p. 225. 159) war? Mittwoch 18. Jan. war eben dies Fest.

ampt halten sölltin, vnd wöltint si och dess versichern mit brieffen, dass si dess also jetz vnd hiernach sicher wärint.

It. vff dem selben tag ze lucern ward och geredt von den aidtgenossen mit dem von raren vnd den sinen, vnd och mit denen von wil, dass si alles das von handen liessint, so si denen von zürich abgebrochen vnd ingenomen hettint, es wär kyburger ampt, elgow, andelfingen, ossingen oder anders, das wär je der aidtgenossen mainung, denn sölltin die darum sprechen, vff die es gesetzt wär, als da uor stat, so wurde der von raren vnd die von wil denen von zürich kosten vnd schaden ablegen; vnd ward mit dem von raren vnd mit denen von wil als vil geredt, vnd markten och der aidtgenossen mainung, dass si das alles von handen liessint on spruch, wan hettint si es nit mit lieb geton, so ist versehenlich, si müestint es geton han on dank, wan es was je der aidtgenossen mainung, dass es alles wider denen von zürich wurd. Also hatten der von raren vnd die sinen vnd och die von wil vmb sunst·kriegt, wan si muestent es alles von handen lassen, denn allain was si geroubet vnd den lüten genomen hatten, vnd ward inen nüts an iren grossen schaden vnd [160]) kosten, vnd was inen dennocht nit vil jeman desto hölder.

49. Denen von zürich ward das ir wider.

Also nament die von zürich diss alles wider in, vnd muosten inen schweren als vor, vnd ward dem von raren, böss beringer von landenberg vnd denen von wil nüts denn brantschatzung vnd schatzung so si den edlen vnd andren geton hatten vnd mit inen vberkomen warent, als vorstat.

50. Von den schwitzern.

It aber darnach vff den nächsten zinstag vor sant mathis apost. [161]) erliessent die von schwitz die vss dem fryen·ampt ir aiden, so si inen geton hatten, vnd hiessent si denen von bern schweren. Also schwuorent si des selben tages dem schulthaissen von bern, der gebott inen bi dem selben aid, wider denen von zürich zuo schweren. Also schwuoren die vss dem fryen ampt des selben tags wider gen zürich, als vor.

It. vff den nächsten dornstag darnach, das was vff sant mathias aubent[162]), kament der von bern botten mit denen von zürich gen grüeningen, vnd hettint gern gesechen, dass si wider denen von zürich geschworen hettint, vnd redten das och ernstlich mit dem ampt. Also wolten si nit wider denen von zürich schweren, si weltint vor sicherhait von denen von zürich han, das inen och von den aidtgenossen versprochen was, man welt inen helffen, dass si bi ir alt herkomen vnd frihait belibint. Also schwuorent si des selben tags denen von bern, vnd gabent och denen von bern die veste ze grüeningen in, mit der von schwitz wissen vnd willen; die von bern gabent och des selben tages gelich den von zürich die sel-

---

ben vesti in. Also nament die von schwitz des selben mals vff der vesti
se grüeningen büchsen, armbrust vnd alles das si 'funden, das der von
zürich gesin was, vnd füerten es gen schwitz.

It. darnach vff dem balm abent [163]) kament aber der von bern botten
mit denen von zürich gen grüeningen, vnd erliessent daselbs das selb ampt
ir aiden, so si denen von bern geton hatten, vnd hiessent si da denen von
zürich wider schweren, als vorstat, vnd versprachent inen da baid tail,
bern vnd zürich, dass si vbertrangs vnd nüwer vffsätz von denen von zü-
rich fürbas vberhept söltint werden, vnd sölt och niemand dess engelten
gegen denen von zürich, wie er sich in disen löffen gehalten hett, vnd dass
si gen schwitz geschworn hatten.

It. die von bern hatten och ain brieff gemacht, wie die von zürich
das selb ampt fürbass ,halten söltint, vnd hatten etlich stuk abgetan, als
sich die selben lüt vor inen erklegt hátten. Si machten och etlich stuk
darzuo, dass die in grüeninger ampt den selben spruch nit vast lopten, vnd
muosten dennocht denen von bern vil geltes vmb den brieff geben, vnd
hatten ir sach nit fast damit gebessret. Also schwuorent si wider zuo de-
nen von zürich vnd hatten arbeit, kosten vnd schaden vnd schand vmb
sunst gehept, vnd was aller ir trost vss, der inen vor dik geben was. Also
mainten die in grüeninger ampt, si weltint kain geloben an die von schwitz
niemer mer gehan, denn si hettint si wol getröst, si wöltint lib vnd guot
zuo inen setzen vnd mit inen wagen, vnd söltint in der von zürich hand
niemer mer komen. Also wurden si wider der von zürich, vnd hatten es
vil besser denn vor [164]).

51. Die von zürich entschluegent die von lucern ainer red [165]).

It. die von zürich hatten geredt von denen von lucern, si hettint
inen hilff zuo gesait, vnd vber das hulffint si den von schwitz, vnd zugint
vff die von zürich, vnd hettint nit gehalten‧, das si inen vor versprochen
hettint. Also muot diss red die von lucern, vnd klagten es den aidtge-
nossen, dass inen die von zürich an ir er vnd aid redten, das si denen
von zürich nit wöltin vertragen, vnd wolten also erst aber an die von
zürich.

Also ward darunder geredt, dass die von zürich die von lucern vor
gemainen aidtgenossen sölichs vnd anders, so si inen denn zuo geredt hat-
ten, sölltint entschuldigen vnd entschlahen [166]).

52. Die aidtgenossen hatten ir bottschaft bi denen von rapperswil.

Anno dni Mccccxlj [167]) do vff sant johanns abent des töffers [168]), hatten
all aidtgenossen, von bern, von lucern etc. on die von schwitz vnd glaris,

---

163) 8. April. 164) bässer denn vor Hü. bösser ? Tschudi II. 326. 327. 165) Rubrik
von Tschudi's Hand. 166) vnd wolten — zürich blos bei Hü. Tschudi II. 327. 167) Tsch.
und Hü. 1442; aber Tschudi korrigirte in seiner Handschrift 1441. 168) 23. Jun.

ir erber vnd treffenlich bottschaft bi denen von rapperswil, vnd baten si vm der von glaris panner, so si vor ziten ze wesen gewonnen hatten, dass die von rapperswil den von glaris die selben panner wider gebint; des wölten die aidtgenossen gemainlich vmb die von rapperswil verdienen. Die von · glaris hatten och den aidtgenossen fürgeben, wie sie inen die selben ir panner vnerlich abgewonnen hettint. Also antwurtent die von rapperswil den aidtgenossen, si weltint die panner nit von inn geben, si müestint in ir kilchen hangen, da si ir vordren hingehengkt hettint. Also schieden die aidtgenossen vngeschaffet wider haim, vnd muot si vbel an die von rapperswil, dass si die aidtgenossen nit geeret hatten, vnd mainten, es sölt inen nit ze statten komen. Darnach schikten die von rapperswil ir erber botten zuo denn von schwitz, zug, lucern, vnderwalden, vre, vnd baten die, jegklich ort besonder, dass si mit den von glaris schueffint, dass si die von rapperswil vnbekümbert liessint bis an ain recht, so weltint si inen· zuo er vnd recht ston, wo es billich wär, vnd ermanten also die aidtgenossen, diewil vnd si doch dem hailgen rich zuo gehörtint, dess si [169]) och wärint, vnd wess si die aidtgenossen ermanen konden. Aber es halff als nüts, die aidtgenossen wolten inen kain antwurt geben, wiewol etlich ort den von glaris klainen glimpf gab [170]).

53. Die von zürich warben vmb gnad an küng friderichen vnd an die herrschaft von österrich, vnd schwuoren ain ewigen pund zuo österrich.

It. also muot nun die von zürich die schmach, die schand vnd och der schad, so inen die von schwitz vnd glaris vnd ander ir aidtgenossen geton hatten, mit denen si doch ain ewigen geschwornen pund hatten, vnd kunden also nit wol gedenken, wie si sölich schmach gerechen konden an denen von schwitz, glaris vnd an den andren, die inen sölichs geton hatten vnd teglich taten, wan die aidtgenossen gemainlich hatten die von zürich vnhoch mit worten vnd och suss anders denn si vor von inen gehept waren. Also vberschluogent die von zürich etwa menge, wie si jm tätint, dass si sich gerächint, vnd dass si hinfür sölicher sachen vberhept wurdint von denen von schwitz vnd von den andren aidtgenossen, vnd wurdent ze rat, dass si sölichs so inen denn geschechen was, niemer mer köndint noch möchtint gerechen an den aidtgenossen denn mit hilff vnd rat der herrschaft von österrich, die och dozemal das römisch rich inn hatten. Wiewol nun die von zürich bekannten [171]) vnd wissten, dass si schwarlich an der selben herrschaft vnd an den iren vberfaren hatten, vnd groblich wider si geton hatten, so woltent si dennocht lieber gnade an der herrschaft suochen vnd begeren denn dass si den puren also wöltint zuo willen werden, vnd inen sölicher herrschaft vnd irs muotwillen also weltint gunnen vnd ze lieb lassen werden. Si hatten och dik hören sagen vnd ouch selb gesehen, dass die herrschaft von österrich von alter har je vnd

---

[169]) (die Eidg.). [170]) Tschudi II. 327. [171]) erkannten.

je so adenlich gnedig vnd güetig wär; was inen in krieg oder suss ze laid je beschäch, oder wie groblich man wider si je getät, wenn si gericht wurden, so hielten si och sölich richtung, vnd gedächten sin niemer mer zuo argem. Also suochten nun die von zürich rat vnd hilff zuo wem si getruwten, der inen guot oder nutz gen der herrschaft sin möcht, vnd besonder zuo etlichen herren, den si denn getruwten, vnd die och der herrschaft von österrich diener vnd haimlich warent, vnd baten die also ernstlich vnd getrüwlich sölichs an die selben herrschaft ze werben vnd ze suochen. Also ward och sölichs geworben von marggraf wilhelm von hochberg, herr ze rötteln, vnd der herrschaft von österrich landtvogt in elsas etc. von türing von hallwil vnd von andren, dass die von zürich ir bottschaft zuo dem küng sölltint schikken [172a]).

Anno dni Mccccxlij vmb die liechtmess schikten die von zürich ir treffenlichen bottschaft, iren burgermaister herr hainrich schwenden, ritter, iren stattschriber vnd ander von zürich mit siner herrlichen kostlichen [172b]) schenki, die si dem küng wolten bringen; vnd do si kament gen salzburg, do zoch der küng haruff von österrich, vnd wolt haruss gen schwaben vnd an den rin, och gen ach vnd sich da lassen krönen, wan er dennocht die küngklichen kron nit empfangen hat. Also wolt er die von zürich ze salzburg nit hören, noch die schenki von inen empfachen, vnd beschied si also haruss gen ynsbrugg. Also zuo ynsbrugg hort der küng die von zürich, vnd empfieng ir schenki von inen; doch mit grosser fürdernuss vnd bitt brachtent si das zewegen, dass si also in kuntschaft [173]) des künges vnd siner räten kament. Also begabent sich die von zürich vnd bekanten, dass si schwarlich wider sin küngkliche gnad vnd die herrschaft vnd das huss österrich geton hettint, vnd baten also sin küngklich wirdigkait vmb gnad, vnd wärint och darumb zuo sinen küngklichen gnaden gesandt vmb gnad, vnd begabent sich och, sölichen freuel vnd vberfaren, so si an jm vnd an den sinen geton hettint, gern abzelegen nach genaden, vnd sin vnd siner rät vnd ander herren erkanntnuss, vnd wider jn noch das huss österrich niemer mer ze tuon [174]).

54. Die von zürich schankten dem küng vnd dem huss österrich kyburg die graffschaft.

It. die von zürich schankten dem küng vnd der herrschafft von österrich die graffschaft ze kyburg, die si vor verpfendt hatten, vnd anders das si von der herrschaft hatten.

It. also darnach vff den nächsten sunnentag nach sant bartolomeus tag [175]) anno dni Mccccxlij, do kam der von zürich bottschaft von dem küng, herr hainrich schwend ritter vnd burgermaister, vnd ir stattschriber, die och diss sachen wurben. Es kam och mit inen des richs landtvogt zuo

---

172a) Tschudi II. 332. 333. 172b) kostlichen f. Hü. 173) Bekanntschaft. 174) getuon Hü. Vrgl. Tschudi II. 333. 175) 26. Aug.

schwaben, herr jacob der truchsess von waltburg, vnd brachtent also mit inen die brieff vnd richtung, dass si genzlich mit dem küng vnd der herrschaft vnd dem hus von österrich geschlicht vnd ains waren vmb all vergangen krieg, stöss vnd ganz vmb alle vergangen sachen.

55. Die von zürich brachtent ain puntbrieff.

It. si brachtent och ain brieff, dass sich die von zürich stät vnd zuo ewigen ziten zuo der herrschaft vnd dem huss österrich gebunden vnd veraint hatten; doch hatten si ir pünd vorbehept, die si mit den aidtgenossen geton hatten, als das denn beschaiden was.

56. Die von zürich besiglotent den puntbrieff mit der herrschaft von österrich.

Also darnach vff den nechsten zinstag, das was vff sant pelayen tag [176a), do giengent die von zürich zesamen [176b) alt vnd nüw rät, vnd die zwai hundert, vnd besiglotent da die brieff vnd den ewigen pund mit der herrschaft von österrich, vnd saiten och das offenlich, wan sin was mengklich ze zürich fro, wan bis vff die zit wisst man nit aigenlich was die von zürich bi dem küng wurben oder geworben hatten. Also gefiel diser pund vnd diss richtung vnd der gewerb, so die von zürich mit dem küng hatten, den aidtgenossen nit fast wol, vnd redtend och meng wild vnd wunderlich wort darzuo [177a).

57. Der küng schikt zuo den aidtgenossen [177b).

It. vnder disen dingen schikt der küng ain erber bottschaft, herr wilhelmen von grünenberg ritter, vnd türingen von hallwil zuo den aidtgenossen, ze erfordren die stett im ergöw vnd anders, so si sinem vetter, hertzog fridrichen von österrich vnd dem hus österrich abgebrochen vnd ingenomen hettint, vnd begert also ze wissen, ob si die selben stett, lüt vnd land zuo des richs handen ingenomen hettint oder zuo ir selbs handen; hettint si dem hailgen rich kriegt vnd zuo des richs handen stett, lüt vnd land ingenomen, so wär er zuo disen ziten der, dem es zuo gehört, wan er wär römischer küng, dem alle curfürsten vnd ander des hailgen richs fürsten, herren vnd stett gehuldt hettint, vnd jn hieltint als ain römschen küng. Hettint si aber von ir selbs wegen kriegt vnd zuo ir selbs handen sölich land, stett vnd lüt ingenomen vnd dem hus österrich abgebrochen, so hettint si doch in den selben zitten ain geschworn frid gemachet mit sinem vetter, hertzog fridrich von österrich vnd mit der herrschaft vnd dem hus österrich vnd mit allen iren stetten, lüten vnd land zwai vnd fünfzig jar, den si doch damit an der selben herrschaft vnd an den iren schwarlich vnd treffenlich gebrochen hettint. So möcht noch welt er doch nit lassen, er welt je sin veterlich erb han vnd si vmb sölichen

---

176a) 28. Aug. 176b) ze rat Tsch. 177a) so die von zürich — hatten f. Tsch. Vgl. Tschudi II. 343. Der Bund vom 17. Juni S. 335. 177b) Rubrik f. Hü.

frevel vnd muotwillen [178]) fürnemen vnd züchtigen, als jm denn gepurt von küngklicher macht vnd römisches gewaltes wegen, vnd jm zuo gehort. Vnd begert also ainer antwurt von den aidtgenossen.

58. Die aidtgenossen nament ain bedenken.

It. vff diss muotung konden die aidtgenossen dem küng nit wol geantwurten, vnd nament si also ain bedenken, vnd hatten also der stett vnd ander ir guoten fründen rat, vnd sprachent, es wäre nit ainer statt vnd aines lands ding, es wär ir aller sach, si wöltind ain ander besamlen vnd dem küng ain gantz volkomen antwurt geben.

It. vff den nechsten mentag nach vnser lieben frowen tag ze herpst [179]) hatten all aidtgenossen ain tag ze l u c e r n, wie si dem küng weltint antwurt geben, vnd warend darinn etwas bestanden, vnd suochten rat, zuo wem si getruwetend.

It. also warent nun all aidtgenossen ze rat worden, dass si je die pünd hören weltint, so die von z ü r i c h mit dem hus österrich zuo ewigen ziten gemacht hettint. Die von zürich versprachent sich gegen den aidtgenossen, dass si da nüts geton hettint, denn das si mit eren vnd recht wol tuon möchtint, vnd den aidtgenossen vnd ir pünden on schaden. Da hatten aber die aidtgenossen bössen gelouben daran, vnd schikten also ir aller bottschaft gen zürich, on schwitz vnd glaris, die brieff vnd pünd zuo hören, vff zinstag in die felicis et regula [180]).

Also liessent die von zürich diss botten die pünd hören. Also hettint die botten der brieffen gern abgeschrifften gehept, aber die von zürich woltenz inen nüt geben, si liessent jn wol die brieff zwirent oder dristunt [181]) vorlesen. Also ritten der aidtgenossen botten vnd die von zürich mit inen [182]) gen b a d e n vnd zuo den andren stetten in dem e r g ö w, vnd baten vnd manten si dass si ir aid bielten, die si inen geschworn hettint, als si inen dess wol getruwten, so weltind si inen och helfen mit lib vnd guot, wo si dess bedörftin.

59. Der küng was in disen ziten ze friburg, vnd fuer also daselbs vmb, vnd wissten die aidtgenossen nit, wess er muot hett.

Vnder disen dingen wurden die von z ü r i c h gegen den k ü n g gar schwarlich vnd fast versait, wiewol si sich gen jm verbrieft hatten, als vorstat, si wärint lüt, an die sich nit ze lassen wär, vnd die weder brieff noch aid hieltint, vnd hettint sölichs nit jm angetragen me denn inen aber enpfolhet wär, vnd es nit jederman lieb wär, vnd vmb anders wurden si hefftengklich verklagt. Also beschikt der küng die von zürich wider, vnd huob inen sölichs für. Do verantwurten sich die von zürich gen dem küng, dass sich das niemer finden sölt, si weltint ir lieb vnd guot ime gefangen geben, vnd was si mit sinen genaden geworben vnd geton hettint, das sölt sich och

---

178) vnrecht Hü. 179) 10. Sept. Tschudi II. 344. 345. 180) 11. Sept. 181) d. h. dri stund, dreimal. 182) 12. Sept.

also finden, vnd wöltint och dem also getrüwlich nachkomen vnd nach gan.
Vnd baten och also ain küngklich gnad, dass er si also entschuldiget hett,
als si gen jm versait waren, vnd baten jn och also gen zürich ze komen
vnd selb besehen, ob es gehalten wurd oder nit. Also sprach der küng,
er welt selb gen zürich komen vnd die aid von inen nemen, vnd herren
vnd ritter ze gegen haben [183]).

60. Küng fridrich von österrich kam gen zürich.

Anno dni Mcccxlij vff die nächsten mittwuchen nach des hailgen
crütz tag ze herpst [184]) kam küng fridrich von österrich der römisch
küng gen zürich mit herren, graffen, rittern vnd hnechten, dass man si
schatzt bi tusent pfert vnd xxxvj herwägen. Also enpfiengent jn die von
zürich mit grossen eren vnd so si jn wirdigklichost vnd erlichost empfachen
konden, mit aller priesterschaft, mit allen orden vnd hailtum, vnd so si
kostlichest konden, vnd was si zierlichs vnd hüpschs hatten.

61. Die von zürich schwueren dem küng vnd dem huss von österrich.

It. darnach vff den nächsten sonnentag [185]) schwuorent die von zürich
dem küng als ainem römschen küng vnd dem hailgen rich gehorsam vnd
getrüw ze sind, vnd darnach schwuoren si dem küng als ainem herren
von österrich. Si schwuorent och sinem bruoder, hertzog albrechten,
sinem vetter hertzog sigmunden, vnd der selben herrschaft vnd dem
huss österrich ewengklich vnd den pund getrüwlich ze halten, den si mit
inen gemacht hatten, den man och da offenlich vor mengklichem vor-
las [186]) rr). Die von zürich behuobent och ir alten pünd vor, die si mit
den aidtgenossen hatten.

It. marggraf wilhelm von hochberg schwuor och da denen von
zürich widerumb als ain landtvogt der herrschaft von österrich, als er och
in den ziten was. Es schwuor och herr wilhelm von grünenberg mit
der veste ze rinfelden vnd mit der herrschaft in den pund [187]) ss).

---

183) Tschudi II. 345. 346. am 16. Sept. 184) 19. Sept. 185) 23. Sept. 186) Tschudi II. 346.
187) Nach Tschudi's Verbesserung und Hü., wo die Hdschr. hat: „schwuorent och do
die von zürich widerumb." Tschudi wieder: „und Thuring von Hallwil, all dri im
Namen und in die Personen des Künigs und Herzog Albrechts und H. Sigmunds."

rr) Also kam vnser her der küng gen zürch vnd was da by acht tagen.
Die von z. swuorend jm vnd gabend jm was si hettend von österrich vnd w.
Vnd ward zürch ergeben dem küng, das taten si den von swytz vnd andren
aidgnossen ze nyd vnd ze hass, dann den von z. gross schmach geschehen was
da vor von den aidgnossen, dann si zugend für zürch vnd namend jn vil landes
jn, vnd zwungen die von z. was si wolten. Dacher p. 359.

ss) Darnach zoch er gen franckfurt vnd lech den fürsten vnd herren ir
lehen, vnd bestätgot den stetten ir fryhaiten; doch so wolt er den aydtgnossen
vnd den stetten, die zum hus Oe. hortent, vnd an das rich komen warent, ir

62. Die von rapperswil schwuerent och dem huss österrich.

It. also darnach vff den nächsten mentag [188]) fuor der küng den see vff gen rapperswil me denn mit drissig schiffen, mit sinen dienern, mit den von zürich vnd ab dem zürichsee. Also empfiengent jn die von rapperswil so si erlichost vnd best konden, mit dem hailtum. Morndes vff zinstag [189]) muotet der küng den von rapperswil an, dass si dem huss österrich wider schwuerint, dess si doch von alter har wärint [190]). Das bekanten die von rapperswil, dass si das billich vnd gern tätint; doch warent si vnwillig, mit den von zürich kain püntnuss ze haben, besunder diewil vnd die von zürich mit den aidtgenossen ain pund hieltint, vnd der selb pund vor gon söllt. Vnd erzalten da dem küng ir anligenden sachen, vnd dass inen dik vnd vil we vnd laid beschechen wär von denen von zürich vnd von den aidgenossen, vnd satzten dennocht das also hin zuo sinen gnaden, wan er ir natürlicher herr was, dass si gern vnd billich ze willen ston weltint, was er sie hiess. Also schwuoren si desselben tags dem huss österrich wider, vnd och den pund, da zegegen was der küng selbs vnd vil herrschaft.

It. die von zürich redten och desselben mals mit denen von rapperswil, da der küng vnder ougen was, si weltint ir guoten getrüwen pundgenossen vnd helffer sin, als ver ir lib vnd guot gelangen vnd geraichen möcht; des gelichen getruwtent si inen och. Also fuor der küng wider gen zürich.

63. Die von winterthur schwueren.

It. aber vff den nächsten sampstag darnach, das was sant michels tag [191]) brach der küng ze zürich vff vnd rait gen winterthur. Morndes,

---

188) 24. Sept. 189) 25. Sept. 190) Sie waren seit 1415 des Reiches gewesen. 191) 29. Sept.

fryhaiten nit bestätigen denn dem hus v. Oe. vnschädlich. — Vnd zoch er den rin vf — gen zürich. Da ward er erlich enpfangen vnd schwuorent jm die von Z. zum hus Oe. vnd zoch do gen raperschwil, vnd schwuorent die von Z. ouch widerumb an das h. O. won si zuo dem rich gefryt warent, vnd zoch do also widerumb gen Z. vnd belaib do etwen mengen tag, vnd machet ain puntnis vnd verband raperschwil, Z. vnd winterthur zuo samen vnd ander siner stett, den schwartzwald vnd alle sine land, vnd kam do gen wintertur vff sant michels tag Mcccxlij jar. Die schwuorent jm ouch zum hus gen Oe. vnd verband si ouch zuo den von Z. in iren punt, das si nit gern tautent vnd sich des wartent, denn si nit wol an jnen sind vnd noch hüt by tag. Doch es geschach, das si sich ab dem rich zugent, vnd ergabent sich wider an die herrschafft. Die von Z. schanktent dem küng kyburg vnd die grafschafft; do schankt er widerumb jnen das selb zuo haben ze luterm aigen, vnd hoche vnd nidre gericht dorzuo, ouch M M guldin vff der graffschafft grüeningen, won die jnen verpfent was von der herrschaft. Cod. 630 p. 289—291.

vff den sunnentag [192]) schwuorent si dem huss österrich vnd der herrschaft wider vnd och dem pund, als die von rapperswil geton hatten.

64. Der küng rait gen kyburg.

It. vff den.selben sunnentag rait der küng gen kyburg vnd besach die veste, vnd rait des selben tags wider gen wintertur. Vff mentag[193]) schied der küng von wintertur.

65. Der küng rait gen küngsfelden.

It. also wond nun mengklich, der küng welt gen costenz, wan er schikt sin wägen vnd ain tail sines volkes dahin. Also rait er[194]) gen baden, vnd was da vbernacht, vnd morndes[195]) gen küngsfelden, vnd hort da mess, vnd besach sines änis grab vnd das closter ze küngsfelden, das von sinen vordren gestifft vnd erlich begabet vnd geordnet was, vnd was also ze brugg vbernacht.

Also rait er[196]) durch das ergöw, vnd besach da arow, zofingen vnd andre schloss in dem ergöw. It. soloturn, von soloturn gen bern. Also tät man jm allenthalb vil eren jederman nach sinen stätten.

It. es nam mengklichen wunder, dass der küng also mit ainem klainen zug durch die aidtgenossen rait on gelait, vnd gehiess jm vil lüt vbel darzuo, wan die aidtgenossen jm in den selben tagen vigent waren. Dess gelich beschaint er och gegen inen, wan er tät nit das inen gefiel oder eben was; er wolt inen kain frihait besteten, vnd vordret och das sin hefftengklich an si, vnd maint och das selb ze behalten.

Est mala stulticia per multa pericula terre
Omnia mobilia simul et semel adfora ferre[197]).

It. darnach rait er von bern gen friburg. Die enpfiengent jn mit sunder grossen eren vnd wirdigkait, dauon vil ze sagen wär, wan ir hertz stuond gen österrich, vnd warent fro dass si den tag gelept hatten, dass si ain römischen küng vnd ain herren von österrich in aigner person ze friburg entpfachen sölltin[198]).

66. Der küng rait in weltschland.

It. si bezalten alle kost als lang der küng ze friburg was, allen den die mit jm ritten, wie man die bracht, essen, trinken, fuoter, höw, schmid, schuomacher, schnider, sattler; wess man bedorfft, bezalt als die statt friburg. Si machten jm och etwa meng kurtzwil vnd schimpf, das ich lass beliben.

It. es kament aber der aidtgenossen botten gen friburg, vnd fielent dem küng ze fuoss, vnd begerten, dass er inen ir frihaiten bestete vnd vffrichti, als ander römsch küng vnd kaiser, sin vorfaren, geton hettint; so

---

192) 30. Sept. 193) 1. Oct. 194) 1. Oct. 195) 2. Oct. 196) 3. Oct. 197) Die Verse blos Hü. 198) Die ganze Reise fast wörtlich bei Tschudi II. 348.

weltint si jm och gehorsam sin vnd tuon was si jm denn von recht pflichtig vnd schuldig wärint, von des richs wegen. Also wolt inen der küng kain frihait noch bestätung geben, er welt vor sin veterlich erb wider han, oder aber dass si vor für die fürsten zuo dem rechten (standint), da dann das billich wär. Also beschied er inen ain tag gen costenz vff den nächsten sant martis tag, darnach so welt er och etlich des hailgen richs fürsten bi jm haben.

It. also rait der küng vff dem selben ritt in der herren land von saffoy, gen lossen, gen jenff etc. Die selben hertzogen vnd och ir schwöster jn och mit grossen eren vnd wirdigkait entpfiengent vnd hielten, dauon vil ze sagen wär.

It. der hertzog von burgonien kam och zuo dem küng mit grosser herrschaft etc. gen bysantz in die statt, er vnd sin wib, vnd erzögten da dem küng vil grosser eren [199]).

67. Der küng kam gen basel.

Also kam nun der küng wider von weltschen landen, nit den weg, den er hin in gezogen was, denn er fuor gen mümpelgart vnd gen basel zuo. Also kond jn vor niemand vberreden, dass er ze basel in die statt wölt, vnd ritten jm doch die cardinäl, das concilium vnd die von basel kostlich engegen, vnd baten jn, dass er in die statt ritt; aber er wolt es nit tuon, denn do er von weltschen landen kam, do rait er gen basel in die statt, vnd belaib da etwa mangen tag, wiewol er nit fast wol an inen vnd an dem bapst [200]) was. Also enbott er nun den aidtgenossen, dass si zuo jm gen costenz kämint, als er ze friburg mit inn verlassen hat; das wolten die aidtgenossen nit tuon, er geb inn denn ain gelait sicher zuo jm vnd von jm, das er inen och also gab, wiewol das vngewonlich was [201]).

68. Der küng kam gen costenz.

It. der küng zoch aber den rin vff gen costenz vmb sant katherinen tag [202]). Also schikten die aidtgenossen ain bottschaft gen costenz vff zinstag nach sant katherinen tag [203]), bern, lucern, zug, schwitz, glaris vnd vnderwalden [204]).

69. Der küng verhort die aidtgenossen ze costenz.

It. vff den zinstag nach sant katherinen tag fuor der küng gen vberlingen, vnd nam da die gelüpt vnd aid in, vnd schwuorent jm als ainem römischen küng. Morndes [205]) fuor er wider gen costentz vff die pfallenz, da er och ze herberg was, vnd vff die selben mittwuchen verhort der

---

199) Filipp d. Gute, Karls des Kühnen Vater. Auch hier alles bei Tschudi. Vgl. Königsh. Cod. 630 p. 291. 200) dem Gegenpapste Felix. 201) Tschudi II. 349. 202) 25. Nov. über Diessenhofen, welches ebenfalls vom Reiche schwur. 203) 27. Nov. 204) Uri hatte seine Urkunde schon am 30. Sept. in Wintertur erhalten. Tschudi II. 347. 205) 28. Nov.

küng die aidtgenossen offenlich vff der pfallenz, da zegegen warent fürsten, herren, ritter vnd knecht, des ersten der römisch küng selb, der bischoff von ougspurg, der bischoff von prixen, der bischoff von gurck, der bischoff von kiemse, vnd bi inen vil doctores vnd gelerter.

It. marggraf jacob von baden, marggraf wilhelm von rötteln, der graf von schowenburg, hertzog ruodolf von der schlessi, grafen von montfort, von mätsch, von lupfen.

Also fielent die aidtgenossen für den küng, vnd redt ruodolf von erlach von bern von ir aller wegen, vnd baten sin küngklich gnad, dass er inen ir frihait besteten welt als ander sin vorfaren, küng vnd kaiser, geton hettint, das welltint si willenklich vmb sin gnad verdienen, wo si köndint. Also bedacht sich der küng mit sinen herren, ritter vnd knechten, vnd gab inen der bischoff von prixen die antwurt: guoten fründ, als ir vnsern aller gnedigosten herren gebetten hand vmb frihait etc. was er vch da pflichtig vnd schuldig ist von küngklicher macht vnd gewalts wegen, das wölt er gern tuon; aber ir hand dem huss von österrich sin lüt vnd land ingenomen in friden vnd in sätzen. Dass er vch darbi besteten welle oder kain frihait geben, das will er nit tuon, die dem huss österrich schädlich sig. Er getruwt vch och ir gebint jm sin veterlich erb wider. Wenn ir das tuond, was er vch dann pflichtig ist von küngkliches gewalts wegen, das wil er denn gern tuon, vnd dem vollenklich nach gan. Also bedachten sich aber die aidtgenossen, vnd antwurt aber der von erlach als vor: Als üwer küngklich gnad an vns begert hat, dess hand wir kain gewalt noch macht; wir sind hie als botten, vnd bittend vnd begerend als vor, vnser frihait von üwer küngklichen gnaden ze besteten, so wöltint wir denn üwer mainung an vnser guoten fründ bringen haim, vnd getruwent, wir wellent denn vwern küngklichen gnaden ain guot früntlich antwurt bringen.

Also antwurt aber der von prixen von des küngs wegen, dass inen der küng vts besteten oder kain frihait geben welt, das well er ganz nit tuon, si gebin jm denn sin veterlich erb wider. Was er inen denn pflichtig sig von küngklicher macht vnd römischs gewalts wegen, well er inen tuon; vnd vmb dess willen dass mengklich sech vnd hör, dass der küng nit anders denn rechtes beger, so schluog er den aidtgenossen dise recht für.

70. Der küng bott recht.

Des ersten vff des hailgen richs curfürsten vff den nächsten liechtmess gen nürenberg ze komen. Wär inen der tag ze lang oder die statt ze uer, bott er inen recht vff den pfallenz graffen bi rin, für den ain römischer küng komen sol, ob er stöss gewunn mit des richs fürsten oder andren des richs stetten. Wär inen aber kains eben, vmb des willen dass si vnd mengklich sechen, dass er inen die sach nit verziehen welt, so welt er sin komen vff des richs fürsten vnd herren, die jetzemal ze costenz wärint. Die aidtgenossen antwurten aber als vor, si wärint da als [206]) botten, si

---

206) Da selbs botten Hü.

köndint jm kain antwurt geben, si hettint sin och nit gewalt noch macht,
kains rechten in zegan; denn hett er inen ir frihait bestät, so weltint si es
hain an ir guoten fründ han bracht, vnd getruwtint, si weltint sinen gna-
den ain antwurt bracht han, dess inn benügt hett. Also schieden si hinweg.

71. Die aidtgenossen schieden also von costents, dass inn der küng nüt bestäten welt.

Als nun die a i d t g e n o s s e n dem küng geantwurt hatten, vnd nünts
von jm gehaben noch an jm geschaffen mochten, vnd er inen gemain vnd
geliche recht für schluog, der si kains ingan wolten, so schieden si aber
vngeschaffet vnd vnrichtig wider hain, vnd schieden in solicher mass von
ainandren, dass sich entwedrer tail 'vil guots oder fründtschaft zuo dem
andren versehen kond. Es warent och der mertail der r i c h s t e t t, die den
küng entsassen, vnd si duchte, er laite dem adel me zuo denn den stet-
ten oder den püren [207]), vnd warent also die stett nit all wol an dem
küng; doch hatten si das haimlich. D a m e r c k. Also wondent nun vil-
licht die von c o s t e n z, der küng welte ze costenz beliben vnd ligen, biss
er sin sachen uss getrüeg, vnd hatten also ain vngewonlichen zins an inn,
als des küngs rät ducht, vff bett, vff stallmiet, vff die frömbden geschlagen,
vnd besunder wer ze hoff äss, vnd fuoter vnd höw ze hoff näm. Diss
kam also für den küng, er schikt nach denen von costenz vnd hatt inen
sölichs für, vnd was ir mainung dar inn wär. Die von costenz verantwur-
ten sich gen dem küng, si hettind es vor bi küng sigmunds ziten och also
gehalten, der es och gnedigklich vnd wol von inen vergunt hett, vnd er
doch dick vnd vil bi inen gewesen wär, dass die lüt dester bass beliben
möchtint vff sölich mainung. It. des küngs antwurt: Ob ir es vor dik
vnd vil vnd allweg geton hettint bi küng sigmunds ziten, ist es nit dester
besser, so han ich es nit dester gerner, er mocht es gern von vch haben
oder nit. Er versatzt üch sine pfand, ainem ward, dem andern ward nüt;
ich han noch kain pfand gelassen, da der kost grosser was denn hie; ich
wil üch och bar bezalen, es sol niemand an mir verlieren, so beger ich
och kainer borg von vch etc. Damit erzoigt er inen, dass er den vffsatz
vnd den allenfanz nit wol verguot hatt. Er sumpt sich och darnach nit
lang ze costenz tt).

---

207) den iren Tsch.

tt) Also kam er vff zinstag vor sant katharinen tag zwüschen dryen vnd
vieren gen costentz, vnd mit jm sübenhundert pfärd. It. es was also geordnet
das man acht man von dem rat darzuo ordnet: vier von den geschlächten vnd
vier von der gemaind, die jn emphauhen solten, vnd wer ze rittend hett, der
rait mit jn hin vss. — Also lut man all glocken vnd gieng all priesterschafft,
alle örden vnd schuolen, min her von costentz mit dem hailtum jm engen biss
zuo rinporter tor. — Vnd füort man jn vnder ainer hymeltzen in das münster.
— Darnach zoch er vff die pfallatz, da lag er zuo herberg. Item man hett die

It. vff mittwuchen nach sant katherinen tag [208]) fuor der küng von costenz den see vff gen arbon, vnd rait gen sant gallen, vnd nam von inen ir gelüpt vnd aid dem hailgen rich. Si empfiengent jn mit grossen eren vnd brachten jm der statt schlüssel engegen zuo allen toren, vnd gabent jm die, vnd liessent ir tor offen ston tag vnd nacht, als lang der küng da was. Si täten jm och ain erlich schenki.

It. der küng zoch gen veldkilch vnd vbern arlenberg [209]) in, wan er ernstlich in dem land ze schaffeu hat, vnd empfalch ain land vnd die sachen sinen räten vnd dienern, vnd besunder marggraff wilhelm von hochberg.

It. vff sonnentag vor wienacht [210]) schwuorent die vss kyburger ampt der herrschaft von österrich wider. der si von alter har gewesen sind. Diss beschach ze töss, vnd warent burgermaister vnd rät von zürich da zegegen, vnd erliessent si der aiden, so si inen geton hatten. Also nam der marggraff die aid vnd och die veste in zuo der herrschaft von österrich handen vnd gewalt [211]).

72. Die aidtgenossen redten denen von zürich vbel zuo von des punds wegen mit österrich.

It. in disen dingen warent die aidtgenossen fast vngedultig mit den von zürich, dass si also ain ewigen pund mit der herrschaft von österrich gemacht hatten, vnd muot si dass die von zürich so wol ains mit dem küng warent, vnd dass sich die von zürich so fast an die edlen hangkten, vnd gieng als vil red vnder den aidtgenossen uss, dass si denen von zürich grob vnd vbel zuo redten, wie si brüchig an inen worden wärint, vnd mangs, das ich also lass beliben.

Doch so hatten si das aigenlich vor inen ain ganz gemaind, si müestint dem küng vnd der herrschaft ir brieff hinuss geben, vnd ir pünd ganz vnd gar absagen, vnd mit der herrschaft luter nüts ze schaffen han, oder si welten die von zürich vnd die iren wüesten vnd zwingen, dass si von sölichem lassen müestin.

---

208) Tschudi korrigirt „barbara" vnd notirt am Rande statt 28. Nov. den 5. Dez. Vgl. Chron. II. 350. 351. 209) alrenberg Hü. 210) 23. Dez 211) Tschudi II. 353. herbergen beschriben vnd bestelt, wo jederman zuo herberg solt ligen, vnd bott man bettstat vnd pfärid. — It. ain bett zuo der nacht vm ain behemer, stalmiet für höw vnd stro ain behemer. It. wer nit höw vnd stro gab, dry pfenning. Das beducht die gest zuo vil vnd ward en tail abegeton, vnd kam vnwill in den küng. it. jm ward von der statt geschenkt ijc guldin vnd ain schöner becher, kostet ijcxxx guldin. — Die chorherren schanktend jm xx malter haber vnd zwai fuoder win. — Am dornstag nachdem als er kam, hat man jm ainen tantz in der katzen, do kam er hin vnd tet sechs täntz vnd was gar frölich. — It. er muost all tag zuo costentz in sinem hof haben zwai tusend brot. — It. er zoch in vnwillen von costentz, dann in beducht, das man die sinen zuo hart hielt mit stalmiet vnd betten. Dacher p. 359—361.

Also ritten die aidtgenossen all wuchen ze tagen vnd laisten also mengen tag. Je ze letst hatten si tag ze lucern gelaist, vnd ritten also von dem selben tag gen zürich, die von lucern, von zug, von vre vnd von vnderwalden, vnd muotetent also denen von zürich an, dass si den pund absaitint, vnd luter vnd ganz darvon stüendint, den si mit der herrschaft vnd dem huss österrich gemachet hatten vnd ewengklich geschworn. Diss muotung ducht nun die von zürich fast vnbillich an die aidtgenossen vnd vil ze grob, vnd mainten, si hettint nüts geton denn das si mit recht vnd eren wol tuon möchtint, vnd weltint och den selben. pund mit der herrschaft von österrich trüwlich halten vnd dem nachgan. Diser antwurt benüegt die aidtgenossen nit fast wol, vnd hettint also gern ain ganz gemaind gehept. Also ward inen geraten, dass si vmb kain sach diss muotung vor ainer gemaind zürich tätin, denn wurd ain gemaind innen, dass si sölich sachen an die von zürich wurbint, die inen ir er, lib vnd guot berüerti, so möcht si ze zürich niemand geschirmen, vnd ward inen sovil gesait, dass si also wider haim ritten. Diss beschach nach sant hilarien tag [212]) anno dni Mccccxliij [213]).

73. Der küng empfalch sine schloss.

It. küng fridrich von österrich empfalch also sine schloss ze versorgen vnd zuo besetzen, als er von dem land schied. Also kament gen rapperswil lxxxj schützen vff sant anthonien aubent anno dni Mccccxliij, vnd warent die vss der truchsässen land von waltpurg.

It. die truchsässen schluogent diss sold vff die statt, die si vor von der herrschaft verpfendt hatten, vnd e ob der krieg angieng, nament die truchsässen ir knecht wider haim, do es aller nötist tät [214]).

It. also gab och der küng denen von zürich ainen hoptman in sinem kosten, den er besoldt, türingen von hallwil, dass si och an den küng begerten vnd geworben hatten. Dess gelich gab er denen von rapperswil ain hoptman och in sinem kosten, ludwigen mayer.

74. Die von zürich schwuorent irem hoptman.

Item vff den aubent sant pauls bekerung [215]) giengent die von zürich in das münster, jung vnd alt, vnd schwuorent da irem hoptman türingen von hallwil, vnd warent och da ganz ainhellig, vnd ward das mer, dass si sich zaichnen söltint mit ainem rotten crütz, als si vor allweg das wiss crütz getragen hatten. Dis was an vil lüten gar ain frembde sach [216]).

75. Die von rapperswil schwuorent irem hoptman.

It. vff sonnentag darnach schwuorent die von rapperswil och irem hoptman ludwigen mayer, gemainlich jung vnd alt [217]).

---

212) 15. Jan. 213) Tschudi II. 354. 355. 214) aller maist not was Hü. 215) 24. Jan. 216) Tschudi II. 355. 217) Tschudi cit.

76. Die aidtgenossen baten die von zürich, dass si die pünd mit der herrschaft von österrich abschlüegint.

Aber in den selben tagen kament die von bern gen zürich, vnd mit inen die von soloturn, vnd redten aber mit denen von zürich, ob si die pünd mit inen vnd den aidtgenossen halten weltint, oder was si sich zuo inen söltint versehen; denn die von zürich hettint jetz hoptlüt vnd soldner, das si doch vnbillich hettint, denn si wisstint nit, dass inen jemand begertint laid oder kain vngemach ze tuon; denn den pund, den si vnd die aidgenossen mit denen von zürich hettint, den wöltint si och getrülich an inen halten; si getruwtint denen von zürich, si hieltint och dess gelich an inen, vnd bekannten die von bern, dass die von zürich den pund mit eren geton hettint vnd wol tuon möchtint, den si mit der herrschaft von österrich gemacht hatten. Si begerten och also an die von Zürich, dass si den frömbden, so si in ir statt hatten, vrlob gebint vnd die von inen schicktent.

77. Die von zürich antwurten den aidtgenossen.

It. die von zürich antwürten inen, dass si den pund getrülich vnd wol an inen halten wöltint, vnd was si inen pflichtig wärint; aber dass si jemandt vrlob geben köndint, das köndint si nit tuon, wan es nit ir ding wär. Der küng hett inen ain hoptman gen, dem geb er sold, si gebint jm nüt, dem hettint si och nit vrlob ze geben. Si hettint och etlich vff ain zil bestellt, denen köndint si och vor dem selben zit nit vrlob geben. Aber was si inen sunst ze willen köndint geton, wöltint si willig sin.

It. si redten dess gelich mit dem marggraffen, dass er die soldner ze rapperswil dannen schickte, denn si wisstint nüts denn guots mit der herrschaft von österrich ze schaffen han; darzuo hettint si och ain guoten frid mit der herrschaft, den weltint si och getrülich halten. Si getruwtint wol die herrschaft hielt den frid mit inen och, vnd begertent also fast, dass er die soldner von rapperswil tät, denn die von schwitz dess zuo kosten kämint, wan si die iren och dester fürer behuoten vnd bewaren müestint.

Der marggraf antwurt inen mit lützel wort, sin herr der küng hett soldner in sin schloss rapperswil gelait, dass er das wölt besorgen vnd behüeten; dess kosten solt si nit beduren, sin herr hett es wol vsszetragen. Wann jm sin herr empfelche, dass er sie hiess dannen gon, so wölt er es gern tuon, denn der küng hett si gen rapperswil gelait, der möcht si och wol haissen dannen gon, so es jm eben wär; denn er hetti sin kainen gewalt, dass er si dannen schickti.

Also gieng in disen ziten etwan mangs für, das nit allhie geschriben stat, denn die aidtgenossen[218] laisten mengen tag, jetz hie dann dört, vnd truogent an was si kondent, dass si selten müessig giengent. Wie vil si nun tagen laistent, so beruofftent si doch die von zürich selten dar-

---

218) Die sechs Orte.

zuo, wiewol si ainander vil guoter wort gabent, si wöltint die pünd getrü-
lich halten vnd getrüw aidtgenossen sin, so getruwet doch entwedrer tail
dem andern nüts guots, das bewisstent si mit mengen dingen [219]).

Nun hatt der küng vnd die sinen angetragen, ee ob er von dem land
schied [220]), mit denen von appenzell, dass si also ir pündtnuss, so si mit
den aidtgenossen hatten, absaitin, vnd maint och das also mit recht für
zuo nemen vnd ze tuond. Des selben giengent och die von appenzell in,
vnd mainten, si köndint suss mit eren die pünd den aidtgenossen nit ab-
gesagen. Also gab inen der küng ain richter, den bischoff von ougspurg.

It. also hatten die von appenzell nit fast ain guoten pund mit den
aidtgenossen, der inen komlich oder nutzlich wär; denn wenn die aidt-
genossen si manten, so muostend si inen helfen in irem kosten, wenn aber
die von appenzell die aidtgenossen mantent, muostent die selben von ap-
penzell den aidtgenossen grossen sold geben, jegklichem vier alt plapp-
hart all tag, vnd hulffen inen och vnder fünfhundert nit, ob si joch minder
bedurffen hettint.

78. Der küng hett gern angetragen, dass die von appenzell ir pündtnuss absaitint den aidtgenossen.

Also ward nun etwa mengs in disen tagen angetragen mit den von
appenzell, dass des küngs rät vnd diener si gern von den aidtgenossen
gezogen hettint, vnd hettint si gern in den pund gehept, da die von zü-
rich, wintertur, rapperswil, kyburg vnd ander stett inn warent. Da main-
ten aber die von appenzell, dass si das mit eren vnd glimpf nit getuon
köndint, denn wenn sich das mit recht erfund vnd mit recht davon gezo-
gen vnd gewisst wurdint, so weltint si gern gehorsam sin, als vorstat.
Also giengent och die aidtgenossen nit müssig mit den selben von appen-
zell, vnd truogen in si was si konden, vnd gabent inen och für, wie si das
best kondent [221]), dass si ab inen nit brechint, noch von inen wichint, als
si inen dess wol getruwtin, so weltind si och ir lib vnd guot mit inen dar
legen, vnd manten si och fast ir aiden, so si den aidtgenossen geton hat-
ten, vnd manten vnd muoteten also den von appenzell fast an, dass si inen
hilfflich wärint. Also antwurten die von appenzell, si weltint ir pund vnd
aid getrülich halten, vnd dem och also nachgon was si geschworn hettint;
ob aber si den aidtgenossen jetz zumal hilfflich sin wöltint, das köndint
si nit getuon, wan die aidtgenossen wärint nit ains. Si hettint denen von
zürich als vil geschworn als andreh aidtgenossen, die wärint nun zemal
stössig mit denen von schwitz vnd glaris vnd den andren; wenn die ains
wurdint vnd sie dieselben appenzeller aber gemainlich manten, so weltint
si tuon was ir pünd wisstint oder saitint; aber all diewil si nit ains wärint,
so weltint si kaim tail wider den andren helffen, si weltint still sitzen [222]).

---

219) Tschudi II. 355—357. 220) im Dez. 1442. 221) Jan. 1443 Tschudi am Rande.
222) Tschudi II. 353. 354. um 15. Jan.

Diser antwurt benüegt die aidtgenossen nit wol, vnd mainten, si wel-
tind die appenzeller darhinder bringen, dass si inen hulffint, vnd hattend
also etwa dik ir bottschaft bi denen von appenzell. Also je ze letst ka-
men die von vnderwalden, von zug, von lucern, von glaris vnd von schwitz
gen appenzell in der wuchen vor pfaffen fassnacht[223]) anno dni Mccccxliij,
vnd redten aber mit denen von appenzell, ob si die pünd an inen halten
wöltint, die si den aidtgenossen geton hettint, vnd inen hilfflich sin,
als si inen dess wol getruwten, wan si jetz etwas widersatz hettint mit dem
küng, der ain herr von österrich wär, dass si nit wol wisstint, wie si mit
jm wärint, vnd erzalten also fast ir glimpf vnd ander lüt vnglimpf, vnd er-
manten also die von appenzell tief vnd fast, vnd gabent inen vil guoter
wort. Si hatten och ain andren pund gestellt mit denen von appenzell,
dass si si haben wöltind für aidtgenossen, dass si ain ort für sich selber
söltint sin, vnd dass inen die aidtgenossen als vil söltint gebunden sin als
die appenzeller den aidtgenossen[224]), das alles vor nit was. Disen brieff
vnd pund liessent die aidtgenossen offenlich da uor mengklichem ze ap-
penzell lesen, vnd mainten si da mit darhinder bringen, dass si inen hilff-
lich wärint vnd inen zuo saitin, wan die aidtgenossen mainten, die von
appenzell söltint sölichs fast fro vnd willig sin.

79. Der appenzeller antwurt.

Da antwurten die von appenzell den aidtgenossen, was si inen ge-
schworn hettint, dem weltint si och getrülich nachkomen vnd das halten,
wenn si ains wärint, denn si hettint den von zürich als vil geschworn als
andren aidtgenossen. Dass si vber die gezühen köndint, da verstüendint
si nit dass si das mit kainen eren getuon köndint[225]), vnd wöltint also zuo
disen ziten still sitzen. Si wöltint och jetzmal kain pund machen noch
schweren, si wöltint bi den pünden beliben, so si mit den aidtgenossen
hettind, vnd och die selben halten.

Diss antwurt verdross die aidtgenossen fast an die von appenzell, wan si
wonden, si söltint des punds fast fro vnd willig sin. Also stuond der amman
von schwitz offenlich vnd redt da mit hochen worten vnd tröwlich zuo
denen von appenzell[226]), der inen doch vor vil heler[227]) wort geben hat:
„er vnd ander aidtgenossen sechint wol im guoten willen; weltint si nit
anders, man müest si[228]), villicht mit ainer stechlin stangen wyssen", —
vnd andre wort dess gelich. Er redt och offenlich vnd ermant si bi ir aiden,
so si den aidtgenossen geton hettint, dass si von dem küng nüt hieltint,
er wär nüt ain rechter küng, er wär ain hertzog von österrich, vnd och
me wort dess gelich.

It. also sumpten sich die von zürich nit; wan si wissten, dass die

---

223) 1. März 1443. 224) Diese Stelle hat Tschudi gestrichen und, wie im Chron. II.
356. modifisirt. 225) da verstüendint — getuon köndint f. Hü. 226) mit denen von -a.
vil tröwlicher vnd hocher wort Hü. 227) glatter. 228) sich Hü.

aidtgenossen ze appenzell warent, so schikten si och ir bottschaft da hin, wiewol si die aidtgenossen nit dar zuo beruofften, vnd erzalten inen och ir glimpf vnd das si denn guot ducht.

It. aber nach der alten fassnacht[229]) hatten aber all aidtgenossen ain tag ze bern. Zuo dem selben tag beruoften si och die von zürich, das si doch vor etwa dik nit geton hatten, denn si laisten in den selben tagen etwa mengen tag, dass si die von zürich nüt zuo beruofften, denn dass die von zürich dik vngemant vnd vngefordret ze tagen kament.

Also schikten die von zürich ir bottschaft zuo dem selben tag gen bern. Also do man nun tag laist vnd tag hatt vnd rät vnd da die ersten frag vmb gieng, hiessent die aidtgenossen die von zürich vsstreten. Also giengent die von zürich vss ir herberg, vnd wartoten, wann man si wider in den rat beschikte. Also laisten die aidtgenossen ir tag, dass si der von zürich rat nie hatten, noch si in ir rat beruofften. Also do der tag zergieng vnd jederman haim rait, do ritten die von zürich och wider haim[230]).

Nun hatt der küng mer denn ainest geschriben denen von wesen in dem gastren, vnd den andren, die zuo windegg gehortent, in dem xliij jar, dass si sich kainer sachen söltint annemen, ob er stöss gewunn mit den aidtgenossen, vnd mant si da mit ir aiden vnd eren, vnd dass si die sinen wärint, die von alter har dem huss österrich zuo gehorten. Doch da ward vff mittwuchen vor mitterfasten[231]), da hatten si ain ganze gemaind, was zuo windegg gehort, ze schennis, vnd hatten die von glaris vnd schwitz och ir bottschaft da, vnd baten vnd manten si, ob si inen hilfflich woltint sin, ob es ze schulden käm. Da antwurten si inen, si getruwten inen wol, si liessint si da beliben, als si inen och versetzt vnd verpfendt wärint von der herrschaft von österrich, dass si wider die nit tuon söltint. Si weltint inen gern ir land helffen beheben vnd da helffen lib vnd guot retten, vnd getruwtint inen wol, si lissint si da beliben, vnd si inn das verhaissen vnd versprochen hettint[232]).

80. Vff den nechsten mentag nach mitterfasten[233]) laisten die aidtgenossen tag ze baden mit marggraff wilhelm von rötteln, von hochberg, der in den alten der herrschaft landtvogt vnd statthalter was ze schwaben vnd im elsas.

Anno dni Mccccxliij vff mentag nach mitterfasten hatten die aidtgenossen ain tag gen baden zuo samen genomen, vnd kament och alle ort der aidtgenossen zuo dem selben tag, on die von schwitz. Also beruofften si och zuo dem selben tag die von zürich. Si schriben och dem marggraffen vnd begerten an jn, dass er zuo inen gen baden käm, wan si hetten etwas mit jm ze reden. Also kam der marggraff vnd och die von zürich, och der von rapperswil vnd von wintertur bottschaft. Vnd vff dem selben tag vssretten[234]) die aidtgenossen die von zürich fast, dass si

---

229) 16. März. 230) Tschudi II. 358. 359. 231) 27. März. 232) Tschudi II. 359. 233) 1. Apr. 234) äusserten, vernachlässigten.

die von zürich nit an ir rät nement. Also redten nun die aidtgenossen
mit dem marggraffen vff dem selben tag vm etwa mangs stuck. Des ersten
redten die von bern mit jm, als er der von bern, soloturn vnd lucern [235]
botten, als von gemainer aidtgenossen wegen, zuo gesait hett, den frid, so
die herrschaft von österrich mit den aidtgenossen gemacht hett, vnd si mit
jm zwai vnd fünfzig jar [236]), die selben jar vss ze halten. Darüber hette
hans von rechberg ainen der iren gefangen, namlich ruodolf sumber
von arow, vnd wär das beschechen vss der herrschaft von österrich schloss
seckingen, vnd hatt in och durch der herrschaft stett louffenberg vnd
waltshuot gefüert. Sich klegten och vff den selben tag die von lucern,
wie dass der selb hans von rechberg och zwen der iren gefangen hett, vnd
in der statt wintertur das getan hett, vnd begerten och die selben gefang-
nen also ledig ze lassen. Also antwurt inn der marggraff, dess jm sölichs
laid wär, vnd wär och ganz on sin vnd der vorgenannten stett wissen vnd
willen beschechen, vnd bott inn darum sölich gelich recht, vnd entschul-
diget sich selb vnd die stett darin, dass die von bern vnd von lucern do
zemal ain guot benüegen hatten [237]).

It. also klagten sich aber die aidtgenossen von der von schwitz we-
gen vff die von rapperswil etwa menig thorachtes stuck, von ains ang-
kenknollen [238]) wegen, vnd suss von schlechter [239]) sachen wegen, dess sich
die von rapperswil verantwurten, vnd bott aber der marggraff fürer darumb
recht, von der herrschaft vnd von rapperswil wegen, ob jemand mainte,
dass si in den sachen jemant vberfaren hatten, oder vngelichs fürgenomen,
vff die dry schulthaissen von bern, von soloturn vnd von lucern, also da
recht vm recht zuo geben vnd zuo nemen.

Also begerten die aidtgenossen aber vff dem selben tag ze baden an
den marggraffen ainer lütrung [240]) vnd vollen antwurt, ob die herrschaft von
österrich den vorgemelten frid die jarzal vss, als er gemachet vnd besigelt
wär, halten wölt, so weltint si den och getrülich halten. Also antwurt inen
aber der marggraf, die herrschaft von österrich hett den selben frid je vnd
je getrülich vnd vffrechtenklich gehalten, dess glichen si noch hüt bi tag
tät vnd gern tuon welt, vnd sait inen also do ganz vnd luter zuo, den frid
zuo halten.

Nach dem begerten aber die aidtgenossen an den marggraffen, die
herrschaft von österrich hett ain pund gemachet mit den von zürich, die
ir aidtgenossen wärint, die selben püntnuss aber wider si wär, vnd baten
also den marggraffen, dass er die von zürich der selben aiden als von der
püntnuss wegen ledig liesse [241]. Also gab der marggraff die antwurt [242]):

---

[235] Tschudi hat „vnd lucern" gestrichen. [236] Tschudi strich in der Hdschr. überall
das Wort „zwai". Der Friede von 1412 war auf 50 J. [237] Tschudi II. 359. Von den
Worten „Also ritten die aidtgn. all wuchen" bis hieher ist die Reihenfolge, welche die
Hdschr. offenbar unter einander hat, nach Tschudi's Randnachweisungen und seinem
Chron. II. 354—359. Hü. hat es ebenfalls richtiger. [238] Butterballen. [239] torechter
Hü. [240] lutren Hü. [241] erliesse Tsch. [242] Dazuo antwurt der marggraff Hü.

Vnser aller gnedigester herr, der küng, hat semlich püntnuss selb ge-
machet mit denen von zürich, vnd die aid och selb personlich von inen
ingenomen; darumb jm nit geburti, och nit gewalt hett, semlich aid ab-
zelassen. Doch welt er ir mainung lassen bringen an den küng, so er für-
derlichest möcht; was denn sin gnad darumb tät, wär jm lieb.

Also begerten aber die aidtgenossen an die von zürich, ob si die pünd,
die si mit den aidtgenossen hettint, halten weltint oder nit. Die von zü-
rich antwurten den aidtgenossen, si hettint die pünd vorbehept in dem
pund, den si gemacht hettint mit vnsrem aller gnedigosten herren, dem
römschen küng vnd dem huss österrich, vnd hettint och die allwegen ge-
trülich gehalten, vnd weltint si fürohin aber halten.

Also schied man güetlich von dem tag, dass niemant anderst wisst,
denn dass die sachen söltint in allem guoten beston. Wan aber die von
schwitz bi dem selben tag nit gewesen warent, da ward ain bottschaft zuo
inen geordnet, vm zuo besuochen, ob si och bi sölichem beliben weltint.
Vnd was dis botten wurben, ward zuo allen tailen funden vnd zuo gsait.

It. die botten warent: von costenz volrich schilter, von sant gallen
cuonrat hör, von basel herr herman offenburg [243]).

81. Die aidtgenossen kament zuosamen zuo den ainsidlen.

Anno dni Mccccxliij vff den mayen tag kament aller aidtgenossen bot-
ten zuo den ainsidlen, vnd wolten da tag laisten, vnd manten och also
die von zürich da hin ze tagen. Also morndes an dem dornstag [244])
redten die aidtgenossen mit denen von zürich, ob si die pünd mit inen
halten weltint oder nit, darumb wöltint si och ain ganz wissen haben.
Die von zürich antwurten ja, dass si dieselben pünd gern vnd trüwlich
halten weltint, vnd dieselben pünd vor ves behept hettint, vnd getrüwten,
dass si da nüts getan hettint [245]), denn das si mit eren vnd recht wol tuon
möchtint. Also was nun je der aidtgenossen mainung, dass si von denen
von zürich weltint wissen, ob si aller zuosprüch, so die aidtgenossen zuo
denen von zürich hettint, ganz vff si zuo dem rechten komen wöltint, wan
es was je der aidtgenossen mainung nit, dass die von zürich kain pund
mit der herrschaft von österrich hettint, wan ir pund von erst [246]) angetra-
gen vnd gemacht wäre wider die selben herrschaft von österrich, vnd wöl-
tint also die von zürich des rechten ingan vnd vff die aidtgenossen komen,
so wöltint inen die aidtgenossen mit glimpf von dem selben pund helffen,
den si zuo der herrschaft von österrich ewengklich geschworn hatten.
Also antwurten die von zürich, si köndint nit bekennen, dass si das mit
kainen eren oder recht getuon köndint; si wölten es aber gern haim an
die iren bringen, vnd si darumb lassen wissen.

Also schieden die von zürich von dem selben tag zuo den ainsidlen [247]).

---

[243]) Tschudi II. 359. 360. [244]) 2. Mai. [245]) vnd getruwten, dass si da — hettint
f. Hü. [246]) von 1306, vorne. [247]) Vgl. Tschudi II. 362. 363. etwas ausführlicher.

It. nun füegte es sich in den ziten, dass die lüte bi dem zürichsee nit als gehorsam warent denen von zürich, vnd ir gebotte vnd ordnung hieltint, als si aber vor dik geton hattent, wan die von zürich vnd von dem se hattent ain letzi geschlagen ob horgen bi der sil gen denen von zug vnd den andren aidtgenossen. Da laiten sich die von dem zürichsee hin, von horgen, kilchberg, tallwil, meilen, erlibach, zollikon vnd ander, on der von zürich haissen vnd wissen, vnd mainten och da ze liggen vnd dannen nit ze wichen, ee ob es ain ganz frid oder vnfrid wär, vnd wolten sich also nit mer an die von zürich keren, als si vor geton hatten, dass si mit inen·in die statt wichen wöltint; si wöltint je da sterben oder genesen. Also tatent die von zürich ir bottschaft dahin zuo inen, das si haim zügint vnd ir gemach hettint; si weltint si vnd sich selb nit verwarlossen. Das wolten die von dem see nit tuon. Die von zürich schikten herr ruodolf stüssin, iren burgermaister, aber zuo inen, der gebott vnd hiess si abziehen. Dem wolten si aber nit volgen. Also schied der burgermaister in vnfrüntschaft von inen, wan si wolten da liggen, es gefiel denen von zürich wol oder vbel, vnd irs rates nit folgen Diss was och ganz wider den von hallwil, der der von zürich hoptman was.

Also lagent die von zug och an·ir letzen, die si wider die von zürich gemacht hatten[248]).

82. Die von zürich vnd bremgarten ernüwroten ir burgrecht.

In disen dingen gabent nun die von bremgarten vnd von baden der herrschaft landtvogt vnd denen von zürich vil guoter wort vnd mainten je ganz, si wöltint nit wider die herrschaft noch wider die von zürich sin, also dass der marggraff, och die edlen vnd die von zürich fast ain guot getruwen zuo den selben stetten hatten.

Anno dni Mccccxliij, dominica cantate, das was vff ain sunnentag, vnd was der nündzechnost tag in dem mayen, kament die von bremgarten gen zürich, vnd ward da ir burgkrecht, das die von zürich vnd die von bremgarten mit ainandern ewigklich hatten, ze recht ernüwrot vnd geschworn als vor von baiden tailen, vnd gelopt getrülich ze halten.

It. die von bremgarten schwuorent och dasselb burgrecht mit den von zürich ewengklich ze halten, ze bremgarten in der statt, ain ganz gemaind, rich vnd arm.

83. Anno domini Mccccxliij in dem maien widersaiten die von schwits der herrschaft vnd denen von zürich.

It. also darnach vff den nächsten mentag in der nacht, das was der zwainzigost tag in dem maien des vorgenannten jares, widersaitten die von schwitz vnd ir helffer dem huss vnd der herrschaft von österrich vnd

---

248) Tschudi II. 364. 367.

denen von zürich vnd allen iren helffern, vnd schikten also ir brieff gen zürich vnd nit fürbass, an dem mentag [250] a) in der nacht [249]).

It. es kament vff disen mentag [250] b) die von kyburg mit ir panner, vff vierhundert man, vnd die von wintertur mit ir venli, hundert vnd zwainzig man, wol bezügter, gen rapperswil, als si der landtvogt beschaiden hat.

84. Die von schwits brauten denen von rapperswil ain tail an ir brugg ab.

Darnach an dem zinstag [251]), an dem morgen, brannten die von schwitz denen von rapperswil ain tail an ir brugg ab gen hurden. Da wissten die von rapperswil dennocht nit, dass die von schwitz oder jemant dem andren abgesait hatt. Diss beschach also gen tag in der nacht, vnd vff denselben zinstag vor ymmis brannten die von rapperswil die hüsser ze hurden, vnd schuoff das fast, dass die muotwiller ze hurden lagent, vnd etwa dik vff die brugg luffen, vnd da also iren muotwillen getriben hatten.

85. Die von rapperswil verlurent ze fryenbach.

Also warent nun die von grüeningen etwa mengen tag ze rüti gelegen, vnd hatten daselbs gehüet des ampts. Der selben hoptman was herr albrecht von landenberg ritter, vnd an dem selben zinstag vff der nacht zoch der selb hoptmann mit grüeninger ampt vff drü hundert man mit der panner och gen rapperswil.

Also do nun morndes ward an der mittwuchen [252]), wurden si ze rapperswil ze rat, dass si mit etwa mangem schiff vff den see weltint faren, vnd beducht si denn, dass si ichtzit [253]) guots geschaffen köndint, so weltint si vff dem see ain ordnung machen, darnach als inen denn begegnoti vnd nach dem besten als si dücht; wan si wissten wol, dass die von schwitz mit ir panner vnd mit aller macht heruss gezogen warent. Si wisstent aber nit aigentlich wo si do zemal warent. Do nun ward nach imbis des selben tags, fuorent die von rapperswil, vnd ander die da warent, vss der statt mit zechen wol gerüsten schiffen. Es kament och zuo inen vff dem see zwai gerüste schiff vss dem hoff stäffi [254]). Es kam och ain wol gerüst schiff von zürich, warent die schifflüt, vnd hatten och der selben schifflüt venli. Nun hatten die von rapperswil von allen orten [255]) die bi inen waren, in die schiff geordnet, den mertail von rapperswil, ain tail von wintertur, ain tail von kyburg vnd ain tail vss dem ampt von grüeningen, dass also in den zechen schiffen bi fünf hundert mannen warent.

It. es warent och diss edlen in den selben schiffen: her albrecht von landenberg ritter, der von grüeningen houptman, jerg von sal, herdegen von

---

[249]) Die zwei Absagebriefe bei Tschudi II. 367. 368. [250]) mayentag Hü. [251]) 21. Mai. [252]) 22. Mai. [253]) irgend was. üz Hü. [254]) Tsch. verschr. stettli. [255]) von allen orten — raperswil bei Tsch. übersprungen.

hünwil, hans von griessen, hans von goldenberg, victor von münchwil, einer von gachnang, ludwig mayger, der von rapperswil houptman, jacob von langenhart, hartman von hünenberg, hans mayger, des hoptmans vetter vnd hans von busnang [256]).

Als si nun vff dem see fuorent, da machten si kain ordnung, als si doch vor verlassen hattend, vnd fuorent also der schifflüt von. zürich schiff gen frygenbach, vnd liessent da ze land, vnd luffent glich hinuff in das dorf. Da das die in den andren schiffen sachent, die doch wondent, man welt ain ordnung machen vnd ze rat werden was man tuon welt oder war man welt, als das denn die hoptlüt ze rapperswil mit ainandren verlassen hatten, da wolt doch niemand des andern zag sin, vnd liessent die schiff alle ze land, vnd luffent also on ordnung hinuff in das dorf zuo der kilchen, vnd hatten doch wol in den schiffen gesechen, ee ob si ze land liessint, dass die von schwitz ir panner zwüschent pfeffikon vnd frygenbach vff ainem berg hieltend. Also woltent si das dorf ze frygenbach gebrennt han, do rüefft herr hainrich schwend von zürich, si söltint nit brennen, si wärint die iren, man sölt si vngeschadgot lassen. Also hattend die schwitzer bi achtzigen oder bi hunderten in dem dorf vnd schluogent vnd schussen vnd wurffen also hert mit einander, also dass der von schwitz etwa vil tod lag, vnd wichent och in den kilchhoff vnd in die kilchen ze fryenbach. Also traten inen die von rapperswil vnd die bi inen warent, ernstlich nach an den kilchhoff, vnd schussent vnd wurffent vnd schluogent da fast zesamen. Da si nun also zesamen schluogent vnd stachent, da luffent die von schwitz vnd die ze pfäffikon lagent, all gen fryenbach zuo den iren ze hilff. Da nun die von schwitz mit der panner sachent, dass denen von rapperswil vnd den iren kain hilff me kam, weder ze schiff noch ze land, da liessent si sich ernstlich mit der panner hinab och gen frygenbach. Also wurdent nun die von schwitz denen von rapperswil vnd den iren ze stark, dass si wichen muostent, vnd forchten dass inen die von schwitz die schiff an dem see verkemint. So was ir och der mertail bi dem see beliben [257]) die nie hinuff kament, vnd inen vnlustig was ze fechten.

Do nun also die frommen, die da gefochten hatten, wichen muosten vnd zuo schiff wolten gon, da ilten inen die von schwitz ernstlichen nach vnd erschluogen vnd erstachent ir xlij man, die da belibent, wan si ilten inen nach bis an die schiff. Also hieltent si dennocht mit den schiffen bi dem land, vnd schussent zuo denen von schwitz mit büchsen, dass der iren dennocht vil ze schiff kament, die sunst müestint beliben sin [258]).

Dess gelich hat der hoptman ze rapperswil ain venlin gemacht, das nament si och mit inen gen fryenbach, vnd anders kain panner noch venlin, vnd brachten es och mit inen gen rapperswil [259]).

256) Dieser Passus blos bei Hü. 257) die bi see belibent Hü. 258) Folgt bei Tsch. ein fast handbreiter leerer Raum, in der Abschrift bei Hü. die Zeichnung des Fähnchens. 259) Hingegen Tschudi am Rande (und im Chron. II. 370) „Dis vendli kam gen Schwitz, da hangts noch".

Nun hatten aber die von schwitz den stetten vnd andren iren guoten fründen vnd günnern geschriben vnd bottschaft geton, wie sie zwai hoptpanner gewunnen hettint, vnd dabi gross volk nidergelait vnd erschlagen hettint, das doch nit also an jm selbs was [260]).

86. An der herrschafft tail hand verlorn diss nachgeschriben.

It. die nachgeschriben hand verloren an der herrschafft tail: herr albrecht von landenberg ritter, vnd ainer siner knecht, (schulthaiss steiner) von rapperswil, hanns steiner sin sun, hanns kuster ain schuomacher, ruodi hugerli ain zimerman, peter schiffli [261]), hanns schiffli [261]) sin sun ain schlosser, ruodi suter ain melmacher [262] a) bertschi schuchter von kempraten, cuonrat [262] b) stächeli ain soldner, hanns pfiffer ain soldner, cuonrat hug ain soldner *uu*).

Von zürich vss der schifflüt zunfft fünf man, von wintertur dry man, vnd ainer starb darnach ze rapperswil, was wund daselbs worden. Anders gestarb der wunden nie kainer, vnd wurden doch me denn xl man daselbs wund an der herrschaft tail.

It. vss der grafschaft von kyburg vnd vss dem ampt grüningen, vnd wannen si denn warent, verlurent xxj man, also dass die sum ir aller antraf xlij man, die da belibent.

87. Die von schwitz verlurent do semal [262] c).

It. an der von schwitz tail ward erschlagen vnd erschossen bi xxiiij mannen, als si sprachent, vnd bi lx mannen ward ir da wund, die sturben den mertail [263]).

---

260) Tschudi II. 368 — 370 und die Note. 261) schliß Hü. 262 a) müller Hü. 262 b) vorname f. Hü. 262 c) Rubrik f. Hü. 263) Tschudi II. 370. 371.

uu) Also zugent die von Z. vnd der landtuogt im mertzen vs anno Mccccxliij, baid tail wider enander. Vnd zugent wintertur, kyburger ampt, grüeninger ampt vnd ander edel gen raperschwil vnd lagent da, vnd zugent die schwitzer vff den etzel vnd die von glaris in die marck vnd das land das zuo jnen gehort, vnd lagent da im land wol gegen enander. Vnd zugent die von zürich gen horwen (Horgen) an die letzi, das die schwitzer nit an den zürichsew kamint. Do zooh der landtuogt ouch der hoptman vnd d. marggraf von Z. mit ainem hüpschen züg gen bremgarten vnd gewunnent die statt wider zuo der herschafft von Oe. Darnach das volk das zuo raperschwil lag, das fuor mit schiffen wol by vc mannen gen fryenbach an den etzel. Do zugent jnen die schwitzer engegen vnd schiktent ainen clainen züg gegen jnen. Da wurdent erschlagen by hunderten oder mer, vnd vil wund. Die trucktent die schwitzer bas herfür vnd was wol by MM mannen. Do wichent si wider in ir schiff, vnd geschach jnen als not das si kum darin koment, vnd verlurent wol by xliij mannen u. s. w. Königshofen Cod. 630 p. 291. 292.

88. Die von zürich verluren zuo horgen.

Also lagent nun die vom z ü r i c h s e e ir villicht vier oder fünf hundert
ze h o r g e n an der letz, als vor stat, vnd warent die von zürich ir villicht
vff xiij c man in zuger biet gezogen, bis gen b a r zuo dem dorf. Da er-
stachent die von zürich den aidtgenossen etwa mangen man[264]).

Item also lagent in dem dorf ze bar die von lucern vnd zug, von vre
vnd vnderwalden mit ir panner vnd mit all ir macht. Da wissten die von
zürich nit vm, biss si ze bar an die grendel kament. Do ilten inen die
aidtgenossen nach. Also branten die von zürich b l i c k i s t o r f[265]), vnd ga-
ben den iren zaichen, die mit ir panner vnd mit dem ganzen huffen ze
horgen[266]) an der letzin lagent, dass si inen ze hilff kämint. Also zugent
die von zürich mit ir panner vff das allwiss zuo der buochen, vnd liessent
ain tail von dem see an der letz. Also wurdent die aidtgenossen innen,
dass die von zürich mit der panner von der letz gezogen warent, vnd zu-
gent obnen durch vnd zugent an die letz. Also kam nun denen die ze
horgen lagent, an der letz warnung, wie die aidtgenossen zuo inen an die
letz ziehen weltint, vnd embuttent also denen von zürich, dass si ihen me
hilff schiktint. Also schikten inen die von zürich die zwo zunften schuo-
macher zunft vnd schnider zunft, vnd och suss soldner vnd ander, villicht
vff zwai hundert man, vnd ee dass diss hilff vol zuo inen an die letz kam,
da hatten si die aidtgenossen an der letz angriffen, die von lucern, von
vre, von vnderwalden, die hatten vff vier hundert[267]) man oder me, vnd
fachten also hart vnd stark an die letz, vnd schussen vnd wurffen zesamen
fast. Diss beschach an dem nechsten fritag nach der tat ze frygenbach[268]a)
vm den aubent, als si ze nacht wolten gessen han. Also wertent sich nun
die von dem see vnd von zürich so mannlich vnd ritterlich an der letz,
dass si zuo den aidtgenossen schussen vnd wurffent, dass der graben von
der letz noch foll lüten lag, dass die aidtgenossen vber die lüt vnd die
letz herin drukten. Also hatten nun die aidtgenossen ir etwa vil geord-
net, die an ainem andren end durch die letz kament, vnd hinderzugent
also die von zürich an der letz, dass sich die von zürich mit kainem vor-
tail kondent me geweren, vnd warent och darzuo gar fast überlütet, dass
si also wichen muostent. Sich werten och ain tail mannlich, die och erlich
mit gewerter[268]b) hand erschlagen wurdent. Ir etlich verluren och an der
flucht, also dass die von zürich vnd von dem see desselben mals grossen
schaden empfiengent. Die aidtgenossen empfiengent och des selben tags[269])
berlichen grossen schaden, dass also zuo baiden tailen vil lüt erschlagen
ward. Diss beschach an ainem frytag, was sant vrbanus aubent, anno dni

---

[264]) 23. Mai Tschudi. [265]) Tschudi's Korrektur. Die Hdschr. und Hü hatten bli-
ckischwil. [266]) Tschudi strich Horgen und hat am Rande „am Horgerberg am Hirzel".
Darum heisst das Treffen meist „am Hirzel". [267]) MMMM Hü. und Bullinger. Vgl.
Tschudi Chron. II. 372. [268]a) Donnerstag wäre der 23. Mai. Tschudi korrigirt „fritag",
den 24. wie auch Hü. hat und weiter unten steht. [268]b) werender Hü. [269]) males Hü.

Mecccxliij⁴⁴). Do nun die schlacht also beschechen was vnd die aidt-
genossen oberhand gewunnen vnd die todten vss zugent, büchsen, pfill vnd
anders da gewunnent, wiewol si nun den sig gewunnen hatten, so lobten
si es dennocht nit fast, wan si hatten die redlichosten, so si vnder inen
hatten, verlorn, vnd fundent si todt liggen. Die von entlibuoch verluren
allain ob xxx mannen des selben tages, wan die selben zugent och mit
denen von lucern mit ir panner.

Die von lucern verluren och mannlich lüt, den lütishoffer ²⁷¹) vnd ander.

Die von vnderwalden verluren zwen amaa ²⁷⁰) daselbs vnd darbi men-
gen redlichen man. Och die von vre verluren schwarlich, wan niemant hat
sich da gespart.

It. die von zürich verluren vss der statt hanns maier ²⁷³), hoptman da-
selbs, hanns brunner, walther schulthess, haini hagnower, eberhart ²⁷⁴) trink-
ler, vnd vil ander erber lüt von zürich vss der statt, vnd och etwa men-
gen soldner. It. es verluren och die vom zürichse, von mailan, von erli-
bach, von küsenach, von horgen, von tallwil, von kilchberg, von griffense,
vss dem fry ampt, vnd wannen si denn warent, die denen von zürich zuo
gehorten, ob dritthalb hundert mannen, vnd vnder drä hundert mannen
vnd dabi ²⁷⁵).

Also kam nu denen von zürich vnd ir hoptman ²⁷⁶) bottschaft, wie die
aidtgenossen die iren ze horgen an der letz erschlagen hettind, vnd inen
die letz angewunnen hettint, vnd hettint also ir etlich gern gesehen, dass
si vff die waldstatt zu denen aidtgenossen gezogen wärint, vnd da noch
ainest mit den aidtgenossen gefochten hettint, wan inen ward wol ze wissen
geton, dass die aidtgenossen och grossen schaden empfangen hettint. Also
tryben si nun das eben lang mit raten; je ze letst ward es das mer, dass
si vff die waldstatt zuo den aidtgenossen ziehen wöltint. Also zugent si
nun hinuff gen der waldstatt, der marggraf, ritter vnd knecht vnd die von
zürich mit ir panner vnd mit ir macht, als si denn haben mochten, vnd
vor vssgezogen warent. Do si nun also etwa fer gezugent, do begond
das volk gar fast schwinen ²⁷⁷). Do nun das der von zürich hoptman sach,
dass si sich also begunden abstelen, vnd das volk also begund schwinen,
do beruoft er die herren vnd och die von zürich vnd zoigt vnd sait inn
och die sach, vnd wie jm das so vbel gefiel, vnd sachen an den lüten wol,
dass si nit lustig warent ze fechten ²⁷⁷ b), vnd wurden also aber mit ain an-
dern ze rat, dass si wider gen zürich zügen ²⁷⁸), vnd wolten vff den selben
tag nit fechten. Der marggraff trost si och fast wol, er getruwti, jm käm
schier ²⁷⁹) hilff, dass er si mit macht wol möcht angriffen. Also zugent die
von zürich wider haim, vnd ward der huff als gross vnd des volks als vil,

---

²⁷⁰) 1444 Hü. ²⁷¹) Tschudi am Rande „*mentitur*". ²⁷²) man Hü. ²⁷³) von Knonau.
hans miner Hü. ²⁷⁴) erhart Hü. ²⁷⁵) Abermal gleicher weisser Raum und bei Hü. eine
Fahne. ²⁷⁶) 25. Mai Tschudi. ²⁷⁷ a) abnehmen, schwinden. ²⁷⁷ b) dass inen nüt lustig
ze fechten was Hü. ²⁷⁸) ziehen söltin Hü. ²⁷⁹) bald.

als sin vor je gewesen was, wan si kament vss den studen, vnd da si sich
verborgen hatten, vnd zugent mit der panner wider haim²⁸⁰)vv).

89. Die aidtgenossen branaten.

It. do nun die aidtgenossen sachent, dass si also den sig gewun-
nen hatten, vnd die von zürich wider haim gezogen warent mit ir panner,
do brannten si vff dem allwiss vnd daselbs vm allenthalb. Es kament och
vff den selben sampstag²⁸¹) ze nacht zuo inen die von schwitz mit ir pan-
ner. Do ward an dem sonnentag²⁸²) morgen fruo, do brannten si ab hor-
gen vnd daselbs vmb. Si brannten och des selben tags horgen das dorf,
tallwil, kilchberg, russlikon, bentlikon²⁸³a) vnd alles das da vmb
was. Si branten ouch die kilchen ze kilchberg vnd alles das dar in was²⁸³b).
   It. do nun die aidtgenossen daselbs vm wuostent vnd brannten, vnd
die von zürich bärlich schadgoten, was si inen ze laid getuon konden, vnd
si also wol dry tag da selbs vm gelagent, da ritten wol etlich raissig vnd
edel haruss; vnd erstachen ain oder zwen; aber der huff vnd die von zü-
rich getorsten mit macht nie heruss komen. Do nun das die aidtgenossen
sachent, do zugent si enweg, vnd zugent mit ainandern in das fry ampt²⁸⁴).

90. Die aidtgenossen gewunnen bremgarten.

Also wurdent nun die aidtgenossen ze rat vnd zugent für die statt
ze bremgarten. Es kament daselbs zuo inen die von bern vnd solo-
turn²⁸⁵). Nun hatten die von bremgarten vor gar mannlich vnd trostlich
geredt mit denen von zürich vnd mit andren, dass si ir statt redlich heben
wöltint, vnd vff sölichs lichent inen die von zürich irn büchsenmaister vnd
anders, so si dann notturftig warent, in ir statt. Si hettint inen och gern
lüt gelichen, do wolten ir die von bremgarten nit, vnd mainten, si hettint

---

280) Tschudi II. 371 — 373. 281) 25. Mai. 282) 26. Mai. 283 a) benklikon Hü.
283 b) Hü. allein. 284) Tschudi II. 373. 374. 285) Deren Absagebrief Tschudi II 373.
und der an Bremgarten vom 1. Juni S. 375.

vv) Darnach über iiij tag (nach dem Gefechte bei Freienbach) zugent die
von lutzern, von vnderwalden, von vre, von zug an die letze gen horwen (Hor-
gen) vnd sturmtent an die letze, vnd was ir wol by vj M der schwitzer, vnd der
von zürich wol by vjc mannen, vnd strittent mit enander, vnd ward der schwitzer
wol by vijc oder by viijc erschlogen vnd vil wund. Doch do koment die schwitzer
hinden durch die letzi hinnen an si, vnd ward ir by cccc erschlagen; die andren
entrunnent kum, vnd was vff der nacht das es vinster vnd tunckel ward, vnd
regnet, anders si werent alle erschlagen worden, vnd behuobent die schwitzer
aber das veld. Do das der marggraff mit sinem harsch vernam, wie es do gan-
gen was, do zoch er wider haim gen Z. vnd zugent jm die schwitzer nach, vnd
maintent jn verkommen (zuvorzukommen, abzuschneiden). Also kam er mit siner
schar wider in die statt vnd torstent die nit me herus komen. Darnach zugent
die von wintertur vnd die andren, die zuo raperschwyl lagent, ouch widervmb
haim, vnd belaib jederman by dem sinen. Königsh. 630 p. 292. 293.

lüt gnuog in ir statt, vm die statt ze behaben. Also versprachent inen die von
zürich, dass si mannlich wärint, so weltint si ir lib vnd guot mit inen tailen.
Also belagent die aidtgenossen die statt bremgarten an dem dornstag, das was
an dem hailgen vffart tag²⁸⁶), vnd behuobent die von bremgarten ir statt nit
lenger denn dry tag, vnd gabent den aidtgenossen ir statt vff mit sölichem
geding, dass si bi dem rechten söltint beliben vnd bi den aiden als si vor
den aidtgenossen getan hatten, vnd das burgrecht, so si vor zuo denen
von zürich ewenklich geton hatten vnd geschworn, vnd alles so die von
zürich mit inen hatten, söllt genzlich ab sin, vnd was si denen von zürich
pflichtig warent, sölten si hinfür denen von bern²⁸⁷) pflichtig sin. Man
sol ooh wissen, dass die aidtgenossen nit me denn .ain tag ze bremgarten
in die statt schussen; si hatten ooh guot kuntschaft ves der statt, wan der
schulthaiss hielt es mit inen, als sich das darnach bewisst.

It. in disen dingen ritten die von b a d e n vnd m e l l i n g e n zesamen
vnd machten ain täding mit den aidtgenossen, dass man si liess beliben
als si die aidtgenossen vor ingenomen hatten bi küng sigmunds ziten, vnd
si die aidtgenossen also disen krieg liessint still sitzen. Dess gonten
inen die aidtgenossen. Also huoben si sich zuo den aidtgenossen vnd hul-
tent inen; wiewol si vor zuo der herrschaft von österrich landtvogt vnd
zuo den von zürich dem vngelich geredt vnd gebaret hatten, so baitoten
si mit, si huldten inen vnd ritten den aidtgenossen nach²⁸⁸).

91. Die alt regensperg ward gewunnen.

Also zugent nun die aidtgenossen²⁸⁹) ze baden durch die statt in das
w e n t a l vnd wuosten alles das da denen von zürich zuo gehort. Do si
kament zuo der a l t e n r e g e n s p e r g, do hiessen die puren die von zü-
rich ab der vesti wichen, wan si weltind die veste den aidtgnossen in ge-
ben, als si ouch taten, vnd schwuorent die puren all den aidtgenossen²⁹⁰),
vnd gabent inen die alten regensperg in, vnd giengent die von zürich, die
daruff warent, wider hain. Die aidtgenossen begiengent och desselben ma-
les grossen muotwillen vnd freuel in der kilchen, davon vil ze sagen
wär²⁹¹).

92. Die nüw regensperg ward gewunnen vnd verbrennt.

Also zugent nun die aidtgenossen daselbs vmb, vnd wuosten vnd
brannten die dörfer rümlang, hasslen²⁹²) vnd was da vmb was etc. Also
hatten die von zürich die n ü w e n regensperg, das schloss, wol besezt,
als si wonden, wan si hatten daruff gelait hansen von isna vnd²⁹³) lüt, de-
nen si gar wol vertruwten, vnd damit si mainten das selb schloss gar wol
besetzt han. Also gabent die puren die vorder statt ze regensperg uff.

---

²⁸⁶) 30. Mai. ²⁸⁷) „vnd anderen Eidgnossen“ Tschudi ²⁸⁸) Tschudi II. 376. ²⁸⁹) 4. Jun.
Tsch. ²⁹⁰) als si ouch taten — aidgenossen f. Tsch. ²⁹¹) Tschudi cit. aber ohne den
Zusatz. ²⁹²) 7. Jun. Tsch. ²⁹³) hansen v. i. f. Tsch.

It. do nun die von rapperswil vernament, dass die aidtgenossen grüeningen ingenomen hatten, da brannten si der selben nacht ir hüsser vnd schüren, vnd was si vor der statt hatten, vnd huwent ir böm ab, vnd was si geirren mocht, wan si wisstent nit anderst, denn dass die aidtgenossen ir statt och beligen wöltint[306]).

It. an dem sonnentag[307]) ze nacht brannten die aidtgenossen das dorf ze münch alttorf vnd die kilchen daselbs. Inen wurdent etlich erstochen, da mainten si, dass die selben von alttorf schuld daran hettint; zwen oder dry redlich knecht der aidtgenossen.

It. also muot nun die von bern vnd ander, dass si den vogt ze grüeningen in dem gelait erstochen hatten, vnd zugent ze grüeningen ab vff den mentag[308]), vnd wolten kain tail an dem selben tail[309]), schloss vnd ampt han, vnd wolten es och nit besetzen, vnd ganz nüt damit ze tuon han. Also zugent die von bern, soloturn, lucern mit ir züg den weg, den si och dahin komen warent, gen baden vnd wider haim.

It. die von vre, vnderwalden, zug, schwitz vnd glaris lagent dennocht ze grüeningen bis vff den zinstag[310]). Also besatzten si das selb schloss die von schwitz, zug vnd glaris, vnd liessent bi hundert vnd zwainzig knechten vff der veste, vnd gebiessent denselben wol, vnd liessent ain hoptman da, der was von schwitz, vnd zugent och an dem selben zinstag ab. Die von glaris zugent den nächsten hain, die von schwitz, zug, vre vnd vnderwalden fuorent ze wormspach[311]) bi dem kloster vber den see in die march. Si brannten och des selben tags etwa mangs huss ze wagen, als si dardurch zugent, vnd morndes, an der mittwuchen[312]) brannten die von rapperswil das dorf ze ermestwil darwider. Es wär och hie vil ze sagen, wie sich die aidtgenossen hielten in disem zug, besonder dass si grossen muotwillen tribent in kilchen vnd gotshüsern vnd vnzimlichen grossen frefel. Si nament die fläschlin, da das hailig sacrament inn was, öl vnd crisam, vnd schutten das sacrament vss, durch des klainen schatz willen, den si darab lössen möchtint; die seckel, da das hailig wirdig sacrament inn was, nament si, vnd andren kilchen schatz, gloggen vnd anders.

94. Die aidtgenossen taten vnchristenlich sachen, als man von inen salt.

It. si nament ze rüti in dem closter all ir gloggen vnd alles das si funden; si brachent all ir schloss ab, vnd all ir türen vff, vnd nament das yssen vnd was si in dem selben closter funden. Si zerschluogent inen in dem münster alle helm vnd schilt vnd wurffent si hinus, als die herren vnd die edlen ir begrebt in dem selben münster hand; si nament die panner im münster, die man den herren zuo hengkt, so man ir begrebt begat, vnd fuorten die mit inen enweg, als ob man si in ainem strit gewunnen hatt[313]).

---

306) Tschudi II. 378. 307) 16. Juni. 308) 17. Juni. 309) Thal. 310) 18. Juni. 311) formspach Hü. 312) 19. Juni. 313) ob si si — hettint Hü.

It. si brachen die greber in dem münster vff, vnd truogent die todten lichnam herus, graf fridrichen von toggenburg, vnd schluogent jm ain stain in den mund; graf waldraffen von tierstain schutten si vss dem bom, vnd wurffen ainander mit sinen gebainen.

It. dess glich begiengent si ze cappel; in dem closter brachent si all türen ab vnd nament die schloss vnd behenk, vnd schluogent all ir ofen nider, vnd vil anders frefels, den si da begiengent, da von vil ze sagen wär.

It. dess gelich taten si och ze wurmspach in disem frowen closter, vnd in andren gotshüser [314]).

Also trost der marggraff in disen ziten die von zürich vnd ander fast, vnd maint, jm sölt hilff komen, dass er den aidtgenossen wol widerston möcht mit gewalt, vnd schraib fürsten vnd herren, vnd mante si von des küngs wegen vmb hilff. Aber do der küng nit selb zuo den sachen tät, do giengent sin och die curfürsten vnd ander fürsten vnd herren müessig. Also was nun in den ziten der küng vnd die hertzogen von österrich ze österrich, vnd hatten ander gross, treffenlich sachen ussezetragen, dass si also zuo disen sachen nie nünts getaten. Vnd also kam kain hilff von den fürsten; doch rait darbi etwa manger herr, ritter vnd knecht, der herrschaft ze dienst in disen krieg, die gern ir bestes geton hettint. Es was och sach dass die edlen denen vor zürich nit wol getruwen mochten, wan es was ain gemain red vnd offner lümbd, dass ir vil ze zürich was, die den aidtgenossen bessers gonden denn der herrschaft, vnd inen laid was der pund, den si mit der herrschafft geton hatten, vnd man das wol wisst, dass die aidtgenossen vil kuntschafft von zürich hatten [315]); darumb belaib in disen ziten vil vnderwegen, das man gern geton hett. Nun getorst man in den ziten die schuldigen ze zürich nit strafen [316]).

95. Der marggraff schikt ain ritter zue dem hertzogen von burgunn.

Nun schikte in disen ziten der marggraf herr petern von mörsperg ritter zuo dem hertzogen von burgunn. Da wär der hertzog willig gesin, doch muotet er och etwas an den küng. Also schikt der marggraf den selben herr petern zuo dem küng. Der belaib vss von pfingsten bis vff sant michels tag [317]).

96. Item ze sürich lagent bi fünf hundert pfert.

In disen dingen lagent ze zürich bi v c pfärit der edlen oder me, die gern ir bestes geton hettint, vnd och fuossknecht von dem schwarzwald, von friburg, von nüwenburg, von brysach, von tan, von waltshuot, vss dem elsas vnd anderschwa her, vnd wess man ze rat ward oder was man tuon wolt, so wissten es allweg die aidtgenossen. Also ward vff sant jo-

---

314) Tschudi II. 378. 379. 315) vnd man das — von Z. hatten blos Hü. 316) Tschudi II. 379. Vgl. qq. 317) Tschudi II. 379. 380.

hanns anbent des töffers, anno dni Mccccxliij, was vff ain sonnentag [319]), do
tät man ze zürich ain anllege[320]), vnd wolt man die statt ze bremgarten
erstigen vnd wider ingenomen han, wan man wisst wol, dass ir vil in der
statt was den laid was, dass si die aidtgenossen ingelassen hatten vnd zuo
inen geschworen hatten. Datzuo hätt man och etwas kuntschaft daselbs.
Also beschloss man ze zürich alle tor vff den selben sonnentag bis vff die
vierten stund, vmb dess willen dass niemand kain kuntschaft noch war-
nung hinuss gebe. Also do nun ward vmb die viere nach mittag, do hatt
sich jederman berait ze zürich, ze ross vnd ze fuoss, vnd zugent also vss
mit ainem schönen züg, edel vnd vnedel, vnd hatten all ir ding wol vnd
schon geordnet, vnd do es nun ward vff die ainlifte stund vor mitternacht,
do warent si ze bremgarten bi der statt an dem graben. Also richten si
ir züg vnd laitren zuo vnd wolten gestigen han. Do warent die von brem-
garten gewarnot, es warent[320]) och ir etlich in die statt komen, den och
diss kund getan ward. Also zugent si wider haim gen zürich, so si haim-
lichost konden, dass ir die von bremgarten ganz fürwar nie konden innen
werden. Also kament si morndes am mentag[321]) fruo wider haim vnge-
schaffot. Also was deren von zürich hoptman türing von hallwil zornig
vnd sprach offenlich zuo denen vor zürich: Ir hand ain hüpsch guot rat-
hus, aber es hat gar tünn muren; was man darinn redt, das hört man gar
wit; damit er inen erzoigt, dass er vnd ander mainten, diss warnung wär
von den gewaltigen komen[322]).

Aber darnach an dem sechsten tag höwmanots des vorgenannten ja-
res, vff samstag ze nacht, da die sunn schier wolt vndergan, zugent aber
die edlen vnd raissigen ze zürich vss, villicht mit fünf hundert pfärit vnd
vj c ze fuoss. Diser hoptlüt warent junkher jacob, der graf von kützelstain,
graf ludwig von helffenstain, hanns von rechberg, vnd zugent also für ba-
den hinab bis nach gen zurzach, vnd brannten vnd wuosten was den
aidtgenossen zuo gehort. Si nament ain grossen roub vnd vil gefangner.
Ir etlich wurden och erstochen, die sich nit gern wolten gefangen geben,
vnd branten xiij dörfer des selben zugs, vnd kament also wider gen zü-
rich, dass inen nie kain laid geschach. Es was och in den selben ziten
selten kain tag, si brächtint roub vnd gefangen gen zürich, vnd hettint
och lüt erstochen.

It. aber darnach an der nächsten mittwuchen das was die mittwuch vor sant
margreten tag[323]), hattent die von glaris ain zug angelait vff die von rappers-
wil, vnd samloten sich die von glaris, vss der march, vss dem gastren, von
vtznach etc. dass ir also vff vj c man warent oder me, vnd hatten ain huot
gestossen hinter den mayenberg mit iij o mannen, vnd solten da warten;
wenn die von rapperswil ir vich hinuss für die statt schlügint in die wai-
den, so sölten si inen das nemen vnd die lüt erstochen; das ander volk

---

[319]) 23. Juni. [319]) Anschlag Tschudi. [320]) Hü. verschr. wäriht. [321]) 24. Juni.
[322]) Tschudi II. 380. [323]) 10. Juli.

solt von jonen her in sieben den irem se hilff, ob inen die von rapperswil
ze not tuon weltint. Vmb diss sach wissten die von rapperswil ganz nüt,
vnd do es ward an dem morgen, do traib jederman ain vich hinuss, vnd
giengent die lüt jederman da er ze schaffen hat. Also do es si nun nit
dunkt, do luffent si den berg herab gen der statt vnd hinderlaffent da
etwa vil vich vnd kü, vnd erstochent zwen knecht an ir arbait. Also luf-
fent die von rapperswil herus vnd ernatten dennocht vil viche, vnd tra-
tend also mit ir hoptman vnd mit dem venli hinach, vnd schussent ernst-
lich zuo inen. Also schussent si in ain ze tod vnd etwa mengen wund.
Es luffent ir ooh etlich für das vendli hinuss, die nit ordnung halten wol-
ten; der wurdent ooh zwen erstochen, des hoptmans koch vnd ain arbaiter,
hiess hanns bellinger [344]).

Also was nun ain gemain red, die aidtgenossen weltint rapperswil belig-
gen, vnd von me saiten die aidtgenossen schaden den si da getön hettint, denn
aber denen von rapperswil beschechen wär. Also an dem nächsten fritag
darnach [345]) schikt marggraff wilhelm von hochberg, der herrschaft von
österrich landtvogt, funfzig schützen, edler vnd raissiger gen rapperswil,
von friburg vss dem brisgöw, vnd xxvj pfärit, ooh von friburg, vnd zwai
schiff mit korn, büchsen, pfill vnd ander züg, vnd an dem selben fritag, da
der tag hergieng, kament die selben lüt vnd das korn vnd etwa mangs
schiff mit inen von zürich, die si belaiten, gen rapperswil [346]).

Als nun die lüt vnd die von zürich villicht mit zechen schiffen komen
warent vor tag gen rapperswil, also wissten es ir vigent desselben tages
zitlich. Also das vnd anders was man ze rapperswil für hand nam oder
anfieng, das wussten allweg ir vigent, vnd was das die vrsach, es warent
ir vil ze rapperswil, die das ir in die statt geflöchnet hatten, vnd davon
nit gern wichent, vnd aber ainer sin bruoder, der ander sin sun, ainer ain
wib vnd ander sin fründ vor der statt hatt, die all den aidtgenossen vnd
denen von schwitz geschworn hatten. Vnd kament also alle tag frowen,
aine suocht ir vatter [347]), aine irn man, die ander fragt nach irem bruoder,
vnd wisst man nit wem man getruwen möcht oder nit, vnd kond man so
wol ooh nit gehüeten, inen wurde kuntschaft, vnd was ganz denen von
rapperswil noch denen die bi inen warent, niemant so hold noch so ge-
trüw, der inen ain warnung oder kuntschaft gäb, wie vil si all fründen,
bruoder, wiben vnd kinder vor der statt hatten.

97. Die von zürich zugent aber vs.

It. do nun aber ward vff sant margreten tag [348]), zugent aber die von
zürich uss, vnd wolten gen bremgarten, vnd hatten aber muot, die
statt ze erstigen vnd in ze nemen. Also falt [349]) inen nun aber ir kuntschaft,
dass inen nit geläng. Also zugent si hinab biss gen rordorf, vnd wuosten
vnd nament alles das si funden, vnd zugent wider gen zürich.

---

344) Tschudi II. 381. 345) 11; Juli. 346) Tschudi II. 382. 347) Vetter Tsch. 348) 15. Juli.
349) fehlte.

Darnach besatzten die aidtgenossen die statt ze bremgarten. Also wichent ob drissigen der redlichosten vnd mechtigosten burger von der statt vnd kament gen zürich, vnd och etwa manig arm knecht mit inen mit wib vnd kind, wan die aidtgenossen schluogen wib vnd kind vss der statt ze bremgarten, wer gewichen was [330]).

Also darnach an dem zinstag, das was der nächst tag nach sant margreten tag [331]), zugent die raissigen von zürich gen wil, der [332]) hoptman was hanns von rechberg, vnd hat vff iiij c pfärit oder me. Also nament si ain roub, vnd brachten och etwa mangen gefangen, vnd erstachen ij oder iij, vnd rannten inen bis an das tor [333]).

It. es ist in disen dingen etwa mengs geschechen, das nit alles aigentlich hie geschriben ist; doch der mertail vnd das grösst ist zuo guoter mass hie geschriben.

In den selben tagen hatten ir vil ab dem land gen rapperswil geflöchnot, die och der herrschaft von österrich geschworn hatten, vnd den krieg nit wichen wolten [334]). Do nun die vsslüt sachen, dass es den aidtgenossen so wol gieng, vnd ain gemain red was, man welt die statt rapperswil beligen, do stuond ir sinn ze holz [335]), das sach man an ir bärden [336]) wol. Also redt man mit allen vsslüten, wer nit beliben welt, der möcht haim zuo den sinen gon, mit vil ander worten, denn man wölt niemant vber sinen willen in der statt beheben. Do sprach der hoptman ze rapperswil: „Vm den aid, den ir mir geton hand, luogent zuo üch selb vnd zuo üweren eren, dess kan ich vch nit erlassen, wan ich bin weder bischoff noch bapst. Ich setz es hin zuo üwrer fromkait." Also giengent vff dise red me denn drissig vss grüeninger ampt mit enander [337]) vss der statt rapperswil, vnd giengent haim, vnd belait man si von der statt, dass inen niemand kain vnzucht tät, wan es muot vil lüt vbel, besonder die soldner.

98. Die von zürich verloren an der sil.

It. do nun ward in der selben wuchen, zugent aber die aidtgenossen, vss glaris, schwitz, zug, lucern, vre vnd vnderwalden, mit aller ir macht, vnd was zuo inen gehort, in dem ergöw, in dem gastren, vnd wo si zuo gebieten hatten, dass ir aller vff sechs tusent man warent, vnd kament also zesamen in dem fryen ampt, vnd wurdent ze rat, dass si aber vff die von zürich ziehen weltint vnd die wuosten, vnd huoben an dem albis an ze brennen vnd ze wuosten, was si vor hatten gelassen ston. Also do nun ward vff sant marien magtalenen tag [338]) fruo, was vff ain mentag, zugent si herab gen rieden in das dorf bi dem galgen. Als nun denen von zürich ir kuntschaft kam, dass die aidtgenossen ze rieden legint, da yltent si hinuss ze ross vnd ze fuoss, alle vngeordnet, vnd kament also zesamen

---

330) Tschudi II. 382. 331) 16. Juli. 332) deren. 333) Tschudi II. 382. 334) Den krieg nit ze wichen. 335) Im Chron. „wider hinuss". 336) Geberden. 337) vss grüeninger ampt f. Tsch. 338) 22. Juli.

-vnder der linden bi den benken, dass da ganz niemant kain ordnung vn-
der inen gemacht hat, weder klain noch gross. Also ward nun der von
zürich hoptman, türing von hallwil, fast zornig an die von zürich, dass si
on ordnung also zugent, vnd sprach zuo ir etlich von zürich, die den ge-
walt fuorten: „Ir hand mir all geschworn, vnd bin üwer hoptman wenn
ir wend; wenn es üch aber nit eben ist, so bin ich nit vwer hoptman ³³⁹),
wan ir volgent mir nit, vnd tuond das vch gefellt." Also hielten die ed-
len villicht mit v c pferden daselbs bi den benken. Also besach nun
hanns von rechberg mit etwa mengem gesellen das folk, vnd kam wider
zuo den edlen vnd zuo denen von zürich, vnd sait, dass er si schatzt vff
vj M wol bezügter vnd fechtbarer puren, vnd riet och da bi sinen eren,
dass inn das best dücht, dass die von zürich all mit ainander zuo der
statt zugind, so wöltint si mit dem raissigen züg zuo inen ritten vnd be-
sechen, ob si inen nütz böss ³⁴⁰) möchtint abgebrechen. Wenn es inen
denn eben wär, so wöltint si dennocht on schaden wol zuo der statt
zuo inen komen. Also ward nun dem von rechberg desselben rates
gefolget, vnd hiess man die von zürich vber die sil vnd vber die
bruggen hinin ziehen. Do hatten si guot grendel vnd wer, vnd hiess man
si sich da zuo rüsten mit guoten straiff büchsen vnd mit andrem züg,
vnd daselbs warten. Also taten nun die von zürich nit was die edlen mit
inen verlassen hatten, vnd zugent also gegen der statt, vnd laitent sich vss-
wendig der sil vnd vsser dem siechen huss in ain gross wisen. Also was
nun desselben tages gar haiss, vnd truog man denen von zürich vss der
statt win in gelten vnd in fleschen ³⁴¹) zuo. Es was och ain hag vnd ain
gestüd vmb dien wisen, dass man si nit gesehen mocht.

It. also ritten nun die edlen vnd die raissigen vber das silveld zuo
dem huffen, vnd schalmutzten ernstlich mit inen, vnd wichen vnd zochten
si also hernach. Also wonden si, si söltint die von zürich finden, da si
hin in beschaiden warent ³⁴²), vnd do si kament nach zuo sant jacob, da
der siechen huss ist, da sachen si vsswendig der siechen huss in der wi-
sen die von zürich bi ainander im feld ³⁴³) ston. Dess erschraken nun die
edlen, dass die von zürich nit die ordnung hielten, die man gemachet hatt,
vnd an der wer warent, da man si hinin beschaiden hat. Dennocht warent si
so from vnd redlich, ir der mertail, vnd stuonden zuo inen ze fuoss ab, vnd
liessent ir pferit lauffen, vnd traten ir sporen ab, vnd richten sich ze fech-
ten, vnd wonden, si wöltint da mit inen vechten. Nun hatten die edlen
wol gesechen, dass es fast vngelich was, wan die aidtgenossen vil mer
volks hatten denn die von zürich, vnd warent och fast bass zuo gerüst
vnd geordnet, vnd zugent inen och gelich vff dem fuoss nach. Do nun
die edlen erst von ir pferden stuonden vnd ir sporen abgehüwen, vnd zuo

³³⁹) wenn ir wend — nit üwer houptmann f. Hü. ³⁴⁰ ob si inen nüts möchtin Hü.
vtzt böss Tsch. ³⁴¹) Kleine tragbare, untiefe Fässchen. ³⁴²) da si si hin beschaiden
hatten Hü. ³⁴³) mit ainem fenlin ston Hü.

denen von zürich stuenden, do luffent die aidtgenossen gelich herin, vn-
geordnet. Nun wolten der von zürich schützen geschossen han, do rueft
der burgermeister, herr ruodolf stüssi, si söltint nit schiessen, es wärint
fründ, vnd liessent ir armbrost wider ven. Also redt man nun do zemal
offenlich vnd fürwar, die aidtgenossen hettint ir bi zwai hundert oder mer
geordnet mit rotten crützen, die vor herin söltint louffen, dass die von zü-
rich söltint wenen, es wärint fründ, vnd hettint vorpen rotti crütz vnd hin-
dan wisse vnd ain tannast vnder der gürtel, vnd maisten och die von zü-
rich, dass si die also habint todt funden vnd sig ain ganz warhait. So
redten die aidtgenossen treffenlich darwider vnd mainten, es sölt sich nie-
mer erfinden. Das sig nun oder sig mit, das lass ich also beliben [344]).

Also do nun die aidtgenossen herin luffent, da hatten sich die von
zürich fast an ain vnwerlich statt geschlagen. Also knüwoten die von zü-
rich nider [345]), vnd maisten, si wöltint da fechten. Als si nun wider vff
gestuonden, do stalent si sich hinden ab, vnd huobent an ze fliehen gegen
der statt über die silbrugg hinin, vnd wer bass mocht der tät och bass.
Do das die fromen sachent, die gern ir bestes geton hettint, edel vnd vn-
edel, die gern ir lib vnd leben da gewagt hettint, do schttimen si vnd
moften inen zue. Also half da kain ermanen vnd kain ruoffen, die flucht was
in die statt komen, dass niemant wolt beliben, man manti si vil oder klain,
es wolt niemant geston. Do nun die fromen sachent, die gern ir bestes
geton hettint, edel vnd vnedel, dass die iren also schantlich fluhent, vnd
sich niemant weren wolt, noch bi inen beliben, do muostent si och wichen,
wan do die aidtgenossen die flucht sachent, do wurdent si erst keck vnd
mannlich, vnd wurffen, schussen, schluogen vnd stachent in si. Also welcher
zu einem pfärit komen mocht, der rait, der das mit mocht, der gieng, vnd
tät jederman als er denn mocht. Also waich ir vil mit enander, mit we-
render hand, die sich mannlich vnd ritterlich werten, die och also an der
wer erstochen vnd erschlagen wurden. Ir ward och vil an der flucht er-
schlagen, die sich nie gewarten. Es ward och vff den selben tag vil alter
lüt erstochen, die hinuss warent gangen vnd luogen wolten, wie es den
iren gieng, vnd on wer giengent, wan si warent durch kains fechtens willen
hinuss komen. Vnd do as also an ain flüchen gieng, do warent si alt
vnd krank, vnd mochten nit gewichen, denn dass si nider geritten, ge-
stochen vnd geschossen [346]) wunden vnd erschlagen, wan es was jederman
so not ze fliehen, dass niemant des andern kain acht het, vnd fluchent
och in die statt Also ylten inen die aidtgenossen villicht vff oes nach
biss vnder das tor, vnd erstachen si och bis an das tor [347]). Also hat man
nun ze zürich das tor zuo geschlagen vnd die grendel, biss dass die lüt
mord an dem tor schruwent, vnd man das tor mit not vff tät. Also truck-

---

[344] Tschudi nennt es eine schändliche Lüge. Vgl. die Schlacht II. 383—386.
Tschachtlan p. 161. Fründ p. 172. [345] nach Sitte, zu beten. [346] gestossen Hü. [347] vnd
erstochen — f. Hü.

ten nun die rechten panner vnd der huff nit hernach, als aber die von
zürich wonden, dass si tätint; denn hettint si hernach gerukt, vnd
geylt nach dem vnd die flucht vnd der schrek in das volk komen
was, so hettint si denen von zürich den grössten schaden getan, der inen
je beschach von anfang ir statt, oder kain man je gehert oder gedenken
mag, vnd es wär misslich, dass si die statt darzuo abgeloffen vnd gewon-
nen hettint, wan es was kain wer gerüst. Darzuo hett man sich sölichs
nit versechen. Ir etlich zürich flukent och in ir hüsser vnd schluogent ir
türen zuo, vnd ward ain geschrai in der grossen statt, die klain statt wär
gewunnen. Vnd ward also fast ain wunderlicher gewerb ze zürich [348], daron
vil ze sagen wär. Also warent nun die edlen vnd die frembden, die von
der herrschaft wegen ze zürich lagent, fast erschrocken ab dem gefert, vnd
forchten, die von zürich hettint etwas antragen [349] mit den aidtgenossen,
vnd weltint inen die statt ingeben, vnd si also da verderben vnd ermürden,
was vormals vnd och siderhar offne red vnd lümbd was, die aidtgenossen
hettint vil guoter günner in zürich, die dennocht gar gewaltig wärint. Also
gieng in denselben sitten vil red vss. Also erstachent nun die aidtgenos-
sen die von zürich vnd die iren bis an das tor. Man maint och, dass ir
etlich in dem getreng bis in die statt kämint. Also schoss man dennocht
ab den muren vnd ab den türn so fast zuo inen, dass si die tedten nit
abgeziehen kondent bi der statt, denn dass si ir etlich in die hüsser su-
gent, vnd si da vssezugent, vnd stiessent die hüsser an vnd die todten da-
mit, vnd liessent es alles da brünnen. Also brannten die aidtgenossen
alles das hie dissent der vil was gen der statt bis an den graben, vnd
wuosten vnd nament alles, das si da funden. Si brannten och desselben
mals die kilchen sant steffan ze grund ab, vnd was dar inn was. Si zunt-
ten och die kilchen sant annen an, die verbrann nit ganz. Si trybent och
grossen muotwillen vnd frefel in dem closter an seldnow. Si brachent vnd
wuostent alles das si funden in dem closter vnd in der kilchen. Also ver-
lurent nun die aidtgenossen och des selben stosses etwa mangen man, wan
es was doch etwa manger an der von zürich tail der sich ritterlich wert,
frömbd vnd haimisch.

99. Die von zürich muot die schmach vbel.

It. do nun denen von zürich die schmach vnd der schad geschechen
was, vnd sich die aidtgenossen also nider schluogent bi sant jacob, als ob
si sich weltint legen für ir statt [350]), vnd si verstuondent vnd sachent dass
jederman in der statt erschrocken was, do wurdent si ze rat, vnd gabent
dem marggraffen vnd den edlen die schlüssel zuo ir toren vnd den gewalt
zuo ir statt vmb dess willen, dass man sächi, dass si from vnd gerecht an
dem adel vnd an den frömbden, die da lägin, sin wöltint, vnd ob jeman

---

348) gewerb in der statt Hü. 349) antrages geton Hü. 350) die statt beligen
weltint Hü.

gern ütz antragen **361**) welt ze zürich, dass er es dester minder geton vnd
angetragen könd. Also empfalch marggraff wilhelm der landtvogt den
herren vnd den edlen die tor, vnd gab inen och die schlüssel darzuo. It.
er empfalch ain tor dem grafen von lützelstain, ain tor dem grafen von
helfenstain graf ludwigen, ain tor herr burkharten münch ritter, ain tor
hannsen von rechberg. Also hatten die Edlen der statt zürich tor inn
vnd die schlüssel darzuo, vnd richt och jegklicher ain tor mit bollwerk vnd
mit andren dingen nach aller notturfft zewer, wan si verstuonden nit anders
denn dass die aidtgenossen die statt zürich beligen wöltint. Als nun der
adel die statt zürich inn hatt, da was jm kainer ze edel noch ze guot, er
wachet mit sin selbs lib, vnd huoten vnd goumten fast vnd wol tag vnd
nacht, wan si hatten me denn ain forcht. Si forchten die aidtgenossen vor
der statt, si forchten die frömbden puren, die in die statt gewichen wa-
rent, so forchten si och ir etlich in der statt, wan man maint, es wär des
selben mals ze zürich vil lüt, denen die frömbden vnd der adel vberlegen
wär, vnd denen der pund mit den aidtgenossen lieber gesin wär denn der pund,
den si mit der herrschaft von österrich vnd mit dem adel gemacht hatten **362**).

100. Die aidtgenossen warent fraidig worden.

It. als nun die aidtgenossen vor der statt zürich gelagen vnd gewuosten
was si mochten, das korn vff dem sillfeld, vnd der todten gehuoten, vnd
die von zürich kain bottschafft noch gewerb an si taten, vnd man zuo inen
hinuss schoss, vnd man si letzt vnd schadgot wo man kond, do versachent
sich die aidtgenossen wol dass der adel ze stark vnd ze gewaltig **363**) in der
statt wär, vnd dass si nüts guotes me da geschaffen köndint, vnd brachent
also mit enandern uff, vnd zugent hinab gen baden. Also ritten erber
herren vnd stett darunder, vnd hettint gern frid vnd stallung daran ge-
machet; aber die aidtgenossen wolten ganz niemand eren noch folgen, si
woltent die von zürich wuosten vnd die iren schadgen an beden tailen des
zürichsees, vnd och alles ander das gen zürich horte; vnd och rapperswil
woltent si beliggen vnd da wuosten vnd die statt gewünnen, ob si möch-
tint, vnd die schlaizen, vnd wolten also ganz niemant darinn lassen reden
vnd folgen.

It. also hatten nun die von zürich an diser tat verloren, als vorstat, vff
sant marien magtalenen tag an der sill c xlv man, jung vnd alt, frömbd
vnd haimisch, wie man die finden kond, wan man gieng jm aigenlich nach.
Si verlurent och des selben tags ir statt vennlin **364**) vnd etwa mange büchsen,
die si hinuss gezogen hatten, vnd etwa vil schoner pferit verluren die
raissigen.

101. Die ze zürich an der sill verloren hand an der von zürich tail.

Der edlen namen, die da verlorn hand: junckher albrecht von buss-

---

351) einen Frieden vorschlagen. **352**) Tschudi II. 386. 387. **353**) mächtig Hü. **354**) „Ge-
wan Schriber küng von glaris“ Tschudi am Rande.

nang fry, hanns von nüwenhussen, hanns von mettelhussen, vnd villicht vff drissig oder viertzig raissiger ze pferd vnd fremder mit inen.

It. von zürich vss der statt:

Her ruodolf stüssy ritter vnd burgermaister, volrich von lomis, cuonrat mayer pannermaister, truog der von zürich vennli, peter kilchmatter [355]), der alt hagnower, hainrich vssikon, der stattschriber zürich [356]).

Rura regunt urbes, wulgus clerumque gubernat,
Vnde per ecclesiam plebs cristi vbilibet errat [357] a).
Virtus nobilium debet defendere justum
Ac graue corrigere quem viuere cernit inique.
Non est nobilitas si normas non tenet istas.
Rusticus hec faciens est nobilitate refulgens,
Nobilis est cunctus quem nobilitat sua virtus.
O uos magnates, O gentes queque potentes,
Querite justiciam, rem prauam pellite cunctam;
Gloria famosa seu prosperitas copiosa
Eueniet certe facientibus illud aperte [357] b) *ww).*

---

[355]) „der alt" Tsch. [356]) Tschudi fügt den Namen Ari „Michel Graf ein böss krott". und bei Hü. eine spätere Hand „meister ellend". Vgl. Chron. II. 385. 386. [357] a) *erat* Hü. [357] b) Die Verse blos Hü. p. 264.

ww) Anno dni Mccccxliij vf sant marien magdalenen tag do kamend all aidgnossen, vss genomen die von bern vnd solotran, vnd zugend für rieden her jn, vnd die von z ü r i c h warend vsgezogen bis zuo den benken, vnd warend vil edler lüten by jnen ze ross, vnd was junkher türing von hallwyl der von Z. houptman, vnd über sinen willen warend si vss der statt zogen. Also woltend die aidgnossen nüt vf die wyti, vnd zugend vnder dem berg hin bis gen wie-dikon. Also zugend die von Z. bis zuo sant jacob. Also ordnat der reding von schwytz das cccc man namend an sich roti krütz, vnd kamend zuo den von Z. by sant jacob, vnd wie das was das etlich von Z. schruwend über die selben schwytzer vnd woltend nit gelouben das si zuo den von Z. hortind, vnd woltend si gestochen haben vnd geschossen, also schrai her ruodolf stüssy der ritter jnen zuo: nüt schiessend! es sind fründ. Vnd also kamend si in den huffen des volkes von Z. vnd die aidgnossen kamend her zuo mit gantzer macht. Do schruwend die selben schwitzer mit den roten crützen: fliehend, fliehend! vnd machtend ain flucht, vnd woltand da mit die stett haben jngenomen, vnd fluhend zuo der stett, vnd also ward das volk von der statt verwyset *ww* [1]) vnd ward ain gantz flucht. Vnd also fuogt gott vnd die lieben hailgen, das ain semlich mortlich sach nit für sich gieng, vnd also wurdent der von zürich cl erschlagen vf den tag, vnd kamend die andren aidgnossen hernach, die nit wisstand das mortlich gefert mit den roten krützen, vnd erschluogend vil der von schwitz, die si fundent also mit den roten krützen vf dem weg, vnd also kamend die egemeldend

---

Also zugent aber die aidtgenossen ze baden durch vnd an der andern sitten der lindtmatt 358 a) aber mit aller macht 358 b) vnd gen zürich heruff, vnd wuostent vnd nament vnd brannten alles das denen von zürich zuo gehort, vnd zugent gen höngg durch, vnd brannten vnd wuosten daselbs vnd obnen bi dem turn, den man nempt den kratt, gen fluntren zuo, vnd für das nesseltal vnd gen zollikon, vnd brannten aber vnd wuosten fast vnz zuo dem crütz ze stadelhoffen. Vnd zugent also bi dem see vff gen küssnach, das was an dem sunnentag nach sant jacobs tag 359). Also beliben si an demselben sunnentag ze küssnacht vbernacht.

Darnach an dem mentag 360) fruo brachent si ze küssnach uff, vnd zugent den see hinuff, vnd nament vnd wuostent was si funden; doch funden si nit vil ze nemen, won die lüt hatten das ir fast in die statt geflöchnet, gen zürich vnd gen rapperswil. Si brachent die türen 361) vnd alles geschmid ab, das si funden, vnd wuosten was si gewuosten 362) konden, vnd

358 a) lindmag Hü. 358 b) 27. Juli Tsch. am Rande. 359) 28. Juli. 360) 29. Juli. Fründ p. 181 sagt „am mentag was (Tschudi korrigirte richtig „nach") panthaleons tag", was Tschachtlan p. 171 Bartholomeus abschrieb. Vgl. Tschachtlan Note. 361) türn Tsch. 362) Hü. hier und oft gewiesten.

schwitzer mit den roten krützen, vnd fundent her ruodolfen stüssy vf der langen silbruggen, vnd der huob selb ander die brugg jn, dar vm das sin volk in die statt käm. Also stachend si jn ze tod durch die brugg vf, vnd truogend jn an ainen zun by sant jacob, vnd huwend jm sinen buoh vf vnd namend jm sin hertz her vss vnd namend jm sin schwaiss vnd das schmer von sinem lib vnd salbatand die stifel vnd die schuoch da mit, vnd tatend jm ander gross schmachaiten an. Vnd als der stoss vergieng, do zugend si hain mit grossen fröden vnd mit grosser schand vnd laster, vnd belaïb also vil zits das si nit lognotand der selben roten valschen krützen. Vnd darnach als si hortand vnd sahend das jnen als vil fromer lüten übel dar vmb rettend, do viengend si an ze lognen; doch es was so kuntlich, das ir lognen nüts beschoss. Vnd an dem selben vfbrechen do brantend si was si da fundent, vnd die vorstatt bis an die ringmur vnd sant steffans kapell verbran, vnd sant annen kapell ward vss der statt erlöschen. Cod. 657 p. 122. 123.

Ze jungst vm sant marien magd. tag do zugent die schwitzer vs für Z. also zugent die von Z. wider vs mit macht wider si ze ross vnd ze fuos, vnd rait das ross volk vor vnd tätent ain raitzen an die schwitzer ab dem berg an si vnd trungent (die Schwizer) also vast an das ross volk das si muostent wychen. Also kam die flucht in si, das si gen der statt fluchent, vnd tätent jnen die schw. also not, vnd kam ain huf an si an der sylbrug, darob die herren vnd die von Z. erschrackent vnd floch ainer hin, der ander her, vnd welher bas mocht der tett bas. Also luffent die schw. bis an das tor, vnd hette der huff glich nach truckt, si hattent die statt gewunnen. Also ward der herren vnd der von Z. by cxl mannen erschlagen, vnd verlurent die schw. nit vil vnd behuobent das veld, vnd lagent da by iiij oder vj tagen vnd brantent die mülinen vnd was hüser vmb die stat warent. Königsb. Cod. 630 p. 294.

brannten hie vnd dört, besunder was der von zürich was. Also liessent si , denen von dem see fast ir hüsser stan, vmb dess willen dass si dester vnwilliger vnd vngerner in den stetten wärint, vnd dester grosser not vnd begird hain zuo den iren hettint, vnd dass si ir hüsser geschirmtint, vnd nit durch ir willen, dass si inen als hold oder getrüw wärint. Also verstuond man das do zemal die krig in den stetten³⁶³).

102. Die aidtgenossen belagent die statt rapperswil.

Als nun ward des selben mentags vmb den mittentag, kament die aidtgenossen gen rapperswil, vnd belagent die statt, vnd zugent also die sechs panner mit ainandern, von glaris, von schwitz, von zug, von lucern, von vre, von vnderwalden, vnd vil ander die denselben zuo gehorten. Also maintent nun die aidtgenossen, die von rapperswil vnd die bi inen warent, wärint ab der tat ze zürich erschrocken, als si och warent, vnd kain entschüttung wissten, so söltin si die statt vffgeben, vnd hatten och die von schwitz vnd glaris sölichs den aidtgenossen fürgeben vnd in si getragen, wan die selben zwai ort besonder denen von rapperswil gehass vnd vigent warent, vnd schuoff es das dass si inen wol gelegen warent. Also wonden nun die aidtgenossen, man sölt inen die statt rapperswil vffgeben on not vnd on wer. Also schluogent si feld ver von der statt. Die von vre, von zug vnd glaris lagent vsswendig der kilchen ze kempraten, hinder dem büchel, bi dem mayenberg; so lagent die von schwitz vnder der kilchen ze jonen, vnd in der kilchen, vnd daselbs vm; die von lucern vnd von vnderwalden lagent bi der jonen, das wasser vff, also ver, dass man si mit kainer büchsen von der statt nit wol geraichen noch erlangen mocht. Also hatten si nun in der statt ain ordnung gemachet vnd verbotten bi lib vnd guot, dass niemant ain wort sölt hinuss reden mit den aidtgenossen, vnd schwaig man in der statt tag vnd nacht, als ob niemant in der statt wär. Die wachten getorsten nit geschrygen noch gerüeffen noch blassen, als si vor getan hatten. Des nachtes klopfet ain wachter dem andern, so er lissest kond, vnd hielt man sich also gar still; denn etwa in dem tag liess man pfiffen vnd prasunen, vnd gesellen die singen konden, liess man beschaidenlich singen. Also gefiel diss schwigen inen nit allen wol vor der statt. Also behuobent si fast an burdinen von riss ze machen, vnd truogent die zesamen, vnd hatten also ain gross gewerb, doch ver von der statt, wan si burgen sich vast; also luffent je etwa vil knecht vss der statt³⁶⁴), vnd schalmutzten mit deuen vor der statt, vnd nament inen die ross in den waiden, vnd trybent si in die statt. Das taten si also etwa dick. Also nun die aidtgenossen dry oder vier tag vor der statt gelagent, do hatt si fast frömd vnd vnbillich, dass die in der statt kain täding noch nüts an si suochten, vnd inen och kainer red noch täding lossen wolten. Also ward am dornstag³⁶⁵) nach dem nacht-

---

³⁶³) Tschudi II. 387. 386. kryg Kriegsparole, Manier. ³⁶⁴) wan si burgen sich — vss der statt f. Tsch. ³⁶⁵) 1. Aug.

mal, schikten si ir pfiffer vnd trumetter gen der statt, vnd pfiffen vnd bliessen da. Also maint man in der statt, es sölt ain nachtfryd sin, als denn ritter vnd knecht pflegent ze tuon, so si ze feld ligen. Aber da am frytag[366]) fruo ward, hatten si der selben nacht ain tarris vor der statt gemacht, vnd hatten der von schwitz büchsen, die si denen von zürich ze wallenstatt hattent angewonnen[367]), vnd hatten zwo büchsen in dem selben tarris, vnd schussen am frytag vast in die statt. Also an dem frytag ze nacht schluogent si aber ain tarris noch näher der statt, denn der vorder was, vnd an dem sampstag[368]) fruo hatten die von lucern och zwo büchsen in dem selben tarris, vnd schussent also genklich mit vier stainbüchsen in die statt vnd an die muren, vnd trybent das also bi acht tagen bis an dem frytag, was sant laurentzen aubent[369]). Also benüegt si nit[370]) des tages ze schiessen, si schussen och nachtes. Also beschachent in die statt drü hundert vnd zwaintzig schütz von stainbüchsen, on tarris büchsen, vnd ward kain mentsch in der statt nie geletzt. Wol schussent si die muren nider witter denn zwai hüsser begriffen hand, vnd wol ain gemach hoch von dem herd, oder höcher.

Also warent nun die von rapperswil in der statt vnd daruor fast wol zuo gerüst. Si hatten lüt, kost vnd anders züges genuog, si hatten zwen büchsenmaister, die och fast hinuss schussent; si hatten och sunst etwa mangen in der statt, der wol mit büchsen kond, si hatten ir bollwerk vor der statt gemacht, da si tag vnd nacht inn lagent; si hatten vor der mur ain zun vnd wer gemacht, das si gen dem selben weder tag noch nacht an der statt nümer beschlussen. Si lagent och in dem selben zun vnd in bollwerchen, die si vor der statt gemacht hatten, all nacht vor der statt bi zwai hundert oder me. Si hatten och vm die statt geschlagen ain igel scharpff[371]) von aichin stecken, vnd vor den igel vil guoter kegel geschlagen. Si hatten och je fuossyssen mit andrem züg ganz zuo dem sturm gericht, vnd all ir büchsen Also schussen nun die aidtgenossen fast an die statt, als vor stat, vnd was si nider schussen, das macht man glich wider mit mist vnd mit holtz, vnd achtet man nicht wie fast si schussen, man machet nüt dester minder, vnd beschach doch niemant nüt, weder frowen noch man[372]).

Also enbutten nun die vss der statt den aidtgenossen vff das feld, si hettint grossen kosten mit schiessen, si wöltint hundert guldin nemen vnd weltint inen die mur als wit abbrechen, als si die abgeschossen hettint, vnd wissten wol dass si das schiessen me denn tusent guldin kostet hett. So welten si si des kosten vberheben, dass si dar zuo kämint, vnd durch die löcher in die statt giengend. Also hettint nun die aidtgenossen das hertz vnd den willen wol gehept, dass si die statt gestürmt hettint, köndin si die lüt han funden, die vor daran gangen wärint. Des selben wolt

366) 2. Aug. 367) genomen Hü. 368) 3. Aug. 369) 9. Aug. 370) nit f. Hü. 371) scharpf f. Hü. 372) Tschudi II. 388. 389.

niemant lustig sin, wan si ducht, die in der statt weltint sich weren. Vnd warent die von lucern vnd vre vnd ander vnwillig, vnd mainten, die von schwitz vnd glaris hettint es inen nit also fürgeben, vnd warent och vnwillig vnd vnlustig da ze liggen.

103. Die aidtgenossen zugent ain tail vss dem feld.

Item als nun ward an der mittwuchen vor sant laurentzen tag[373]), zugent der aidtgenossen fünf hundert vss dem feld ze rapperswil, vnd zugent für griffense ab vnd in kyburger ampt, vnd nament da ain roub, vnd lagent da ze pfeffikon in kyburger ampt vber nacht, vnd erstachent ir fünf vss dem ampt, vnd verlurent si och etlich. Also hatten sich ze wintertur gesamlot vff xij c man, die si wolten angriffen han. Do kam inen bottschafft von kyburg, die aidtgenossen kämint nit vnd wärint wendig[374]) worden; do man es hin widerumb gen wintertur enbott, dass si ze pfäffikon lägint, do was es ze spat[375]).

Also wissten nun die ze rapperswil in der statt ganz nüt was man vor der statt traib, vnd ob ir wenig oder vil vor der statt was. Si verburgen sich fast, wan gar wenig was ir die sich öugten[376]). Vnd wissten och gantz nit, dass niemant kain täding traib, oder jemant vm kain fryd redt, wan si wolten in der statt kainen täding lossen, noch niemant von den sachen hören, vnd kam inen och in den selben zitten, als lang die aidtgenossen vor der statt lagent, kain bottschaft nie, weder von herren noch von stetten, noch von niemant.

104. Der bischoff von costentz redt darunder.

Also hat nun der bischoff von costentz vnd ander herren vnd stett darunder geredt, als vorstat. Da wolten si von kainem frid hören. Also warent dennocht bi inen in dem feld vor rapperswil der appt von ainsidlen[377]), fridrich von hewen, des bischoff von costentz bruoder[378]), vnd ander des bischoffs rät, vnd redten darunder, vnd machtent ain fryd als hienach etwas[379]) geschriben stat daruon, vnd macht der marggraff vnd die von zürich disen fryd mit den aidtgenossen, als si vor der statt rapperswil lagent, dass die in der statt[380]), klain noch gross rät, nie darum gewissten. Als nun ward an dem frytag ze nacht, das was an sant laurentzen aubent[381]), kament der abbt von ainsidlen, fridrich von hewen vnd die den fryd gemacht hatten, ze rapperswil an das tor, vud begerten also, dass man si in die statt liess; si hettint mit inen ze reden, das inen der marggraff enpfollet hett. Also saiten si inen von dem fryd, dass si den gemacht hettint bis zu sant jörgen tag[382]). Also erschrak jederman in der statt, jung vnd alt, frowen vnd man, vnd fluochet man inen

373) 7. Aug. 374) d. h. andern Sinnes. Tsch. verschr. „ir wenig". 375) Tschudi II. 392. Königsh. 630 p. 295. 376) zeigten d. h. ze oigten, von „oug", Auge. 377) Rudolf, Graf von Mosax. 378) Der Bischof hiess Heinrich. 379) etwa vil davon Hü. 380) Zürich. 381) 9. Aug. 382) 23. April 1444. Königsh. p. 630 p. 395.

vnd schalckt[383]) si, wer si des fryds gebetten hett. Also getorsten si morndes[384]) nit wol vss der herberg[385]) komen, denn dass si der hoptman belait, vnd muosten dennocht vil bösser wort inlegen vnd hören, vnd getorsten dennocht nit sagen wie der fryd gemacht was. Si sprachen, der marggraff wurd si es wol lassen wüssen, denn hett man die mär aigenlich gewisst, man könd si kum geschirmpt han.

Also nun ward am sampstag, das was an sant laurentzen tag fruo vor tag, da huoben si an ze rapperswil das feld schlissen vnd abziehen, vnd fuorent vber den see vnd tribent es vnz vmb vesper zitt.

Also warent die von rapperswil bass gemuot die wil die aidtgenossen vor inen lagent, denn do si enweg zugent, wan si hatten muot gross er ze bejagen vnd allen irn schaden ze rechen, wan si wissten nit anders, denn dass die aidtgenossen die statt stürmen weltint. Darnach hattent si sich och ganz vnd wol gerüst, vnd was jederman darzuo willig vnd muotig.

It. die frowen in der statt klagten ooh fast, dass die aidtgenossen vngezwagen[386]) also dannen schieden, vnd si inen die loug vmb sunst gemachet hatten, wan es was selten kain tag die frowen hettint xx oder xxx aimer süttigs wassers, damit si inen weltin gezwagen[387]) han, wärint si an die muren komen[388]).

Man sol wissen, dass die aidgenossen die statt ze rapperswil belagen vff den nächsten mentag nach sant jacobs tag anno dni Mccccxliij vnd was sant jacobs tag vff den dornstag gesin, vnd lagend vor der statt bis vff sant laurencien tag, vnd ward nie kain mensch wund noch' erschossen in der statt, denn ainer ward vor der statt erschossen an dem schalmützen; den brachtend si' denocht in die statt vnd lept biss an den dritten tag, hiess hans von tann.

It. die vischer vss der statt vischoten nüts dester minder, vnd hatten die aidgenossen bi xij schiffen vff dem se oder me; die lagend in der vffnaw vnd daselbs vmb, vnd huotten, dass denen von rapperswil nüts vff dem se zuo gieng von zürich.

It. die frowen giengen vss der statt in ir garten krütren. Man sol ouch wissen, dass die aidgenossen vor der statt alles das gewüest hatten, hew, korn vnd anders, vnd die guoten böm, die hüpschen zwy alle verderpt vnd inen die rinden abgeschunden.

It. wie vil frömder lüt ze rapperswil in der statt was, da si gelegen waren, die stand hienach mit namen verschriben.

It. ludwig mayger houptman, hans mayer sin vetter, volrich von zässingen, stoffel von schönenberg. hans zerin von tann vnd etwa uil raissiger vss dem elsäss, von tann, altkilch, seinhein, bi lx schützen.

It. von fryburg vss dem brissgew har hans von landegg ritter, her hans bernhart schnewli ritter, andress bosenstein, der von fryburg hopt-

---

383) schalt Hü. 384) 10. Aug. 385) den herbergen Hü. 386) ungewaschen. Goth. twahan, schweiz. noch zwagen. 387) zwagen wolten han Hü. 388) Tschudi II. 389.

mann, hans von bolsenhain von brysach, hans rottwil von fryburg, hatten sechs vnd zwainzig pfärt vnd 1 schützen ze fuoss.

It. die von vilingen viertzig schützen.

It. die von dem hoff ze stäfi mit lxx knächten, die von mänidorff vnd ander ab dem zürichse hatten ouch etwa uil redlicher knächt. It. es was ouch etwa uil vss grüninger ampt vnd anderswa her, wannen si denn waren, dass man lüt ain guot notturfft in der statt hatt. Also da der frid erst gemacht ward, gieng ir ain guot tail die vss grüninger ampt waren, hain, vnd schwuoren ouch den aidgenossen.

Also ward diser nach geschribner frid gemacht, diewil die aidgenossen ze rapperswil vor der statt ze feld lagend, dass es die von rapperswil noch kainer in der statt nie gewisst, weder klain noch gross, weder hoptman noch ander.

Also macht marggraff wilhelm vnd ander von hochberg, der herrschaft lantuogt vnd die von zürich disen frid mit den aidgenossen an rat vnd wissen ander stett, die doch ouch in dem krieg waren vnd ir lib vnd guot wagten, vnd gern ir bestes geton hettind [389]).

105. Item ain frid ward gemacht ze rapperswil im feld, hiess der elend frid[390]).

It. also macht bischoff h a i n r i c h v o n h e w e n bischoff zuo costentz, ain f r y d, der söllt wären als von jetz, sant laurentzen tag, bis sant jörgen tag nächst künftig nach dem vnd der anlass inn hielt, vnd hiess der elend fryd, wan er ward nit fast trüwlich noch redlich gehalten [391]).

106. Die von basel, von bern vnd solotarn widersaiten der herrschafft von österrich.

Als nun diser fryd beredt vnd gemacht ward, vnd die aidtgenossen abzugent ze rapperswil vff sampstag, was sant laurentzen tag [392]), morndes an dem sonntag [393]) widersaiten die von b a s e l, von b e r n vnd von s o l o - t u r n der herrschaft von österrich, vnd laiten sich mit aller ir macht für die statt ze l o f f e n b e r g. Nun hatten die von bern vnd von basel ir gross büchsen vnd ander ir züg mit inen genomen, vnd laiten sich die von bern gar nach zuo der statt, vnd schussen fast an die muren, dass ir ain michel tail nider fiel. Dess gelich och die von basel schussent ain wit loch an der mur. Also rusten si sich fast zuo vor der statt mit allen dingen, dass si je mainten die statt ze gewünnen. Also was nun vil herrlicher lüt in der statt, graffen, herren, ritter vnd knecht, das die statt wol besetzt was mit kost, lüt vnd züg, vnd kam man och zuo inen vnd von inen, wenn man wolt. Also schalmutzten die vss der statt etwa dick mit denen vor der statt, vnd hettint denen von bern gern ir büchsen abgeloffen oder vn-werhafft gemacht, vnd versuochten das so dik, dass si denen von bern me denn sechtzig man erschussent vnd erstachent, vnd huotent si sich allweg,

---

389) Alles von „Man sol wissen — hettind“ bloss bei Hü. 390) Rubrik fehlt Hü. 391) Tschudi II. 391—395. Fründ p. 182. Tschachtl. 171. 392) 10. Aug. 393) 11. Aug.

vnd was ir ordnung so guot, dass inen nünts besohach. Si erschussent och denen von bern ir büchsenmaister vnd ander, die da vor tail tuon wolten vnd sich für butten.` Aber der von basel ward nit mer denn ainer erschossen, denn si huotent sich, vnd kament nit hinzuo; wol erstickten der von basel zwen oder dry in dem harnasch, ee ob si wider haim kament.

It. man schatzt das ze loffenberg in der statt wärint drü hundert guoter ritter vnd knecht. Hoptlüt warent graff ludwig von helffenstain, herr burckart münch ritter, herr syfrid von fänningen ritter.

Also lagent si ze louffenberg mit macht vor der statt bis vff sant bartolomes aubent, was an ainem frytag[394]). Darzwüschent gieng vil für, das hie nit geschrieben ist.

It. darunder redt[395]) der bischoff von basel[396]), graff hanns von tierstain, ruodolf von ramstain fry, vnd machten ain fryd vnd ain richtung daran, dass si sölten abziehen, vnd sölt man inen x tusent guldin geben.

Nun ward diss richtung von dem adel in der statt mit den aidtgenossen gemacht, dass si die burger noch gemaind in der statt ze louffenberg nie liessent wissen noch si nie gefragten.

107. Der küng verschraib den von bern, basel vnd soloturn.

Also kam nun dem küng bottschafft, wie die von bern vnd basel vnd von soloturn dem huss vnd der herrschaft von österrich abgesait hettint. Vnd also schikt er jetlicher statt, basel, bern vnd soloturn, ain bottschafft.

It. der küng verschraib denen von bern, basel vnd soloturn, vnd bott inen in krafft des selben brieffs bi verlierung aller ir gnaden, fryhait vnd priuilegia, so si von dem hailgen rich hattent, dass si ze stund nach angesicht diss ir absag vnd vigentschafft gen dem huss österrich vnd jm ab tätint, vnd sich des recht bietens, so er vormals geton hatte, benüegen liessind.

108. Die aidtgenossen warent abzogen.

Nun warent aber die von basel, von bern vnd ander aidtgenossen abzogen ee ob der brieff kam, als vor stat. Man kond och darnach nit erkennen, dass si vil vff diss geschrifft gebint, denn si tröwtent darnach erst fast, vnd maintent, si weltint für seckingen ziehen, vnd muost man erst täding an die von basel suochen, vnd tuon das si wolten, zuo guoter mass[397]).

In disen zitten ducht nun die aidtgenossen vnd ander, die es mit inen hielten, dass inen so wol gelungen wär, dass niemand mer wider si möcht noch tät. Das was ain offne red in der gemaind vnder inen, vnd hielten also nünts vff den küng. Das bewissten si dik mit worten vnd och mit wercken; wenn si es vor inen hatten, mainten si och, es sölt also hindurch

---

394) 23. Aug. 395) raitt Hü. 396) Fridrich ze Rhyn. 397) Tschudi II. 395. 396.

gan, als es och in den tagen den gang hett, wan si empfunden noch sachent kainen widersatz von dem küng, von fursten, herren noch von stetten; wie vil man hilff vnd trostes zuo gesagt hat von dem küng, von den curfürsten vnd von andren fursten vnd herren, so empfand man doch ir hilff wenig bis har. Darumb so muosten sich die trucken vnd liden, vnd vil für lassen gan, die es mit dem küng vnd der herrschafft hatten.

109. Die von zürich, rapperswil vnd wintertur schikten zue dem küng.

Also schickten nun die von zürich, von rapperswil, von wintertur zuo dem küng gen österrich, vnd klagten dem wie es inen ergangen wär, vnd wie inen die aidtgenossen gewalt vnd vbertrang tätint, vnd ermanten den küng siner gnaden vnd dess so man inen versprochen hett, dess si sinen küngklichen gnaden wol getruwten, vnd erzalten also dem küng ains vnd das ander. Also antwurt der küng, dass si from vnd redlich an jm vnd dem huss von österrich wärint, als er inen dess wol getruwte, so wölt er inen trostlich ze hilff komen, vnd trost si also der küng wol³⁹⁸).

Also hatten nun die aidtgenossen die veste, das stettli vnd das ampt ze grüeningen inn mit gewalt, als si das och gewonnen hatten, vnd mainten je, inen müestint alle die schweren, die in den hochgerichten sässint ze grüeningen, si wärint edel oder vnedel, si wärint aigen oder was si denn wärint, dess huss ze buobikon, des closters ze rüti, niemant vsgenomen, wer in den hohen gerichten säss, die gen grüeningen gehorten, die müestin och den aidtgenossen schweren, das doch vor nie gehört noch beschechen was, weder bi der herrschaft noch bi der von zürich zitten. Also butten si inen recht für den bischoff von costentz, der och den fryd beredt vnd gemacht hatt, vff die von bern, von soloturn, die och des krieges vnd ir aidtgenossen waren. Also wolten si kaines rechten ingon, si mainten je³⁹⁹) si müestin inen schweren oder si wöltin si darzuo halten vnd zwingen. Also wichent etlich edel, die es nit tuon wolten, von ir vestinen: Caspar von bonstetten von uster, albrecht von landenberg von wetzikon. Also trangten si ir vil ze schweren, von wetzikon, von kempten, von bereswil, von vster vnd ander, die vor kainen herren noch vögt ze grüeningen nie geschworen hatten, noch kainer ir vordren. Si redten och mit ir etlichen, dass si inen nun⁴⁰⁰) schwüerint, si weltint si wol schirmen vor iren rechten herren⁴⁰¹).

110. Die von schwitz schluogent den von rapperswil kouff ab.

In disen tagen schluogent die von schwitz denen von rapperswil kouff ab, vnd verbutten allen iren, dass denen von rapperswil niemant nüts zuo füerti kainerlai ding, vnd muosten die von grüeningen vnd wer in dem ampt was, das ir was si hatten, das si verkouffen wolten, in die march, gen

---

³⁹⁸) Tschudi II. 397. ³⁹⁹) si mainten je f. Tsch. ⁴⁰⁰) nur. ⁴⁰¹) Tschudi cit.

lachen vnd gen vtznach ze markt füeren, vnd weder gen rapperswil noch gen zürich, wiewol es in ainem fryd was.

It. die von schwitz hatten och allen den iren verbotten zuo den ainsidlen, in der march, zuo pfeffikon vnd in den höffen, dass niemand gen rapperswil torst komen, weder ze markt noch sunst, denn er muost vrlob an sinen obren nemen [402]).

Als in disem zitt vff ain sunnentag was sant simonis vnd sant judas aubent [403]) der zwölffbotten [404]), anno dni Mccccxliij hatten die von schwitz die die von grüeningen von der aidtgenossen wegen inne hattent, dem hoff ze steffi [405]) tag geben zuo der kilchen ze steffi, vnd inen allen ain sicher gelait, wan vss demselben hoff hat ir kainer dennocht den aidtgenossen geschworen. Also redten si mit inen, dass si den aidtgenossen vnd zuo dem huss gen grüeningen schwüerint; si sechint doch wol, dass es nit anders sin möcht, denn wöltint si es nit mit lieb tuon, so weltint si inen lib vnd guot nemen. Also schwuor ir ain tail, doch der mertail wolt nit schweren, vnd wichent gen zürich vnd gen rapperswil.

It. si wolten och kainen zuo inen lassen schweren, der vor burger ze zürich was, er geb denn vor sin burgrecht uff.

In disen zitten schwuorent och ir vil die gen zürich gehorten, vnd in den emptern sesshaft warent, so die von zürich inngehept hatten, den aidtgenossen, die sich vor in dem krieg enthalten hatten, vnd schwuorent darnach in dem frid zuo den aidtgenossen, vnd (insonders) [406]) fast vm regensperg vnd daselbs vm vnd anderschwa da, als die von zürich zuo muosten schwigen. Also gieng in den selben tagen vil wunders vnd seltzner sachen vnd löuff für, davon vil ze schriben vnd ze sagen wär.

An dem nächsten sonnentag nach aller selen tag [407]) anno dni Mccccxliij hat aber der marggraf ain tag ze wintertur mit den edlen im turgöw vnd andren, mit wintertur, diessenhoffen vnd rapperswil, vnd maint, wär es sach dass der küng vnd die herrschaft von österrich nit anders zuo disen dingen tuon vnd sechen wölte, vnd die iren also weltint lassen vertriben vnd vndergan, so wär der adel im elsäs vnd daselbs vmb vnd alle der herrschaft stett vnd er mit inen ains worden, dass si sich je des gewaltes weltint weren vnd dem widerston, vnd weltint sich also halten zuo dem hertzogen von burgundi, der welt inen och trostlich vnd mannlich ze hilff komen, vnd weltint och vff sölich mainung dem küng ain treffenlich bottschafft tuon, türingen von hallwil. Also gefiel diss mainung dem adel wol vnd andren. Die von rapperswil hatten kain gewalt, daruff ze antwurten, si welten es gern hain an die iren bringen; doch si getruwtint dem küng vnd der herrschafft von österrich wol, si liessint si nit also vndergon. Si hettint es vmb kain herrschafft verschuldt, vnd in der herrschafft von österrich dienst lieb vnd laid gelitten, das weltint si och noch gern lyden [408]).

It. in der nächsten wuchen nach sant gallen tag [409]) ist ain tag gelait

---

402) Tschudi cit. 403) tag Hü. 404) 27. Oct. 405) Stäfa. 406) Tschudi Chron. II. 402. 407) 3. Nov. 408) Tschudi cit. 409) 20. Oct. Tschudi II. 397—402.

gen rinfelden zwüschent der herrschaft von österrich stett vnd denen von basel. Also hattend die von basel bi inen vff dem tag die von bern, soloturn, lucern, schwitz vnd vnderwalden vnd ander aidtgenossen; an dem andren tail hattens marggraff wilhelm von hochberg, der herrschaft von österrich landtvogt, vnd bi jm ritter vnd knecht vnd ouch etlich von der herrschafft stett. Also klegten die von basel, wie hanns von rechberg die iren gefangen vnd geschätzt hett vnd si durch die statt ze louffenberg gefüert hett [410] vnd bekriegt; si wärint anders dahin [411]) nit gezogen. Also hatten si nünzechen artikel wider der herrschaft stett von rapperswil, louffenberg, seckingen, ensesheim, nüwenburg, brysach etc. Die selben artickel erzalten si, der doch etlich gnuog spottlich warent, besonder die si zuo denen von seckingen hatten. Der ander artickel, so si zuo den stetten hatten, lass ich also beliben. Vnd erklegten also vil schantlicher torlicher artickel vor dem hailgen concilium von basel, cardinel vnd ander bischoff, der bischoff von basel [412]), graff hanns von tierstain, ruodolf von ramstain fry, die och den fryd gemacht hatten ze loffenberg zwüschent der herrschafft vnd denen von basel, bern, soloturn vnd den iren. Also ward es gericht vnd gefrydet nach der von basel willen, vnd muost der landtvogt vnd der herrschafft stett fryd vffnemen wie man wolt. It. die von seckingen muosten den schilt, den si den von basel vor zitten abgewonnen hatten, gen basel für den rat tragen, vnd si bitten, dass si inen das verzigint, dass si ir gespottet hatten [413]).

In disen tagen gebuttend die von schwitz in allen kilchen, da si dann ze gebieten hatten, hettint die von rapperswil jemant kain vnzucht erbotten mit worten oder mit werken vor dem krieg, wie sich das gemacht hett, der sölt zuo inen komen vnd sagen bi geschwornen aiden, dass sich die von schwitz dester bass verantwurten köndin vnd die von rapperswil verunglimpfen.

It. aber bald nach wienächt vmb den zwölfften tag anno dni Mccccxliiij laisten aber die aidtgenossen ain tag ze lucern, vnd wurdent ze rat, was si vff dem tag ze baden fürbringen weltint, vnd ordneten da ir reder vnd ander sachen.

It. diser tag ward abgeschlagen vntz vff mitt vasten [414]).

It. aber bald nach wienächt vmb den zwölfften tag in obgemeltem jar [415]) nament die ze grüeningen lagent, von der aidtgenossen wegen, die veste ze griffenberg haimlich in, wan es was niemand in der veste, vnd wondent, si söltin guoten fryd han, vnd wussten sich nit ze hüeten.

It. si hatten ze wort, es läg in den hochen gerichten, die zuo der herrschafft ze grüeningen gehort, vnd weltint den aidtgenossen nit schweren [416]).

---

410) vnd si durch — f. Tsch. 411) Vgl. Tschudi cit. 412) cardinal vnd ander — von basel f. Hü. 413) Weisser Raum bei Hü. 414) Blos bei Hü. 415) It. vff thymothei appli nach wichnacht anno 1444 Hü. 416) Tschudi II. 405.

III. Die aidtgenossen widersaiten aber gemainlich der herrschafft von österrich vnd denen von zürich.

Nun was in disen zitten dem marggraffen von rötteln das land ganz empfolhen von dem küng, das der herrschafft von österrich was, wan er was derselben herrschafft landtvogt, als vorstat. Nun huob sich der krieg an, als vor stat, vnd widersaiten die von schwitz der herrschafft von österrich, och denen von zürich, vnd machten die sachen fast anders denn si aber angeschlagen vnd angesechen warent. Also lag nun der marggraff ze zürich, vnd schraib fürsten, herren vnd stetten vnd andren, davon vil ze schriben vnd ze sagen [417]) wär. Also besonder so schickt der marggraff zuo dem hertzogen von burgundi ain ritter, hiess herr peter von mörsperg [418]), vnd muotet also dem hertzogen zuo von des römschen küngs wegen, dass er den aidtgenossen sin vindtschaft sait. Vnd vierzechen tusent hatt er der schinder [419]) bi enandern, vnd der küng von franckrich och als vil, dass si die selben zesamen liessint ziehen vff die aidtgenossen, so wölt er inen der herrschaft von österrich stett, schloss vnd land vffluon. Och begert er siner ritter vnd knecht, vnd erzallt och also derselb ritter dem hertzogen von burgund, wie die aidtgenossen die herrschaft von österrich bekriegten wider gott, er vnd recht, vnd wie der küng vnd die herrschafft jetzt in den landen nit wär, vnd anders das jm empfolhen was.

Also antwurt der hertzog von burgund disem ritter, inn dücht diss muotung gross an dem marggraffen. Er sprach och, dass die aidtgenossen ir treffenlich bottschafft bi jm gehept hettint, vnd jn also gebetten vnd ermant hettint, dass er ir gnediger herr wäi, als er vor je geton hett, vnd si also in fryden vnd vber si nit zug noch sie bekriegti, so weltint si jm helffen, wo er ir bedorfft, niemandt vssgelaussen. Doch kerte er sich nit daran, welt vnser aller gnedigoster herr, der römisch küng, jm lihen, als ander sin vorfaren geton hettint, vnd och die herrschafft zuo lützelburg [420]), da er getruwte recht zuo ze haben, so welt er jm mit sin selbs lib helffen tämmen vnd nidei trucken vnd dieselb helffen nider legen, die sölichen muotwillen vnd frefel wider gott, eer vnd recht tribint vnd lang getryben hettint mit der herrschafft von österrich vnd wider allen adel, vnd welt och dem küng ganz dar inn ze willen werden, vnd dauon nümer gelassen, bis dass der puren gewalt vnd vberbracht [421]) zertrennt vnd vertryben wurd etc. Vnd wär dem römschen küng sölichs ze willen, so möcht er inn lassen wissen, so welt er sich also enthalten vnd darnach richten. Also rait der ritter mit der selben bottschafft gen zürich zuo dem marggraffen. Nun was es eben in dem zit, dass die aidtgenossen in dem feld warent vnd fast oberhand hatten, vnd hatten in den selben tagen [422]) grüeningen ge-

---

417) ze sagen vnd ze schriben Hü. 418) schon 13. Juni 1443. Tsch. am Rande.
419) *ecorcheurs*, Armagnaken. 420) Luxemburg, Reichsland. 421) prächten schweiz. prahlen, daher „Prachthans". 422) 16. Juni 1443.

wonnen, vnd zugend wider ab. Also schikt nun der marggraf den selben
ritter mit diser bottschafft · gen österrich zuo dem küng, vnd empfalch jm
och das vnd anders ze werben, vnd dass dar inn kain verziehen wär, wan
es wär zit, man bedorfft des küngs hilff vnd trost, welt er echt 423) sin lüt,
stett vnd schloss beheben. Also rait nun diser ritter von zürich in der
nächsten wuchen nach pfingsten 424) anno dni Mcccxliij vnd kam erst har-
wider vierzechen tag vor wienächt, vff conceptionis marie 425), vnd was jm
doch empfolhet, dass er diss sachen on alles verziehen werben vnd enden
söllt. Also ward diser antrag vff dasselb zit ganz gesumpt, wan dem her-
tzogen von burgund kam kain bottschafft von dem küng, als er wartet vnd
verlassen 426) hat 427).

It. diser ritter versprach sich damit, dass er lang kranck vnd siech
gelegen wär, dass er weder ritten noch gon mocht.

It. nun ist diss die werbung, so dem selben ritter, herr petern von
mörsperg empfolhet ward von dem küng vnd von sinen rätten an den
marggraffen von röttlen, an die von zürich vnd von rapperswil:

Zum ersten sagt inn vnsers allergnedigosten herren, des römschen küngs
genade. Darnach begert dass si sinen küngklichen gnaden nicht mergken
sölichen verzug, so in disen sachen vntzhar beschechen ist, wan sin küngk-
lich gnad das in dehain vngenaden nicht geton, sonder gehofft hat, die
sachen wurden in ain bessern stand komen vff sölich bottschafften, so sin
küngklich gnad durch fursten vnd etlich von stetten von der sachen wegen
gen zürich geton hett. Syd aber sin küngklich gnad jetz namlich verno-
men hab, dass sich die sachen frömdlich machen, hab sin künklich gnad 428)
gedacht jn ze hilff vnd ze trost ze komen, vnd hab daruff entlechnot vier
tusent rinischer guldin von vch, die ir dem marggraffen onuerziehen willig
seyt zuo antwurten. hinfür vff den krieg ze legen. Och hab sin küngklich
gnad von der vnd ander sachen sin treffenlich bottschafft geschikt hinuff
an die etsch, den bischoff von kiembse, herr hannsen von nittberg, herr ruo-
dolfen von tierstain, siner gnaden rät, vnd herr jörgen fuchsen hoffmarschalck,
den er empfolhen hab, mer geltes vff ir schlösser oder in ander weg vff ze-
bringen, als maist vnd si mügent, vnd dem marggraffen vff den krieg das
zuo schicken vnd zuo antwurten. Och so si sin küngklich gnad in willen,
in kürz 429) selb hinuff zuo füegen oder sin treffenlich bottschafft hinuff zuo
tuon, die sachen nach dem besten vnd fuogklichisten für hand ze nemen. Och
so hat man geschriben herr jacoben truchsässen, sich ze füegen zuo den
egenannten räten in das intal, mit den man och reden wirt, weg zuo ge-
dencken, damit gelt vfgepracht 430) werde. Daruff ist vnsers aller gnedi-
gosten herren des küngs begeren, in den sachen das best vnd flissigost
ze tuond, damit siner küngklichen gnaden stett vnd schlösser in der vigent

423) irgend. 424) „am Mentag vor *corporis Christi*" Chron. II. 381, am 17. Juni.
425) 8. Dez. 426) verabredet. 427) Tschudi II. 379. 380. 428) jetz namlich — gnad f.
Tsch. 429) in kurz f. Tsch. 430) angebracht Hü.

hand nit käment noch gebracht werdent. Sagent inen och was vnser aller gnedigester herr der küng gen burgundi, gen franckrich vnd an ander end durch vch verbottschafft vnd zuo handlen empfolhen hat, vnd ermanet si och daruff, das best vnd das trüwist in den sachen ze tuon, als inen sin küngklich gnad getruwet, so wil sin küngklich gnad je den sachen nach gedenken, damit inen hilff vnd bistand vollenklich vnd trüwlich geton werd. Sagt inen och wie sin küngklich gnad geschriben hab dem hertzogen von burgund, den curfürsten, den von basel, den von bern vnd denen von soloturn[431]).

It. diser herr peter von mörsperg ritter hat och desselben mals von dem küng vnd der herrschafft österrich verpfendet die herrschafft pfirt vnd dattenriet vmb vier tusent guldin, die er och versprochen hat vff den krieg ze geben, als ob stat.

Also warb jederman sin ding vnd giengent die sachen niemant als grundtlich ze hertzen, als aber notturfftig gesin wär, denn allain denen die och an dem hatz lagent. Darum gieng es in den zitten als es mocht.

Also hat der bischoff von oostentz baiden tailen tag gesetzt, der herrschaft, den von zürich vnd den aidtgenossen, als es vor in dem fryd beredt vnd betädinget was, gen baden. Vff sant agthen tag[432]a) ze nacht söllt jederman an der herberg sin, anno dni Mcccxliiij.

It. es kamen gen baden aller aidtgnossen botten on glaris.

It. es kament darzuo von der herrschafft von österrich wegen: des ersten marggraff wilhelm von hochberg, der herrschafft von österrich landtvogt, herr wilhelm von grüenenberg ritter, herr peter von mörsperg ritter, türing von hallwil, wernher von stouffen, herr hainrich schwend ritter vnd vogt zuo kiburg, hanns von geroltsegg, hanns volrich von massmünster.

It. darzuo warent vil herren, gaistlich vnd weltlich, vnd burger von zürich, von rapperswil, von wintertur, von friburg vss brissgow, von louffenberg, von waltshuot, von seckingen.

It. diss sind die botten, die der herrschafft vnd denen von zürich zuo geordnet vnd geben sind von den richstetten: des ersten von ougspurg volrich rechlinger, von nürenberg berchtold von komer[432]b) von esslingen, von oostentz, von schaffhusen, von lindow, von sant gallen, von rinfelden, von memingen.

It. dess gelichen wurdent den aidtgenossen och botten zuo geben von den obgenannten stetten.

It. da warent och vil herren, ritter vnd knechten, die da lossten, wer glimpf oder vngelimpf hett.

It. in disen obgeschribnen tagen kam nit vil guots, vnd ward allweg bösser vnd nydiger dann vor. Darumb ich daruon nit vil schrib.

---

431) Wörtlich aufgenommen in Tschudi II. 403. 432a) 5. Febr. 1444. Der Tag wurde indess vom Bischofe verschoben auf den 22. März. Tschudi II. 405. 432b) kamer Hü. Fründ und Tschachtl. komer.

It. da buttend der herrschafft machtbotten recht vff curfürsten vnd jegklichen insonder, gaistlich vnd weltlich, vnd insonder vff all fürsten in tütschen vnd weltschen landen, vnd vff das concilium ze basel, vnd vff diss nachgeschriben stett: ougspurg, nürenberg, vlm, nördlingen, costentz, rauenspurg, vberlingen, strassburg, colmar oder schlettstatt, vnd vil ander glicher billicher recht wurden da für geschlagen, dess gelich och von denen von zürich, deren die aidtgenossen en kains ingon wolten[433]).

O gens peruersa, tantum tibi prosunt arma bohemi
In jus imperii, quantum sine remige remi.
O gens, super alta cor tuum posuisti,
Et si forte cades, fies welut ante fuisti.
Diues es, idque dat ex multis collecta rapina,
Et tuus ascensus nunc est plerisque ruina.
Sed tibi pro uero dico cunctisque tyrannis,
Quod non est mundi durabilis ulla tyrannis;
Et qui vim multis malus infert, vim patietur,
Penaque multociens culpam condigna[434]) sequetur.
Viribus vnde tuis nimium confidere noli,
Nec, si mane rubet, idcirco credere[435]) soli.
Nam te[436]) verbis aquile nisi culminis imperialis,
Jura recognoscas, sternet pernicibus alis;
Et nisi reddideris illi detracta uel isti,
Per vim cogeris ea reddere que rapuisti:
Ergeuo et quam plura violenter de pligando[437]).
In xpos domini ruis ut saul ense nefando,
Nec scelus excusat jnjuria, quam tibi dicis
Illata, cum facta sit a laicis inimicis,
Et non effugies[438a]) si queras inuia saltus.
Immo gens non sperne nec dedignare subesse,
Quem deus ecclesie statuit prodesse preesa.
Romane virtus aquile tua cornua[438b]) frangit,
Te deuastabit[439]) variisque laboribus angit[440]).

112. Der krieg gieng wider an. Wie man sich ze rapperswil hielt.

Anno dni Mccccxliiij an sant jörgen tag[441]) gieng der krieg wider an mit der herrschaft von österrich vnd den aidtgenossen[442]).

It. es was vil lüt die ze rapperswil in der statt warent, des ersten diss edlen: ludwig meyer hoptman, herman waldner, volrich von zässingen, hanns ze rin[443]) des hoptmans schwager, hanns meyer des hoptmans vetter,

---

433) Ausführlicher Tschudi II. 403 — 410. Fründ p. 191. Tschachtl. 181. 434) condignam Hü. 435) credico Hü. 436) (sic). 437) (sic). 438 a) effugiens Hü. 438 b) cor una Hü. 439) deuastibit Hü. 440) Die schlechten Spottverse auf die Schweizer blos Hü. Darauf leerer Raum. 441) 23. April. 442) Fehlt bei Hü. wo der Eingang überhaupt verschrieben ist. 443) rein Hü.

hainrich von fryessen, vnd etwa vil raissiger knecht bi inen, dass der hoptman bi jm an dem hoff hat ob viertzig personen oder bi fünfzigen.

It. es warent och soldner vnd fuossknecht in der statt hundert vnd zwainzig, der was ain tail och die von bremgarten gewichen warent mit wib vnd kind, hainrich von hünenberg vnd ander von bremgarten, bi achtzigen 444).

It. denen allen gab die herrschaft von österrich sold.

It. es warent och bi xxx ab dem zürichse, von ottikon, steffan, von mänidorff, vrikon etc. ze rapperswil. Nit mer frömbder was in der statt.

It. zwen büchsenmaister.

Nun hat die herrschafft von österrich von elsäss gen rapperswil geschafft vff viiij c stuck an korn vnd och etwa vil gelts, damit man die soldner vssrichti. Das selb korn kam den von rapperswil gar wol.

It. do nun der selb krieg an gieng, darnach bald brachent die schwitzer denen von rapperswil ir bäch vnd brünnen ab, dass si nit me gemallen konden. Also hatten die von rapperswil ain rossmülli vnd ain handmülli vff der burg, die si vor in den kriegen gehept hatten. Also darnach machten si dennocht zwo müllinen in der statt, vnd gruobent ain brunnen, vnd muolen also von hand vnd mit rossen. Also was gross arbait mit malen nacht vnd tag mit rossen, mit mannen vnd frowen, wib vnd kind; wer lüt mocht haben, die die mülli zugent, der muol vm sunst, wer aber muost lonen den rossen oder den lütten, dem muol man ain müt kernen vmb iij β haller, vnd was dennocht sölich not vm malen hinnen nach, dass die lüt ainandern schluogen, vnd wolt jegklicher nun vffschütten. Also gab man nun von der statt kernen ain müt vm ij lb. haller. Wer nit pfennig hat, dem gab man vff pfand oder vff bürgen; der aber so arm was, dass er der kaines haben mocht, dem gab man dennocht, denn man liess niemant on brot, wie arm er was. Do man nun der statt korn ganz gebrucht, do gieng man jederman in sin huss, vnd wer kernen, haber oder kainerlai 445) solich ding hatt, der muost es denen geben, die nüt hatten, vnd versprach jm die statt das wider ze geben, vnd gabent si es armen vnd richen, die nüt hatten.

It. dess gelich wer win hatt, der muost jn heruss geben, wo es notturftig was, vnd von allem essigen ding was es als gemain wo man nüt hatt.

It. dess gelich wer gelt hatt, der muost es bi sinem aid herfür geben, vnd tailt man es vnder die soldner, vnd wo es der statt aller notturfftigost was.

It. in der statt was grosser gebrest an holtz, dass vil lüt stuol vnd benk brannt, ir spannbett, ir wend vnd wess si enberen mochten. Etlich brannten och hüsser vnd schüren, kain zun was sicher vor der statt noch in der statt, er wär wess er welt.

---

444) xxx Hü. 445) welcherlei.

It. von sant jörgen tag hin biss nach sant cuonrats tag[446]) das warent xxxj wuchen, warent die von rapperswil belegen vnd gefangen, dass nie kain man offenlich zuo inen kam; denn etwan selten nachts kament botten. Si schikten och etwa nachtes botten, die konden in den höltzern vnd studen gon, vnd sunst kam nieman in dem zit zuo noch von inen. In dem selben zit was manger gebrest in der statt, dass man nit alles gesagen noch geschriben kan.

It. grosser mangel was an schmaltz. Es was vil lüt, arm vnd rich, da etlichs ain halb jar, ain vierentail ains jares, etlichs ain monat kain schmaltz nie in sinem husse gehatt. Es was och grosser mangel an flaisch, dass och vil lüt, rich vnd arm, vil zites kain flaisch in ir huse hatten, wan man fand es nit vil; in disen zitten wurden katzen vnd ross ze rapperswil gessen *xx*).

113. Schmachlied, so der Jsenhofer von Waldshuot wider die aidtgenossen macht anno Kcccexlllj *yy*):

1. Wol vff, ich hor ain nüw gedön,
der edel vogelsang,
ich truw, es kom ain ganze schön,
vnwetter hat sin gang[447])
gerichsnot vff der heide,
die bluomen sind erfrorn,
dem adel als ze laide
hand puren zesamen geschworn.

2. Die wulcken sind ze berg getruckt,
das schafft der sunnen glantz;
den puren wirt ir gewalt gezuckt,
das tuot der pfawen schwantz.
Bluomi[448]) lass din lüegen[449]),
gang hain, hab guot gemach!
es gerat die herren müegen[450]),
trinck vss dem müllibach.

3. Belibist du da haimen,
du hettist guote waid,
wan dich betrüebti niemand,
vnd beschäch dir nüt ze laid.
Du geratst[451]) ze wit vssbrechen,
das tuot dem adel zorn;
last nit von dinem stechen,
man schlecht dich vff die horn.

4. Du hast ain fart dinen schwantz
gereckt
hin an den zürich se;
domit so hattest[452]) si erschreckt,
die schmach die tuot inn we[453]).
Wer nun den andren hab betrogen,
ich reden als die toren,
mich ducht, der pund hab sich gebogen,
den si hand ze samen geschworen.

---

446) 23. Apr. bis 26. Nov. Tschudi II. 411. 447) Unwetter hat so lang Tschudi Chron. II. 412. 448) Schweizer Kuhname. 449) Tschudi „Lüyen", Brüllen, *mugire.* 450) Tsch. müyen, bemühen, kränken.

451) geraust Hü. 452) hast du Hü. 453) Versuoch den schimpf noch me Tsch.

xx) Hier folgt in Tsch. u. Hü. eine Lücke von 14 Jahren (1444—1458) oder ein Schluss der Sammlung. Hierauf in ersterm eine Angabe von 1460, dann das Konstanzer Schiessen 1458 und das Isenhofersche Lied; in Hü. aber eine Angabe von 1458, dann das Lied, dann das Schiessen.

yy) Der Abdruck in den Züricher „Mittheilungen" II. ist nicht völlig genau.

5. Nun luogent zuo vch selber,
zürich in üwer statt
da lüegent⁴⁵⁴) küe vnd kelber,
wie mans verbotten hat.
Rüttent vss den grunde,
der das vnkrut gebirt⁴⁵⁵),
Ir gelebent noch die stunde,
dass es vch fröwen wirt⁴⁵⁶).

6. Die puren trybent wunder,
ir vbermuot ist gross;
schwitz vnd glaris besunder,
niemand ist ir genoss.
Si tragent jetz die krone
für ritter vnd für knecht;
wirt inn nun der lone,
das ist nit wider recht.

---

⁴⁵⁴) lagent Tsch. ⁴⁵⁵) gebürt Hü. ⁴⁵⁶) Tschudi
hat die Strophe verändert und dann zwei
beigefügt.

> 5a. Nun luogent zuo vch selber
> ze zürich vnd an dem see,
> vnd bissint vch die kelber,
> der schmertz der tät vch wee,
> darzuo wär es ain spotte,
> ob man vch sölichs zig;
> mit tröwen vnd mit gebotte
> gewunnent si vor sig.

> 5b. Zürich lass din truren,
> tuo frölich uff din ougen,
> sich schalcklich gegen die puren,
> so kann man dir gelouben,
> dass dich din schad nit rüwet,
> vnd wagent vwer hütt,
> tuond als man vch getruwet,
> so sind ir biderb lüt.

> 5c. Wan der schwitzer schallen
> hat vns fast zuo gesetzt.
> Land vch es wol gefallen,
> die pundbrieff sind vernetzt.
> Dem hand die wissen nachgedacht,
> si wellints ganz erkechen;
> den vbermuot vnd och die schmach
> hand si wol macht ze rechen.

7. Ich main jetz die von berne,
tuond och als üch denn dunkt;
vns zündt ain nüwer sterne,
haiter ist sin funck.
Ir hand vil mengen puren,
gewunn es sinen gang,
si brechent vch durch die muren,
si spartint es nit lang.

8. Basel, du macht dich fröwen,
wan dir wirt schier din lon;
macht du die spis nit töwen,
man git dir purgation.
Die rumet dir den magen,
darnach wirst du gesund;
man muos dir vil vertragen,
wann du bist in dem pund.

9. Es ist nit als ergangen
je das beschechen sol,
die fromen gerat belangen⁴⁵⁷),
die falschen gebaitent wol.
Nun hin, es kumet alles,
der nur gebaiten mag;
niemant acht ir schalles.
es wendts ain halber tag.

10. Das ergöw tät ain bössen schwank,
dess sait man im kain⁴⁵⁸) eer;
darzuo hand si dess wenig dank,
man getruwet inn nit mer
Bremgarten, mellingen vnd baden,
es ist an üch nit nüw,
ir forchtent klainen schaden
vnd brachent vwer trüw.

11. Rapperswil, nun halt dich fest,
din fromkait schwebt dir ob,
wan du hast je getan das best,
behab din guotes lob.
Ich main och die von wintertur,
erschreckent nit von tröwen.
Guot gräben hand ir vmb die mur,
dess mugent ir vch fröwen.

---

⁴⁵⁷) Belangen, die Zeit lang werden
(„blangen"). ⁴⁵⁸) klain Hü.

12. Nun land vch mit verdriessen
der arbait, so ir hand.
Des mugent ir geniessen,
ir hand gehütet vor schand;
man zellt vch für die fromen,
der eren gan vch gott.
Es wird noch kurtzlich komen,
dass mengem gelitt sin spott.

13. Die zit hat sich erlouffen,
die welt ist vil ze toub;
man muoss die haiden touffen,
so meret sich der gloub.
Vnrecht hat sinen gange,
ir vbermuot ist gross;
vertrait ins der adel lange,
si sitzen jm in die schoss.

14. Der küng erfordret je sin lüt
vnd och darzuo sin land,
das recht er für die fürsten bütt,
das tuot den puren and.
Ir vbermuot der ist nit klin [459]
wan das lit an dem tag:
„Wir wellen jm rechtes gehorsam sin
nach vnsers pundbrieffs sag.

15. Wan kämint wir für die herren,
so hettint wir vns erwegen,
wir müestint wider keren,
dahaim der küegen pflegen.
Vnser herrschaft wurd denn knechtend),
klain, schmal wurd vnser gebiet.
Well der küng von vns das recht,
so komm er gen beckenriet.

16. Da wellen wir im lossen",
sprachent die melckerknaben,
die knüw gond inn durch die hossen,
graw röck sicht man si tragen.
Ir was ain michel taile,
baide jung vnd alt.
Küng, gott geb dir haile,
wan si müegt din gewalt.

17. Si schluogent vff den sumer [461],
dass es im berg erhall;
doch was es in ain kumber,
si schräwent aber all:
„Wer gab jm den gewalte,
dass er der küng sol sin?
Das sin der tüffel walte!"
Die fürsten von dem rin [462]

18. Die hand inn vsserkoren
dem adel gantz zuo hail,
die herren hand jm geschworen,
vnd och der stett ain tail.
Sin gerechtigkait den fürsten gefelt,
sin frumkait ist inn kund;
darumb so hand si jn erwelt
ja gantz mit ainem mund.

---

[459] ist klin Hü. Bei Tsch. abermal erweitert:
> Ir Ubermut der ist nit klin,
> si tribend grossen Pracht;
> ein jeder will der Frächist sin,
> der Künig wird veracht.
>
> 14b. Ist es nit ain gross Wunder,
> dass si so frevel sind?
> dass si nit schlecht der Tunder,
> Schnee, Hagel und der Wind?
> Dass si tund Recht versagen
> dem künig des römischen Richs,
> tut man inn das vertragen,
> so tunds fürhin kain glichs.
>
> 14c. Si sprechend wir sind Herren
> uber unser Land und Lüt,
> der Künig hat uns nit zweren,
> vmb inen gend wir nüt.
> Er welte uns gern spalten,
> was das lit an dem Tag,
> wir wellend im zrecht halten,
> nach unser Pundt-Brief Sag.
>
> Chron. II. 413.

[460] schlecht Tsch. [461] Si schlugend vff
die Kübel — — Der Schimpf gefil inn
übel Tsch.

[462] 17b. Also tund si vernüten
den Küng hochgeporn,
man söllt si all ussrüten,
die bösen Heckendorn,
dass si die Fürsten rürend,
die den Küng hand gesetzt.
Ir Wal hand si volfüret,
und daran nüt versetzt.

Tschudi II. 414.

22*

19. Man mag wol von .jm singen,
wan er ist eren wert,
fromm mit allen dingen,
wer rechtes von jm begert;
dem adenlichen herren
er ist gemain vnd gelich;
mit recht vnd och mit eren
hat er das römsche rich.

20. Fürsten vnd och herren
berüefft er vmb das recht [463]),
so zuo jm söllent keren [464]),
ritter vnd och knecht.
Vnd wer von fromkait sige,
der gang mit fröden daran.
„Hie österrich!" ist die kryge,
das ruoffet frow vnd man.

21. Wer vnrecht welle tämmen,
dem rat ich zuo dem schimpf;
wenn ir es recht [465]) bekennen,
so hand ir guoten [466]) glimpf.
Nun werent bi zitt, ir frommen,
der puren onuernunfft!
wan wend irs nit verkommen,
es wirt ain grosse zunfft.

22. Ir sond vch bass bewaren
denn bisshar sig geschechen;
wend ir es ainandern [467]) sparen
vnd durch die finger sechen,
so ist die gerst getröschen [468]),
dass man vch nit bekennt.
Wend ir das für nit löschen
ee ob es vch enbrennt?

23. Von österrich ain herre,
ach du vil edels bluot,
an dir so lit gross ere,
hab aines löwen muot!

Adenlich ist din gestalt,
frolich ist din gesicht;
du hast des römschen richs gewalt,
das müegt vil mengen wicht.

24. Es sigint stett oder puren,
klain ist der vnderschaid,
es tailts ain wenig muren,
es ist inn allen laid;
si wärin selb gern herren,
vnd sind jm doch ze grob.
Küng, du solt ins weren,
so meret sich din lob.

25. Wan es hort dinem adel
vnd diner herrschafft zuo;
erschütt den pfawen wadel,
es wirt inn noch ze fruo.
Man muoss das vmfeich [469]) stöben,
so belipt das essen rein;
mit pfiffen vnd mit töiben
füert man die brute hain.

26. Nun helffe gott dem rechten
mit schilt vnd och mit sper,
wan gat es an ain fechten,
es kumpt noch menger her,
der vm gerechtigkait vichtet,
man findt noch biderb lüt,
wirt es nit anderst gerichtet,
si wagent har vnd hüt.

27. Man hat inn lang vertragen
gewalt vnd vbermuot;
ain fürsten hand si erschlagen,
darzuo meng edel bluot;
vertriben sind die fromen
als von der puren spott,
das ir hand si ingenomen.
Nun helff vns rechen [470]) gott.

28. Der dieses liedlin hat gemacht,
der ist von yssenhoffen;
die puren hatten sin kain acht,
wan er sass hinder dem offen;

---

[463]) die ruft er an vmb recht. Tsch.
[464]) Drumb söllend zu im keren Tsch. [465]) Si
wellents nit Tsch. [466]) vnd gend jm sel-
ber Tsch. [467]) an ainandern Hü. [468]) fehlt
Hü.

---

[469]) vnfich.Hü. [470]) rechte Hü.

er losset irem rate,
vnd was si wöltint tryben,
an ainem aubent spate.
Er hats nit muot ze verschwigen.

29. Fruo an ainem morgen
huob er sich dannen bald,
er luff dahin mit sorgen
obnen durch den wald.

Do er kam vff die haide,
jn ducht, jm wär gelungen.
Den fromen nit ze laide
hat er diss lied gesungen.

Gott sig glopt

Amen zz).

---

zz) Hier schliesst die Hdschr. Tsch. Hüpli hat das „Gott sig glopt" nicht, und fährt auf p. 284 fort, aber, wie schon erwähnt ist, nach grosser Lücke, mit dem Jahre 1458, wovon er bereits vor dem Liede einen Passus, unmittelbar auf die Nothschilderung in Rapperswil, gab, welcher an seinem Orte folgen wird, nachdem hier einiges, ebenfalls Ungedrucktes, die Lücke etwas ausgefüllt hat.

Darnach zugend all aidgnossen in dem abrellen [471] in xlv jar für griffense die burg, vnd lagend da vor xxvij tag, vnd verlurent vil lüt, vnd was vf dem schloss houptman hans von landenberg mit lxxj gesellen von zürich vnd von dem stättlin. Vnd darnach vf den xx [472] tag des mayen do gabend die gesellen das schloss vf vff gnad vnd giengend von der burg vnd wurdent da gefangen, vnd nach dem als die von schwitz woltend, do wurdent jnen allen die höupter ab geschlagen. Vnd das gefiel nit wol den andern aidgnossen, vnd als si all darnach saitend, das si dar nach glük noch hail niemer me an gieng, vnd das wirt bewysst hie nach. Cod. 657 p. 123. 124. Vrgl. Fründ p. 209. (Tschachtlan 203).

1444. Darnach vf sant johans tag (24. Jun.) zugend si all für zürich, vnd im ziehen vnd och vor do verwuostand vnd verbrantand si xxvj gotz hüser, es wärind klöster, lütkilchen vnd capellen, vnd lagend vor zürich iij manot, vnd schussend in die statt nacht vnd tag, vnd verdarb in der statt nie mensch denn ain pfaff vnd ain alt wib, vnd geschach jnen baiden ire gotzrecht. Vnd in dem zit do warend si komen in ain kilchen, die haisset rifferschwil, lit nit verr von zug. Da giengend si über den schrin da das hailig sacrament jnn was behalten, vnd namend her vss die oflaten, vnd tailtend die vnder inen selbs vnd frassend das fräuenlich on all gotzforcht. Och kamend sie [473] in die lütkilchen ze hedingen. Do namend si och die hailgen hostien vnd vertruogend si das si der priester niemer me vand. Och in dem zit [474] laitend si sich für farsperg [475] die burg vnd belibend och etlich vor zürich. Also ordnot got der allmächtig das der telfin, des küngs von frankrich sun, kam mit ainem grossen volk vnd wolt die aidgnossen übervallen haben vor farsperg. Also luffend die aidgnossen mit grosser macht dem volk engegen, vnd das was vf ain mitwochen an dem xxvj tag des ougsten, vnd kamend by sant jacob vor basel zesamen, vnd ze glicher wys als si vor ainem jar by zürich zuo sant jacob by den veldsiechen

---

471) Tschudi am Rande „11. Mai 1444." 472) Tsch. a. R. 27. 473) Tsch. am Rande „moniiris". 474) 12. Aug. Tsch. 475) Farnsburg im alten Frikgaue.

hattend ir boshait getriben mit den roten krützen, also wurdent si by sant jacob vnd och by den veldsiechen gebüesset, vnd verlurend vier tusend man. Vnd als bald das beschach, do kamend die mär in das volk, das vor zürich lag, vnd die von Z. vernamend das darnach vff den samstag (29. Aug.) ze nacht mit gewissen briefen, vnd do lutend si all gloggen klain vnd gross, die in der statt warend, die warend da vor in iij manoten nie gelütet worden weder nacht noch tag. Vnd darnach do brantand si die müli by ottenbach, vnd vf den sunnentag (30. Aug.) fuorend si von zürich mit grosser not vnd schand vnd laster. Vnd also wurdent die von Z. erlösst. Gott sy lob vnd er geseit. Amen.

Als diss sachen warend verloffen, do zoch der telfin wider gen welschland; aber sin volk zugend hervf gen sekingen vnd gen louffenberg vnd gen waltzhuot mit grosser vnbeschaidenhait, vnd namend in den stetten was si fundent, das si mochtend gefüeren; doch das was ain klaines laid, won die lüt von den stetten woltend den kumer gern haben, darvm das si [476]) hattend also die schwitzer vnd ir aidgenossen nider gelait.

Es ist och ze wissen, das die burg ze farsperg gantz och erlösst ward, wan si [477]) fluhend die da vor warend [478]), vnd liessend die grossen vnd die klainen büchsen ligen vnd allen gezüg, vnd den zugend die edlen in die burg mit grossen fröden. Got well das wir das ewig leben besitzind. Amen. Cod. 657 p. 124—126. Vrgl. Fründ p. 222 (Tschachtl. 217).

1444. Dar nach vf mentag in der osterwochen was gefangen ain ziegler von zürich ze zug in ainem turn, vnd den woltand si mornendes ertrenkt haben, vnd dem half gott vss der geuanknuss, vnd kam gen zürich.

It. darnach vf den fritag ze hindrist in dem abrellen (30.) do· kam hertsog älbrecht von österrich ze dem ersten in die statt gen zürich, vnd vf den selben tag do kamend die mär gen Z. das die edlen ze louffenberg hattend da vor vf der mitwochen vor der statt wol vij schwitzer erstochen vnd xiiij gefangen. Denen schluogend si die köpf ab. Cod. 657 p. 126. (Tschudi am Rande: 28. Apr. ward keiner erstochen, aber 14 gfangen, die wurdend gericht, hattend sich verschossen. Warend berner vnd basler).

It. darnach an dem xj tag höwmanot do kam her hans von falkenstain mit sinem volk für rinfelden, vnd do kamend die vss der statt mit vil volkes, vnd wurdent der wol lxxx erschlagen vnd vij gefangen. Cit. (Tsch. Warent nit mer dann viij vmbkon, vnd gefangen 7).

It. darnach in dem selben jar an dem xx tag ougsten do warend zwen man von zürich gefangen ze bremgarten, vnd die woltand si mornendes haben gefiertailt; die kamend vss der gefaknuss gen zürich.

It. darnach an dem x tag des ersten herbst manots (10. Sept.) do zoch der fürst von österrich für basel vnd tett inen grossen schaden.

It. an dem viiij (Tsch. korrigirte xviiij) des selben manots do gewunnend die aidgnossen die burg ze rinfelden in dem rin, vnd brachend si vff den

---

[476]) Die Armagnaken. [477]) die Eidg. [478]) 26. Aug.

grund nider, vnd warend da vor gelegen wol vij (Tsch. v) wochen. Darnach an dem mentag (20. Sept.) fuorend si gen sekingen, vnd do kam der fürst mit macht, do fluhend die aidgnossen gar schantlich von dannen.

It. in denen ziten do schiktend die aidgnossen zuo den richstetten vmb soldner, won inen gebrast lüt (Tsch. a. R. Mentiris).

It. darnach vf den xxix tag des andern herbsts (29. Oct.) fuor der marggraf von rötelen mit ij nüwen flötzen, die da die von zürich gemachot hattend, gen rapreschwil vnd spiset das, vnd vertribend die schwitzer gantz von dem sew vnd brachtend denen von raperschwil kost gnuog.

It. zuo den selben ziten an dem xx tag des selben manotz do erschluogend die edlen denen von basel cl. vor der port in der klainen statt, vnd wurdent ir vil gefangen (Tsch. a. R. Mentiris).

It. vf den xv tag wintermanotz do fuorend die edlen mit denen von zürich gen pfäffikon, vnd namend da der schwitzer floss, der hatt ainen schwartzen beren an ainem ort, vnd verbrantand inen ir beste schif vnd namend och zwai dar zuo, vnd fuortend si gen Z. vnd da stuond der schwitzer floss vil jar by vnsern flössen, vnd warend vil nach gelich, vnd namend och vil büchsen vnd guoten gezüg, der in den schiffen vnd in dem floss was. Vnd do verlurend die von Z. lxxviij man, vnd die schwitzer verlurend xliij man, vnd wurdent die vnsern begraben ze meiland (Mailen) in den kilchhof. Alles Cod. 657 p. 126—128.

1444. Des jars als man von der g. cr. zalt tusend vierhundert viertzig vnd fünff jare do vorchtend inen die von basel vor den armen jäcken [479]), wan die lagend nun mit grossem volk by ainer mil vnd by ainer halben one vnderlanss vor basel vnd in dem elsäss, vnd ersuochten si täglich vor der stat biss zuo dem tor hinzuo, vnd warend och vil edel lüt vnder jnen von disem land. Vnd also embuttend die von basel den aidgenossen, das si jnen ain volk zuo schickend zuo jn in ir statt, das si sich dester bass erweren möchtend des volks. Vnd si schicktend jn fünff zehen hundert man, vnd das was gar ain werlich volk — vnd dero warend nun ain tail vor der veste farnsperg gelegen. Vnd als si nun gen basel zuo dem wasser das da rinnet by sant jacob der siechenhüser kamend, so gewaren si der armen jäcken mit grossem volk da ligend, vnd hattend vil für vnd lagend vnwerlich vnd bloss, one harnasch, vnd hatten böse gewer vnd waffen, dann das ir vnzalich vil was, das si si nit recht wol geschätzen kundend, vnd maintend doch das ire mer dann zehentusend wärend, vnd maintend si söltend vnd wöltend mit inen vechten, dann die von basel kämend jnen zuo hilff mit ir macht, so si dann wol vermöchtend. Vnd do si nun als vnwerlich lagend, do maintend die 1500 man von den aidgenossen, si wöltend den strit anheben, wan die stat basel zuo nächst by jnen was, vnd truogend holtz an das wasser, vnd machtend entail weg mit dem holtz über das wasser, vnd hulffend ainander mit iren spiessen vnd geweren über das wasser. Vnd so ir die armen

479) *Armagnacs.*

jäcken gewar werdend über das wasser komend, dann es was vor tag zwo stund, do maintend si, si wöltend die aidgenossen wider an das wasser triben vnd da ertrenken vnd erstechen; vnd machtend ain ordnung die armen jäcken vnder jn, vnd zugen gen den aidgenossen an das wasser. Vnd da huobend si mit ainander an ze schlachend, vnd die aidgenossen erschluogend der armen jäcken ob achthunderten, das si kom sechs man verloren hettend. Vnd also wurden die armen jäcken wychen vff gen der kirch an sant jacobs den siechenhüsern, vnd die aidgenossen trungend on vnderlauss vff si biss zuo sant jacob in das dorff. Do bestuondend die armen jäcken, vnd fachtend lang mit ainander, das der armen jäcken gar vil verlor. Vnd do ir geschrai als gross vm si ward vnd der huot zuo schrügend, die si dann wol wyssotend, die dann vff die von basel hielt, ob die vs her wöltend sin, vnd maintend iro wäre gnuog, dann je zehen jäcken an ain aidgnossen wärend, vnd do si doch in der huot marktend, das die iren so vast vnzalich nider geschlagen wurden, vnd och recht bekanten, das die von basel nit heruss woltend, do brachen si vff vs der huot, vnd das was ver in den tag als die sun nun vff gegangen was, vnd was wol vff sechs tusend pfärit vserlesens raisiges zügs, in dem mer dann vierhundert verlidroter ross warend. Vnd do die aidgenossen iro gewar wurdend, do machtend si sich zesamen, vnd kartend ire rucken gegen ainander, vnd vachtend och allgemainlich so stark, das si so vil ross vnd lüt erschluogend, das es vnzalich was, wan si tattend den armen jäcken als not, das si zuo dem dritten mal hinder sich zugend vnd der ruow begertend, das dann do die aidgenossen och ruowotend. Vnd diss vechten tribend si biss in die zehenden stund des tags, vnd huobend an zwo stund vor tag. Also behuobend doch die armen jäcken das veld, vnd vand sich von den aidgenossen erschlagen ayliff hundert vnd dry vnd zwaintzig, vnd von den armen jäcken ward me dann acht tusend man erschlagen vnd ob zwölff hundert rossen, die vff der wyte lagend vnd gezelt wurdend, on die in den studen lagend, der was zemal vil, das man si nit geschätzen kan. Das macht si füertend was erber was, vnd sust wer da mocht den sinen, mit jn enweg zuo begrabend, wa es jnen dann eben was, vnd truogend wol drü hüser vollen lüt vnd verbrantend die, vm das man nit sähe, das ir so uil erschlagen wäre, vnd maint man das si sust och vil haimlich vergrüebind. Es ist aber syder her von inen selber gehört, als sich die knecht mengen weg verwandlotend, nun in disem nun in jenem tail das ir ob acht tusend erschlagen sign. Dacher p. 365 — 367. Vrgl. Fründ p. 228 (Tschachtl. 225).

Aber des vorgemeldten jars vmb sant martins tag (11. Nov.) do zugend die von basel für ain veste genant pfäffingen, vnd maintend die gewonnen haben, dann si wondend si hettend den vorhoff abgeloffen, dann es warend wol sechtzig man von basel dar jn komen. Nun hattend si in der veste ainen schutzgatter haimlich in die mur gemacht, dar vmb die von basel nicht wysstend, vnd also liessend si den schutzgatter vallen, vnd behuobend die sechtzig man in dem vorhoff vnd erstachend si alle. Dacher p. 373.

Anno dni Mcccc vnd xliiij jar kam hertzog aulbrecht v. Oe. in dis land vmb sant michels tag (29. Sept.), des ersten gen vilingen, darnach vff st cuonrats tag (26. Nov.) kam er gen wintertur mit vil volks, das die statt vol lag vnd die dörffer darumb, vnd was ze Z. ouch vil volk. Vff st cuonrats tag zuo nacht zugent si vs zuo wintertur vnd zuo Z. mit ainem hüpschen zûg, vnd belaib der hertzog zuo W. vnd was der marggraf von brandenburg hoptman, vnd zugent gen raperschwil vnd spistent die statt, vnd fluchent die schwitzer enweg an die berg, vnd zoch man den sew vf bis gen vtznach, vnd ward verbrennt was man da vand die dörffer alle, vnd vand man gros guot da, vnd fuort man vil gen R. vnd man füeren mocht. Vnd zoch man do widervmb haim, vnd verbrant man grüeninger ampt gantz vs vnd zoch man haim mit eren. Königsh. 630 p. 295. 296.

Anno dni Mccccxlv an sant karolus tag (28. Jan.) do zugend die von zürich für das stättli wyl, die warend verbunden mit den schwitzern, vnd die luffend hervss vnd si [480]) wurdent hindergangen vnd ward jr lj erschlagen. Vnd also zugend die von zürich wider haim, vnd warend vil edler lüt by denen von Z. gesin. Cod. 657 p. 126.

In dem selben jar ze mitter fasten (7. März) do woltend die schwitzer vnd die appenzeller das stättli vnd die burg sangans überfallen haben, vnd kamen in das stettli, vnd wurdent ir wol lx erstochen vnd wol c wund, vnd brantand das stätli vnd zugend davon.

Item dar nach in der karwochen [481]) do kamend die edlen an die appenzeller an ainer wart, vnd erstachend ir wol xxxvi [482]). Cit.

Anno dni Mccccxlv jar vff st benedictus tag (21. März) der was vff den balmtag, hand die von frowenfeld gehult zuo ainer herrschafft von Oe. namlich hertzog aulbrechten in iro aller namen vnd zuo dem hus gen Oe. Daselbs da lag der von wertenberg im schloss, ouch der trapp, ouch itel hans v. krenckingen, genant v. wissenburg, ain fryer herr, ouch vil anders adel. Die fuorent vff ain mal enweg gen wintertur, vnd was junckher eberhart von boswil der alt stathalter, der schickt die in der statt hinweg gen wigeltingen. Do verlurent si by xl mannen vnd das rennfennlin. Königsh. Cod. 630 p. 296.

Anno dni Mccccxlv vff s. barnabas tag (11. Jun.) warent die von wintertur gezogen gemainlich mit zwain fennlin über die letzi hin gen kilchberg, vnd warent iro by iiijc, vnd brantent do etwan menig hus vnd nament vil vichs, vnd der mertail lüt durch die letzi, vnd koment die schwitzer hernach vnd ylten vff die schützen, das si wichent, vnd wurdent by l man erschlagen vnd der von W. fennli verloren, vnd verlurent die von frowenfeld x man, dero warent xj burger. Darnach zoch man gen wyl in der nacht vnd verbrant man die vorstat mit enander vs mit fürpfil, für kuglen, vnd was da die von wintertur, frowenfeld, diessenhoffen, kyburger ampt vnd by c pfert, vnd was der trapp der von wintertur hoptman, vnd her wernher von schinen dero von frowenf. hoptman. Königsh. Cod. 630 p. 296.

---

480) die Züricher. 481) 25. März. 482) „nit mer denn 8“ Tschudi am Rande.

Die aidgenossen zugend für rinfelden.
O dux sabudie qui plura mala fecisti!
Confederatis consilium simul auxilium fac istis,
Et regi rome in fraude doloque resistis.

Anno dni Mccccxlv vmb sant bartholomes tag zugent die von basel, bern, solodran vnd ander aidgenossen für das schloss ze rinfelden, vnd gewunnen das herlich schloss vnd vnd vil guots zügs, darinn die gross büchs, so die von basel ze varsperg verloren hatten, vnd vil anders zügs. It. darnach zugen si gen sekingen vnd belagen das och starch vnd noten die statt och vast mit schiessen vnd mit andren sachen. Aber si zugen vngefochten dannen, won die herschaft hatt ain grossen züg gesamlet, vnd wolten si dannen geschlagen han, vnd da si das innen wurden, do zugent si nachtes dannen.

It. der hertzog von saffoy hatt inen ouch ain hüpschen züg gelyhen wider den küng vnd die herschafft von österrich, vnde versus vt supra O dux. Hü. p. 163. 164 (auf das Basler Konzil).

Anno dni Mccccxlv jar zugent die von basel vnd von bern vnd ander aidg. gen rinfelden für die vesti, vnd hattent ain läger dar vor, vnd was die statt wider die vesti vnd hats mit den schwitzern. Vnd zoch der hertzog aulbrecht an dem andern ort ouch darfür ennet dem rin vnd hatt ouch ain gliger dargegen, vnd schussent die schwitzer mit grossem schütz in die vesti, das das gmür vast zeruiel, vnd ward vast zergent vnd mocht si min herr von Oe. nit dannen schlachen, won er ze wenig volks hatt, vnd lag by xiiij tagen da. Ze jungst besatzt er das hus bass vnd zoch dannen. Zuo hand vff des hailgen crütz tag ze herpst gewunnent die aidgnossen das hus vnd kam das mit geding, vnd tatent zuo vnd liessent die herren vnd die knecht die vff dem hus warent, herab gan an ir gewarsami, vnd nament die aidg. ouch das hus vnd vesti jn vnd wuostent es vff den grund, vnd warent das die vff dem hus warent, h. jac. trapp, türing v. hallwil, h. hans v. falckenstain, h. melchior v. bluomneg vnd ainer von ryschach, vnd sunst by xc knechten vnd guoter lüt. Königsh. 630. p. 297.

1445. Anno dni Mccccxlv jar am suntag vor vnser frowen tag ze herpst (Sept. 5.) zugent die schwitzer mit v fenlin für frowenfeld vnd verbrantent die ij dörffer vnd das tal hin vf von welhusen, pfin vnd mülhem wol halb, vnd nament vil vech ze tundorff vnd im tal enweg, vnd zugent jnen die von fr. nach mit irem vennli, mit der lantschafft pfin, ittingen; ouch junckher aulbrecht von clingen mit sinen lüten zugen all zesamen vnd erratten pfin vnd zugent jnen nach bis gen merstetten. Do griffent si die schw. an, vnd verlurent die von fr. ir venli, als vor staut, da verluren by xlv mannen, die andren all entrunnent. Königsh. 630 p. 297. 298.

Anno dni Mccccxlv jar nach des hailgen crütz tag zuo herpst zugent die von basel vnd von bern vnd ander schwitzer für seckingen, vnd hattent da ain läger vor der statt, vnd lagent by dem bad mit macht vnd schussent mit grossen büchsen in die statt, vnd laugent da bis an fritag vor st. gallen tag (15. Oct.). Vnd do si hortent das man si wolt dannen triben, do zugent si selbs dannen, won es kam ain grosser züg dem hertzogen ze hilff; es kam der von wirtenberg mit grosser macht zue ross vnd ze fuos, der margraf von nider baden ouch mit ainem grossen züg ze ross vnd ze fuos. Vnd die hegnower herren, die ritterschafft st. jörgen schilt kament me denn mit zwaien tusent mannen on ander volk das da kam von sinen stetten, von dem elses, von dem brisgow, das da ain schön volk was; ouch der schwartzwald vnd turgow, vnd maint man die schwitzer noch zuo treffen ze seckingen v. si dannen zuo schlachen. Aber do sins inen wurdent, do zugent si dannen gen basel, vnd schluogent da enander, das ir vil erschlagen ward. Königsh. 630 p. 299. 300.

Anno dni Mccccxlv jar nack sant niclaus tag (der am 6. Dez. ist) koment hertzog aulbrechts rät gen costantz zuo tagen mit den schw. vnd andren aidg. vnd taget man lang, vnd warent des rö. küngs rät ouch da vnd markgraf aulbrecht von brandenb. In dem tagen do tett der selben herrschafft züg vnd die von Z. ainen zug gen fryenbach vnd gen pfeffikon, vnd nament da der schw. flos vnb büchsen vnd andre grose schiff, di si gemachet hattent, die verbrantent si all, vnd verbrant man fryenbach vnd andre hüser an den bergen. Doch do verlor der herrschafft tail by c man, won es was in der nacht, vnd fluchent vnd schluogent selbs enander nider. Doch si gestuondent vnd tribent si wider hinder sich an die berg. Also erwart man jnen den sew schiffenhalb vnd flötzenhalb, das die von raperschwil mochten hon iren wandel vff dem sew vmb kost, wie si woltent, das jnen das nieman weren mocht. Do si lang ze cost. tagetent, do kund man die sachen nit richten, vnd zerschluog aber vnd zugen die aidg. wider haim. Do kam der h. aulbrecht ouch gen cost. vnd die etsch herren vnd der margraf v. nider baden, vnd tagetent da lang mit enander, vnd ze jungst gab h. aulbrecht sin schwöster des markgrafen von baden sun mit namen karle. Königsh. 630 p. 298.

Des jars als man von der g. cr. zalt 1446 jare, in dem hornung, hett grauff hanns von tierstain, do zemal zuo dem hailigenberg wonend, ain gepursame suosamen gepraucht vnd ander herren lüt ennet dem see wider die söldner der aidgenossen, die sich böck namptend, vnd nampt er die sinen die wölff, vnd maint, er wölt die böck mit den wolfen vahen. Aber es geriet jm nit. Dacher p. 375.

Anno dni Mccccxlvj do brantand die von raproschwyl ain schwitzer, der wolt inen ir statt verbrant haben vf samstag nach der küng tag (8. Jan.).

It. darnach am x. tag mertzen do wurdent xvj schwitzer enthoptat ze eglisow vnd vij wurdent da erstochen.

It. in denen ziten zugent die schwitzer vnd die appenzeller für walenstad vnd woltand das gewunnen haben. Also wurdent si vertriben durch die edlen. Cod. 657 p. 128.

Anno dni Mcccc sechs vnd viertzig jar in der vasten do zugend die schwitzer in das oberland in sarganser land, vnd zugent gen meils, vnd da vmb lagents an den bergen mit aim hüpschen züg, vnd lagent also wider enander. Ze jungst kament die schw. an ainem morgen gen fröudenberg, vnd warent der herrschafft von Oe. lüt nit vfgestanden vnd wurdent verrauten, vnd warent nit gar gerüst vnd geordnet, vnd was zuo spat, vnd vielent die schw. jn vnd nament die puren vnd volck vss sant johansen land die fluoht vnd ward ir by iijc erschlagen vnd der schw. ouch vil, doch behuobent die schw. das veld vnd zugent do wider gen mails vnd gen flums. Also zoch die herrschafft vast zuo mit raisigem zug vnd lagent vff dem schaulberg vnd zuo sargans, vnd lagent also wider enander, vnd behuot man walenstat vnd satzt man ain zuosatz in das turgöw, das si nit darin zugint vnd das och schadgotint, vnd lait der margraf v. baden cc pfärit gen seckingen v. gen nüwenburg, vnd der alt herr v. wertenberg lait c pferit gen frowenfeld vnd der jung h. von wirtenberg c pferit gen zürich vnd min her von Oe. mer denn c pferit gen wintertur. Vnd also entsausent inen die schwitzer vnd zugent wider vss dem oberland vnd nam die herrschafft das land wider jn. Königsh. Cod. 630 p. 298. 299. Vgl. Fründ p. 283. (Tschachtl. 277).

Nach der geburt ·cristi, als man zalt tusend vierhundert vnd sechzehen jare (sic), am frytag nach sant gregorien tag (13. März) do kamend die herren an die aidgenossen vor wallenstad. Nun hetten die herren vff si gespech gesant viertzig man der vmsaassen des landes vnd och ettlich von den herren zuo in, vnd maintend ainen huffen von den aidgenossen zuo besehend, den si dar nach angriffen woltend, als si danne lagend. Nun lag ain andrer huff, och von den aidgenossen, der grösser was denn si, vnd der was aber hinder sich gezogen vf dem veld, vnd darum so maintend si nun disen huffen wol nider ze legend. Vnd als aber die viertzig man den huffen also woltend besehen, do hett sich der huff wider in der nacht vmbher gestolen, vnd kamend die viertzig man inen in die hend, die still schwigend, vnd ersuochtend inen allen den gewalt der herren vnd alle ir wissen. Vnd do die viertzig man also nit kamend, do schikten si ander zwaintzig man vff si, die erstachend si alle, das iro kainer da von kam. Vnd also macht sich die pursame von den herren, die vmbsässen des landes, mit dem fuossvolk, das dann da was, über den bach, der dann her in den rin gieng, vnd warend si och über den rin komen; vnd das si also ennhalb des bachs, dem dorff vnd och hie dis halb des dorffs zwüschend dem rin vnd dem bach, vnd wartotend dero, die si gesant hattend, vnd wisstend nit das es inen misgangen was, vnd och das der huff widerumb komen was. Vnd als si also lagend vnd ruowotend vnd villicht ettlich ir harnasch vsgezogen hettend, vnd ettlich ir gewer von inen geton, das si die by in nit hettend, vnd also vm die fürer lagend vnd saussend, ainer schlief, der ander wachet, der dritt seit ettwas, die andren horten zuo, vnd in dem luffend die aidgenossen mit ainem geschrai mit irem huffen des si nit wysstend in, vnd warent si vngewarnet vnd erschrakend vnd gedauchtend, sich hette noch mer volk in das land verstolen, wan si wyssten demnocht den huffen wol, den si angriffen woltend haben. Vnd von schrecken kamen si vsser ordnung vnd sahend och wol, das si verloren warend vnd dar vmb bestuondend iro vil von dem landvolk vnd warttend sich lang, vnd iro vil woltend fliehen, vnd fluhend wider durch den bach. Do warend inen

die rechten strich wasser verleit, vnd komend in die gumpen vnd ertrunkend.
Vnd also die ennenthalb des bachs lagend, die vielend in den rin, vnd woltend
darüber sin, vnd ertrunkend, also das dar nach mer denn drühundert man funden
wurden in dem rin vnd in dem bach. Do ward ob sübenhundert maanen er-
schlagen, die man och·in der selben rifier vand, one sust vil, die man dar nach
vand in den studen vnd in der owen ligen. Dacher's Konstanzer Chronik
p. 145. 146.

Anno dni Mccccxlvj do satzt der pfallentzgraf vom rin ainen tag gen cos-
tents zwüschent den fürsten vnd den edlen vnd den von zürich an aim tail,
vnd allen aidgenossen ze dem andern tail vff den xv tag mayens, vnd vff dem
tag war der fürst von österrich vnd der margraf von nider baden, der margraf
von rötelen, der alt von wirtenberg vnd ander vil grafen, herren vnd· och edlen,
vnd daby fridrich von basel vnd der b. von aistetten vnd botschaft von zürich
vnd botschaft von allen aidgenossen, vnd belibend da xxij tag, vnd kond ·die
aidgenossen nieman dar zuo bringen, das si weltind von des fürsten wegen vnd
von der von Z. wegen zuo dem rechten komen anders denn gen ainsideln für ir
aidgenossen. Vnd also hat der krieg angefangen, won die von Z. sich verbunden
hatten ewiklich mit dem hus von Oe. nach dem als der puntbrief vss wysst
zwüschent den von Z. vnd den aidg. der was gemachot vor hundert jaren. Doch
zuo dem letsten vnd mit grosser arbait kam es dar zuo das der fürst sins rech-
ten kam vf den rat ze vlm, vnd die von Z. mit den·aidg. wurdent gesetzt, das
die A. soltent ij man dar geben vnd die von Z. och ij, vnd der fünft solt geno-
men werden vsser ainer richstatt inrat ainem manot. Vnd vff den tag do ward
frid gerüeft, vnd der fieng an vf den ix. tag brachotz, vnd ward gross fröd in
vnsern landen, vnd zugend die lüt vff das land, vnd warend alle dörfer verbrent
vmb zürich mit den kilchen, als es vor mals dik benempt ist.

It. darnach ward erwelt ain fünftman, ain burger von ougspurg, haisst pe-
ter von arg, vnd nach langem bedenken vnd mit grossem rat do sprach er me
denn vff in komen was, vnd darnach sait (er) in sinem spruch, das baid tail
by den· alten bünden söltind beliben, vnd wer den spruch recht verstuond, so
was es ain guoter spruch, won nach dem spruch so wärend die von Z. nach der
alten puntbriefen lut vnd sag by punt beliben vnd by den alten puntbriefen, die
da vswistend, das die von Z. mochtend sich verbinden zuo herren, zuo stetten
etc. als si getan hand, vnd hand sich nit anders verbunden denn zuo ir aid-
gnossen natürlichen herren, vnd das ist also ze verstan, wan die von lutzern vnd
die von zug bekennend offenlich in iren puntbriefen, das ain herrschaft von
österrich ir natürlicher herr sy. Cod. 657 p. 128 — 130.

Anno dni Mcccc quadragesimo 6to vff sonntag nach ostren, den man nempt
Cantate (15. Mai), do kam man aber ze tagen gen costents, vnd kam h. aul-
brecht selbs dahin, ouch der alt herr v. wirtenberg, der markgraf v. niderbaden,
der pfalletzgrauf vom rin, herz. ludwig von payer vnd sunst vil herren. Ouch
die aidg. die warent do mit vollem gwalt, vnd ain tail der stetten. Vnd ver-
hort der pfalletzgraf die sachen von baiden partyen, vnd redt dar zwischent, vnd

ward vertädinget, vnd warent wol by drü wochen by enander, vnd ward ain frid
zum rechten, vnd gieng der frid an am sonntag so die sunn vff gieng nächst vor
viti vnd modesti (12. Juni) im xlvj jar, vnd ward vertädinget zum rechten vff
den clainen raut zuo vim zum rechten, was die herrschaft v. Oe. zun schwitzern
vnd andern puntgnossen zuo sprechen hett, als dann bis har vergangen wäre von
dem järigen friden her bis vff dis zyt. Desglichen sölt die herrschafft von Oe.
ouch grecht werden vmb irn zuospruch vff den pfalletzgrafen by dem rin. Ouch
hatt jetweder tail brieff vder vrbecher büecher ald register den andren vnd man
der notturftig were, sol jetwedrer tail abgeschrifft geben versigelt mit des by-
schoffs von Co. insigel versigelt geben. Die soltent denn crafft vnd macht ha-
ben als ob man die rechten brieff hetti, vnd sol das recht ain end haben vff
st. gallen vber ain jar nechst nach dis zädels geben, vnd geschach dis richtung
vff sonntag nechst nach st. barnabas tag (12. Juni), vnd gieng der frid vff den
selben tag an. Königsh. Cod. 630 p. 300. Tschudi II. 467.

Des jars 1446 am dornstag nach sant johs tag[483]) do zugent die von zü-
rich vs mit ir panier vnd der herren vil mit jn vnd woltend die spicher ver-
brent han vnd die erstechen, die si allda funden hettend. Vnd also lagend die
schwitzer obnan vff in dem holtz in ainer huot vnd wart, vnd do si ir gewar
wurdend, do schwigend si vnd drucktend sich. Also hieltend die von Z. die
gantzen nacht, wan si kament des aubents da hin, in dem schnee vnd erfrurend
ross vnd lüt vnd das fuosvolk gar sere. Vnd wol zwo stund vor tag do luffend
die switzer den berg ab, do warend diss erschrooken, do si das geschrai hortend
von den schwitzern, vnd gedauchtend ir wäre vil in dem holtz, mer denn si an-
luffend, dero doch nit me was denn dry vnd achtzig man. Nun warend der
herren vnd ooh des volkes ennethalb ainem graben, vnd der mertail des volks
hie disshalb dem graben, vnd also ruofft hans von rechberg: wyshend über den
graben! vnd maint das volk zesamen ze bringend vnd den graben vor im han;
Vnd das volk was erschrooken, vnd wondend er spräch: wychend! vnd namend
die flucht, vnd fluhend wer da mocht, vnd wurdend zertrennt, vnd also yltend
inen die 83 man nach vnd erschluogend iro hundert vnd dry vnd fünffzig man.
Si hettend iro vil mer nider geschlagen, die da lagend als ob si tod wärend,
vnd do si den andern nach luffend, do stalen si sich davon, vnd kamen dar
nach och zuo dem volk, vnd bracht ain edelman das panier davon, der hett es
in den buosen gestessen, vnd die vorgenant, so si erschlagen hettend, zugend si
vss. It. so dann gelich dar nach an dem hailigen aubend zuo winächten
(24. Dez.) do zugend die von zürich allain vss mit ainer grossen macht, vnd
woltand die totten, die 153 man, wan die switzer huobend si inen vor vmb die
büchsen, so inen dann dauor genomen warend, die si dann ze rinuelden geno-
men hattend. Vnd als nun die von Z. da hin komend, do kamend si die schwy-
tzer an vnd erschluogend der von Z. vnd ir helffer wol fünfftzig man. Dacher
p. 375. 376.

<hr>

483) vor? 22. Dez.?

Im 1446 jare an sant siluesters aubend (30. Dez.) do zugend die von appenzell vnd woltend ettlich der iro gen lindow zuo ainem tag belaiten, des si sich versprochen hettend mit den vs dem algöw, von veltkirch vnd von pregentz. Vnd die hettend sich nun gern in ettlich mit jn gesetzt, dar vmb das si ir land möchtend gebuwen han, vnd nit also in täglichem krieg müestend gelegen sin. Vnd als nun die von App. also zugend vnd gen lindow woltend, vnd gegen rinegk wert kamend, do gedaucht der bayrer vff rinegk vnd sin volk, ob si si gemaint hettend, vnd maintend gar ain herten schutz gegen inen ze tuond, vmb das si gedächtind das ir büchs dester grösser wäre, vnd wundent den stain in fetzen. Vnd zuo den zyten was gar grosser wind, vnd als si schussend, do fuor der fetz, da der stain jnn gelegen was, über sich, vnd des namend si in der vestin nit war. Do hettend si des in der stat och nit acht, vnd der wind sehlnog den fetzen in das tach in ainer kener [484]), das man es nit gesehen mocht, wan das gemür gieng etlicher mass da für, vnd entbran das tach, wan es schindlin was, vnd ward das für also gross, das man jnn nit me ze hilff komen mocht, vnd warff es der wind in die statt vnd verbran die stat vnd die vestin, vnd luffend do die appenzeller jn, vnd was man vsgeworfen hett vnd si darvon tragen mochtend, das nomend si, vnd muostend die man fliehen, vnd was niemant der laschde, vnd verbran die statt vnd veste grund vnd graut, vnd laitend sich die appenzeller für den turn vsserthalb. Do mochtend jn dise nit behaben, vnd in zwain tagen gaben si jn och vf vff gnad. Den turn verbrantend si ouch, vnd wurdend jnen dryzehen büchsen, die si in der stat vnd in der veste fundend. Dacher p. 383.

Als man von der gep. cr. zalt 1447 jare, an dem nächsten zinstag vor sant themas tag (19. Dez.) zwüschen vieren vnd fünffen nach vesper ward hans von hege enthoptet, der hat die von wyl vnd die aidgenossen selb fünfft angegriffen. Dacher p. 385.

It. es ist darnach komen in dem jar do man zalt Mccccxlviij, das baid partyen an dem spruch nit gantz wurdent vsgericht, vnd namend darnach ain obman von rauenspurg, hiess ytel huntpyss, vnd der wolt sich der arbait nit beladen. Vnd in dem zit do fiel der krieg jn von den herren vnd den richstetten, vnd der vieng an in dem selben jar vmb die ostren, vnd werat i⅟ jar, vnd in dem zit do kamend die von Z. vnd die aidg. überain, das die von überlingen söltind inen ain obman geben wo si wöltind. Vnd die gabent mit kurtzer bedachtnuss her hainrichen von buobenberg, burger von bern, vnd der nam die sach vf sich gebetten, doch nit vast genötgot, vnd sprach das die von Z. söltind sin ledig vnd los von dem punt, den si hattend getan mit dem hus von Oe., vnd das was gantz wider den alten geschwornen puntbrief; won was der alt brief guot vnd gerecht, so was sin spruch valsch, vnd was sin spruch guot, so warend die alten geschwornen brief nit recht, won der spruch vnd der alt puntbrief mochtand nit by enander bestan. So hat och der obman nit me

---

484) Rinne, *canalis*, auch Känel.

gewalts denn der bapst, won der hett so vil tusend aid als beschehen sind zuo dem hus von Oe. mit ainem wort nit absoluiert, es wär denn baider tail will vnd wissen gesin. Diser spruch beschach in dem jubeljar in dem ougsten. Cod. 657 p. 130. 131.

Als man v. d. g. cr. zalt 1448 jare vff mittwochen vor sant symon vnd judas tag (23. Oct.) do hetten der von eberstain vnd hans von rechberg vorhin by vier oder sechs wochen ir gelt zuo rinuelden gezeret vnd vs vnd in geritten mit iro gelait vnd willen, vnd hattend angelait vnd gemacht das sich vff den obgenanten tag zwai scheff hin zuo als bilgrin machtend. Vnd vnder den was nun ainer als ain sant johanser her, vnd vff die fuor nun ain scheff als ain schitterledi, in dem warend zwai hundert gewapoter man. Vnd als nun die zwai scheff bilgre vslantand vnd ordenlich vber die bruk in giengend, je zwen vnd zwen, vnd so also wol hundert in die stat komend, do machtend sie ain geschrai, vnd schluogend ainander in der stat, das wol sechzehen erstochen wurdend von der stat. Die wyl kamend die bilgrin in den zwain scheffen alle vff die brugk vnd der von rechberg mit sechs pfäriden wust her für vff si vnd traib si huffend vnd mit ainem gedräng hin jn vnd vff jn. Do zugend die zwai hundert gewapoten, so vnder den schitern gelegen warend, vnd vff die zoch nun der von eberstain vnd der alt von grüeningen mit ettlichen edeln mit ainem roszüg, die nun och vff brauchend, vnd kamend also in die stat. Do warend die zwai hundert gewapoter geordnet war si horttend, vnd wysset jegklicher sin stat, vnd also was ze hand die stat besetzt vnd die tor verrigelt vnd beschlossen. Vnd ward also in der stat fryd geruefft an dem lib vnd muost sich mengclich samlen an dem blatz, vnd da stuond hans von rechberg, der von eberstain, der von grüeningen vnd ettlich edler mer mit jnen, vnd hettend raut vnd saitend do dem volk, wie si brüchig wärind an irem herren gewesen vil jar, vnd sinen gebotten vnd manungen warend vsgegangen, darvmb si ir lib vnd ir guot billich nach allem rechten verloren hettend; aber der fürst hett erbermd vnd wolt si dannocht nit tötten, doch vmb ir guot müestind si komen. Vnd tribend an der mittwochen vss vnsäglich vil lüt vnd volk, die si alle tribend an den wald aldo der galg stat, vnd ersuochtend si vnd liessent inen bloss ir notturfft klaider, das si sich bedecken möchtend, vnd schiktend si enweg. Vnd mornend am dornstag was beliben was, tribend si och vss, vnd an dem frytag was barschaft, silbergeschir, silber klainat, bettgewät, gewand, dekinen, stuollachen, stuolküssen vnd was farendes was, das si heben vnd getragen mochtend, das fuortend si mit jn enweg, vnd das man sprach, si hettend mer dann hundert tusend guldin wert funden on ässig ding, vnd das dann der stat zuo gehort, sich da mit ze weren. Dacher p. 387. 388.

It. anno dni Mccccxlviiij an dem xvij tag brachots do verbran das kloster da die frowen inn warend ze engelberg in der schwitzer land, vnd da der sidtgenossen kind in warend ze ettlichen ziten vff hundert, minder oder mer, vnd vf diss mal lxxv. Vnd also hat der almächtig gott durch sin gerechtikait geordnet, als die obgenanten aidgenossen vil frowen vnd münchklöster verbrant

114. Das schloss rinfelden ward gewunnen.

Anno dni Mccccxlv vmb sant bartholomes zugent die von basel, bern, solodorn vnd ander aidgnossen für das schloss rinfelden, vnd gewunnen das herlich schloss vnd vil guotz zügs dar inn, die gross büchs so die von basel zuo varnsperg verloren hatten, vnd vil anders zügs. It darnach zugent si gen seckingen vnd belagen das ouch stark, vnd notten die statt ouch vast mit schiessen vnd mit andren sachen; aber si zugent vngeschaf- fet dannen, won die herschaft hatt ainen grossen zug gesamlot vnd wolten si dannen geschlagen han, vnd do si dess innen wurden, zugent si nachtes dannen. It. der herzog von saffoy hatt inen ouch ain hübschen züg gelichen wider den küng vnd die herschafft von österrich [485].

Anno dni Mccccxlvij uff hylar satzten die von vlm der herschaft von österrich vnd den aidgnossen ain tag gen vlm, als das der anlauss inn hatt [486].

---

[485] Nur bei Sprenger p. 142b unter ganz (anderen sachen. [486] Ebenso p. 142. [487] irrig korrigirt viiij.

hattend, das von grosser armuot münch vnd nunnen muostand sich verlouffen vnd verschiken in andri klöster. Also ist es darzuo komen, dass iri kind vss dem selben kloster von engelberg der herren klöster luffend, won si dar in nit beliben mochtand, vnd louffend in dem land vmb ellend vnd wis loss, vnd das ist ain gross sach, won das kloster von engelberg ist ain vsbunt gesin für alle klöster, die in vnserm land warend, sunderlich von frowen, besunder mit guotem erbern leben, vnd ist och kain trost nit das das selb kloster jemer mer gebuwen werd, won ir güeter vnd hüser vnd das si hand gehept in den landen vor dem gebirg, ist in dem obgenanten krieg mit den von zürich gantz verderbet. Cod. 657 p. 131. 132, womit diese gleichzeitige Quelle leider aufhört. Wiederaufbau des Klosters 1455.

Anno dni Mccccl jar, am mentag nechst vor mitervasten (9. März) hond die von frowenfeld gehult dem durlüchtigen fürsten vnd herren h. sigmunden v. Oe. vnserm gnedigen herren, vnd haut vns vnser gn. h. her hertzog aulbrecht sin vetter der aiden, so wir jm gelopt hatten, gantz erlaussen mit sinem vrkunde, siner brieffen vnd sigeln, die er vns darumb erzöuget sinen räten, besunder her hans v. clingenberg. Königsh. Cod. 630 p. 301. 302.

Anno dni Mccccl jar vff sant bartholomeus tag (24. Aug.) schwuorent die von zürich widervmb zu den aidgn. vnd woltent den punt nit halten, den si mit ainer herrschaft gethan hatten, wie wol si brief und sigel darumb geben vnd ouch geschworn hand, die ain herschafft von jnen noch inn hat von iro wegen. Königsh. Cod. 630 p. 302.

It. Anno dni Mcccclviij [487] an dem xv tag des mayen, vnd ist gewesen viij tag nach pfingsten, do hat es geschnigt vnd was ain kalter tag, vnd in der nacht viel ain gross riff, dass etlich wasser gefruren, vnd erfror gross guot an den reben, vnd beschach grosser schad vff die selben nacht. Hü p. 260 (noch vor Isenhofers Spottlied).

115. Schiessen ze costentz.

It. es ist ouch ze wissend, als man zalt nach der geburt cristi Mccccolviij jar, in dem ersten herbst monat, da hattend die von costentz ain schiessen angesechen, vnd wol dryzechen abentüren vss geben; darzuo si berüefft hatten herren, graffen, fryen, ritter vnd knecht, stett vnd lender; darzuo vil herren, stett vnd lender kament. Vnd e dass es ain end neme, da ward ain vnwil entzwüschent aim burger von costentz, vnd ainem gesellen vss den aidtgenossen, mit namen von lucern. Dess nament sich die von lucern zuo argem an, vnd vnderstuonden sich die von costentz darumb zuo überzüchend, vnd manten dar in ander aidtgenossen. Also zugend si heruss wol mit viertusent mannen, vnd lägertend sich gen winfelden im turgöw, vnd lagent da wol vier tag, vnd zergangtent die wingarten vnd wimlottent, vnd gewunnent das schloss daselbs, doch wuostent si dar in noch an dem huss nütz, denn junckher albrecht von sax fry vnd ander lantzherren vnd stett die redten darin, vnd also mainten si zuo ziechend für costentz. Da tädinget darin der bischoff hainrich von costentz durch sinen vicarium, vnd ward darin geredt, dass die von costentz gabent den aidtgenossen drü tusent guldin; die gab man inen ee dass si enweg zugent, vnd herr berchtold[488]) vogt, dess winfelden was, wan er nit do' zemal im land was, do ward darin von den vmb sässen getädinget, dass man den aidtgenossen versprach zuo geben zwai tusent guldin. Das ward fünf tusent guldin, die inen da wurden, vnd hattend doch nit vil gelimpfes dar zuo, denn der vnwil, der sich zuo costentz vff erhuob, was ain vnendlich sach. Vnd also so si hinweg zugent, do nament si was si mit inen hinweg mochtent bringen von winfelden[489]) zza).

---

488) bechtold Hü. 489) von winfelden f. Tsch.

zza) Des jaurs etc. 1458 hattend burgermaister vnd rate vnd ook die schiess gesellen zuo costentz fürsten vnd herren, rittern vnd knechten vnd andern erbern lüten iren guoten fründen zuo ere, kurtzwil vnd dienste dryzehen fry auentüren vsgeben vnd dar vm mit dem armbrost kurtzwylen vnd schiessen laussen vff den nächsten sonntag nach vnser lieben froen tag zuo mittem ougaten. Das sind namlich: des ersten ain verdakt pfärit für 24 guldin, aber ain verdakt pfärit für 18 guldin, ain v. pf. für 14 guldin, ain verdakt ock für 10 guldin, ain verdakter ochss für 8 g., ain verdakter och für süben guldin, ain silbriner becher für 5 guldin, ain s. b. für 5 g., ain s. b. für 4 g. ain armbrost für 3 g., ain guldin ring für 2 g. aber ain g. r. für 1 g. vnd ainen rinischen guldin. Vnd soltend dar vmb fünff vnd viertzig schütz beschehen, vnd lait jegklich armbrost in den toppel ainen guldin, vnd giengen auentüren vnd toppel mit ainander vss. Vnd nach dem vsgang des schiessens welche schützen dan kain nachen gehebt haben, die solten alle stechen vmb den letzsten guldin, vnd dem fersten schiessgesellen solt werden och ain guldin. Füro warend dry auentüren zuo den vorgenanten auen-

It. vff dem vorgenanten abzug zugent etlich der aidtgenossen gen rap-
perswil, vnd liess man si daselbs in; da zwungend si dieselben von
rapperswil, dass si in schwuoren. Da wichent etlich der besten vas der
statt, vnd kamen zuo hertzog sigmunden von österrich, der do zemal sess-
hafft was an der etsch [490]).

116. Hertzog sigmunds tag ze costentz.

It. also in disem jar kam hertzog sigmund von österrich mit siner
frowen, geborn ain küngin von schotten, heruss gen schwaben, vnd nam
das land in, das vorhin gewesen was hertzog albrechts, sines vetters, vnd
besach etlich schloss, mit namen wintertur, diessenhoffen, frowenfeld vnd
feldkirch, bregentz vnd ander stett an dem rin vnd ouch im elsäss, vnd
belaib also in disem land bis an die vasten [490]).

It. als man zalt Mcccclix jar, da satzt der vorgenant hertzog sigmund
ainen tag gen costentz, vnd hat darzuo berüefft graff volrichen von wir-
tenberg, vnd ander graffen, fryen, ritter vnd knecht, vnd vff den selben tag
ward geworben durch bischoff hainrichen, geborn von hewen, an die aidt-
genossen vmb ain guotlichen tag zwischent dem hertzog vnd den aidt-
genossen; aber vff den selben tag ward nüt getorffen [491]), denn es ward ain
bestand daran biss vff sant johans tag nächst dar nach, vnd du zwischen
vff sant vrbans tag kamend aber von (beden) tailen bottschafften, da ward
der alt frid bestät [490]).

---

[490] blos bei Hü. [491] getroffen?

türen vsgeben. Das was ain guldin ze loffend, ain guldin ze springend vnd ain
guldin stain ze stoussend. Der sitz war hundert vnd fünff vnd dryssig schrit wyt.

Vff dem schiessen ward ettwas zerwurffnuss von ettlichen der aidgenossen
vff dem indern brügel by dem schiessen von spiels wegen, also das ainer von
zürich, genant hainrich waldman, geschlagen vnd von ainem, genant der prunner,
zuo der erd geworffen vnd ain grosser vflouff ward, och hannss von cappel, do
zemal burgermaister zuo costentz, in dem gerümel geschlagen. Das ward nur
alles gericht vnd geschlicht. In dem do luff der obgenant hainrich waldman
über die richtung gen lucern vnd verclagt da die von costentz, vnd nam sich
des der hasfurter an vnd sprach: wa man jm ain har vsgeroft hett, da müeste
man jm ettweuil guldin für geben. Vnd nom des ersten ain böual volk an sich
biss achthunderten, vnd kamen gen winuelden in der wochen vor des hailgen
crütz tag ze herpst, vnd hettend sich vnderstanden den von costentz die frucht
vor der stat zuo wüestend. Also vff des hailgen crütz abend do schicktend die
von überlingen den von costentz by fünff hundert mannen wol erzügtes volks,
die von lindow bi zwai hunderten vnd die von buochorn by (Lücke). Also ma-
notend die aidgenossen, so zuo winuelden lagend, hinder sich in die lender, das
si sich sterktend von tag ze tag, das ir by zz a [1]) tusenden ward. Dacher
p. 417. 418.

---

ss a [1]) Leer gelassen.

It. da zwischen als da uor stat, do kam der vorgenant berchtold vogt, sesshafft zuo winfelden, vnd ward burger ze zürich wider die von costentz, vnd vordret an die von costentz die ij tusend guldin, die er den aidtgenossen gab, vnd maint, er wäre dero von costentz wegen zuo sölichem schaden gedrengt; aber jm ward nüt [490]).

117. (Hertzog ludwig von bayern).

It. in dem vorgenanten jar, als man zalt Mcccc [492]) jar, do zoch hertzog ludwig von bayern zuo lantzhuot für die statt werd, vnd zugend mit jm der pfallentz graff· by rin, marggraff albrecht von brandenburg, vnd graff volrich von wirtenberg, vnd vil ander herren, graffen, fryen, ritter vnd knecht, vnd gewonnen die selben statt. Dar nach in dem genanten jar verruofft kaiser fridrich von österrich, römscher kaiser, den selben hertzogen ludwigen für ain ächter, vnd bannet jn schwarlich, da durch die vor genanten herren, margraff albrecht von brandenburg vnd graff volrich von wirtenberg wider jn warend, vnd ward ain tag an gesechen gen nürenberg. Dar zuo kamen vil herren, mit namen margraff hans von brandenburg, vnd hertzog albrecht vnd hertzog sigmund von österrich, vnd hertzog ludwig von payern, vnd hertzog hans von münchen, vnd vil ander herren, graffen, ritter vnd knecht, vnd vss disem land was ouch da graff volrich von montfort [493]), vnd mit jm ludwig von helmstorff ritter. Da ward dem selben hertzog ludwigen die vorgenant statt werd wider ab gesprochen, vnd ward do zemal verricht [490]).

118. (Die von stain).

It. dar nach als man zalt Mcccclx jar, an der [494]) fassnacht in dem selben jar verbunden sich die von stain zuo den aidtgenossen.

119. (Die schwitzer zugend in das allgöw).

It. es ist ouch zuo wissend, in dem jar als man zalt von der geburt cristi Mcccclx jar, in der fasten, do zuchent der schwitzer [495]) wol bi xxx vnd ccc über den boden see [496]) in das allgöw vnd jörg bek [497]) über den apt von kempten, vnd zuchent wol ain mil für yssni hin in. Da hatt sich gerüst her walther von hochnegg bi ainem dorff, hatt bi jm ob fünf hundert knechten, vnd vnderstuondent den schwitzern zuo werind in das dorff zuo ziechind. Do vnderstuondent sich die schwitzer mit gewalt dar zuo ziehen [498]), vnd ward her walther selb erschlagen, vnd ob viertzig vnd hundert puren bi jm, wan si fluchent gelich, vnd ward der mertail [499]) an der flucht erschlagen. Die schwitzer verluren zwen man, vnd wurdent ir

---

492) f bei Hü. lviij. 493) v. Tettnang, Wilhelms Sohn. 494) Tsch. schiebt ein „alten“. 495) Dieser Name das erstemal hier. 496) Hü. blos see. 497) Tschudi hat statt des Namens blos N. 498) Do vnderstuondent — f. Hü. 499) der mertail ward Hü.

ouch etlich wund, vnd also kament si wider hinüber500), dass inen nieman
nüt tät501).

120. Aber von hertzog ludwig von payern.

It. es ist zuo wissen, als die vorgemelt richtung beschach zuo nüren-
berg an hinschand503) hertzog ludwig von payern vnd margraff albrecht
von brandenburg, ouch dem pfallentzgrauen bi rin, die bestuond also biss
in die fasten als man zalt im lx jar; do huob sich der krieg wider an, vnd
was das das hopt vff dem ain tail hertzog ludwig von payern pfallentz-
graff bi rin, der bischoff von mentz; vff dem andren tail was ouch mar-
graff albrecht von brandenburg vnd der hertzog von sachsen, graff volrich
von wirtenberg, der bischoff von aystetten. Also macht sich der krieg für
aystetten, vnd belag es mit macht vnd so lang biss dass si es vff ga-
bend, vnd gewan es der hertzog. Also do er es gewunnen hatt, do zoch
er mit sinem züg für das stättli rot, das was des margraffen, vnd gewan
es ouch, vnd schluog da für ain wagenburg, vnd lag in dem feld mit grosser
macht. Do zoch der hertzog von sachsen vnd der margraff von branden-
burg zuo jm in das feld, vnd schluogend ir wagenburg ouch, vnd lagend
mit macht ouch darin, vnd lagend als nach bi ainandren, dass ietweder tail
mit sinen büchsen in des andren her schoss, vnd lagend wol bi drig oder iiij
wuchen gegen ain andren, vnd schadgoten ain andren schwarlich, dass der
hertzog von inen wol bi xvc knechten verlor; vff dem andren tail ward ouch
etwa manger verloren, doch verlor kain namhafftiger man denn ain graff
von kirchberg, was vff des margraffen tail, vnd lagend also in dem feld
vnd ward in dem feld gericht, dass si vngestritten von ain andren zugend.
Doch ward es hertzog ludwigen wol gericht zwischen jm503). Vnd in dem
selben krieg hatt graff volrich von wirtenberg geschikt dem margraffen in
das feld ain schönen züg, vnd muost sich doch allweg des pfal-
lentz grauen weren, denn si warend anheber des kriegs, vnd fuogt sich
ains mals, dass des pfallentz grauen züg vnd dess von wirtenberg züg vff
ain andren stiessend, vnd was ietweder tail wol bi cc pfärden, vnd traffend
mit enandren, vnd wurdend bi xx edel vff des pfallentz grauen sitten ge-
fangen; dem von wirtenberg ward och etwa mang edel gefangen, doch do
behuob graff volrich von wirtenberg das feld. Der hornegg der floch wol
mit lxx pfärden da hin, was vff des pfallentzgraffen siten; ouch schadgot
der pfallentz graff vnd hertzog ludwig am rin ain ander schwarlich. Es ist
ouch menger lay504) in dem krieg beschechen505), das nit hernach alles ge-
schriben stat; es ist ouch der mertail als beschechen an zwischen der
fassnacht vnd dem ougsten in dem jar als man zalt von cristus geburt
Mcccc vnd in dem lx jar490).

---

500) wider haim Hu. 501) Vgl. Tschudi II. 597. 598. 502) sic. 503) inn d. h. ihnen?
504) noch heute in der Nordostschweiz substantivisch üblich, z. B. „das ist en anderi
Lei Biren". 505) Hü. verschr. „beschriben".

121. (Die aidtgenossen sugent - in das turgöw).

It. es ist ouch zuo wissend, als diser vorgemelter krieg gericht ward an dem herpst des vor gemelten jares, saittend die aidtgenossen hertzog sigmunden vnd den sinen ain fintschafft, vnd zuchend von stund an gen frowenfeld, vnd gewunnen es, denn si gaben es vff vnd zuchend do mit MM mannen das turgew vff über rin gen fussach, vnd gewunnend die burg, vnd erschluogend wol xvij man dar vff. Si schatgoten si ouch bärlich her uss e dass si es gewunnen, vnd woltend do gezogen sin gen bregentz; do ward dar in geredt, vnd gaben jn die von bregentz MM guldin, dass si vngeschadgot belibend. Si brandschatzten ouch die von torbüren vm xv hundert guldin. Do das beschach do schluogend die aidtgenossen ain feld für das stättli wintertur, vnd schussen vast dar in; si schussend ouch vast heruss. In dem selben feld vor wintertur lagend die zwen gradner, die vor der hertzog gar lieb hatt gehept, vnd sin gar gewaltig waren gewesen, vnd waren burger zürich [506]).

122. (Die puren im hegew.)

It. es ist ouch zuo wissen, als in dem vorgemelten zit, do wurffen sich etlich puren in dem hegew ab iren herren, vnd machtend ain fenly vnd dar an ain buntschuoch [507]), vnd vnderstuonden ir natürlichen herren zuo bekriegend, vnd warend die löff hert, dass niemand wisst, vor wem er sich huoten solt [508]).

---

[506]) Tschudi II. 603. 604. [507]) Hü. verschr. buschuoch. [508]) Hier fügt die Züricher Abschrift, während Tsch. niemanden nennt, bei: „vnd ich her hans huoply (sic) han die coronik vss geschriben an dem samstag vor thome, do man zuo den barfuossen complet hut in dem lxij jar", womit sie endet.

Berichtigungen und Nachträgliches.

S. X Z. 4 lies 806 st. 608.

S. 3 Note 22 hat Sprenger richtig basthart.

S. 4. Die Verse nennt Stumpf I. 291. „ein alt adenlich sprüchle", auch Bullinger Chron. I. hat sie: Darumb luth der alte Spruch „Fromb, wyss vnd milt Hört in dess adeles Schilt; Lebt der Adel ohn Vernunfft, So hördt er in der Puren Zunfft."

S. 8 Z. 5 und 4 v. u. lies Pfullendorf, und Vonarx.

S. 10 Z. 22 lies er statt ar.

„ 13 Z. 22 v. u. lies kiemen.

„ 17 Z. 15 lies dester me.

„ 17 Z. 4 v. u. nach Schwiegersohn Komma.

„ 21 Z. 1 dem apt.

„ 22 Z. 8 v. u. warb.

„ 27 Z. 22 Kriegs Namen.

„ 31 Note dd). Auch Guilliman Habsb. VII. 3.

„ 32 Z. 21 *alsatiae.*

„ 33. Das von dem von Lupfen hat auch Sprenger, aber vorirch st. ruodolf von rüsegge, dann wilhelm hochkelm, und unten vollständiger „diethelm von wissenburg, her cuonrat der haiden sin sun, fridrich von wissenburg ouch sin" —.

„ 39 Z. 3 Komma nach liechtenberg.

„ 39 Z. 14 v. u. in der wetterau.

„ 39 Z. 12 v. u. Vnd wirt gelesen.

„ 40 Z. 16. 17. Die Worte „dis künges schwöster Vad." sollten unten als Note 232 b. stehn.

„ 65 Sprenger hat den Brief an den Brandenburger eben so mitten im Züricherkriege, aber noch unkorrekter.

„ 82 Z. 18 lies zürich und zugend.

„ 88 Note 212. Sprenger hat deutlich fuotroten.

„ 103 Note 345 Heust.

„ 116 Sprenger schreibt in Rubrik 94 falsch grifense. Note s). Es folgt eine Fortsetzung, aber erst was hier p. 207 ist. Es fehlt Alles von § 94 — 171.

Doch hat diese Abschrift allein was in § 142, p. 149 als hinten folgend angekündet ist, und wirklich völlig am Ende und als Schluss des Ganzen, p. 143—146.

S. 149. Anno dni Mccclxxxix do machten die richstett rotwil, rauenspurg, überlingen vnd ander richstett ain frid siben jar zwüschen der herschaft von östr. vnd den aidgnossen. Do zuo mal was hertzog albrecht von östr. hertzog lütpolts bruoder, der zuo sembach erschlagen ward, herr in disen landen; er was ouch nit in disen landen, do diser frid gemacht ward, denn sin lantvogt vnd ander sin rätt vnd ouch sin stett zuo turgöw vnd im ergöw namen talso disen frid, dass es nit jederman lieb was.

Hienach sind geschriben die stuck vnd artickel dess frid.

It. des ersten süllent vud mügent die aidg. disen frid uss vor der herschaft von östr. vnd vor den jra ruowenclich inn haben was si sich der selben herschaft guot vnder zogen vnd in genomen hand, es sigint schloss, stett, teler, land oder lüt, die si inn hand, in disem frid sicher sin vnd an alle dienst beliben.

It. vnd ouch was die lüt so in den selben schlossen, stett, vestin oder lender sint, gelüpten, verpuntnuss oder aiden getan hand zuo den aidgnossen, da bi söllent si disen frid uss beliben vnd vnbekümbrot sin, es were denn dass sich dehainer davon ziechen wölt an geuärd.

Es sol vnd mag zuo beden tailen ain jeglich person, es sigint frowen oder, man, ir güetor, es sigint hüser, hofstett, hopt gült, zechenden, acker, wisen, holz oder feld, wo die gelegen sind, haben vnd niessen ruowenclich, besetzen vnd entsetzen disen frid uss, als jnen das nutz ist vnd si guot bedunkt.

It. es sol ouch ze beden tailen jeder man bi sinen lechen bliben vnd die niessen vnd die haben in aller der mauss als vor disem krieg vnd als vor den anfellen vnd ab enpfachung dehain geschechen wer an alle geuerd.

Wer ouch dass uss dewederm tail jeman uss wendig dewederm kraiss in zwingen oder bennen hinder dem gegentail sitzen wölt, der mag das wol tuon doch also dass der selb der in die zwing züchet, den selben zwingen vnd bennen gnuog tuon sol, vnd dass er die zinss richt vnd gebe, als er mit dem hinder dem er sitzet, über ain kumpt, doch uss genomen dass der selb hindersäss von sinem lib nüt stüre noch dienen sol vngeuarlich; aber in dem selben stuck ist das siben tail vnd was dar zuo gehört, ussgenomen vnd uss geschlossen disen frid uss.

Es ist ouch berett, als die aidgnossen die statt wesen in dem vorgenanten krieg zuo iren handen nament, vnd ouch da der burger etlich den aidgn. hulten vnd zuo jnen schwuoren vnd gelopten, vnd aber der selben gelüpt dar nach abgiengent, dass da die selben lüt disen frid uss zuo wesen mit irem lib nit sesshaft söllent sin: doch so mügent si ir güetter wol da selbs niessen vnd besetzen vnd entsetzen oder verkouffen, als jnen denn das nutz oder guot ist.

Aber die andren personen, die gen wesen gehörent vnd an der herschaft von östr. vnd an den iren beliben sind, vnd zuo den aidg. nit gelopt hatten, die mugent wol ze wesen wonhaft sin vnd ir guot da niessen.

It. es söllent ouch die lüt in der mitlen mark, die an der herschaft von östr. beliben sind, vnd den aidgn. nit geschweren hand, der egenanten herschaft vögt vnd amptlüten dienen vnd mit allen sachen gehorsam sin als vor disem krieg uss vngeuarlieh.

Es ist ouch berett, dass die von surse in dem sew zuo sempach vischen söllen vnd mögent in allem recht vnd in aller mauss als die von sempach, jetweder tail von dem andern vnbekümbrot, vnd söllent ouch die von surse ainem se vogt den die von lucern dar setzen tuond vnd gehorsam sin zuo glicher wiss als die von sempach vngeuarlich.

It. es söllent ouch die aidg. alle die wil diser frid weret, kainen burger noch lantzman enpfachen noch nemen, er welle denn in ir statt oder ir lender ziechen vnd bi jnen wonhaft sin.

It. die vorgenanten aidg. stett vnd waldstett all gemainlich noch sunderlich söllent ouch in disem frid nach kainem schloss, stett, vestin, landen noch lüten, die der herschaft von östr. sint, noch dero die zuo jnen gehörent, nicht stellen, dass si die icht in nement oder sich ir vnder windint in dehain wiss; das selb sol die vorgenant herschaft vnd die iren den aidg. vnd denen die zuo jnen gehören, ouch zuo glicher wiss hin wider tuon.

It. es ist ouch berett, dass burkart von seniswalt vnd die burger von wangen ain guoten frid mit ainander haben vnd halten süllent alle die wil diser frid weret, vnd zuo glicher wiss söllent die von wietlispach, olten, pip, erlispurg, von wangen vnd was darzuo gehört, vnd die von bieln ouch ain frid mit ainander halten vnd in disem frid begriffen sin alle die wil vnd er werot.

It. es söllent ouch der herrschaft lüt von östr. vnd die selben so zuo der herschaft gehören, si sigint in stetten oder uff dem land, den vorgenanten aidg. vnd allen denen die zuo jnen gehören, hinwider tuon vnd allen kouf geben vngeuarlich; das selb söllent die aidg. der herschaft lüt widerumb tuon zuo beden tailen mengclich ruowenclich vnd fridlich zuo dem andren wandlen an alle uffsätzt in stett, in lender vnd uff dem wasser alle die wil vnd diser frid weret, mit koufmanschatz vnd mit allen andern sachen als vormauls, e dass diss misshellung vnd krieg gedaucht ward, an alle geuärd.

It. die vorgenante herschaft von ö. noch die jren söllent ouch in disem frid kain zol noch gelait uff die aidg. noch uff die jren nit legen noch setzen denn vngeuarlich als es vor disem krieg was, doch vss genomen dass die aidg. zuo klotten kain zol geben söllent diewil diser frid werot.

It. was ouch geltschuld vor disem krieg oder in dem krieg uff geloffen ist, die mag zuo beden tailen jederman zuo dem andren vordren vnd suochen mit beschaidenhait oder mit dem rechten, als gewonlich ist, vor dem richter da der ansprechig gehört oder gesessen ist, vnd sol man ouch da dem cleger bi dem end vnuerzogenlich richten vnd des rechten beschaidenlich bi gestan vnd gestatten; beschäch das nit vnd das kuntlich wurd, so mag der cleger das recht wol fürbass suochen an den stetten do es jm füeglich ist an geuärd.

Wer ouch dass in disem frid jeman mit den aidg. kriegen oder uff si ziechen wölt, als bald das der vorgenanten herschaft ir amptlüten oder ir stetten von den aidg. verkünt wirt mit briefen oder mit botten, so ensol die selb herschaft noch ir stett, vestin noch schloss, friburg in nüchtland noch ander ir stett die in disem frid begriffen oder benampt sind, der aidg. widersachen nit enthalten, weder husen noch hoffen, noch durch die selben stett, schloss noch vestin nit laussen züchen, vnd söllent inen ouch kain kouff noch ze essen noch ze trinken geben disen frid uss, es were denn dass si mit den selben aidg. in disem frid bericht wurdint. Das selb süllent die vorg. aidg. der herschaft von ö. vnd den jren widerumb tuon.

Es ist ouch in disen sachen aigenlich berett, dass jeman were, der der herschaft oder den jren zuo gehörte, sunderlich, das gott nit welle, wenn denn die egenanten herschaft von ö. oder ir amptlüt darvmb ermant werdent mit botten oder mit briffe vor dem oder von denen geschadigot sind, so sol die egenant herschaft oder ir amptlüt, schulthaiss, rätt vnd burger, vnder denen die gesessen sind, die den schaden oder den fridbrech getan hand, bi jren aiden vnuerzogenlich dieselben fridbrecher an ir lib vnd guot wisen vnd halten so ver si mugent, dass si den schaden vnd den angriff fürderlich wider kerent vnd ablegent. Breche aber an der herschaft lüt jeman disen frid mit todschlag oder mit brand, zuo des selben lib sol man an fürzug richten nach recht, das selb süllent ouch die vorgenanten aidg. der herschaft vnd den jren zuo glicher wiss wider tuon.

Beschäch ouch ain übergriff an dewederm tail, das got lang wend, dar vmb sol die herschaft vnd ir amptlüt gegen denen von zürich, lucern, zug, vre, von switz vnd von vnderwalden gen var an das closter, vnd söllent die von lucern, zug vnd die waldstett gen zürich komen, vnd söllent denn die von zürich von der jetz genanten ir aidg. oder von ir selbs wegen gen var in das closter zuo tagen komen, vnd sol ouch diss bi dem aid vnuerzogenlich beschechen in den nächsten vierzechen tagen, wenn deweder tail vmb sölich übergriff von dem andran zuo tagen gemant wirt, vnd söllent ouch denn da zuo beden sitten zuo dem selben ufflouff ernstlich reden, wie si mit lieb übertragen werdent.

Were aber dass die selben sachen mit früntschaft nit verricht möchtin werden, werint denn die übergriff an der herschaft von ö. oder an den jren beschechen, so sol die selb herschaft oder ir amptlüt ainen gemainen man nemen in den rätten der stett oder des lands, von dem si oder die jren geschadgot sind, welchen si wellent; beschächen aber die übergriff an den aidg. gemainlich oder an dehainem besunder jrem burger oder lantman, oder an jeman der zuo jnen gehört, so sol die statt oder das land, die denn geschatgot sind, ainen gemainen man nemen in der herschaft rätten, die sie zuo ergöw vnd zuo turgöw hand, welchen si wellen vnder denen, vnd sol ouch vnser herschaft vnd die aidg. wann die gemainen gesetzt sind, dieselben an fürzug dar zuo wisen vnd halten, dass si sich der sach an nemint, vnd sol denn jetwedrer tail dri erber man zuo den gemainen setzen, vnd die selben siben man söllent denn zuo den hailigen sweren, die vorgeseite misshelung vnd stöss, als dick es zuo schulden kumpt vnd es derwedrer tail vordrot, vnuerzogenlich uss richten zuo der minne oder zuo den rechten, vnd wie es die selben siben gemainlich oder

der mertail vndet jnen denn vss richt, da söllent denn die bed tail wär vnd stät halten vnd genzlich volfüren an wider red, vnd was sach oder übergriff in disem frid von dewederm tail beschächint oder uff laffent, dar vmb sol der vorgenant frid nit verbrochen noch zerdrent werden, denn dass man vmb jeglich sach für die gemainen vnd für die schädlüt zuo tagen komen vnd jnen gehorsam sin sol, als vor beschaiden ist, vnd dass diser frid in aller siner macht vest vnd stet beliben sol als vor vnd nach hie geschriben staut.

It. es hand ouch der herschaft rätt die disen frid uff · genomen hand, den aidg. versprochen ain brief zuo geben da dise stuck vnd artickel all in begriffent sigint, als sie hie geschriben stand, vnd sol der brieff besiglot sin mit ainem anhangenden sigel des hochgebornen durchlüchtigen fürsten vnd herren hertzog albrechts von ö. vnd söllent das also getrüwlich werben vnd schaffen, dass es bescheche, dass diser brief also besiglot vnd gemacht werde an fürzug hinnen zuo ussgender pfingst wuchen, so nächst kompt. Disser frid ist berett vnd beschlossen an dem ersten tag im aberellen anno dni Mccclxxxviiij; aber er ward erst uff sant jörgen tag offenlich gerüefft." Hiemit schliesst Sprenger.

S. 171. Der Brief Hertzog Friderichs 1412 folgt in Sprenger p. 66 ohne irgend Ordnung auf die Hungersnoth in Raperswil 1444.

Hierauf fehlt abermal Alles von p. 171—207.

„ 199 müssen unten 2 Verse so lauten:

A catholica fide appostitasti,
Et solemne studium pragense desolasti?

„ 207. Hier fehlen in Sprenger wieder die §§ 32, 33, 34.

„ 209 in der Grabschrift hat Spr. Z. 5 Tentros.

„ 210 fehlt bei Sprenger alles von dem Passus an „It. die kayserin". So § 38 die Verse, wie die von 39 und 40.

„ 215 Z. 7 und 8 hat Spr. pferd statt ross. So später. Die Wortfolge ist hie und da bei ihm eine andere, auch die Formen meist älter, z. B. forderot, mechtigost, wichenächt st. wienacht, gan (freilich gaun) st. gon, an (aun) st. on. (nicht aber, wie der Druck in den Züricher Mittheilungen hat „ez, gehaizen, daz, waz, hiezend, aintwederz, fliuzt, wazzer, uzer" u. s. w. sondern, wie im 15. Jahrhundert gebräuchlich, ohne Ausnahme, „ees, gehaissen, dass, wass, hiessend, aintwederss, flüsset, Wasser, usser"). Statt „ducht" immer „bedunkt".

S. 218 Z. 17 hat Spr. huoren oder buoben.

„ „ Z. 10 v. u. hat er fehlerhaft xiij paner.

„ 219 Z. 21 hat Spr. vollständiger „ouch dar nach ain gross silbrin kanten, vergült, voll guldin, vnd ain grossen“— —"

„ 220 Z. 19 hören st. hörden.

Hierauf hat Spr. sinnlos sogleich die Hungersnoth 1444 in Raperswil.

„ 221 Z. 15 derselbe felkilch st. fältlin. In der untersten Z. hat er 2½ lb. statt iij.

„ 221 Z. 16 v. u. hat er besser: dass sich jemand ab diser grossen türe vnd plag ütz besaroti.

„ 223 Z. 18 hat Spr. lützel st. wenig.

S. 223 Z. 25 fehlen bei ihm die Worte: „als danor geschriben staut" — wie er denn auch das Vordere nicht hat.

„ 224. Hier bricht auch Spr. plötzlich ab und hat auf einmal was oben p. 210 steht: Als hertzog albrecht —.

„ 227 hat Spr. marschling st. marschlins.

„ 228 nach Z. 4. „Anno dni 1436 was ain bapst zuo rom hiess eugenius der fierd. It. ain römscher küng, hiess sygmund vnd was ain küng von vngern. In dem selben jar starb der hindrost von togenburg."

    Spr. sagt immer vtznang st. utzmach.

„ 232 Z. 15 v. u. Sprenger: der mertail die vmb den walense wonoten.

„ 234 Z. 8 Spr. was er si ermanen kond.

„ 237 Z. 10 v. u. Spr. scharmachel st. scharnachtal.

„ 241 Z. 20 Spr. maint ze versprechen vnd verantwurten.

„ 243 Z. 5 Spr.: wiewol die von togenburg vormaulss durch die von zürich klegt hatt.

„ 243 Z. 7. Spr. volrichen von mätsch (wie auch Tschudi korrigirt hat).

„ 244 Spr. verschrieben Nidegg st. Nidberg. Note gg). Auch Spr. hat 2000.

„ 246 Z. 21 Spr. wohl richtiger: Och was sach.

„ 247 Z. 3. Spr. vollständiger: vor der vesti ze frödenberg. Vff der selben vesti was volrich vogt.

„ 248 Z. 1. Spr. ain vest guot hus.

„ „ Z. 9 Spr. kainen schaden.

„ 250 Z. 16 Spr. tuon köndint, das weltens tuon.

„ 253 Spr. verschrieben wartnow st. wartow.

„ 254 Z. 5—8 fehlt Spr. die Stelle: ir aignen schlossherrschaft.

„ „ Z. 6 v. u. lies: vol tag — nit wol bekannten.

„ 256 Z. 15 v. u. Spr. kain korn uss ir land oder durch ir land wolten laussen.

„ 257 Z. 20 l der aidgenossen botten.

„ 261 Z. 1 l. darzuo gebe.

„ 263 Spr. verschr. bariss st. bärsis.

„ 264 Spr. sagt nüchtland st. vechtland.

„ 265 Z. 10 l. wider haim.

„ 269 Z. 13 Spr. da weltint helfen lib und guot retten.

„ 270 Z. 5 Spr. die vssren, diie bi jnen warent.

„ „ Z. 5 v. u. Spr. der muotwill, die schmacht vnd ouch die schand vnd der schad.

„ 270 Z. 4 v. u. Spr. also vss der statt.

„ 272 Z. 14 Spr. ee dass si in die dörffer kamend, vnd schwuorent jnen vmb dess willen, dass si die dörfer —.

„ 273 Z. 24 Spr. gen raperswil flöchnen wolt, das huobent si uff vnd fuortent es in die march vnd gen hurden, si nament ouch küye, ochsen, schwin vnd anders was die vss grüeninger ampt gen raperswil flöchnen wolten oder geflöchnet hatten.

„ 274 Z. 3 v. u. Spr. kaltenstain gen rogenhusen (?), vnd wolten in grüninger ampt sin, vnd hatten ir wachten vnd warten bi dem kaltenstain.

S. 275 Z. 2. Der was villicht 500 mann f. Spr.

„ 376 Z. 3. Spr. It. graf hainrich von sangans mit den sinen, juncker peterman von raron mit den sinen, die von wil, von vtznang, vss dem gastren vnd ander, die denn denen von switz ze hilf vnd ze dienst gezogen warent. Die folgenden 2 Zeilen des Textes fehlen Spr. natürlich.

„ 276 Z. 13 Spr. verdorben st. ellend.

„ 276 Z. 20 Spr. grüninger ampt vnd kiburger ampt.

„ 277 Z. 2 Spr. getröst st. getorst.

„ 277 Z. 19 „ward die sach ze lucern genzlich beschlossen."

„ 277 Z. 4 v. u. Spr. richtiger lantlüten st. nachkomen.

„ 278 Z. 2 Spr. die von schwitz vnd glaris denen von zürich.

„ 278 Z. 7 Spr. herrlikait, guot, ligents oder varents.

„ 278 Z. 18. Spr. verschrieben comether st. comenthur.

„ 279 Z. 4 Spr. ingenomen vnd abgebrochen.

„ 279 Z. 21 Spr. in der von z. hand komen, vnd hetten gern erdaucht was si hetten können.

„ 280 Z. 20 Spr. fürderlich sygent mit allem vwern vermugen, dass si bi uns beliben, besunder als lang.

„ 280 Z. 24 Spr. am Eritag.

„ 280 Note 158 a) Spr. hat sie als Text, giebt aber die Briefe nicht.

„ 281 Z. 3 fehlt Spr.

Die Rubrik 48 fehlt Sprenger wie sehr häufig.

„ 282 Z. 17 und 18 fehlt Spr.

„ 283 Z. 10 fehlt Spr. die Stelle „vnd dass si — —".

„ 284 Z. 19. Spr. kainen glimpf gab.

Hier hat Spr. allein Folgendes:

„Man sol ouch wissen, dass die von zürich besunder guot truwen hatten zuo denen von lucern, von yre vnd von vnderwalden vnd von zug, won die von zürich hatten ir botschaft etwa dick by jnen gehept, dass si jnen gar frůntlich zuo saitten, dass die von zürich nit anders verstuondent denn dass jnen die von (verschrieben zürich) hilfllch sin wöltend; denen von bern truwten die von zürich nütz guots, denn si verstuondent vnd sachent wol dass die von bern denen von switz me zuo leitten vnd jnen günstiger vnd hölder warent denn denen von zürich.

Also schickten nun die vorgenanten fier ort denen von zürich ettwa dick ir botschaft vnd schribent jnen dass si nütz an hübint mit denen von switz vnd glaris, vnd manten si ouch dess bi iren aiden vnd eren vnd bi den pünden so si zuo samen gelopt vnd geschworn hettind; wer ouch dass jnen die von switz vnd gl. uber sölichs üts tättind oder die von zürich yena schatgotind oder an griffint, so weltend si jnen helffen mit lib vnd mit guot.

It. also uff sölichs schriben vnd manen, so die aidg. denen von zürich tautten vnd uff ir guot truwen trucktent sich die von zürich dester fürderlicher, vnd schwigen vnd saussen stil, ob es ze schulden kem, dass si dester me hilf vnd trostes hettind an die aidg. wider die von switz vnd glaris. Also vnder disen dingen zugent die von switz vnd glaris mit ir helffern in das oberland

vnd nament da denen von zürich ir burgen, ir büchsen vnd anders, als das
vor aigenlicher geschriben staut. Die von zürich swigen vnd saussen still,
als ob si hie von nütz wistind. Do nun die von switz vnd glaris vnd ir
helffer herwider ab koment vnd das oberland in genomen hattend, vnd de-
nen von zürich ir ewigen burger entwert hatten, vnd ir büchsen mit jnen
herab fuortend, als das alles vor geschriben staut, denn sassent die von zürich
still, denn dass si uff dem iren dester bass huoten vnd gomaten. Also nach
vil teding griffent die von switz vnd ir helffer die von zürich an vnd nament
denen die in den hoff pfeffikon gehorten, ir kügen vnd andren plunder vnd
das si haben. Also huob man ze pfeffikon, zuo fryenbach vnd allenthalb an
dem zürichsee stürmen, vnd gieng der selb sturm also zuo beden sitten des
ses ab bis gen zürich in die statt, vnd allenthalb in der von zürich gebiet,
das was uff aller selen tag uff mitwuchon [1]). Also uff den selben tag zugent
erst die von zürich uss mit ir paner vnd mit aller ir macht, mit vil schiffen,
vnd leitend sich da gen pfeffikon. Also morndess an dem donstag lagent si
still; die von switz vnd glaris lagent zuo lachen vnd in der march, vnd la-
gent ouch still. Do nun ward an dem fritag, lagent die von zürich alwenzuo
ze pfeffikon still. Des selben fritags nach mittem tag ward, zugent die
von switz vnd glaris vnd ir helffer obnen den berg hin bi dem etzel, vnd
huoben an ze brennen vnd ze wüsten was denen von zürich zuo gehört, vnd
nament also was inen werden mocht, vnd pranten vnd wuosten bis in die
nacht. Also des selben fritags do die von switz vnd glaris uff den von zürich
lagent vnd die jren wuosten vnd pranten, da wartetend alwenzuo die von zü-
rich wenn jnen die von lucern vnd die andren aidg. zuo zugint, vnd jnen ze
hilf kemint, won die von zürich trostend die jnen vast vnd sprachent, si het-
tind jnen hilf angeseit.

Aber den selben tag schribent aber die von lucern vnd die andren aidg.
denen von zürich als iren guoten fründen vnd iren getrüwen vnd lieben aidg.
vnd baten vnd mantend aber die von zürich dass si sich beschaidenlich in den
sachen hieltind vnd hübschlich füerint; si getruwtin die sachen noch zuo guo-
tem bringen. Dennocht lagent die von zürich ze pfeffikon still. Also manten
aber die von zürich die aidg. von lucern, von zug, von vnderwalden vnd von
vre, so si hocher vnd tieffer gemanen kundent, ir eren, ir trüwen vnd ir aiden,
vnd des punds, den si ewenclich zuo samen hettind geschworn, dass si zuo
jnen zugint vnd jnen hulffint, won si vnd mengclich doch wol seche, dass si
vil glimpfes vnd rechtes erwartot hettind. Also aber des selben tags vnd uff
diss manung seiten die aidg. allen (alle) denen von zürich ab vnd seiten jnen
ir vigintschaft, dess die von zürich übel erschrackont, als sich das bewist, won
si zugent morndess vor tag enweg. Als nun die von zürich gewichen vntz in
die statt, vnd si sachen, dass si weder an den aidg. noch an nieman kain hilf
hatten noch trost, do gabent si jnen selber ouch kainen trost, denn dass si
selb vnd alle die jren ganz vn werlich wurdent, wan si warent vast er-

---

[1] 1440 am 2. Nov.

schrocken vnd warent ouch dabi nit ainhellig. Also sugent nun die aidg. allgemainlich vff die von zürich vnd schadgoten si vnd wuosten die jren berlich.

Hie zwüschend gieng mengs zür. für das wunderlich wer ze schriben oder zuo sagen, won die von zürich warent vast ze vil erschrocken vnd verzagt.

Als nun die aidg. sachent, dass die von zürich also erschrocken warent, vnd dass si sich an kainem end geregen torstend, do muostend si tuon was die aidg. wolten, vnd trostend si dennocht die richstett vast, die ouch dar vnder ritten. It. die von zürich muosten den aidg. alle ir brief hin uss geben, die si jnen geschriben vnd damit gemant hatten, dass si die aidg. dester minder vervnglimpftin vnd verclagtind, das doch etlichen von zürich vast wider was vnd vngern tautten; aber si muosten es tuon. It. si hatten ruodolfen maysen, der ir burgermaister zürich gewesen was, in ain ewigen turn geleit, da nieman nach sölt sinnen noch gedenken, dass er daruss käm, weder fründ noch maug. Es sölt ouch weder baupst noch kaiser noch küng niemer so gewaltig werden, der jm dar uss hulf; er sölt in der gefangnuss sterben Den selben muosten die von zürich ouch ledig her uss laussen." p. 104 b — 106. (Vergl. oben p. 269 Note *qq*).

S. 285 Z. 16 v. u. Spr. vmb gnad, vnd begerten vnd warent ouch darumb.

„ 286 Z. 15 Spr. fro, denn der gar wenig was; bis uff das zit.

„ 286 Z. 4 v. u. lies freffenlich.

„ 287 Z. 1 Spr. muotwillen, freuel vnd vnrecht.

„ 287 Z. 25 Spr. hören lesen st. vorlesen.

„ 287 Z. 29 Spr. Der küng was in disen zitten ze frihurg vnd fuor also da selbs vmb in dem elsäss, vnd wusten die aidg. nit was er muot hatt.

„ 288 Z. 6 ritter vnd knecht.

„ 288 Z. 12 Spr. wirdigklichost vnd herlichost vnd erlichost kunden, mit allem hailtum, mit aller priesterschaft, mit allen orden.

„ 289 Z. 7 dess si — wärint fehlt Spr.

„ 292 Z. 3 Spr. gurt st. gurk.

„ 292 Z. 6 Spr. schonburg st schowenburg.

„ 292 Z. 18 Spr. welle st. will.

„ 292 Z. 23 Spr. an vns begert vnd muotet.

„ 292 Z. 26 Spr. getruwent wir denn.

„ 293 Z. 4 Spr. dess in wol benügt hett. Der Schluss fehlt.

„ 293 Z. 14 Spr. fehlt „da merk".

„ 294 Z. 7 Spr. vbern arle.

„ 294 Z. 15 vnd gewalt fehlt Spr.

„ 295 Z. 10 Spr. trüwlich halten, als si ouch das geschworn hettind. Si woltend ouch an die aidg. halten was si jnen gebunden vnd pflichtig werint; das wöltind si ouch also getrüwlich halten vnd dem nauch gan.

„ 295 Z. 7 v. u. Spr. mit rotten crützen.

„ 296 Z. 19 Spr. fehlt „dem geb er sold — ze geben."

„ 296 Z. 15 v. u. Spr. die von switz vnd die jren zuo schaden kämint.

„ 296 Z. 6 v. u. Spr. fehlt „dass er si dannen schickti."

S. 297 Z. 2 Spr. fehlt „vnd getrüw aidg. sin.“

„ 298 Z. 11 v. u. Spr. vil guoter vnd heler wort.

„ 299 Z. 4 Spr. fassnacht anno dni xliij. Dafür fehlt die Jahrzahl mitten im Blatte.

„ 300 Note 237. Hü. hat es ebenfalls richtiger, und Spr. so zu sagen völlig wie hier.

„ 301 Z. 1 Spr. Vnser aller gnädigoster herr, der römsch küng, hett semlich puntnuss selb mit denen von zürich gemacht vnd getan.

„ 301 Z. 17 v. u. Spr. behept hettint gegen der herschaft vnd dem huss österrich, zuo dem si sich jetz nüwlich gebunden hettind.

„ 301 Z. 7 v. u. fehlt Spr.

„ 303 Z. 4 v. u. Spr. houptman, böss beringer v. landenberg, her hainrich swend ritter, der von kiburg houptmann.

„ 304 Z. 12 v. u. Spr. erst ernstlichen.

„ 304 Z. 5 v. u. Spr. mit jnen widervmb.

„ 304 Note 256. Besser bei Spr.

„ 305 Z. 3 fehlt bei Spr. das zweite „hettint“.

„ 305 Z. 8 Spr. von raperswil der schulthaiss, hans der steiner sin sun.

„ 305 Z. 9 Auch Spr. hat „schliffi“.

„ 305 Z. 10 Spr. schüter.

„ 305 Z. 21 Spr. erschlagen vnd erstochen.

„ 306 Z. 5 Spr. der aidg. by xij man.

Note 265 Spr. blikistn.

Note 265 a) Auch Spr. fritag.

268 b) und Spr.

„ 308 Z. 2 Spr. wider haim. Diss beschach uff sant vrbanss tag, was an dem samstag.

Note 283 und Spr.

„ 309 Z. 15 Spr. haruss, vnd erstachent ain oder zwen; aber der huff vnd mit macht.

„ 308 Z. 17 „do zugent si — fry ampt“ fehlt Spr.

„ 309 Z. 4 Spr. behuobent die von bremgarten ir statt.

„ 309 Z. 7 Spr. hatten getan, vnd das burgrecht, so si vor mit denen von zürich ewenklich getan vnd geschworn, vnd alles so die von zürich mit jnen hatten.

„ 309 Z. 20 Spr. zuo den v. zür. dem vngelich geredt hatten. Alles andre fehlt.

„ 309 Z. 25—35. Alles von „zuo der alten regensperg — nüwen regensperg“ (hier immer burg) ist bei Spr. übersprungen.

„ 310 Z. 17 Spr. den selben zug mechtiger vnd sterker denn sie vor oder nach nie getan.

„ 310 Z. 24 vnd suss vil hüpscher vnd guoter pfil — fehlt Spr.

„ 312 Z. 3 Spr. vor der statt hatten, vnd was si an dem sunnentag zenacht nit branten das branten si an dem mentag fruo.

S. 313 Z. 1 Spr. si brachen die greber fridrichen von togenburg. Das andre übersprungen.

„ 313 Z. 10 vnd in andren gotshüsern fehlt Spr.

„ 313 Z. 15 Spr. die curfürsten vnd ander fürsten vnd herren müessig. Aber die mechtigen herren wolten sich in den krieg nit legen, der künig wäre denn selb in dem land vnd tätt dem zuo, vnd sin bruoder vnd vetter, hertzogen von österrich.

„ 313 Z. 15. v. u. die schuldigen ze zürich nit strafen. Dies lautet bei Spr. Nun schickt in disen zitten der margraf der lantvogt zuo fürsten vnd zuo herren, vnd mant si von des küngs wegen vmb hilff, die curfürsten, den hertzogen von burgone, die ander fürsten vnd herren; aber do der küng nit selb zuo den sachen tätt, do giengent sin ouch fürsten vnd herren müssig, vnd kam also kain hilff, denn guoten trost hat man allwegen, vnd seit man von grosser hilf vnd macht die kem; aber zuo jungst kam nieman vnd muost man frid vnd setz uff nemen, als es ouch ain tail hie nach sagen wirt, wan die sidg. hatten kuntschaft von stetten v. sust, dass si wusten, dass nit hilff da was.

Bei Spr. steht § 95 vor 94.

· „ 314 Z. 11 v. u. vnd hettint och lüt erstochen fehlt Spr.

„ 315 Z. 19 v. u. das wussten allweg ir vigent f. Spr.

„ 315 Z. 9 v. u. bruoder, wiben vnd kinden f. Spr.

„ 316 Z. 4 Spr. schluogent wib vnd kind von bremgarten. Das andre fehlt.

„ 316 Z. 10 vnd rennten inen bis an das tor, und der ganze folgende Passus fehlt Spr.

„ 316 Z. 14 Spr. hatten ir vil ab dem land in die statt zuo rap. geflöchnot vnd warent ouch da hin gewichen, vnd hatten ouch all geschworn der herschaft von öst. vnd dem houptman zuo gehorsam sin vnd den krieg in der statt ze beliben, vnd nit zuo wichen vnd ir lib vnd guot zuo wagen vnd ir bestes ze tuond disen krieg uss. Do nun die uss lüt sachent, dass es den sidg. so wol gieng vnd ir sachen also fürgan hattend me denn man gedaucht hatt, vnd was red si wöltind die statt rap. beligen, als ouch dar nauch beschach, do stuond ir sinn zuo holtz, das sach man an ir geberden. Also rett man zuo rap. mit allen usslütten die in die statt rap. gewichen warent, offenlich, were ir kainer der jm förchte oder sin lib und guot nit wagen wölte, vnd dem in ir statt nit eben zuo beliben, der möcht hain zuo den sinen gan, denn man wölt —.

„ 316 Z. 19 v. u. Spr. me denn xxx uss grüninger ampt mit ainander uss der statt.

„ 317 Z. 14 Spr. ob si inen vtzit möchtint abbrechen.

„ 317 Z. 11 v. u. Spr. Da si si hin beschaiden hattent.

„ 318 Z. 19 Spr. die flucht was in die hüt komen (ich hatt nach geschruwen böss wicht). Die einzige Stelle, wo der Verfasser persönlich redet.

„ 318 Z. 21. Bei Spr. fehlt wohl richtig die Wiederholung „die gern ir bestes geton hettint, edel vnd vnedel.“

„ 318 Z. 15 v. u. Spr. Ir ward ouch vil an der flucht erstochen vff den selben tag vil alte lüt.

„ 318 Z. 7 v. u. Spr. villicht uff ccc nach bis an das tor. Also hat man —.

S. 320 Z. 14 so forchten si och ir etlich in der statt fehlt Spr.

„ 322 Z. 5 vnd obnen bi dem turn — fluntren zuo fehlt Spr.

„ 323 Z. 3. 4. die Worte „vnwilliger" und „vnd begird" fehlen Spr.

„ 323 Z. 17 v. u. Spr. darin st. in der statt.

„ 324 Z. 10 lies genzlich st. genklich.

„ 323 Z. 22 Spr. tag vnd nacht inn lagent, vnd machtent si och alwenzuo die wil si da lagent.

„ 325 Z. 14 v. u. Spr. ain frid, als ir denn hienach hören werden.

„ 326 Z. 4 „vnd getorsten dennocht fehlt Spr.

„ 326 Z. 9 Spr. vnd tribent es gen vesper zitt.

§ 105 fehlt Spr. Note 389) und Spr.

„ 327 Z. 17 Nach „ir bestes getan hettind" hat Spr.

Es was ouch in den selben tagen red, die von zürich hetten mit den aidgenossen ain sölichs über tragen, dass jn der frid gemacht wurde; dass die edlen vnd frömden kämint, so wöltin si tuon als from aidg. vnd was jnen lieb wer, won si werint mit dem adel übersetzt, dass si anders nit getuon könden.

Hierauf hat der selbe p. 129 b) bis 132 des Bischofes Friedensurkunde (besser Tsch. II. 393 — 395).

„ 328 Z. 22 Spr. bern, solotorn ain botschaft, als hie nach geschriben staut.
Dass ist die botschaft, die küng fridrich den stetten basel, bern, solotorn tett.

Wir fridrich v. g. gn. rö. kü. zu all. z. m. d. r. hertzog zuo ö. zuo stir, zuo k. zuo crain, grauf z. th. etc. laussent üch burgermaister vnd raut vnd burger gemainlich vnser vnd des richs statt zuo basel wissent dass vns die vnsern zuo geschriben hand vnd verkündet sölich absag vnd vintschaft, die ir vns vnd dem huss von öst. vnd vnsern amptlütten zuo geschriben habent. Sölicher absagung wir vns nit verwundren könnent vnd hetten üch dess nit getruwet, dass ir vns vnervordret vnerclagt wider sölich glich vnd redlich bott, die wir nächst, do wir zuo costentz warent, nit allain von den von zürich, sunder ouch von vnser vnd des huss öst. vollenclich getan habent, uff vnser vnd des richs curfürsten vnd der gemain fürsten, vff vnser vnd des richs stett vnd ander biderb lütt, vnd die biss her allwegen from vnd redlich gewesen vnd noch sind, vnd sunderlich was margrauf wilh. von hochberg sich ouch von der von zürich vnd sust erbotten haut, also söltend fürgenomen vnd üch gegen vns und dem rich so gröslich vergessen, vnd durch der von switz willen, die wider recht muotwillen tribent, vnd vns vnd das rich also verachtet haben, vnd ir doch billich verstan söltend, dass ir üwer alter herkomen, üwer gnaud vnd frihait nit von denen von switz, sunder von dem hl. rich habent, vnd ir vns vnd dem rich wol ains andren, als wir meinend, pflichtig werent, won wir je nit mainend, dass üwer puntbrief inn halt, dass ainer dem andren wider recht pflichtig sig zuo helffen oder zuoziechen, als ir fürnement. Vnd nach dem wir ouch üwer frihait gnädenclich bestättigot haben, so hettend wir je gehofft, ob ir icht sölichs gegen vns hettind fürgenomen, ir söltind vns vor durch üwer geschrift oder botschaft ersuocht oder besunder vnser billich glich gebott angesechen haben, das alles nit geschechen

ist; sunder ir wellent den zuo wegen wider gott recht kriegen vnd krieg fü-
ren mit grosser bluot vergiessung, zerstörung clöster vnd kirchen, mit nemen,
mit brand, dass ir billicher nider söltind trucken denn also stercken. Wie
nun dem allem so enpfelchen wir üch noch vnd gebietten üch von römscher
künglicher macht in crafft diss briefs, üwer absag vnd vintschaft gegen vns
vnd den vnsren ab tügint vnd üch mit sampt denen von switz an gelich vnd
recht das wir üch vor mauls enbotten haben vnd noch erbietten sind, von vns
vnd den von zürich¹ genügen laussent, vnd also wider recht mit freuel land
vnd lüt nit verderben, mainent wir dass ir vns des selben schuldig syent;
wann wa ir das nit tättind vnd wölten üwerm fürsatz also nach gan, so tren-
gent ir vns darzuo, dass wir üch alle üwer gnaud, frihait, priuilegien zuo
stund wider rüeffen wellen, vnd wellen üch declarieren die rechtenclich zuo
verloren haben, vnd üch denn ewenclich benemen als denn alle kaiserliche
recht uss wisend, wer also freuenlich wider das rich vnd ainen römschen
küng handelt, dass der selb sich aller frihait vnwirdigot vnd dero zuo ewiger
zitt beroubet sin sol. Vnd nüt dester minder müstend wir mit raut vnd hilff
des ganzen richs vnd vnsern fründ vnd getrüwen gedenken, damit wir sö-
lichs gewaltes vnd vnrechtes von üch vertragen wurd. Dess wir doch lieber
ab werent vnd mainent, dass ir ouch diss billich müssig giengint .vnd dem
rechten das üch offen staut, vnd nit solichem muotwillen nauch giengint. Dar
inn wüssent üch zuo halten vnd das best vnd das billichost für zuo nement.
Geben zuo der nüwen statt am mentag nach sant bartholomeus tag anno dni
Mccccxliij vnsers richs von dem vierden jar.

Natürlich fällt hier der Passus „It. der küng verschraib" weg.

S. 329 Z. 23 Spr. nie gehört noch gesechen.

„ 330 Z. 4 v. u. Spr. das weltint si och noch gern tuon.

„ 331 Z. 13. Nach „lass ich also beliben" hat Spr.:

„Des ersten clagten si ab denen von seckingen, als si vor louffenberg mit
denen von bern gelegen werint, vnd da ain frid gemacht was, vnd die von
basel wider haim. varen wolten vnd für seckingen hinab fuorent, do wurffent
si uss der statt stengel vnd güsel ²) gegen denen von basel. It. si schruwen
uff die von basel mu als die kügen. It. si ruoften ouch kügeschnyger. Si
huoben ouch ain schilt herfür vnd karten jm das vnder über sich; was der
von basel gesin, vnd hatten vor zitten ze seckingen gelaussen, do si die selben
statt ouch belegen hatten. Dess benügt si alles noch nit, es kam ain wib
vnd huob ir claider uff vnd liess die von basel in den hindern sechen. Diss
clegt vnd treffenlich artickel beschach vor dem hailgen concilium in basel,
cardinäl vnd ander bischof." b. 135 b).

„ 331 Z. 22 nach „gespottet hatten" giebt Spr. Folgendes:

„Aber in dem selben jar anno xliij uff sunnentag, was sant katherinen au-
bent ³), koment aber all aidg. gen appenzell von zug, switz, glaris, lucern,
vre vnd vnderwalden, vnd mainten je die von appenzell müsten jnen schweren
vnd hilfflich sin zuo allen iren nötten, oder aber si wöltind si darzuo halten

---

²) Hanfstengel und Auskehricht   ³) 24. Nov.

vnd zwingen. Also mainten die von appenzell, was si jnen verbunden vnd
pflichtig werint, das wölten si gern tuon; denn die pundbrief saiten, wenn
die aidg. stöss mit ainander hettind, so sölten die von appenzell still sitzen
vnd entwederm tail hilflich sin. Also sprachent die aidg. si werint ains da
mit worden vnd hattend sich ouch dess uff ir aid erkent, dass die von zürich
nit me aidg. werint, vnd jnen die von appenzell nütz me pflichtig noch schul-
dig werint, noch ander aidgnossen.

It. also laist aber margrauf wilhelm von röteln ain tag mit den aidg. von
der herschaft wegen von öst. zuo b a s e l vff sunnentag nach sant andres tag [4])
appli anno xliij. Es warent vff dem selben tag basel, lucern, solotorn, switz,
glaris, vnderwalden, zug, vre.

In disen tagen anno xliij nach martini [5]) schickten die ritterschaft vnd der
adel, herren, ritter vnd knecht t ü r i n g e n v o n h a l w i l den eltern zuo dem
küng vnd zuo der herschaft von öst. jnen ganz zuo sagen iren gepresten vnd
anligenden sachen, vnd si ermanen, dass doch die herschaft von öst. je vnd je
des adels trost vnd uffenthalt zuo swaben gewesen ist, vnd ruoften also den
küng an vmb hilff vnd trost, vnd dass doch jnen ain fürst von östr. in das
land kem, so wölten si all ir lib vnd guot zuo dem fürsten setzen vnd jm
helfen die aidg. bekriegen. Welt er aber ganz nütz zuo den sachen tuon, so
wölten si sich doch nit so jemerlich laussen vertriben; si müstin hilff vnd
schirm suochen zuo andren herren, das si doch vngern tättind. It. von zürich
schickten ouch dahin" p. 136.

S. 331 Z. 11 v. u. Spr. uff mit vasten, als es ouch hienach sagen wirt. Dann:
In disen tagen machten die aidg. ain bliden in der march in dem dorff zuo
lachen, vnd hatten jnen die von basel iren maister geschickt, der jnen ouch
die bliden machet; vnd do si das werk uffrichten wolten, do schluog es der
knecht ainen ze tod.

It. uff thimothei appli bald nach wichnächt anno dni xliiij nament die zuo
grüningen —.

„ 332 Z. 20 v. u. Spr. bottschaft bi jm gehept hettint vnd jn also gebetten
vnd ermant hettint.

„ 332 Z. 13 v. u. Spr. temmen vnd nider trucken vnd die selb helffen nider
trucken —.

„ 332 Z. 12 v. u. muotwillen vnd fehlt Spr.

„ 332 Z. 9 v. u. vnd überbracht f. Spr.

„ 334 Z. 5 Spr. als jnen sin küngklich gnad getruwet, so wil sin küngklich gnad —.
Von da an hat Sprenger am vollständigsten Folgendes:
Die von zürich, von raperswil vnd ander stett, grauf hug von montfort
maister sant johans orden in tütschen landen vnd andern.

It. der küng hatt ain treffenlich bottschaft zuo dem tag geschickt, koment
bis gen zürich, der bischof von lebant (?), mit jm ain doctor, her fridrich von
hochberg ritter, hainr. markschalk von pappenheim vnd andere.

---

4) 1. Dez. 5) Martini 11. Nov.

It. der küng hatt zuo dem selben tag geschriben allen namhaften stetten des hl. richs, die ouch uff der fart warent. Also schluog der bischof von costenz den tag uff bis uff mit vasten, vnd wurden also vil herren vnd stett uff dem tag gewent.

In disen tagen hatten die aidg. ain tag zuo beckenriet, vnd wurdent ouch da ganz ains was si uff dem tag tuon wöltin vnd nit anders.

It. si wolten mit der herschaft zuo kainen rechten komen weder für herren noch für stett, si wolten ouch nüt wider geben, als ir hie nach bass hören werden.

It. uff sunnentag letare⁶), was der nächst tag nach sant benedicten tag⁷) anno xliiij ward aber ain tag zuo baden von den vorgenanten partyen vnd vmb ir stöss gelaist von den richstetten: des ersten ougspurg, nürenberg, vlm, esslingen, rauenspurg, costanz, überlingen, lindow, st. gallen, schafhusen, rinfelden, cur, memingen vnd straussburg. Die stett warent da von beder tail wegen vnd solten das best in die sachen reden, vnd hören wer glimpf oder vnglimpf hette.

Diss sind der aidgenossen botten so uff dem tag ze baden gewesen sind: des ersten von bern her ruodolf hofmaister ritter vnd schulthaiss zuo bern, h. hainr. von buobenberg ritter, volrich von erlach, ruod. von ringeltingen *alias* zigerlin.

Von solotorn bernhart von malrain vnd hans hagen.

Von lucern peter von lütishoffen schulthaiss, burkhart sidler ammann, anthoni russ altschulthaiss, hans von wil.

Von vre hainr. arnolt amman, jost kess alt ammann.

Von switz reding amman zuo switz, wagner, gruober, joss böcl, wernli von ruffi.

Von vnderwalden clauss von rütti amman ab dem wald, walther zelger.

Amman von zug, amman spiler, amman hüsler.

Von glaris amman schiesser, netzstaler, jacob wanner.

Von basel her hans rott ritter, hans von louffen, ospernele zunftmaister.

Von wil im turgöw hans schwinger schulthaiss, hans murer.

Von appenzell amman schedler, der jung fässler, oculier, freuer (frener?).

Das sind die botten, die den aidg. von den stetten zuo geordnot sind: von ougspurg steffen hangener, von nürenberg hans keller, von costanz hans ruch, von überlingen volrich rösch, von schaufhusen hainr. barter, von sant gallen volrich säri, von rinfelden burkhart mäly.

It. diss sind die botten so von der herschaft von öst. vnd der von zürich vnd ander der herschaft stett wegen zuo baden uff dem tag gewesen sind: des ersten margrauf wilh. von hochberg der herschaft von österrich lantvogt, her wilh. von grünenherg ritter, her peter von mörsperg ritter, türing von halwil, wernher von stouffen, her · hainr. schwend ritter vnd vogt zuo kiburg, hans von geroltzeg, hans volrich von massmünster.

Von zürich probst zuo dem münster zür. der custor da selbs, her hainr. von sant annan, swartz murer burgermaister zürich. Hans brunner, der alt hans keller, estringer, volman trinkler, ruodi von kam, schriber.

Von raperswil: Haus senn schulthess, Hans vilinger, eberhart wüest statschriber.

Von winterthur höwdorffer, berger stattschriber.

Von friburg uss brissgöw schulthaiss vnd stattschriber.

Von louffenberg claus vnmuoss, burgermaister braitnower.

Von waldshuot spengler schulthaiss, hainr. not stein.

Von seckingen cuonrat rätz schulthaiss.

It. diss sind die botten so der herschaft vnd denen von zürich zuo geordnot vnd geben sind von den richstetten: des ersten von ougspurg volrich rächlinger, von nürenberg Berchtold von komer, von esslingen haldermann burgermaister, von costanz bercht. vogt, von schaufhausen cuonrat swager, von lindow mathias schneberg, von st. gallen volr. sum, von rinfelden claus haidr. Von memingen betz bürgermaister.

Diss herren, ritter nnd knecht sind ouch uff dem tag zuo baden gesin vnd hand da gehört glimpf vnd vnglimpf:

Des ersten von beden geselschaften der nidern vnd der obern die man nempt ritterschaft, grauf hainr. von lupfen, her burkhart von honburg ritter, her symon vom stain ritter, hans von rischach.

Der herschaft von wirtenberg rätt: her hainr. von ramstain ritter, her bernhart von rautberg ritter, her peter von friberg ritter, h. wolf von clingenstain ritter, h. diepolt guss ritter, h. cuonrat von wittingen, her berchtold vom stain ritter.

Grauf hainrich v. fürstenberg, bentelin von pfirt, hans ruodolf von landenberg, beringer von landenberg, hug von landenberg, hertegen von hünwil, grauf hug von montfort maister st. jo. ordens.

Diss sind die dar vnder getädingt vnd gerett hand:

Cardin&lis arlitensis, bischof ludwig marsiligensis vnd ander erwirdig herren uss dem concilio von basel.

It. bischof hainr. von hewen zuo costanz, mantz rogwiller vogt von margdorff der vicary von costanz, ainer von brandis, fridrich schriber, hans schriber.

Der bischoff von losen was uff dem selben tag von der herschaft v. saffoyg wegen.

It. der bischof von basel, sin official her hans zuo rin, sin tumherr zuo basel hans bernhart zuo rin.

It. von der herschaft von wirtenberg rät: her cuonrat von winttingen ritter, h. berchtold vom stain ritter, von straussburg her hans wirich ritter, claus schanlit ammeister, von vlm rümely echinger, von raffenspurg schellang.

It. also bott nun margrauf wilhelm den aidg. recht von des (sic) vnd der herschaft von öst. wegen als hie nach geschriben staut; aber die aidg. wolten kains rechten in gan weder gross noch clain, vnd wolten ouch kainen frid laussen machen weder kurz noch lang, vnd hatten dennocht des gehell von den richstetten, vnd schieden also von dem tag zuo baden.

Diss sind die rechtbott so margrauf wilhelm von hochberg lantvogt der herschaft von österrich uff selben tag zuo baden den aidg. gebotten haut von des römschen küngs wegen vnd von der herschaft von öst. wegen.

Vmb dass mengclich verstand dass wir margrauf wilh. von wegen vnsers allergnädigosten herren des römschen küngs vnd vnser gnädigen herschaft von österrich üchts anders denn glich vnd billich vngern fürnemen wölten, mainent denn die aidg. dass wir in dem alten oder nüwen friden üchts überfarn oder in den kriegen kainerlai misshandlot habint von anvang sölicher sachen bis vff disen tag, es berür oder treffe lib, ere oder guot, dehainerlai darin uss gelaussen, oder ob si den alten friden von anuang so wit nit, sunder allain sider dem zuo sagen des selben friden von beden partyen weren hie zuo baden beschechen, zuo erlütren oder zuo erclären, ob wir sidmauls ütz übervaren hetten, darumb wellen wir jnen die wil si doch mainend dem hailgen römschen rich zuo gehören, vor den hochwirdigen, durchlüchtigosten, hochgepornen fürsten vnd herren, erzbischof zuo mentz, zuo triel (trier), zuo cöln, vor dem pfallenzgrauf bim rin, als vor ainem vicarien des hailgen rö. richs, oder vor jeglichem weltlichem curfürsten oder jeglichem andren fürsten in tütschen landen, ouch vor ainem herrn von wirtenberg, welchem si wellend, vnd iren erbren rätten, die si darzuo nement oder beschaident, oder vor vnserm herrn von saffoy, der doch dero von bern vnd solotorn puntgnoss ist, in ainem vnuerdingten rechten tuon was wir jnen von eren vnd rechtens wegen zuo tuon pflichtig werdent, also doch dass si dess glich denen vnd da selbs ere vnd recht ouch tügint, vnd ain recht mit dem andren zuo gang vnd beschlossen werde, vngeuarlich, vnd was also im rechten erkant wirt nach zuo komen nach gelichen billichen dingen versichren vnd vertrösten, dass vns dess gelich dar vmb ouch gescheche. Ob jnen aber sölich obgerürt recht vneben gelegen oder uff zuo nemen were, so wöllen wir für des hailgen concilium botten vnd vnsers hailgen vatters des bapstes botschaften, vor vnsern herren den bischofen zuo costanz vnd zuo basel vnd vor der herren vnd stett botten, so jetz ze baden uff dem tag gemainlich vnder ougen sitzen, dess gelich in vorgeschribner mauss ere vnd recht zuo geben vnd zuo nemen, vnd das ain recht mit dem andren zuo volbringen, als vor staut, doch in solichen rechten, nach dem des landes gewonhait ist, brand, nam vnd todschläg hindan zuo setzen vnd ruowen zuo laussen, oder für zitlichen schaden zuo berichten. Were aber dass die aidg. oder jeman anders bedunkte, dass wir vns in den obgerürten stucken, allen vnd jeglichen, des ganzen vollen zuo ere vnd zuo recht zuo geben vnd zuo nemen nicht erbotten hettind, vnd dass wir vns me vnd witer enbieten söltind, dar vmb wellen wir für komen für die obgenanten herren vnd der herren vnd stett botten gemainlich oder der stett besunder, so da vnder ougen sitzent, oder für burgermaister vnd clain rätt diser nachgeschriben des richs stetten, namlich ougspurg, nürenberg, vlm, nördlingen, costanz, rauenspurg, überlingen, straussburg, colmar oder letzstatt (schletzstatt) an der selben enden ainen erkennen zuo laussen, ob wir vns witer vnd fürer erbieten söllent, vnd was vns da selbs erkent wirt, dem wöllen wir ouch gestracks nach komen vngevarlich. Sid wir vns so vollenclich zuo ere vnd zuo recht, als vor staut, erbotten habend, hoffen vnd getruwen wir, dass die von bern vnd solotorn den aidg. hilf vnd bistand nit tuon söllent noch tügent mengclich zuo bekennen. Ob aber die selben von bern vnd solodorn anders bedunken wölt, so wöllen wir vns darvmb vor den obgenanten stetten, ainer von jaen, rechtes wol benügen, zuo erkennen, ob si den obgenanten aidg. vber sölich gebott vnd recht hinfür bistendig vnd hilflich sin söllent oder nit[8]) —.

It. des ersten so bietten wir den aidg. vnbedingt recht zu haben vnd halten uff vnsern gnädigen herren den bischof von costanz, oder den bischof von basel, oder uff gemainer richstett botten, die zuo baden uff dem tag sind, si sigint bi vns von zürich, bi vnserm herren von costanz oder bi den aidgnossen.

Ob es jnen da nit eben were, so wellen wir sin komen uff ain diser nachgeschribnen stett: ougspurg, nürenberg, costanz, vlm, esslingen, biberach, rauenspurg, memingen, lindow, überlingen, sant gallen, schaufhusen, kempten, rotwil, cur, straussburg, colmar, letzstatt (schlettstatt), rinfelden, friburg in üchtland.

Ob aber die aidg. oder jeman meinten, dass wir noch nicht genuog getan hetten, so wöllen wir sin komen uff der herren vnd stett botten, so hie sind, vnd sich da laussen erkennen wo wir fürer hin bietten oder für komen söllent, vnd ouch dem also nachkomen vnd gnuog tuon.

Ob jnen das nit eben were, so wöllen wir mit jnen dar vmb für komen für diss obgenante stett, an welche si wollent, vnd was da bekent wird, dem genuog ze tuon[9]).

S. 335 Z. 14 v. u. lies *preesse* st. *preesa*.
„ 336 Note 444 lies Hü. und Sprenger.

---

8) Tschudi II. 409. 9) Es ist Zürichs Rechtsbieten. Tschudi II. 408.

Druck der Hofbuchdruckerei in Altenburg.
(H. A. Pierer).